LE ROMAN DE NOSTRADAMUS

LE PRÉCIPICE

DU MÊME AUTEUR

Le Roman de Nostradamus, Le Présage
Le Roman de Nostradamus, Le Piège

Dans la collection Rivages/Fantasy

Nicolas Eymerich, inquisiteur
Les Chaînes d'Eymerich
Le Corps et le Sang d'Eymerich
Le Mystère de l'Inquisiteur Eymerich

Dans la collection Payot SF

Fragments d'un miroir brisé, anthologie de science-fiction italienne présentée par Valerio Evangelisti

VALERIO EVANGELISTI

LE ROMAN DE NOSTRADAMUS

LE PRÉCIPICE

Traduit de l'italien par
Sophie Bajard

PAYOT

Ouvrage publié sous la direction de Doug Headline

Couverture : Andrea Falsetti

106, boulevard Saint-Germain – 75006 Paris

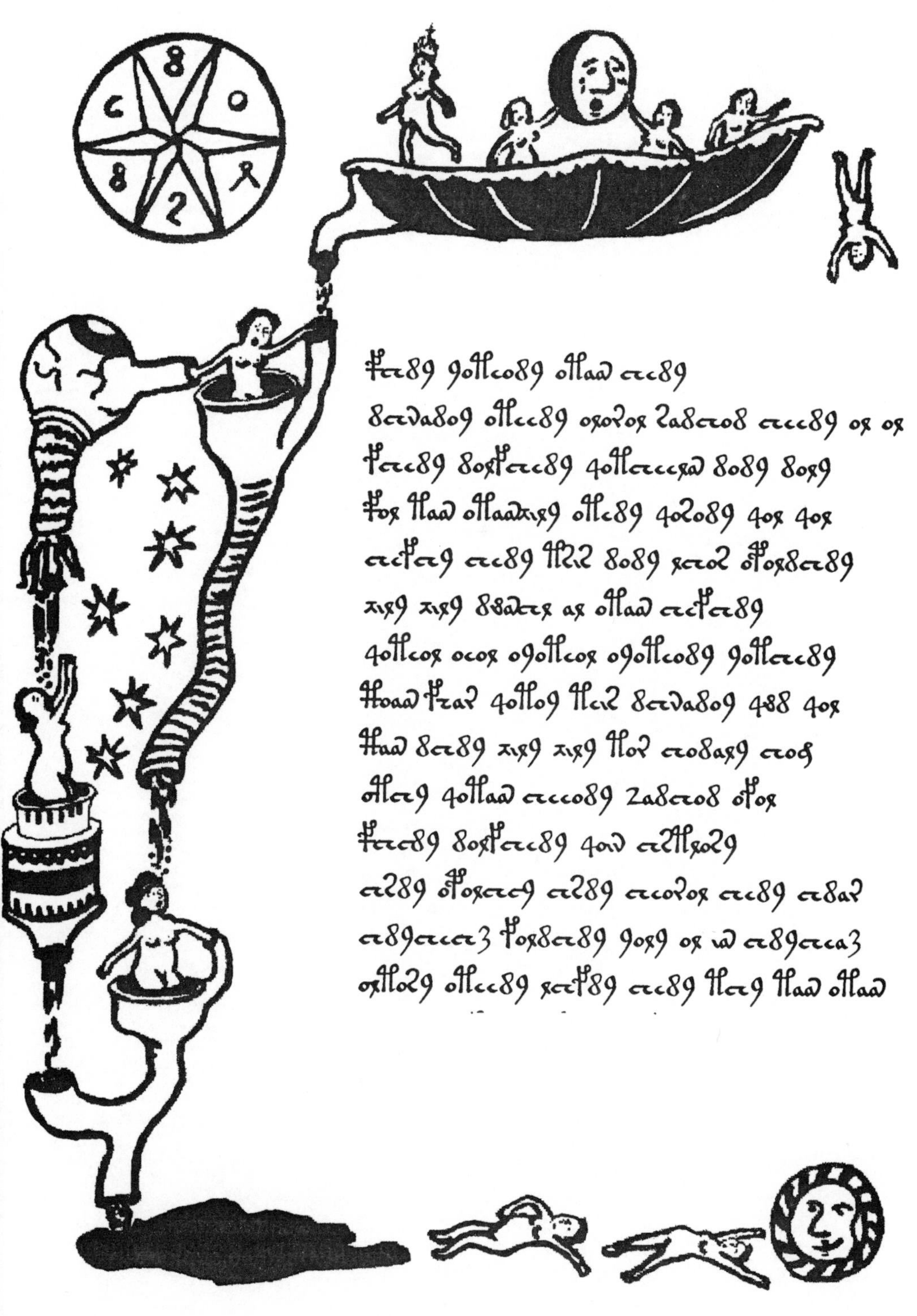

Arbor mirabilis, foglio 74 recto

Abrasax. L'absurde

« Le destin immuable n'existe pas ! cria le jeune prêtre. Le destin déterminé n'existe pas !

— C'est exact, répondit Ulrich. Mais il existe bien en revanche un destin que personne n'a la force de modifier. Parce qu'il requerrait une volonté partagée par tous, que l'égoïsme humain ne permet pas. »

Nostradamus s'aperçut avec effroi qu'il subissait encore l'attrait magnétique du vieux magicien: Le cosmos tout entier semblait en vérité le subir.

Les enfants monstrueux s'étaient couchés avec dévotion sur le sable, formant de leurs corps un gigantesque tapis de chair humaine, interrompu çà et là par la végétation et les écailles verdâtres des reptiles. L'étoile à cinq branches avait palpité quelque temps dans le ciel obscur, puis elle s'était vaporisée en un faible et plaisant éclair qui avait redonné au vide l'apparence du firmament. Seul le froid intense rappelait aux deux hommes et à la femme qu'ils se trouvaient encore sous l'emprise du délire.

Nostradamus aspira une bouffée d'air à l'arôme métallique. Il fixa Ulrich avec haine, essayant d'étouffer l'amour sans bornes qu'il éprouvait pour ce vieillard.

« C'est toi-même qui m'as révélé, dans la tombe du Triumvir, que le Roy d'effrayeur serait entravé par l'alliance entre ennemis. Les trois individus qui m'accompagnent en ce moment portaient autrefois un nom. Diego Domingo Molinas fut l'agent de l'Inquisition d'Espagne. Caterina Cybo-Varano, cette femme obsédée par la peur de la déchéance physique et la soif de

vengeance. Le père Michaelis, le jésuite qui détestait en moi l'idée d'un destin préordonné. Personne ne m'a plus haï qu'eux. Et pourtant, tu peux constater par toi-même qu'ils se tiennent aujourd'hui tous trois à mes côtés. »

Ulrich plissa les yeux, comme s'il tentait d'évoquer de lointains souvenirs. Le cosmos imita le mouvement de ses pupilles et parut se contracter à son tour. Une rafale de vent, engendrée par ce spasme, recouvrit de sable les échines des enfants, les dissimulant sous un désert ondoyant aux dunes frémissantes.

« Je me rappelle l'heure de ma mort, dit Ulrich. Tu avais avec toi deux compagnons de voyage, mais c'est seul que tu t'es laissé glisser dans le puits. Tu m'as trouvé allongé sur la dalle consacrée au triple dieu, et tu m'as posé des questions futiles.

— Futiles pour toi, répliqua Nostradamus. Je t'ai demandé des nouvelles de mon épouse, dont j'étais à la recherche.

— Et je t'ai répondu que je n'en savais rien et que, de toute façon, je ne m'intéressais pas aux femmes. Je me débattais alors avec la mort physique. Tu aurais trouvé ton épouse en un autre lieu. »

Nostradamus haussa les épaules, essayant de dominer le frisson que le souvenir de sa femme avait éveillé en lui.

« Il n'est nul besoin d'évoquer un passé si lointain. Comme tu le vois, j'ai relevé ton défi et j'ai triomphé. La loi de l'amour prévaut une fois de plus sur celle de la haine. C'est la première, et non la seconde, qui contrôlera le temps. »

Ulrich plissa les lèvres en un sourire faussement aimable et secoua la tête.

« Comme tu es naïf, Michel. Tes anciens ennemis ne te haïssent peut-être plus, mais ils ne t'en aiment pas davantage. Leurs pauvres cerveaux réunis ne parviendront pas à m'effrayer, ni à arrêter le Roy d'effrayeur. »

L'homme au manteau noir dressa un doigt.

« Inutile de tricher avec nous, sorcier, dit-il avec rancœur. Tu es ce Roy d'effrayeur, tout comme Satan, ton maître. »

À la seule mention de Satan, le vent se métamorphosa en une bourrasque glaciale, comme si le huitième ciel tout entier tremblait d'horreur. Les enfants monstrueux creusèrent frénétiquement dans les dunes et s'enfoncèrent plus profondément dans le sable, disparaissant à la vue. Au même moment, le visage de nouveau-né hébété de Parpalus apparut à nouveau dans le ciel, mais cette fois tout petit et distant. On aurait dit un astre à la surface ridée.

Ulrich ne prêta aucune attention à la scène. Il se borna à murmurer :

« Diego Domingo Molinas, vous avez décidément emporté votre bêtise avec vous jusque dans l'outre-tombe. Sur terre, le Roy d'effrayeur règne déjà, ou bien il régnera dans le futur, ou il a régné par le passé. Allons, cette énigme n'est pas si difficile à décrypter. Michel, aide donc ton stupide ami. Qui est capable d'inverser le cours de l'Histoire ? De laisser les hommes incertains de leur identité et de les faire régresser jusqu'à une folie primitive ?

— Je ne le sais pas, vraiment, répondit Nostradamus.

— Bien sûr que si, tu le sais. Tu en as parlé dans chacun de tes livres. Est-il possible que tu n'aies pas compris les vers que Parpalus te suggérait ? Il t'a donné son nom à de multiples reprises, et à de multiples reprises tu l'as retranscrit. »

Parpalus éclata au loin d'un rire mauvais qui fit se rider les voûtes translucides des huit cieux et des trois cent soixante-cinq éons de l'Abrasax. Nostradamus réfléchit avec intensité, puis fit un geste d'impuissance.

« Je ne comprends pas », murmura-t-il, déconfit.

Ulrich ricana.

« D'accord, je vais te mettre sur le droit chemin : pense aux quatre cavaliers de l'Apocalypse. Quel est le deuxième d'entre eux ? C'est lui le responsable de la régression et de la folie. »

Immédiatement, Nostradamus comprit. Il allait répondre quand soudain l'absurde se présenta à lui. Ses yeux s'emplirent d'images angoissantes et effroyables. Il entendit les seize sabots de gigantesques chevaux, masqués par l'ombre, marteler l'obscurité : le premier avait une robe blanche, le deuxième griotte, le troisième noir jais, et le dernier aubère. Des épées d'or, étincelantes de reflets vermillon, furent brandies dans le ciel. Des cuirasses faites de côtes humaines serties dans le métal grincèrent et tressautèrent. Sous les visières de casques stupéfiants, des cavités rougeâtres aux pupilles vides brillèrent dans des visages de ténèbres.

Un chœur de hurlements s'éleva de tous côtés, tonitruant et terrifiant. L'absurde dominait l'univers, et avec lui la peur.

L'armée de Dieu

Cet automne 1555 à Rome se montrait exceptionnellement doux et un soleil resplendissant réchauffait la ville, prolongeant l'été. Les premiers incommodés étaient les quartiers populaires, où s'imbriquaient et s'amoncelaient les uns sur les autres des édifices noirâtres et décrépits, qui avaient en commun, outre la misère, escaliers, coursives et cours privées d'air. L'absence de pluie permettait aux miasmes des ruelles, envahies d'excréments et de tas d'ordures, si hauts parfois qu'ils en rendaient le passage difficile, de se répandre. L'air méphitique n'épargnait pas les palais nobiliaires qui, au lieu de se dresser isolément comme dans d'autres villes européennes, s'encastraient dans l'enchevêtrement des masures et partageaient la bruyante proximité des domestiques.

De ce soleil hors saison profitaient en revanche les jardins seigneuriaux séparés du cœur de la Ville éternelle par les murs d'enceinte. Tel était en particulier le cas des jardins du Vatican, silencieux et intimes. L'absence prolongée d'eau avait quelque peu jauni les feuilles des arbres et l'herbe des prés, mais se promener le long des allées était une promesse de fraîcheur et de fragrances diverses. Pour cette raison, de nombreux prélats préféraient abandonner leurs propres palais et, dès le petit matin, partir traiter leurs affaires à l'ombre des bâtiments pontificaux.

Parfois, s'il s'agissait de cardinaux, étaient-ils coiffés d'un large chapeau de soie pourpre, agrémenté de pompons blancs, pareil à un parasol. C'était précisément un couvre-chef de ce type que portait, en cette matinée de fin septembre, un prélat fort jeune eu égard à sa charge, qui tenait bras dessus, bras dessous un prêtre du même âge aux longs cheveux blonds, entièrement vêtu de noir. Deux esclaves turcs les suivaient à distance.

« C'est la première fois que je rencontre un ancien dominicain passé à la Compagnie de Jésus, dit le cardinal Alexandre Farnèse à son compagnon, sur le ton vaniteux qui lui était apparemment familier. Je vous avoue, père Michaelis, que je n'aurais pour ma part jamais rien autorisé de semblable. Il ne fait aucun doute que le cardinal de Tournon a des vues plus larges que les miennes. »

Sébastien Michaelis releva le jugement sévère caché derrière la phrase, mais n'y prêta pas attention.

« Son Éminence de Tournon a compris mes motivations, se borna-t-il à répliquer.

— Et quelles sont-elles ?

— Il m'est impossible de vous les résumer en quelques mots. Mais elles trouvent essentiellement leur origine dans cette observation : les dominicains ignorent tout du calvinisme ou du luthéranisme, et s'obstinent à les considérer comme une variante des hérésies des siècles précédents. Ils affrontent les prétendus réformés avec cette même brutalité qu'ils réservaient autrefois aux cathares ou aux frères du libre esprit.

— Et les jésuites, en revanche ?

— Ils sont conscients d'avoir affaire à un phénomène nouveau, contre lequel il est nécessaire de lutter avec des armes appropriées. Ce n'est pas un hasard si Ignace de Loyola a servi comme officier sous les ordres du roi d'Espagne. Ces prétendus réformés constituent un danger d'une importance tout à fait inhabituelle, qu'il faut éradiquer à l'aide d'une stratégie de conquête. »

Alexandre Farnèse fronça les sourcils.

« Ma foi, en termes de violence, si nous pouvons appeler ainsi votre stratégie par souci de simplification, les dominicains n'ont rien à envier aux autres. Voilà trois siècles qu'ils contrôlent l'Inquisition. Il est vrai qu'ils sont secondés par les franciscains, mais ils y ont résolument imprimé leur marque. *Domini canes* : les mâtins de Dieu.

— Les mâtins ? Non, je dirais plutôt les dalmatiens. Blancs et noirs à la fois. » Le père Michaelis plissa ses yeux bleus. « Lorsque je parlais tout à l'heure de conquête, j'évoquais plutôt celle des consciences. J'ai moi aussi été longtemps inquisiteur, aux côtés de Mathieu Ory, le chef du Saint-Office de Lyon. J'ai vu pratiquer, et j'ai pratiqué moi-même, une brutalité obtuse. Selon moi, le moment est venu d'adopter une autre attitude. Nous devons employer l'éducation et la culture au lieu de la contrainte dogmatique, la subtilité au lieu de la force. Si l'Inquisition était aux mains des jésuites, elle ne serait pas cet instrument inutilisable qu'elle est devenue aujourd'hui. »

Le cardinal soupira.

« J'en suis convaincu. Mais il n'est pas si facile d'arracher le Saint-Office aux ordres prédicateurs. » Il fit un geste ample. « Nous sommes en effet confrontés à un dispositif confus et obsolète. Le tableau qu'il offre de lui-même est tout à fait désolant. L'Inquisition d'Espagne est avant tout devenue un instrument de la volonté impériale, celle de Rome étant depuis longtemps laminée, tandis que les tribunaux des régions catholiques d'Allemagne restent obsédés par la chasse aux sorcières et négligent l'ennemi qui ronge leur pays en son sein. »

Le père Michaelis approuva.

« Vous avez parfaitement raison. Mais les jésuites sont précisément cette force nouvelle et aguerrie dont l'Église dispose. Convenez-en, Éminence. Ils feraient d'excellents inquisiteurs.

— Oui, peut-être. Cependant, si je ne m'abuse, c'est bien ce même Ignace de Loyola qui refuse de voir ses hommes intégrer le Saint-Office.

— C'est exact, admit le père Michaelis. Mais toute règle comporte des exceptions. Ignace de Loyola ne s'oppose pas à ce que de simples jésuites, dans le cadre de circonstances exceptionnelles, rejoignent les rangs de l'Inquisition. À Rome, par exemple, et partout où plane la menace calviniste. »

Alexandre Farnèse esquissa un sourire.

« Je parie que vous faites allusion à la France.

— Oui, Illustrissime, répondit Michaelis, sans se donner la peine de nier. Mathieu Ory incarne le passé, et désormais il se fait vieux. Je suis convaincu que seul un jésuite pourrait lui succéder dignement.

— Vous, par exemple. »

Michaelis nota le ton sarcastique du cardinal, mais ne s'en offensa pas. Il ajouta au contraire :

« En France, le parti huguenot devient chaque jour plus puissant. Des bandes bien organisées d'iconoclastes profanent les images sacrées et parfois même les détruisent. À Paris, l'Église calviniste a prononcé sa naissance officielle. C'est la troisième proclamation en ce sens depuis celles de Strasbourg et de Meaux. Il ne serait guère étonnant que Lyon suive sous peu cet exemple. »

Alexandre Farnèse allait lui répondre quand l'un des esclaves, un Arabe barbu de haute stature, à la physionomie intelligente, s'approcha d'eux et leur adressa une rapide révérence.

« Pardonnez-moi, Illustrissime, mais je vois un camérier du pape qui fait des signes dans notre direction. Peut-être le pontife désire-t-il s'entretenir avec vous. »

Le cardinal plissa le front. Il aperçut en effet, sur le seuil d'un des accès aux appartements de Paul IV, un petit bonhomme vêtu de noir en train de gesticuler.

« Quel impudent, murmura-t-il. La bureaucratie vaticane se croit tout permis. Au point qu'un simple camérier ose m'adresser des gestes grossiers, au lieu de venir personnellement m'avertir. » Il se tourna vers son esclave : « Va dire à cet homme que j'arrive tout de suite. Et ordonne-lui de se présenter à cinq heures cet après-midi à mon palais où il sera bastonné comme il le mérite. »

L'esclave, impassible, s'inclina et partit en courant. Le père Michaelis demeura favorablement impressionné par le ton sans appel d'Alexandre Farnèse. La fatuité apparente du prélat, son aspect juvénile et ses manières presque efféminées devaient cacher un tempérament hors du commun.

Le cardinal adopta de nouveau une attitude cordiale.

« Je dois malheureusement vous laisser, père Michaelis. J'ai compris ce que vous attendiez de moi et ferai tout mon possible pour vous satisfaire. Mais pour que l'Inquisition française tombe entre les mains des jésuites, il faudrait un succès éclatant contre les hérétiques, qui puisse convaincre le pape de se passer des dominicains.

— Un succès ? Quel genre de succès ?

— Vous devez y réfléchir par vous-même, répondit Alexandre Farnèse. Je peux seulement vous suggérer un nom : Piero Carnesecchi. »

Michaelis fronça les sourcils.

« C'est un nom que j'ai déjà entendu, mais je ne me souviens pas dans quelles circonstances. Pourriez-vous me fournir quelque indice, Éminence ? »

Le cardinal secoua joyeusement la tête.

« Non, non, je n'en ai pas le temps. Vous devrez trouver vos renseignements tout seul. Du reste, la Compagnie de Jésus a la réputation de savoir recueillir des informations. Prouvez-le. » Sur ces entrefaites, il s'éloigna à grandes enjambées.

Le père Michaelis, tout en se redressant, observa le prélat qui pénétrait dans l'édifice. Le camérier se prosterna devant lui et joignit les mains en signe de prière, mais Alexandre Farnèse le dépassa sans même lui jeter un regard, suivi par son esclave. Michaelis éprouva aussitôt pour le cardinal un sentiment de profonde estime.

Il s'engagea dans une allée qui menait à la sortie, saluant quelques religieux quand l'occasion se présentait. Le nom de Piero Carnesecchi continuait à résonner au creux de ses oreilles. Son esprit l'associait, Dieu sait pour quelle raison, à Pietro Gelido, le moine devenu calviniste, mort à Milan quelques mois plus tôt. Michaelis fit une grimace involontaire. Gelido avait été l'un des principaux représentants du parti huguenot de Lyon. Le mystérieux Carnesecchi était peut-être affilié à ce même parti. Il le reliait à l'une des rares sentences d'absolution prononcées par le Saint-Office. Mais il était inutile de se creuser la cervelle. Il trouverait tous les renseignements qu'il cherchait au siège romain des jésuites.

Il traversa des ruelles fétides et des labyrinthes d'habitations crasseuses et obscures, d'où pendaient des draps de couleur douteuse attendant d'être séchés par la canicule. Rome était une ville qui ne s'efforçait pas de cacher ses propres plaies. À chaque coin de rue, des cohortes de mendiants tendaient la main, égrenant des refrains dissonants, se retranchant derrière un silence humilié ou proposant d'improbables services, le plus souvent illégaux. Mais entre misérables et puissants il existait une sorte de complicité tacite, comme si les uns et les autres avaient conscience de partager un état d'esprit commun, source d'avantages pour chacune des deux parties. Les nobles dispensaient généreusement des aumônes et ne ressentaient aucune honte à recevoir dans leurs palais meneurs du peuple et figures caractéristiques de la rue. Les pauvres, de leur côté, ne s'étonnaient pas de voir, le soir, une foule de prélats et de gentilshommes de haut lignage rendre visite aux demeures, non seulement des courtisanes les plus réputées, mais également des prostituées de tavernes. Il régnait une tolérance générale, non dénuée d'ironie, pour les faiblesses humaines, tout à fait contraire à l'esprit calviniste. Ce qui rendait Rome imperméable à l'influence des réformés.

Michaelis était conscient de la particularité de ce climat. Il ne pouvait l'approuver, mais il sentait qu'il constituait le terrain idéal pour que la Compagnie de Jésus puisse croître et prospérer. Les jésuites interprétaient le concept de « Trinité », fondamental dans leur théologie, comme la faculté de Dieu de se projeter hors de lui-même et de rejoindre l'homme dans sa sphère, fusionnant avec elle. Pareil concept était étranger aux dominicains, qui entretenaient une théorie de la prédestination presque identique dans sa rigidité à celle des luthériens et des calvinistes. Pour eux, l'être humain avait été placé entre les mains de Dieu, et de Lui dépendait entièrement son destin après sa mort. Les jésuites, au contraire, insistaient sur le libre arbitre, c'est-à-dire sur l'autonomie des hommes à choisir le salut ou la perdition.

Cette croyance permettait aux disciples d'Ignace de Loyola d'intervenir dans les affaires de ce monde sans craindre de se salir les mains et sans chercher à imposer par la force leurs propres idéaux à la réalité. Seule une prise de conscience intérieure, guidée par des religieux capables de vivre l'existence quotidienne de leurs frères et de les conduire au salut, et non une contrition extérieure, permettrait de purifier le monde réel. Même si cette conception signifiait pour les jésuites toucher du doigt le péché mortel et le commettre éventuellement dans le but de faire le bien.

Le collège romain vers lequel Michaelis dirigeait ses pas avait été fondé quatre ans auparavant par Ignace en personne. En théorie, il avait pour vocation d'être une école d'une grande sévérité, réservée aux aspirants jésuites, capable de mouler des hommes de fer, voués à l'obéissance absolue. En pratique, la rigueur et le caractère exhaustif de ses enseignements avaient fasciné la noblesse de l'Urbs, qui avait tenté par tous les moyens d'y faire rentrer ses rejetons. Après quelques hésitations, Ignace y avait consenti. Les origines mêmes de la Compagnie l'incitaient à s'ouvrir au monde extérieur. D'autant plus s'il s'agissait de former des individus destinés à exercer une influence et un pouvoir indéniables. Leur inculquer sa conception du christianisme équivalait à étendre la puissance de l'ordre.

Le collège romain, de même que le collège germanique né peu de temps après, était hébergé dans un vaste édifice à la façade sobre, doté d'un portail privé d'ornements superflus. Michaelis le trouva fermé et sonna. Il avait encore la main sur la chaînette qui retenait la cloche quand le judas fut actionné. Il comprit qu'un œil soupçonneux l'observait. Tout de suite après, l'un des battants du grand portail s'ouvrit. Un confrère aux cheveux blancs et clairsemés l'invita à entrer. Il paraissait fort troublé.

« Père Michaelis, vous arrivez à temps ! Ignace a dû de nouveau s'aliter ! Il est victime d'une crise beaucoup plus grave que les autres !

— Quelqu'un s'est-il porté à son chevet ? »

Le vieux jésuite secoua la tête.

« Pour le moment, non. Il ne désire la présence d'aucun visiteur, à part Diego Laínez, qui se rend auprès de lui dès qu'il le peut. Mais je suis sûr qu'Ignace vous recevra. Depuis que vous êtes entré dans la Compagnie, il vous considère comme un fils. »

Ces paroles flattèrent Michaelis. Il avait déjà eu l'occasion de constater la sympathie qu'Ignace de Loyola, fondateur et premier général de la Compagnie de Jésus, éprouvait à son égard. Passer de l'ordre dominicain à celui des jésuites était bien plus que l'expression d'une simple préférence concernant leur organisation réciproque : elle signifiait opter pour une hypothèse théologique plutôt que pour une autre, et rechercher une forme de prédication différente. Un choix de vie, en somme.

Le vieillard le précéda à travers un vestibule qui menait à la cour intérieure, puis le long des marches de l'un des deux escaliers conduisant au premier étage. Tous les religieux et les étudiants qu'ils croisèrent arboraient un air triste et conversaient entre eux à voix basse. L'agonie d'Ignace, qui se prolongeait désormais depuis un an, affligeait profondément l'ensemble de la Compagnie. Tous les jésuites sans exception éprouvaient pour leur général une affection profonde, presque filiale. Cette même affection, faite de confiance aveugle, que tant de mercenaires réservaient à leurs capitaines. Une partie de ce sentiment se transmettait même aux jeunes disciples, si fiers d'appartenir au collège qu'ils semblaient exempts de nombre des passions typiques de leur âge.

À la porte de la modeste cellule occupée par le maître, Michaelis tomba sur Jérôme Nadal, nommé il y a quelques mois général vicaire. C'était un solide gaillard, très différent du raffiné et subtil père Laínez, l'autre dauphin. Il serrait entre ses gros doigts un livre épais, quoique de petit format.

« Vous voilà enfin, père Michaelis ! s'exclama-t-il en français. J'allais envoyer quelqu'un vous chercher. Je dois vous entretenir de questions d'une grande gravité.

— Je souhaiterais d'abord saluer Ignace, s'il se trouve en condition de me donner audience.

— Oh, bien entendu. Je vous annonce. »

Le vieux jésuite entra le premier dans la pièce. Il en ressortit un instant plus tard.

« Entrez, père Michaelis, murmura-t-il. Mais ne restez pas trop longtemps. Le général a besoin de repos. »

Un peu ému, Michaelis se présenta sur le seuil de la cellule. Une odeur désagréable, où se mêlaient humidité et sueur, agressa ses narines. Il n'y prêta aucune attention et embrassa la pièce des yeux. Il lui fallut quelques instants pour habituer sa vue à la demi-obscurité, quelque peu atténuée par une unique chandelle, allumée devant un Christ crucifié qui écartait ses bras squelettiques sur le mur nu.

Ignace de Loyola était presque entièrement dissimulé par les couvertures, tirées jusque sous son menton. Sous la pièce de tissu, on devinait un corps maigre et fragile, parcouru de fréquents frissons. Mais le visage osseux de l'Espagnol, dans lequel perçaient, sous un front exceptionnellement vaste, deux yeux creux perpétuellement fébriles, conservait son expression caractéristique, dure et déterminée. Seule la pâleur des lèvres fines, sur lesquelles tombaient de longues moustaches, témoignait de la souffrance causée par la maladie. Celles-ci, ainsi qu'une courte barbiche, étaient précisément le seul souvenir qu'Ignace de Loyola avait conservé d'un passé désormais révolu de gentilhomme d'Espagne, accoutumé aux guerres et aux duels.

Michaelis courut s'agenouiller à côté du lit. Il tenta de saisir la main diaphane du général, mais ce dernier la retira pour lui faire signe de se relever. Puis il lui sourit avec une chaleur tout à fait inattendue.

« Merci d'être venu me trouver, mon fils, murmura Ignace dans un parfait français. Comme tu le vois, je ne vais pas tarder à quitter ce monde. » Il leva légèrement la main droite comme pour prévenir toute objection possible. « J'en suis parfaitement conscient et n'éprouve aucune peur. La seule chose que je redoute est que ma modeste contribution au service de Dieu reste inachevée. Pouvoir constater que mon héritage sera recueilli par des hommes de ta trempe m'est d'un grand secours. »

Michaelis fut flatté par le compliment mais essaya d'étouffer ce péché d'orgueil. Il y parvint et parla avec une modestie sincère :

« Vous m'embarrassez, maître. Je ne possède aucun mérite particulier, et les rares vertus dont je peux me vanter ne sont qu'un reflet de la lueur qui émane de vous. De vous et de toute la Compagnie.

— Toute lueur provient de Dieu », répondit Ignace avec un sourire fatigué. Des gouttes de sueur perlaient sur son crâne : articuler devait lui être pénible. « Nous n'avons pas beaucoup de temps, et je dois m'entretenir avec toi d'une question sérieuse. Je me suis laissé dire que tu aspires à diriger l'Inquisition de France, en la retirant aux dominicains, malgré le fait que notre Compagnie n'ait guère témoigné d'affection pour cette institution et qu'elle s'efforce de n'y prendre part que lors de circonstances exceptionnelles. »

Michaelis tressaillit. Il était sur le point d'interroger le malade pour connaître le nom de son informateur, mais par chance il réussit à tenir sa langue. Il se traita d'imbécile : tous les jésuites rédigeaient des rapports sur eux-mêmes et leurs propres confrères. Non par esprit de délation, mais parce qu'il était juste que le général fût constamment informé sur l'état de santé de sa compagnie. L'armée de Dieu devait être un seul et même organisme, dont toutes les composantes respiraient à l'unisson.

Ignace parut deviner ses pensées, car son sourire s'élargit un peu.

« N'aie crainte, je sais pertinemment que tu n'es pas poussé par ton ambition personnelle. Quand tu étais dominicain, tu étais déjà inquisiteur, et tôt ou tard tu aurais pris la place de Mathieu Ory. Ma préoccupation est tout autre : crois-tu vraiment qu'il soit nécessaire que notre Compagnie prenne les rênes de la sainte Inquisition en France ? »

Michaelis réfléchit brièvement. Puis il dit avec une profonde sincérité :

« Oui, je le crois. La France est le pays le plus directement menacé par les partisans de la prétendue Réforme. Le nombre des huguenots augmente de jour en jour, et la Couronne ne réussit pas à freiner leurs abus de pouvoir. L'Inquisition dominicaine et franciscaine croit pouvoir les contraindre par la violence, alors qu'elle ne fait qu'alimenter leurs revendications blasphématoires. Il faudrait un Saint-Office dévoué à la prévention et à l'éducation. Or, seuls nous autres jésuites cultivons ces concepts. »

Ignace, redevenu sérieux, approuva.

« C'est vrai. Bien, si telle est la volonté de Dieu, je t'autorise à tenter l'entreprise. De mon côté, j'essaierai de faire entendre ma faible voix auprès de Sa Sainteté. Nous avons la double fortune d'avoir élu un pape autrefois inquisiteur et issu de cet ordre des théatins qui possède tant d'affinités avec le nôtre. » Un accès de toux, sèche et mauvaise, le contraignit à s'interrompre.

Michaelis profita de cette pause pour porter à ses lèvres la main du malade et la baiser avec dévotion.

« Merci, mon père », murmura-t-il.

Ignace accepta l'hommage, puis retira ses doigts et lui donna congé d'un geste affectueux.

« Va, mon fils. Sois impitoyable avec tous ceux qui menacent l'Église, mais n'oublie jamais que notre fin est l'amour. Si un jour la haine prévaut en toi, tu te perdras toi-même et tu compromettras notre cause. Mais je sais que tu sauras contrôler tes passions.

— N'en doutez pas, mon père », répondit Michaelis en se redressant.

Lorsqu'il sortit de la pièce, il avait les larmes aux yeux. Il avait complètement oublié Jérôme Nadal, qui, lui, ne l'avait pas oublié. Il s'approcha de lui avec son habituel air bourru.

« Père Michaelis, j'imagine que vous allez retourner en France, n'est-ce pas ? »

Michaelis essuya en hâte ses cils du revers de la main.

« Oui, j'ai une mission à accomplir.

— Je suis au courant. Mais je dois cependant vous charger d'une tâche supplémentaire. J'espère que vous ne la jugerez pas superflue. »

Michaelis, surpris, écarquilla les yeux.

« De quoi s'agit-il ? »

Au lieu de répondre directement, Nadal dit, presque avec rage :

« Vous savez mieux que moi que ce qui nous différencie le plus des dominicains est ce que nous appelons le *jugement de Dieu*, c'est-à-dire, dans la pratique, la doctrine de la prédestination. Ces derniers croient que le destin de chaque individu est entièrement dessiné par la volonté divine. Nous pensons en revanche que cette croyance se rapproche un peu trop des thèses luthériennes et calvinistes.

— Il est inutile de me le rappeler.

— Bien au contraire. » Nadal montra le livre qu'il serrait entre ses doigts. « Depuis des décennies, désormais, pullulent dans toute l'Europe des opuscules d'oracles et de prophéties qui affirment pouvoir prédire en détail le futur, comme s'il était déjà écrit. Vous en avez certainement été informé. »

Michaelis haussa les épaules, sans chercher à cacher son impatience.

« Oui, et alors ? Ce ne sont que tissus de sottises, qui visent à flatter la crédulité populaire.

— Je vous croyais plus perspicace, dit Nadal, vaguement sardonique. Vous ne comprenez donc pas ? Des écrits de ce type accréditent la théorie de la prédestination, que nous combattons. Pis encore, ils la font partager à la plèbe. Cela vous paraîtra peut-être exagéré, mais selon moi les thèses des luthériens pénètrent parmi le peuple grâce également à ce genre de littérature, que l'on vend à chaque coin de rue. »

Michaelis fut troublé par cette observation, mais il ne s'avoua pas vaincu. Il rétorqua d'un air sceptique :

« Vous parlez de torchons à bas prix, rédigés par des profiteurs. Le peuple s'amuse à jouer le jeu, mais il est parfaitement conscient du caractère de ces écrits.

— Peut-être, toutefois il existe une exception. Celle-ci. » Nadal tapota son index boudiné sur le livre qu'il tenait en mains. Il consulta le frontispice. « Ces prophéties ont été rédigées par un dénommé… — il aiguisa sa vue — Nostradamus. Elles connaissent un incroyable succès. Deux éditions ont déjà été imprimées en quelques mois et de nombreuses traductions sont d'ores et déjà prévues. Cet ouvrage est populaire jusqu'à la cour de France. Pensez à ce qu'il adviendrait si la négation du libre arbitre contaminait Catherine de Médicis, qui subit déjà l'influence de magiciens et d'astrologues. Ou, pis, si elle venait à séduire son époux. Ce serait la porte ouverte à l'influence des huguenots dans l'un des plus grands royaumes chrétiens. »

Michaelis, troublé, approuva.

« Je vois, murmura-t-il. Au cours de ces dernières années j'ai déjà entendu parler de ce Nostradamus, dit encore Michel de Nostre-Dame. Mais que puis-je faire pour endiguer ce mouvement ?

— Pour l'instant, peut-être rien. Toutefois, je sais que vous aspirez à prendre la direction du Saint-Office de France. Si vous y parvenez, je vous recommande de consacrer une partie de votre énergie à combattre Nostradamus et les autres sorciers. Il serait paradoxal que les thèses que nous combattons avec tant d'âpreté au concile de Trente, en défiant la puissance des dominicains, se répandent parmi la plèbe et touchent jusqu'aux souverains d'au-delà des Alpes. »

Michaelis comprit que les membres vigoureux et les manières presque brutales de Nadal cachaient en vérité une acuité d'esprit hors du commun. Il aurait dû le deviner, vu qu'il s'agissait en l'occurrence du vicaire d'Ignace. Il baissa la tête avec humilité.

« Vous avez raison. Je vous assure que dès j'en aurai la possibilité je combattrai Nostradamus de toutes mes forces. » Il leva les yeux. « Puis-je vous poser une question, mon père ?

— Certainement. Demandez.

— Avez-vous jamais entendu parler d'un dénommé Carnesecchi ? Piero Carnesecchi, un Florentin je crois... »

Le vicaire rit.

« Si j'en ai entendu parler ? Et comment ! » Il prit amicalement Michaelis par le bras. « Venez que je vous parle un peu de cette crapule. Et du plus grave échec subi par les inquisiteurs dominicains. »

L'araignée de feu

L'élégant carrosse qui arborait les armoiries du comte de Tende, gouverneur de la Provence, déboucha dans une rue large, quoique mal entretenue, flanquée d'édifices bourgeois. Le cocher fit ralentir les chevaux et se pencha vers l'habitacle.

« Vous trouverez ici quantité d'hôtels, cria-t-il, un peu exaspéré par la longue course. Le meilleur est celui que vous avez en face de vous, l'auberge Saint-Michel. Il porte le même nom que vous. Pensez-vous qu'il puisse vous convenir ? »

Michel de Nostre-Dame s'était assoupi, malgré la douleur qui lui tenaillait les jambes. Le fait d'être arraché au sommeil et de retrouver la sensation des élancements l'énerva prodigieusement. Il passa la tête à travers le fenestron et observa d'un air courroucé la rangée de bâtisses abritant presque toutes des auberges. Celle qui leur faisait face paraissait en effet moins sordide que les autres.

« Ça ira, dit-il à voix haute. Je m'arrête ici. J'ignore si c'est à cause de son nom, mais ce taudis me paraît plus acceptable que ceux qu'il m'a été donné de voir jusqu'à présent. J'opte donc pour celui-là. Maintenant, aide-moi à descendre. »

Le cocher se laissa glisser de son siège, ouvrit la portière et soutint Michel par les aisselles. Celui-ci émit un gémissement, mais réussit tant bien que mal à poser le pied sur le sol.

L'homme contourna alors le véhicule par l'arrière, s'empara de la petite malle qui contenait les effets du voyageur et, la tenant par les deux anses, se dirigea lentement vers l'auberge.

« Pas même un domestique pour venir s'occuper des

chevaux et vous prendre vos bagages ! maugréa-t-il. On voit bien que nous sommes à Paris.

— Tu as raison, dit Michel qui le suivait en boitillant. Mais je n'ai pas le courage de partir à la recherche d'autres hôtels. Ils sont tous soit trop chers, soit pires que celui-là. »

Michel n'était pas le moins du monde ravi de se retrouver dans la capitale. Après le rite qui avait provoqué la provisoire défaite d'Ulrich de Mayence, Jumelle était tombée enceinte. Aussi aurait-il préféré demeurer à ses côtés. Il éprouvait également quelque nostalgie à la pensée des cris joyeux du petit César, qu'il adorait. Malgré l'urgence imposée par le messager de la cour et les sollicitations de Jean Fernel, il avait différé son voyage aussi longtemps qu'il l'avait pu. Mais l'intervention du comte de Tende, Claude de Savoie, l'homme le plus puissant de la Provence, l'avait contraint de se mettre en route. Ironie du sort, une violente attaque de goutte — il était certain désormais qu'il s'agissait bien de goutte — l'avait assailli à peine s'était-il éloigné de Salon.

Paris lui avait fait mauvaise impression. Surtout à cause de son climat : le ciel provençal, limpide et pur, avait cédé la place à un horizon souvent nuageux et tout sauf estival, bien qu'on fût en juillet. En outre, la ville lui avait paru chaotique, bruyante, remplie de mendiants et, soupçonnait-il, de malandrins. Il avait cherché un logement du côté du Châtelet, supposant que la présence du corps de police municipal rendrait le quartier plus sûr. Il avait dû constater qu'il s'était lourdement trompé : tout autour de la tour qui abritait les gens d'armes, ainsi que l'une des nombreuses prisons parisiennes, se pressait une inquiétante faune humaine. Les hôtels étaient pour la plupart des masures aussi sûres qu'un carrefour dans les bas-fonds, excepté ceux qui exigeaient pour une nuit le salaire d'un mois de travail. À cette situation déplorable s'ajoutaient la saleté, les bagarres dans les rues, un langage grossier et une insolence générale. C'est tout au moins ainsi que Michel percevait la capitale, habitué qu'il était aux bourgs coquets et aux douces plaines provençales, où la couleur dorée des céréales se fondait dans le vert foncé des oliviers.

Dans le vestibule de l'auberge, le cocher posa la malle sur le sol et prit congé.

« Monseigneur le comte de Tende m'a donné des instructions pour l'aller, mais non pour le retour. Quand souhaitez-vous que je repasse vous prendre ? »

Michel haussa les épaules.

« Je l'ignore, vraiment. Mais ne te soucie pas de moi. Je prendrai un carrosse public.

— Alors je vous souhaite un bon séjour et un agréable retour. » Le cocher salua et sortit en hâte, comme s'il craignait d'être rappelé.

Michel regarda autour de lui. Le rez-de-chaussée de l'auberge ressemblait à une taverne, avec de longues tables en bois et un plafond à poutres mal jointes, noircies par la fumée. L'hôtelier, secondé par une aguichante serveuse, versait du vin à l'unique client présent dans la salle. Ce dernier, un jeune homme aux cheveux longs qui tournait le dos à Michel, portait des habits de soie jaune, richement brodés, dignes d'un aristocrate. Seule son assiette semblait l'intéresser.

Dès qu'il se fut rendu libre, l'hôtelier accourut vers le nouveau venu. Il s'essuya les mains sur un tablier qui, dans un passé lointain, avait dû être blanc, puis demanda :

« Que désirez-vous, messire ? Passer la nuit ? Vous mettre quelque chose sous la dent ? Nous pouvons vous offrir l'un ou l'autre.

— Et je désirerais l'un et l'autre, répondit Michel. Combien demandez-vous pour la nuit ? »

L'aubergiste lui murmura un chiffre décidément exorbitant. Michel tressaillit.

« Vous plaisantez ? Je crains de devoir faire halte pour quelques jours. Où trouverais-je autant d'argent pour vous payer ?

— Ce sont vos affaires. Ici, on ne marchande pas », répondit l'hôtelier avec dureté. Il dévisagea son interlocuteur. « Vous avez probablement remarqué que cette rue regorge d'hôtels. Chacun d'eux peut vous offrir, à un prix plus raisonnable que le mien, un grabat infesté de puces et une soupe de légumes avariés. »

Irrité par l'insolence de l'aubergiste, Michel fut tenté de s'en aller. Un nouvel élancement à sa jambe droite le contraignit à renoncer à son dessein. Il n'avait pas le courage de se remettre en chemin, sa malle sur le dos.

« D'accord, je m'arrête dans votre établissement, dit-il d'un air désappointé. Tout du moins pour quelques jours.

— Avez-vous de quoi payer ?

— Pour les premières nuits oui, et même d'avance. » Michel sentit la colère l'envahir. « Mon bon ami, me prendriez-vous pour un mendiant ? C'est plutôt vous qui me paraissez être un voleur. Si cette information représente à vos yeux un quelconque intérêt, sachez que je me nomme Michel de Nostre-Dame, médecin à Salon-de-Craux, venu à Paris pour… »

Un cri de stupeur, provenant du fond de la salle, coupa sa phrase en plein élan.

« Nostradamus ! Est-ce possible ? »

Cette exclamation venait d'être poussée par le jeune homme aux cheveux longs. Il se leva tout à coup de table et accourut. Il semblait très ému.

« Ai-je bien entendu ? demanda-t-il. Seriez-vous réellement Michel de Nostre-Dame ?

— Oui », répondit Michel, surpris.

Le jeune homme était doté d'un visage agréable, malgré un nez aquilin un peu trop allongé. Il se fendit avec exagération d'une courbette.

« Permettez que je me présente. Gentilhomme Jean de Morel, écuyer, seigneur de Grigny et du Plessis, maréchal des logis de la reine. Et, j'ajoute, votre grand admirateur.

— Ravi de vous connaître. Mais… »

De Morel s'adressa soudain à l'aubergiste d'une voix qui n'admettait aucune contradiction.

« Je me porte garant du docteur. Je lui prêterai tout l'argent dont il a besoin. J'exige cependant qu'il soit traité avec le même respect qui m'est dû. »

L'hôtelier paraissait de toute évidence intimidé.

« Certainement, seigneur de Morel. J'ignorais l'identité de ce monsieur. Si j'avais su…

— Parbleu, à présent, vous la connaissez. Portez son bagage dans votre meilleure chambre, et préparez-lui un déjeuner digne de lui. » Il attendit que l'aubergiste se fût éloigné avec la malle, puis se tourna vers son hôte : « Venez, docteur Nostradamus. Faites-moi l'honneur de votre compagnie. Nous boirons un verre ensemble en attendant votre repas. »

Il escorta Michel à sa propre table et, voyant qu'il tenait difficilement sur pied, l'aida à s'asseoir sur la banquette. Puis il prit place en face de lui et désigna à la servante, qui avait suivi la scène d'un air amusé, le verre et la carafe à laquelle il venait de puiser.

« Amène-nous encore du vin, Françoise. Du même tonneau. »

Michel nota au passage que la jeune fille, fort gracieuse quoiqu'un peu replète, portait une haute collerette boutonnée jusqu'au cou. Les amples décolletés qui avaient égayé sa vie d'étudiant disparaissaient peu à peu de la face de la France. Le mérite, ou la faute, en revenait à Catherine de Médicis, dont les mœurs étaient réputées pour leur grande rigidité, mais également à l'influence du parti huguenot, ennemi acharné du relâchement moral qui avait caractérisé l'époque des Valois.

Mais Michel avait pour le moment bien d'autres préoccupations en tête.

« Messire, je vous remercie infiniment pour votre générosité, dit-il en souriant, autant que ses douleurs aux jambes le lui permettaient. Vous vous dites mon admirateur. Puis-je vous en demander la raison ? »

De Morel ne fit pas mystère de son enthousiasme.

« Voilà des années que je lis les présages que vous signez. Je les trouvais déjà extraordinaires jusqu'à ce que, il y a un mois, je fasse l'acquisition de l'édition lyonnaise de vos *Prophéties*. J'ai obtenu alors la confirmation que vous possédiez des dons exceptionnels et que vous parveniez à voir là où aucun homme n'est capable de projeter son regard. »

Michel n'aimait pas évoquer ce sujet avec un inconnu. Il répondit, un peu embarrassé :

« Voyez-vous, ce que vous concevez, vous, comme un don peut en réalité se révéler être une malédiction. Deviner le futur ne rend pas nécessairement plus heureux.

— Je veux bien vous croire. Vous ne prédisez que des guerres et des calamités.

— Point n'est besoin pour cela d'interpréter le futur, il suffit de regarder autour de soi. »

Françoise revint, portant d'une main un verre et une nouvelle carafe, et de l'autre un plat qu'elle fit glisser sur la table d'un geste habile. Au centre de ce dernier s'élevait un monticule de ces pâtes farcies de viande et de légumes qu'en Italie on appelait *ravioli*, accompagnées de fines tranches de bœuf recouvertes de persil et d'épinards bouillis.

Michel prit entre ses doigts une petite poignée de pâtes et les engloutit. De Morel l'imita, puis, après les avoir mastiquées, demanda à son hôte :

« La reine a-t-elle été informée de votre présence à Paris ?

— Pas encore. Je pensais l'en avertir par le biais d'un ami, Gabriele Simeoni. Mais je souffre de goutte et j'ignore quand je serai en mesure d'aller le trouver.

— Simeoni ? Vous voulez parler de l'astrologue ? Oh, mais je le connais bien.

— Vraiment ? » Agréablement surpris, Michel se versa un peu de vin. La douleur dans ses jambes se calmait progressivement. « Il se trouve à la cour, je crois ?

— Malheureusement, non. Il s'est engagé dans l'armée du roi et doit marcher en ce moment, il me semble, vers le Piémont. Il a laissé à la cour sa compagne, une certaine Giulia. La connaissez-vous ? C'est une jeune Italienne, incroyablement belle... Mais qu'avez-vous ? Vous êtes devenu livide ! »

Michel avait fermé les yeux. Dans son cerveau s'était soudain matérialisée l'image précise d'une cave étroite et poussiéreuse, au plafond tapissé de guirlandes de toiles d'araignées. Une main tentait d'éclairer avec une faible lanterne une inscription presque effacée par les dépôts de salpêtre : *D.M., Dis Manibus*. La devise familière aux tombeaux des anciens Romains.

Aussitôt après, cette vision fut remplacée par celle, tout aussi nette, d'un firmament étrange et inquiétant, traversé de spirales gazeuses multicolores. S'y inscrivit un visage gigantesque de nouveau-né, aux lèvres pleines et aux joues lisses. Ses yeux, cependant, étaient ceux d'un félin : de fines pupilles au trait vertical barrant un iris jaunâtre. Le monstre se mit à murmurer...

Par le passé, Michel aurait eu peur de cette hallucination. Il était à présent capable de la dominer, malgré son émotion. Il écouta les paroles que celle-ci lui suggérait. Puis il la chassa de son esprit avec une énergie délibérée. Le démon parut surpris, mais se hâta d'obéir. Le cosmos aux mille couleurs disparut avec lui.

« Vous disiez ? » demanda Michel à de Morel en reprenant ses esprits. Il savoura la sensation de sa propre force. La cérémonie ancestrale au cours de laquelle il s'était uni à Jumelle, quelques mois auparavant, semblait l'avoir placé en harmonie avec les forces secrètes du cosmos. Il était encore trop tôt pour se réjouir, mais il pensait avoir enfin atteint le statut de *Magus*, d'homme qui participe aux secrets divins.

De Morel paraissait préoccupé.

« Je vous demandais si vous vous sentiez mal. Vous êtes tout pâle.

— Non, non, je vais très bien. » Michel chercha la servante des yeux. « Apportez-moi le nécessaire pour écrire. Vous avez cela à disposition, n'est-ce pas ?

— Oh, bien entendu, répondit la jeune fille. Nous logeons souvent des notaires et des avocats. Je m'en occupe tout de suite. »

Elle revint, portant une plume, un encrier et des feuilles vierges, ainsi qu'un gros registre mal relié.

« Mon patron a oublié de vous faire signer le registre : le Châtelet a imposé à tous les hôteliers de Paris que quiconque séjourne dans leur auberge laisse son nom. Je crois que cette mesure est due à ces nombreux tumultes religieux. »

Michel signa le livre sans faire de commentaire. Il attendit que la jeune fille l'ait ramené jusqu'au comptoir, puis il prit une feuille et écrivit, sous le regard stupéfait de Morel :

> Quand l'escriture D.M. trouvee
> et cave antique à lampe descouverte,
> loi, Roy & Prince Vlpian esprouvee,
> pavillon Royne & Duc sous la couverte*.

* Les mots et phrases suivis d'un astérisque sont en français dans le texte original.

Il remarqua que le jeune homme essayait de lire ce qu'il venait de rédiger et sourit. Il plia la feuille et la reposa.

« Vous venez d'assister en direct à la naissance d'une de mes prophéties, dit-il sans dissimuler une légère satisfaction. Je vous prierai seulement de ne pas m'interroger à ce sujet. Moi-même j'ignore en partie ce qui me pousse à les écrire, et parfois même jusqu'à leur signification. »

Il était clair que de Morel aurait souhaité l'accabler de questions, mais cette injonction lui cloua le bec. Pour se donner une contenance, le jeune homme se versa du vin.

« Fort bien, je ne vous demanderai rien. J'étais en train de vous entretenir de Simeoni et de cette femme qui vit à ses côtés. Même si ce dernier fait route vers l'Italie, je peux me charger moi-même d'avertir la reine de votre présence et d'arranger une entrevue.

— Je vous en serais infiniment reconnaissant. Il convient cependant d'attendre que ma goutte m'accorde un léger répit. Octroyez-moi encore quelques jours.

— Comme il vous siéra, répondit de Morel. Je jouirai entretemps de votre compagnie. Je n'aspire pas à un plus grand honneur. »

Le reste du repas se déroula sans histoire, agrémenté de bavardages plutôt futiles sur la difficile vie en commun de Catherine de Médicis et de la maîtresse de son mari, la séduisante Diane de Poitiers. Les deux convives allaient se lever de table quand, dans l'auberge, pénétrèrent trois agents du guet bourgeois*, la police civile du Châtelet, qu'on appelait aussi par dérision « la garde endormie ». Leurs vêtements par trop anonymes, contrastant avec les épées qui dépassaient de leurs manteaux gris, les rendaient déjà reconnaissables. Seuls les nobles, et encore, pas tous, étaient autorisés à circuler en ville avec une arme. Il était impensable qu'un bourgeois se promène avec un fourreau pendant à son ceinturon.

Des signes plus évidents témoignaient par ailleurs de la fonction de ces sbires, comme la brutalité de leurs traits et l'arrogance de leurs manières. Ils marchèrent tout droit sur l'aubergiste qui, l'heure du déjeuner passée, était occupé à disperser et à éteindre les dernières braises de la cheminée. Ils lui tapèrent sur l'épaule, le faisant sursauter. L'hôtelier heurta la broche, et les derniers morceaux de viande parfumés qui y étaient enfilés tombèrent au milieu des cendres.

De Morel toucha le bras de Michel.

« Feignez de n'avoir rien vu, lui murmura-t-il. Il est d'usage que les gardes du guet bourgeois touchent leur part des recettes des taverniers. Autrefois ils agissaient en cachette. L'habitude de l'impunité les a apparemment rendus plus téméraires. »

Mais telle n'était pas la raison de leur visite. Les agents escortèrent l'hôtelier jusqu'au comptoir et demandèrent à Françoise de leur montrer le registre des arrivées. Ils le compulsèrent à la hâte.

Une fois encore, de Morel rassura Michel :

« Ne vous inquiétez pas. Ils cherchent des noms espagnols, suisses ou allemands. Les premiers sont considérés comme des espions potentiels, et les autres sont soupçonnés d'être des huguenots venus en France pour diffuser leur doctrine. À Paris les calvinistes augmentent de jour en jour. Parmi eux on compte d'honnêtes individus, mais dans la plupart des cas il s'agit d'agitateurs qui se moquent du prestige de la Couronne. »

Michel préféra s'abstenir de tout commentaire. Il était évident que de Morel partageait le point de vue de Catherine de Médicis et des ducs de Guise, féroces adversaires de la réforme de l'Église. Lui, en revanche, quoique de foi catholique, mêlait à ses propres convictions des résidus d'un christianisme oublié où, aux côtés d'un Dieu créateur, se tenaient des divinités mineures et subalternes, et où ciel et terre étaient peuplés de démons tantôt bienveillants, tantôt malfaisants. Non seulement il en avait une expérience directe, mais, comme le lui avait enseigné autrefois Ulrich de Mayence, cette conception seule pouvait donner un sens à un cosmos autrement incompréhensible. Du reste, même le catholicisme orthodoxe avait dû scinder Dieu en trois entités pour pouvoir expliquer son intervention dans les vicissitudes humaines.

Il attendit, légèrement anxieux, que les trois hommes d'armes se fussent éloignés. Il n'osait pas les regarder en face, ni prononcer un seul mot. De Morel se taisait lui aussi. Michel avala les derniers raviolis restés dans le plat. Pour se donner une contenance, il fixa une grosse araignée qui avait tendu une vaste toile, parfaitement octogonale, entre le mur et le plafond. Plusieurs minutes passèrent ainsi. Les noms sur le registre ne devaient pas être si nombreux, mais peut-être les sbires avaient-ils des difficultés à déchiffrer la calligraphie des signatures.

D'un seul coup, Michel vit de Morel se raidir. L'un des hommes au manteau gris se dirigeait vers leur table. Un instant après, une main se posa sur son épaule. « Est-ce vous qui avez signé Nostre-Dame ? demanda le soldat d'une voix privée d'inflexion.

— Oui, répondit Michel, la gorge nouée.

— Voulez-vous bien me suivre. Le lieutenant général vous cherche. Il désire vous parler. »

De Morel se leva bruyamment.

« Je suis écuyer et maréchal des logis de la reine, siffla-t-il, les yeux brillants. Ce monsieur est mon ami et il vient à peine d'arriver. Laissez-le prendre quelque repos. Demain, je le conduirai moi-même auprès du lieutenant. »

Le soldat fit une demi-révérence, accompagnée d'un sourire moqueur.

« Considérez, messire, que nous n'arrêtons pas cet homme. Il sera soumis à un simple interrogatoire. Puis il sera reconduit jusqu'ici. »

Michel se leva, les jambes à nouveau douloureuses. Sa voix se brisa légèrement, mais il réussit à s'exprimer avec assurance :

« Ne vous inquiétez pas pour moi, messire de Morel. Je serai vite de retour. Je vous demande seulement de vous assurer que ma chambre soit prête. »

Le jeune homme frémit d'indignation.

« Je vais courir de ce pas chez la reine. Je me ferai recevoir par elle et l'informerai de votre séquestration.

— Non, messire. » Ces deux mots venaient d'être prononcés par l'un des deux gens d'armes demeurés près du comptoir, un individu trapu, à l'air dur et autoritaire. « Le Châtelet a ordonné que notre visite reste secrète. Ceux qui contreviendront à cette consigne seront passibles d'arrestation. » Il adoucit un peu le ton. « Soyez tranquille, seigneur écuyer. Monsieur de Nostre-Dame sera raccompagné jusqu'à cette auberge avec tous les honneurs. »

Michel, quoiqu'un peu troublé, opina. Il fit un petit signe rassurant en direction de de Morel.

« Avez-vous entendu, mon ami ? Ne vous souciez donc pas pour moi. Nous nous reverrons bientôt. En attendant, permettez-moi de vous remercier de votre sollicitude. »

En boitant légèrement, il passa devant l'aubergiste et la servante, restés pétrifiés devant la cheminée. Les trois gens d'armes l'encadrèrent et se dirigèrent vers la sortie. Ils avaient atteint le seuil de la porte lorsqu'ils entendirent un cri aigu. Ils se retournèrent tous de concert.

L'araignée qui tissait la toile octogonale venait de tomber sur les cheveux de Françoise. La jeune fille, horrifiée, se mit à secouer la tête. L'arachnide atterrit dans la cheminée, au beau milieu des braises encore chaudes. Un instant plus tard, l'animal bondit hors de l'âtre et escalada de nouveau la paroi, à la recherche d'un improbable salut. Détail incroyable, ses pattes brûlaient, comme huit longs filaments de paille qui auraient pris feu. Soudain l'araignée se recroquevilla et retomba sur le sol. Morte, elle ne formait plus qu'un petit tas noirâtre, d'où continuait à s'élever une faible flammèche, qui s'éteignit presque aussitôt.

L'assistance tout entière était sur des charbons ardents. Le tavernier se signa, Françoise éclata en sanglots. Le premier qui reprit ses esprits fut le capitaine des gens d'armes.

« Allons, allons ! » encouragea-t-il d'une voix rauque. Il poussa Michel dans la rue. Ses hommes, livides, lui emboîtèrent rapidement le pas.

Un carrosse noir, les rideaux baissés, attendait sous l'enseigne de l'auberge. Michel y fut brutalement hissé. Les élancements le long de ses jambes s'étaient faits si vifs qu'il craignit de s'évanouir. Un homme d'armes prit place à ses côtés, tandis que les deux autres s'assirent sur la banquette d'en face.

« Je dois vous bander les yeux », dit l'énergumène trapu avant de refermer la portière. Il tira de sous son manteau un mouchoir de couleur sombre.

Michel se laissa faire. Aussitôt après, le véhicule se mit en branle. Il demeura prisonnier de l'obscurité, l'esprit envahi d'une ribambelle de pensées qui se superposaient confusément les unes aux autres. La peur n'était pas la sensation qui prédominait. Il lui suffisait de penser à Jumelle pour la vaincre : ses véritables craintes concernaient en général son épouse, et non lui-même. Parmi ses sentiments chaotiques prévalait plutôt le trouble, auquel se mêlait la vision de l'araignée en train de brûler.

Il tenta de vaincre son désordre mental et de réfléchir sur le sens de cette image. Huit étaient les pattes de l'araignée. Huit les côtés de sa toile. Huit les cieux. Huit les âges du monde, dont le dernier se révélerait catastrophique... La douleur aiguë dans ses membres inférieurs l'empêchait de méditer à fond sur cette symbologie. Il s'abandonna contre le dossier du siège, maintenant sa raison dans un état de conscience larvaire.

Après quantité de cahots et de secousses, il comprit que leur destination ne pouvait être le Châtelet.

« Où donc m'amenez-vous ? » demanda-t-il. Puis, donnant corps à un soupçon qui se transformait peu à peu en certitude, il ajouta : « Nous nous dirigeons vers Saint-Germain-en-Laye, n'est-ce pas ?

— Cela ne vous regarde pas. Taisez-vous », répliqua sur un ton brusque le capitaine des gens d'armes.

Lorsqu'on le fit descendre de l'habitacle, Michel huma l'odeur persistante de l'herbe fraîchement coupée. Autour de lui, il entendit des murmures et des bruits de pas pressés. Enfin, après une longue marche sur un tapis de cailloux qui lui martyrisa les jambes, parvinrent à ses oreilles une série de grincements. On lui fit franchir un seuil inconnu.

L'air parfumé et humide céda la place à une touffeur chaude et viciée, alourdie par l'odeur de la cire. Poussé par les hommes en gris, il parcourut un nombre interminable de couloirs. Puis la pression des gens d'armes sur ses avant-bras se relâcha. Une main nerveuse lui arracha son bandeau.

Il dut battre à plusieurs reprises des paupières devant l'intense luminosité qui avait remplacé l'obscurité. Il aperçut, se détachant sur le fond de murs tapissés de bleu et d'or, le visage asymétrique et quasiment privé de menton d'une femme fort laide. Son corps, drapé dans une robe noire extrêmement élégante, dénotait en revanche une belle harmonie : sa poitrine attirante pointait en avant, tandis qu'on devinait, sous la jupe brodée d'argent, des flancs larges, mais non grassouillets.

Michel, étranglé par l'émotion, tomba à genoux, indifférent à la douleur.

« Ma Reine », murmura-t-il.

Catherine de Médicis s'approcha de lui et lui toucha l'épaule du bout de ses doigts.

« Relevez-vous, mon ami, lui intima-t-elle. Vous ignorez à quel point j'ai besoin de vous. »

Le magicien et la reine

Bien qu'il ne fût pas a priori hostile à la vie mondaine, le père Michaelis était scandalisé par le banquet qui avait lieu dans l'immense salle du château de Saint-Germain-en-Laye. Les temps étaient en effet difficiles pour les sujets du royaume de France. Les continuelles taxations exigées par Henri II et le duc de Guise pour financer les guerres d'Italie et la défense des frontières septentrionales pesaient cruellement sur les bourgeois et le petit peuple. Même le clergé avait dû se résigner à verser à la Couronne une part conséquente de ses abondantes recettes. Seule la noblesse jouissait encore de l'exemption des contributions de guerre, en échange du sacrifice de ses rejetons habilités à porter les armes.

Une bonne partie de la somme ainsi confisquée aurait pu en vérité être disponible, si seulement la cour avait accepté de renoncer pendant un mois à ces absurdes banquets. Mais personne, hormis le père Michaelis, n'osait y songer. Tous semblaient trouver naturel de rester assis à table depuis presque trois heures et de renvoyer pour cause de nausée la plupart des mets qui continuaient à leur être proposés.

« Je n'en peux vraiment plus », éclata la jeune femme blonde assise à la droite du jésuite. Ce dernier savait qu'elle se nommait Giulia et qu'elle était la maîtresse d'un astrologue florentin. Mais c'est tout ce qu'il avait appris sur elle. « Regardez, mon père. Il sont en train de servir perdrix et lapin. D'ici peu quelqu'un va se mettre à vomir. Et encore, ils n'ont pas apporté le poisson. »

Un majordome, accompagné d'un écuyer, d'un boulanger et d'une petite armée de pages et de valets, présentait en effet à

Catherine de Médicis un nouveau plat de viande, après le jambon, les croquettes, les saucisses et la fricassée d'oisillons. La reine, qui s'entretenait avec un homme barbu assis à sa gauche, attendit un moment avant de donner son approbation et laissa ainsi les serviteurs, la tête baissée et les plats encore fumants dans les mains. Enfin, d'un petit signe de tête, elle consentit au service. Les domestiques posèrent alors les mets sur une desserte, placée au centre des longues tablées qui accueillaient les convives. Quelques grimaces sur leurs visages et un rapide frottement de doigts sur le velours de leurs livrées révélèrent que la vaisselle devait être brûlante. Attendre la permission royale avait dû être une épreuve assez douloureuse.

Puis s'avancèrent les serviteurs chargés de découper la viande, munis de leurs couteaux effilés. Les tranches furent disposées sur d'autres plats, destinés au service des invités. Pendant ce temps les échansons versaient du vin blanc frais ou, en alternative, du lait d'amandes ou de l'eau de rose sucrée. Mais en vérité seul le vin, blanc ou rouge, remportait l'adhésion générale. Les autres boissons semblaient uniquement attirer les trois fils de la reine, assis d'un air contrit à la droite de leur mère. Un groupe de musiciens, à la porte, exécutait des morceaux remaniés de Jannequin et de Claude le Jeune.

La dame qui portait le nom de Giulia désigna l'assemblée à Michaelis d'un geste circulaire de la main.

« Ils commencent tous à être éméchés. Ce n'est qu'ainsi, du reste, qu'ils arrivent à maintenir leur appétit en éveil. Au temps des Valois, on aurait donné le signal des ballades allusives et obscènes. Dieu merci, votre reine possède des goûts raffinés en matière de musique et déteste la vulgarité. »

Le père Michaelis regarda avec sympathie cette jeune femme qui semblait partager son dégoût. Elle était dotée d'un visage ovale, de traits parfaits et de délicats yeux bleus. Dans toute la salle il n'y avait sans nul doute aucune femme qui puisse rivaliser avec elle en beauté. Et pourtant elle devait posséder des qualités de modestie et de pudeur, car elle ignorait ostensiblement le monseigneur assis en face d'elle qui s'était permis un compliment un peu trop osé. Le prélat s'était vu contraint de faire la cour à

Hélène d'Illiers, une amie de la reine réputée pour ses mœurs légères. Du reste, Giulia portait une robe de sobre facture, agrémentée d'une fraise de type masculin, et arborait une coiffe brodée qui laissait dépasser une seule mèche rebelle de ses cheveux blonds, échappée des tresses tombant sur ses épaules. Rien, si ce n'est son charme naturel, ne la prédisposait à la séduction.

« Pourquoi dites-vous *votre* reine ? demanda Michaelis qui, d'ordinaire, ne perdait pas son temps à parler à une femme. N'êtes-vous donc pas française ?

— Non, je suis italienne. Je suis née à Camerino, en Toscane.

— Pourrais-je connaître votre nom complet ? Vous m'avez dit vous prénommer Giulia, un prénom en effet d'origine italienne, mais vous ne m'avez pas encore révélé votre nom de famille. »

Elle lui adressa un doux, mais ferme, sourire.

« Permettez-moi, mon père, de continuer à vous le taire. Je vous révélerai plutôt celui que je compte porter à l'avenir. Sous peu, je m'appellerai Simeoni, ou plutôt Simeoni, avec l'“upsilon”, comme vous l'écrivez, vous autres Français.

— Votre fiancé se trouve-t-il actuellement en Italie ?

— Oui, dans le Piémont. Il participe au siège de Volpiano. Dès qu'il sera de retour, nous nous marierons.

— Oh, vous n'attendrez sans doute pas bien longtemps ! »

Cette dernière phrase venait d'être prononcée par le convive à la gauche de Michaelis. Le jésuite le dévisagea avec sévérité. L'inconnu, embarrassé par ce regard, crut opportun d'ajouter :

« Pardonnez mon intervention. Je n'ai pu m'empêcher d'entendre les paroles de cette demoiselle. » Il salua Giulia d'un signe de tête. « Je suis en mesure de la rassurer. Volpiano résistera peut-être quelques mois, mais ensuite elle cédera sûrement. Charles Quint se désintéresse désormais des champs de bataille et des entreprises de ses généraux. Il est vieux et malade, et espère seulement mourir avec dignité. L'armée impériale est privée de guide. Son agressivité s'apparente aux soubresauts d'une bête mourante. »

Michaelis étudia son interlocuteur, qu'il avait jusqu'à présent ignoré, avec curiosité et respect. C'était un homme proche de la cinquantaine, avec de longs cheveux d'un blond fade qui tombaient sur ses épaules, formant comme une couronne autour d'un crâne largement dégarni. Ses yeux noirs, légèrement cernés, demeuraient toutefois vifs et brillants. Il portait une soutane tellement anonyme que nul n'aurait su dire si elle appartenait à un simple prêtre, à un prélat désirant préserver son anonymat, ou à un frère d'un ordre non encore autorisé.

L'inconnu comprit que le jésuite le jaugeait et il s'empressa d'ajouter :

« Je me nomme Piero Carnesecchi. Je viens de Venise, où je réside habituellement. Je suis cependant né à Florence. »

Le père Michaelis tressaillit. Il hésitait à croire en sa chance. S'il était venu à Saint-Germain, c'était précisément parce qu'il avait appris que l'homme qu'il cherchait se trouvait à la cour. Il ne pouvait imaginer qu'il était assis à ses côtés.

Avant qu'il puisse répondre, Giulia s'exclama avec enthousiasme :

« Il m'avait bien semblé vous reconnaître ! Vous ne vous souvenez pas de moi ? Nous nous sommes rencontrés à Lyon l'année dernière ! »

Carnesecchi opina.

« Mais bien entendu ! Je me rappelle surtout votre mère, la duchesse…

— Taisez-vous ! Ma mère est décédée. Son nom comporte encore quelque danger. Laissons-la reposer en paix. J'ignore si elle méritait le respect de son vivant, mais elle le mérite sûrement maintenant qu'elle est morte. »

À cet instant, les domestiques s'approchèrent, distribuant les viandes. Ils posèrent devant Michaelis et ses deux voisins la grosse tranche de pain noir qui faisait office de plat, puis commencèrent à y déposer de nombreux morceaux de perdrix et de lapin, désossés avec soin. Giulia les repoussa d'une grimace. Les autres n'acceptèrent que de minuscules portions, recouvertes de sauce aromatique.

Le père Michaelis était très satisfait de la tournure que prenait ce repas. Ses voisins se taisant, il tenta de les solliciter :

« Êtes-vous venus ici sur invitation de la reine ? demanda-t-il négligemment à la ronde.

— Moi oui, répondit Giulia. Avant de partir pour la guerre, Gabriele appartenait au groupe d'astrologues qui assistent Catherine : Luca Gaurico, Jean Fernel, Cosma Ruggeri... »

Carnesecchi approuva. Il désigna la tablée centrale.

« Le plus fameux de tous siège en ce moment à ses côtés. Je veux parler de cet homme barbu au béret carré et au teint rougeaud.

— Je l'avais remarqué, dit Michaelis. Je croyais qu'il s'agissait d'un médecin de la cour.

— Non, non. Il s'agit du célèbre Nostradamus, l'auteur des almanachs de présages. Voici déjà plusieurs mois qu'on parle de lui dans toute l'Europe. »

Le jésuite sursauta de nouveau. Décidément, la fortune ne cessait de lui sourire. Il avait trouvé, réunis en un même banquet, les deux hommes sur lesquels il enquêtait. S'il avait encore porté l'habit dominicain, il aurait interprété cette coïncidence comme la preuve d'un destin déjà tout tracé. En tant que membre de la Compagnie, il y voyait au contraire une simple manifestation de la grâce divine. Dans tous les cas, il s'agissait désormais de profiter de cette heureuse circonstance.

Il devait prendre le temps d'élaborer un plan. Il s'adressa à Giulia :

« Comment se fait-il que Gabriele Simeoni se soit enrôlé ? D'ordinaire on fait plutôt preuve de patriotisme envers son pays d'origine, non envers celui qui vous a accueilli. »

La jeune femme approuva.

« Je comprends ce que vous voulez dire, mais la patrie de Gabriele, Florence, ne lui a réservé que désillusions. Il est désormais français à part entière. Mais ce n'est pas la raison qui l'a poussé à s'engager dans les rangs de l'armée du roi.

— Quelle est-elle alors, si ce n'est pas indiscret ?

— La passion de Catherine de Médicis pour les antiquités. Cela vous paraîtra peut-être étrange, mais c'est ainsi. Il se trouve près de Volpiano une quelconque tombe romaine qui intéresse au plus haut point notre reine. Gabriele a suivi nos troupes en Italie non dans l'intention de combattre, mais de découvrir où se cache ce tombeau. Mais inutile de m'interroger davantage, j'ignore le reste de cette histoire. »

Michaelis jugea cette explication fort curieuse, mais comprit que la jeune femme n'était pas disposée à lui fournir de plus amples renseignements. Du reste, il avait d'autres préoccupations en tête. Il but une gorgée de vin et se tourna vers son autre convive :

« Vous portez une soutane dont je n'arrive pas à déterminer l'origine. Seriez-vous donc un prêtre ? »

Carnesecchi sourit.

« Oh, je suis bien plus que cela. Ou du moins je l'étais. Mais l'Inquisition a jugé bon de me retirer mes prérogatives. » Il formula cette dernière phrase avec simplicité, comme s'il avait dû subir un regrettable incident.

Michaelis fronça les sourcils. Il était au courant de l'infortune de son interlocuteur, mais ne désirait pas le lui montrer.

« L'Inquisition de France ?

— Non, celle de Rome, sous la houlette de frère Michele Ghisleri, mon ennemi le plus fanatique. Mais rassurez-vous : on m'a donné l'absolution. Le cardinal Juan Alvarez de Toledo, commissaire du Saint-Office, Côme de Médicis, et même le défunt pape Jules III, sont intervenus en ma faveur.

— Intéressant », murmura Michaelis. Il détacha avec ses doigts un morceau d'aile de perdrix et le porta à sa bouche. Il le mastiqua distraitement, tout en échafaudant en silence de complexes desseins. Un détail ne cadrait pas avec le reste. Il s'enquit d'éclaircissements supplémentaires : « Père Carnesecchi... je peux vous appeler mon père, n'est-ce pas ?... Si Côme de Médicis compte parmi vos amis, je ne m'explique pas la raison de votre présence ici. La reine est notoirement hostile à Côme et favorable aux Florentins rebelles à sa dictature. »

L'autre acquiesça.

« C'est exact. Je suis cependant également très ami avec François Ollivier, le grand chancelier de la cour. C'est cet homme élégant, aux cheveux bruns et aux longues moustaches, assis non loin du coin de la table. N'oubliez pas toutefois que la domination de Côme de Médicis sur la Toscane est désormais admise. Il a soumis Sienne, et pour l'heure cela suffit. Les exilés florentins peuvent attendre de la reine une manifestation de sympathie, mais aucune solidarité concrète. »

Michaelis approuva et ne posa plus aucune autre question. Il possédait toutes les données dont il avait besoin. Il regarda fixement la reine et l'homme barbu attablé à ses côtés. La laideur de Catherine était particulièrement frappante, encore accentuée par des yeux globuleux. Le jésuite avait eu l'occasion de rencontrer une fois Diane de Poitiers, et il comprenait aisément que les préférences du roi aillent à cette dernière. Ce n'était d'ailleurs pas tant une question de finesse de traits que d'attitude. Bien qu'elle ait déjà dépassé la cinquantaine, chacun des gestes de Diane était empreint de séduction. En outre, elle était dotée de cette voix, pleine et un peu rauque, capable d'exciter les hommes plus que son aspect physique, pourtant encore impeccable.

L'heure était maintenant venue d'apporter bars, daurades et soles. Les convives les plus gourmands se hâtèrent de vider leur assiette de viande, de crainte de rater les poissons. Tous affichaient un tempérament joyeux. Du temps de François Ier, les invités de sexe mâle auraient déjà posé leurs mains sur leurs voisines, se réjouissant de leurs petits cris scandalisés mais manifestement complices. À présent, les tentations et autres propositions se traduisaient par des regards audacieux et des apartés murmurés à l'oreille, suivis de sourires qui feignaient l'embarras pour paraître plus encourageants. La vie continuait ainsi à suivre son cours même sous Henri II ; le désir, pour avoir droit de cité, devait simplement se cacher sous l'apparence de la vertu.

Le père Michaelis se pencha vers Giulia. Il en appréciait la rayonnante beauté, mais ne souhaitait pas en tirer avantage. Sa renonciation aux plaisirs de ce monde avait été autrefois douloureuse mais définitive.

« Je suppose que votre ami Simeoni connaît Nostradamus, ai-je tort ?

— Non, ils sont en effet très liés. Je l'ai connu moi aussi, quoique fort peu. Je crains qu'il ne m'ait oubliée. Il a plusieurs fois regardé dans ma direction, mais n'a pas semblé me reconnaître.

— Quel genre d'homme est-ce ? »

La jeune femme écarta les bras.

« Il ne m'a pas été si familier que je puisse me permettre un jugement. Il y a des années, il me paraissait moins sûr de lui qu'aujourd'hui. Je me le rappelle comme quelqu'un d'humble et de prudent, en bon juif converti qu'il était. Aujourd'hui, si ce n'étaient ses vêtements assez sobres, on pourrait le prendre pour le roi en personne. »

Michel de Nostre-Dame paraissait en effet parfaitement à son aise auprès de la reine. Il lui adressait rarement la parole en premier, mais lorsque Catherine l'interpellait il lui répondait avec une désinvolture étudiée. Son air semblait empreint d'austérité, de rêverie et d'une vague tristesse. Michaelis ne manqua pas en outre de remarquer que, si les cheveux du prophète avaient la couleur du corbeau, sa barbe blanchissait par endroits.

Giulia poursuivit :

« Il traite Catherine de Médicis avec une familiarité qu'elle trouverait insolente chez n'importe qui d'autre. Pour l'avoir à sa cour, elle a fait des pieds et des mains. Quand elle l'a invité, il a accepté de venir à Paris, mais pour la faire patienter ensuite pendant presque un mois, sous prétexte d'attaques de goutte. »

Carnesecchi secoua la tête.

« Ce n'est pas précisément ainsi que cela s'est passé. François Ollivier m'a confié des informations de première main : dès le premier jour de son arrivée, Nostradamus a été emmené en secret jusqu'à Saint-Germain. Ses visites à Catherine se sont répétées presque chaque nuit. Voilà pourquoi ces deux-là sont si intimes.

— Il doit bien exister une raison à tant de mystère, commenta Michaelis en haussant un sourcil. Savez-vous quel fut l'objet de leurs discussions ?

— Les fils de la reine, répondit Piero Carnesecchi avec assurance. Nostradamus lui aurait prédit qu'ils régneront tous les trois. Comprenez-vous ce que cela signifie ?

— Certainement.

— J'avoue pour ma part ne pas comprendre, intervint Giulia. Expliquez-vous, je vous prie. »

Carnesecchi fit un geste brusque.

« S'ils doivent régner tous les trois, cela signifie que deux d'entre eux mourront jeunes. »

Le regard de Michaelis vola vers les trois enfants assis à un coin de table. Ils supportaient manifestement avec difficulté d'être attablés depuis des heures. Pour tromper l'ennui, ils se lançaient des boulettes de bar à peine servi, qu'aucun d'eux n'avait visiblement envie de manger.

Le poisson, cuit dans un vinaigre aromatique, se révéla pourtant tout à fait exquis. Michaelis en goûta un petit morceau. Tant de parfums ressuscitèrent en lui un semblant d'appétit. Il engloutit une bouchée et demanda à Carnesecchi :

« Savez-vous sur quelle science ce Nostradamus fonde ses prédictions ? De grâce, ne me répondez pas qu'il fait appel à l'astrologie. Les prévisions astrologiques ne permettent pas d'annoncer la mort d'un homme.

— Vous frappez à la mauvaise porte. Je suis convaincu que le destin de chacun d'entre nous est écrit à l'avance, et que Dieu en connaît tous les détails. Celui qui désire connaître le sien doit interroger Dieu et non les étoiles. »

Le père Michaelis ne put s'empêcher de décocher à Carnesecchi un regard hostile, que celui-ci ne remarqua pas. Giulia ajouta :

« Je connais, moi, la méthode de Nostradamus. Il n'emploie pas l'astrologie. D'après Gabriele, c'est même un piètre astrologue, peu habile dans ses calculs. Il tire ses prophéties de la magie. »

Michaelis fixa la jeune femme avec intérêt.

« La magie naturelle ?

— Non, la magie cérémonielle. Je crois qu'il a prédit l'avenir des fils de la reine en s'aidant de miroirs. Mais il pratique également la géomancie et les techniques des anciens Égyptiens. Il fut l'élève favori d'Ulrich de Mayence.

— Et qui est donc cet Ulrich de Mayence ? Voilà un nom que je n'ai jamais entendu.

— Peut-être cela vaut-il mieux pour vous. Ulrich... » commença à expliquer Giulia, mais elle dut s'interrompre. Catherine de Médicis s'était brusquement levée et abandonnait le banquet. Tous les convives se levèrent à leur tour et saluèrent la reine d'une révérence. Elle quitta la salle, suivie par les petits princes. Valets, pages et notables de la cour leur emboîtèrent le pas.

Les convives étaient encore debout lorsque Michaelis vit Nostradamus faire le tour de la table et avancer en souriant vers Giulia. Il remarqua qu'il boitait un peu et que chaque pas lui coûtait une légère grimace. Il l'étudia avec attention. C'était un homme de moyenne stature, aux traits réguliers et plaisants. Il avait un visage joufflu, et seule sa barbe, fort longue et grisâtre, lui conférait cette sévérité qui l'avait précédemment frappé. Ses yeux gris paraissaient, peut-être à cause de son sourire, chaleureux et francs, quoiqu'un peu tristes. Hormis le béret carré qu'il tenait à présent en mains, après l'avoir gardé sur sa tête pendant tout le repas comme le voulait l'étiquette, il portait la longue toge noire des professeurs et des hommes de science.

Nostradamus s'arrêta devant Giulia.

« Vous ne vous souvenez peut-être pas de moi, mais moi je me rappelle bien de vous. Je sais à quel point mon ami Simeoni vous porte dans son cœur. Je vous avais déjà reconnue durant le repas, mais je ne pouvais venir vous saluer. »

Michaelis remarqua que Giulia baissait un peu la tête.

« Monsieur de Nostre-Dame, vous faites preuve d'une grande générosité. Par le passé j'ai aidé ma mère à vous faire souffrir. Je vous demande pardon, en son nom également.

— Il n'est nul besoin de vous excuser. La fin tragique de votre mère est de celles qui absolvent toutes les fautes. Quant à vous, vous étiez alors une innocente enfant, et l'êtes encore, à plus forte raison aujourd'hui. En outre, vous jouissez de l'affection d'un ami qui m'est cher et cela suffit pour que je vous assure de mon amitié. »

En entendant ces paroles, Michaelis sentit soudain naître en lui un sentiment tout à fait inattendu. Il éprouvait une intense jalousie envers Simeoni, et peut-être même envers Nostradamus. Un soupçon inopiné lui traversa l'esprit : appréciait-il plus qu'il n'était convenable la fascinante Giulia ? Il le repoussa avec rage, irrité contre lui-même d'avoir osé le formuler. Mais il était clair que le sentiment qu'il aurait dû éprouver pour elle était l'indifférence, et que ce n'était pas ce qu'il ressentait.

Pour s'en distraire, il jugea bon de se montrer quelque peu impudent.

« Mademoiselle, ne voudriez-vous pas me présenter au docteur de Nostre-Dame ? demanda-t-il en s'approchant d'eux. J'ai tant entendu parler de lui et je serais ravi de le connaître. »

Quoiqu'un peu interdite, Giulia acquiesça.

« Voici père...

— Père Sébastien Michaelis, de la Compagnie de Jésus », compléta l'intéressé.

Nostradamus le scruta avec intensité.

« Un jésuite ? Mais voyez-vous cela ! Vous êtes le premier que je rencontre. Je me suis laissé dire que votre Compagnie s'apprête à chambouler l'Église de fond en comble. »

Michaelis cherchait les mots les plus appropriés pour lui répondre quand Giulia poussa un cri étouffé.

« Mon Dieu ! » Elle montra, horrifiée, la tranche de pain laissée sur la table, qui grouillait littéralement de scarabées, noirs et brillants. Carnesecchi s'était reculé avec dégoût. Hélène d'Illiers s'évanouit dans les bras du prélat enjôleur, juste au moment où celui-ci, profitant de la sortie de la reine, était occupé à délacer son corset de ses mains habiles.

Nostradamus regarda Michaelis avec des yeux devenus soudain très durs. Malgré son émotion, Giulia s'agrippa à son bras, comme si elle voulait prévenir un accès de colère.

« Il n'est pas responsable, murmura-t-elle en hâte. Nous avions auparavant prononcé le nom d'Ulrich de Mayence. »

Ils échangèrent un regard entendu, puis le prophète s'éloigna en boitillant. Dames, cavaliers et domestiques accoururent pour constater en personne ce terrifiant prodige.

Le tombeau romain

« Il me déplaît toujours d'avoir à torturer une femme », dit avec un regret feint Claude de Tende, le gouverneur de la Provence, tandis qu'il sirotait l'*hypocras* parfumé aux écorces d'orange que Michel lui avait offert.

Jumelle, qui rapportait le plateau en cuisine, s'arrêta sur le seuil du salon et fixa son hôte de ses yeux hostiles.

« Si cela vous déplaît tant que cela, pourquoi le faites-vous ? »

Ce fut Michel qui lui répondit, quoique sans grande conviction :

« Ma mie, monsieur le comte ne fait qu'appliquer les lois. Le décret du mois dernier punit de mort les interruptions de grossesse. Tout gouverneur doit nécessairement exécuter la volonté du roi. »

Claude de Tende opina avec véhémence, secouant sa chevelure couleur jais, déjà grisonnante aux tempes.

« C'est ainsi, madame. Je vous dirai que les femmes jouissent toutefois d'un traitement de faveur, dans la mesure où on les pend, et puis c'est tout. Vous devriez assister à l'exécution d'un hérétique, comme celles qu'on pratique à Paris. J'ai pu en voir une, il y a de cela trois ans, juste avant Pâques. Elles ne durent jamais moins d'une heure. On torture d'abord les malheureux avec des tenailles rougies au feu, puis on leur brise les jointures à coups de marteau, et ensuite vient le supplice de la roue. Ici en province, la justice se montre beaucoup plus rapide et miséricordieuse. »

Jumelle sortit sans faire de commentaire, mais la nausée se lisait dans ses yeux. Michel jugea de son devoir de soutenir les arguments de sa femme.

«Pardonnez-moi, monsieur le comte, mais vous-même semblez trouver répugnante la pendaison d'une femme. Dans ce cas précis, il s'agissait d'une adolescente de dix-neuf ans. Je n'ai pas assisté à son supplice, mais j'imagine que son agonie a dû être très pénible.»

Les traits mous du gouverneur se durcirent légèrement.

«L'infanticide est un mal contre lequel il faut sévir. Vous ignorez combien de filles, prenant prétexte d'avoir été violées ou bien de se débattre dans la misère, se libèrent du fruit de leurs entrailles. Elles sont dix fois plus nombreuses que les sorcières, qu'on brûlait pourtant jusqu'à l'année dernière, alors qu'on laissait vivre ces filles. L'édit de février 1556 est un simple acte de justice.

— Oui, mais son âge…

— L'Inquisition nous livre des enfants tout juste pubères accusés d'hérésie. Je ne vois pas pourquoi nous devrions montrer plus d'indulgence envers la gent féminine.»

L'atmosphère du salon, quoique égayée par les rayons du soleil qui faisaient scintiller la neige au-dehors et briller les glaçons sur la fenêtre, s'était faite pesante. Michel pensa l'alléger en versant au gouverneur une nouvelle rasade d'*hypocras*.

«Que dites-vous de ma liqueur? demanda-t-il. J'ai préféré remplacer la traditionnelle cannelle par des arômes d'orange.

— Absolument délicieuse, commenta le comte, détachant de mauvaise grâce ses lèvres du bord du verre. En fait d'élixir, vous êtes un véritable alchimiste. Sous peu, vous produirez de l'or liquide, comme Denis Zacharie à la cour de Navarre.»

Michel ne put s'empêcher de tressaillir.

«J'ai entendu parler de cette histoire. Est-elle vraie?

— Il paraîtrait que oui. Zacharie n'aurait apparemment pas seulement créé de l'or liquide, capable de vaincre toutes les maladies, mais il aurait aussi fabriqué de l'or solide, à partir de lingots de plomb. Et ce fait est d'une extrême gravité.

— Pourquoi?

— Parce que Jeanne d'Albret est huguenote et qu'elle soutient le parti calviniste. Jusqu'à présent, elle était freinée par les maigres ressources de son royaume de Navarre. Imaginez ce qu'il adviendrait en France si les huguenots pouvaient jouir d'une quantité d'or illimitée. »

Jumelle revint à cet instant. Elle se laissa tomber sur un fauteuil et écarta un peu les jambes, en une pose presque obscène, justifiée toutefois par son gros ventre. Elle et Michel avaient décidé d'appeler leur futur enfant Charles ou Charlotte, selon la nature de son sexe.

« Si on pouvait fabriquer de l'or à volonté, il perdrait toute sa valeur, vous ne croyez pas ? »

Le comte de Tende la regarda avec stupeur. Il était déjà scandaleux qu'une femme prenne de sa propre initiative ses aises entre deux hommes engagés dans une discussion. Qu'elle ose intervenir était une chose inadmissible et pour le moins curieuse. Peut-être le gouverneur se demanda-t-il, l'espace d'un instant, si le moment n'était pas venu de prendre congé et de quitter immédiatement cette maison. Il finit toutefois par sourire et dit :

« C'est une observation très juste. Docteur de Nostre-Dame, votre épouse est la femme la plus sensée de tout Salon. »

Michel approuva, satisfait :

« C'est vrai. Elle a changé ma vie. Je ne pourrais plus vivre sans elle. »

Jumelle, nullement intimidée par l'autorité de son hôte, lui rétorqua d'un ton courtois, mais sec :

« Vous trouveriez également sensées toutes les femmes, si seulement vous les laissiez parler. »

La discussion avait pris une tournure embarrassante, mais le comte de Tende décida de prendre ces remarques à la légère.

« Oui, peut-être avez-vous raison. Les femmes qui se comportent honnêtement devraient être écoutées plus souvent. » Il regarda Michel. « À propos de femmes, comment avez-vous trouvé notre reine ? Six mois ont déjà passé depuis votre séjour à la cour et vous ne m'avez pas encore révélé tous les détails de vos entretiens. »

Michel fronça les sourcils.

« J'ai déjà eu l'occasion de vous expliquer, monsieur le comte, qu'on m'a imposé le secret. Je vous dirai toutefois que Catherine de Médicis est une personne encline à la mélancolie et à l'inquiétude. Elle craint pour l'avenir de ses fils et redoute une aggravation du conflit entre catholiques et huguenots. Elle redoute beaucoup une guerre civile.

— Sa mélancolie n'est-elle pas due au fait que Henri II continue de lui préférer Diane de Poitiers ?

— Cela se peut. Elle n'a évidemment pas évoqué ce sujet. À Paris, j'ai entendu dire qu'elle ne s'était pas encore résignée à sa situation, bien qu'elle la subisse maintenant depuis fort longtemps. Henri ne pénètre dans son lit que lorsque Diane l'exige. Ce qui arrive trois ou quatre fois l'an. Une situation qui doit être très humiliante pour Catherine.

— Si j'étais à la place de la reine, je me trouverais à mon tour un amant, observa Jumelle avec naturel. D'ailleurs, je parie qu'elle en est déjà pourvue. »

Michel, un peu embarrassé, ricana.

« Je ne crois pas. Souviens-toi que la reine fait preuve d'une grande vertu. En outre, si le comte me permet de parler ainsi, elle est vraiment d'une laideur repoussante. De visage plus que de corps.

— La lumière allumée, on ne regarde que le visage, mais une fois les chandelles éteintes, seul compte le corps, répliqua Jumelle, comme si elle avait délibérément décidé de choquer son hôte. Du reste, Catherine peut fort bien ordonner à l'un de ses nobles de la distraire un peu. Qui oserait lui refuser cette faveur ? »

Elle avait poussé le bouchon trop loin. La charge même de Claude de Tende lui interdisait d'écouter de pareils discours. Le comte ingurgita rapidement, au risque de s'étrangler, le reste de l'*hypocras* resté dans son verre, et bondit sur ses pieds.

« Il se fait tard, dit-il. Je dois vraiment m'en aller. Je vous sais gré de votre hospitalité. »

Michel se leva à son tour.

« C'est moi qui vous remercie de votre visite. Votre protection nous est précieuse, à moi comme à toute ma famille. Je sais que vous avez nommé mon frère Bertrand comme votre écuyer. Un motif supplémentaire de gratitude à votre égard.

— Bertrand est un homme courageux, qui a même tenté par tous les moyens l'année dernière de participer au siège de

Volpiano. Je l'ai retenu à mes côtés parce que j'ai grand besoin de gens comme lui. Il fera un excellent officier.

— J'en suis convaincu», répondit Michel. Il attendit que Claude de Tende ait salué Jumelle, puis l'escorta jusqu'à la porte. Dans la rue, entre les tas de neige qui commençaient à répandre leur eau sale sous l'effet du soleil, une demi-douzaine d'individus patibulaires à cheval attendaient la sortie du *condottiere*. Un carrosse était prêt à partir, la portière déjà ouverte. Le gouverneur se dirigea vers lui.

Michel referma la porte et revint au salon. Jumelle s'était levée et desservait les verres. À l'entrée de son mari, elle se redressa, la carafe d'*hypocras* à la main.

« Je suppose qu'à présent tu vas me gronder, dit-elle sur un ton de défi qui se voulait gentiment moqueur. Ou peut-être même me battre, comme feraient tous les hommes de bien de Salon. »

Michel sourit.

« Je n'y songe même pas. Je devrais plutôt te fesser, comme on fait aux petites filles. Mais je sais déjà que si je te prenais sur mes genoux et que je te déculottais, ma volonté de te punir serait submergée par d'autres désirs moins avouables. Aussi j'y renonce. »

Le visage de Jumelle se colora d'une allégresse malicieuse.

« Écoutez-le, celui qui, il y a un peu plus d'un an, a juré de me rendre hommage trois cent soixante-cinq fois. Je n'ai pas tenu les comptes, mais nous n'en sommes qu'à dix ou douze.

— Le fait est que tu es tombée enceinte presque tout de suite.

— Et alors ? Cela ne constitue pas un obstacle. Même maintenant. Les enfants jouent avec Christine et la chambre à coucher est vide... » Jumelle abattit soudain sa main restée libre sur son fron. « Mon Dieu ! Nous l'avions oublié ! »

Michel avait lui aussi tressailli.

« C'est vrai ! Pauvre Marc, il attend depuis presque une heure !

— Je monte l'appeler», dit Jumelle. Elle revint poser la carafe sur la table basse. « Je l'envoie en bas et je vais voir les enfants. » Elle se précipita hors de la pièce.

Resté seul, Michel attisa le feu dans la cheminée. Il réfléchit aux accusations de manque d'attentions que Jumelle lui adressait désormais depuis un certain temps. Il devait reconnaître qu'elles étaient tout à fait fondées. Il la trouvait encore fort séduisante et sensuelle, mais cette appréciation, avec le temps, était devenue abstraite. La vérité était qu'il la désirait de moins en moins. Au fur et à mesure que leur relation s'approfondissait et devenait intime et complice, l'attraction charnelle diminuait. La cérémonie phibionite avait été l'apogée de leurs rapports physiques, mais aussi son chant du cygne. À ces derniers s'était substituée une forme d'amour qui était en réalité de l'amitié portée à son plus haut degré. Peut-être aurait-il mieux valu avoir à ses côtés une de ces femmes stupides et capricieuses que L'Arétin avait chantées et dont Rabelais s'était moqué si cruellement. Mais elle ne l'aurait pas satisfait sur le plan spirituel. Il se demanda si la monogamie était une condition naturelle de l'être humain. Il repoussa aussitôt cette pensée coupable, et repoussa également l'hypothèse monstrueuse que Jumelle puisse se poser la même question. Il ressentait une nostalgie aiguë de l'époque où, étudiant, il fréquentait les filles de tavernes…

L'entrée d'un moine augustin, déjà avancé en âge, mais encore robuste et juvénile, interrompit ces dangereuses réflexions. Il avança à sa rencontre d'un air embarrassé.

« Pardonnez-moi, père Richard. Je vous avais complètement oublié. »

Le religieux fit un geste d'indifférence.

« Aucune importance, Michel. Et appelle-moi plutôt Marc, comme tu en avais l'habitude à Saint-Rémy.

— Fort bien. » Michel sourit et désigna la banquette. « Prends place. Et explique-moi maintenant pourquoi tu ne désirais pas rencontrer le comte de Tende. Tu es venu à Salon en sa compagnie, si je ne m'abuse. »

Marc Richard s'enfonça au creux des coussins.

« Le fait est que je ne souhaite pas te compromettre. J'accompagne le gouverneur quand je ne peux faire autrement, mais je reste suspect à ses yeux. »

Michel était resté debout.

« Explique-toi », dit-il brusquement. Puis, désirant adoucir un peu le ton de sa voix, il ajouta : « Veux-tu boire un verre d'*hypocras* parfumé à l'orange ?

— Non, merci, je n'ai pas soif… Michel, tes parents demeurés à Saint-Rémy t'ont sûrement mis au courant des ennuis que m'a causés l'Inquisition. Ton frère Bertrand et ta sœur Dauphine ont été interrogés à mon sujet par l'inquisiteur vicaire, le vieux Louis de Rochet. »

Le sujet déplaisait souverainement à Michel. Il ne pouvait toutefois passer outre.

« Oui, je l'ai appris. Je sais aussi que tu t'en es tiré avec tous les honneurs et que tu diriges à nouveau le monastère de Saint-Pol-de-Mausole. Les accusations dénuées de fondement ne résistent jamais à l'épreuve du temps.

— C'est exact. Cependant, dans ce cas précis, l'accusation n'avait rien d'infondé. »

Michel sursauta. Il chercha des yeux la carafe de l'*hypocras*, s'empara d'un des verres déjà utilisés et le remplit jusqu'à ras bord. Puis il le vida à moitié.

« Tu veux dire que…

— Je veux dire que j'appartiens à l'Église réformée de France. Je suis un calviniste, et des plus convaincus. » Le visage carré de Marc Richard s'était durci, mais ses yeux noisette dénotaient encore une certaine douceur. « Pour moi, c'est la seule vraie religion. Le pape n'est qu'un des multiples tyrans qui intriguent en Europe. »

Michel vida le reste de son verre, puis s'assit sur le tabouret proche de la cheminée.

« Je comprends. En quoi puis-je t'aider ?

— Je désirerais surtout connaître ton opinion là-dessus. »

Si la demande lui avait été adressée par un étranger, Michel l'aurait jeté dehors. Mais il ne pouvait agir ainsi avec un vieil ami. Il sentait qu'il devait répondre. Il respira à fond et dit :

« Je vais essayer de me montrer franc, même si cela doit compliquer un peu ma réponse. La corruption d'une grande partie de l'Église catholique est manifeste et scandaleuse. Également scandaleuse est la brutalité avec laquelle les catholiques tentent de vous éliminer, vous les huguenots, et d'écarter les questions que vous leur posez. Quant à la pureté de vos mœurs, elle ne fait pas l'ombre d'un doute.» Michel fit une courte pause. «Mais, d'un autre côté, vous alimentez l'intolérance. Vous n'êtes pas aussi violents que les papistes, et la fureur de vos iconoclastes ne peut entrer en comparaison avec la cruauté des inquisiteurs. Je me demande toutefois si, un jour prochain, une fois devenus plus forts, vous n'allez pas vous comporter exactement comme ceux que vous combattez. Les bûchers prolifèrent déjà, tant en Allemagne qu'en Suisse. En Angleterre, le bourreau travaille sans relâche. Je n'aurais aucune difficulté, sur le plan théologique, à reconnaître la religion que vous défendez comme étant la plus fidèle au Christ, et vos valeurs comme des idéaux de liberté. Cependant, la théologie relève des théologiens, tandis que sa mise en pratique appartient aux hommes.

— Que penses-tu de la prédestination ?»

Pris par surprise, Michel murmura :

«Eh bien, je crois que le destin de chacun d'entre nous est déjà tracé. Autrement je n'écrirais pas de prophéties.»

Marc Richard sourit.

«Alors, tu es des nôtres. Du reste, je le savais déjà.» Il redevint sérieux et ses épaules se soulevèrent en un mouvement d'impatience. «Écoute-moi, Michel. Je ne suis pas venu ici par hasard. La religion en laquelle je crois, plus ou moins la tienne, est sur le point d'être persécutée comme elle ne l'a jamais été.

— Vous ne me semblez pas faire l'objet de tant de persécutions», objecta Michel, un peu irrité. Il n'appréciait guère ce type de discours et ne souhaitait pas prendre parti. Son christianisme personnel ne s'apparentait ni à l'un ni à l'autre de ceux des factions en lutte. «Vous avez toute la Navarre de votre côté et possédez de nombreux sympathisants jusqu'à la cour. Le roi Henri vous déteste, mais la reine Catherine s'efforce de modérer sa colère. Quant au reste de l'Europe…

— Non, non…» Marc Richard secoua la tête. «Ils se préparent en France à nous éradiquer complètement, afin de plaire au nouveau pape. Je suppose que tu connais les noms des cardinaux les plus influents du royaume.

— Eh bien, en tout cas celui de Tournon. C'est lui qui est chargé de la politique extérieure. Il compte probablement au nombre de vos ennemis.

— C'est vrai, mais il n'est pas le seul. Il nous faut lutter aussi contre le cardinal d'Armagnac, son éminent confrère, sans oublier Alexandre Farnèse. Il cache bien son jeu, mais en vérité c'est le plus redoutable de tous. C'est lui qui a manigancé l'élection du nouveau pape, en faisant entrer au Vatican un vieil inquisiteur notoirement ami de la France. »

Michel, peu au courant des vicissitudes de la politique, se sentait plutôt perdu.

« Aucun d'eux ne me semble agir contre vous.

— Bien au contraire. Tous, y compris le cardinal de Lorraine, soutiennent cette fameuse Compagnie de Jésus. En as-tu entendu parler ? »

Michel jugea opportun de feindre l'ignorance.

« Oh, à peine.

— Nous ne possédons pas d'ennemis plus acharnés, répliqua Marc Richard presque avec rage. À la différence des dominicains et des franciscains, les jésuites mobilisent les laïcs. Ils se sont dotés d'écoles et de congrégations de fidèles. Aucun autre ordre n'est aussi puissant aujourd'hui. Leur fondateur va bientôt trépasser, mais cette perspective n'empêche pas la Compagnie de s'étendre, en particulier au Brésil.

— Je ne vois pas comment cette expansion pourrait vous causer du tort, à vous les huguenots.

— Et pourtant il est facile de le comprendre. Tu as certainement entendu parler de l'expédition de Nicolas Durand de Villegagnon en terre brésilienne. Son but est de fonder là-bas une colonie huguenote qui puisse servir d'exemple à notre continent. Malheureusement les jésuites ont atteint le Brésil avant nous. En outre, nos subventions se révèlent à peine suffisantes. Nous ne pouvons trop exiger de l'amiral de Coligny, qui jusqu'à présent nous a financés. Nous lui sommes déjà hautement redevables d'avoir équipé notre flotte.

— Certes, mais que puis-je y faire ? protesta Michel, de plus en plus nerveux. Je ne peux vous fournir aucune aide financière.

À Paris, j'ai dû me faire prêter de l'argent, et la reine m'a dédommagé pour ma peine avec une misère. En outre, je me suis engagé à dédier cette somme à la construction du canal de Craponne.

— Mais je ne te demande même pas un écu. Il s'agit de tout autre chose. Dans tes prophéties, tu mentionnes souvent la présence d'un trésor caché. » Marc Richard prit sur une table à côté de la banquette un exemplaire de l'édition lyonnaise des centuries. Il l'ouvrit d'une main ferme et lut :

> Dessoubz le chaine Guien du ciel frappé,
> non loing de là est caché le trésor
> qui par longs siecles avoit esté grappé :
> trouve mourra, l'œil crevé de ressort*.

Marc Richard referma le livre.

« Tu t'ingénies à brouiller les pistes, mais le sens reste clair. Guien doit être la Guyenne, autrement dit l'Aquitaine. Sous un chêne frappé par la foudre gît un trésor, dérobé il y a de cela des siècles. Qui le trouvera mourra, un œil transpercé par l'ouverture du coffre. »

Michel haussa les épaules, exaspéré.

« Chaque fois, je suis contraint de répéter le même refrain. Le sens de mes prophéties m'est inconnu. Je ne les écris pas en état de lucidité, mais guidé par des visions, ou bien lorsque les conjonctions astrologiques sollicitent mon imagination. Il me semble qu'elles s'ancrent dans la réalité, mais je ne peux en être certain. Jusqu'à présent, rares sont celles qui se sont vérifiées.

— L'une, si, pourtant, et c'est celle qui m'intéresse le plus », répondit l'augustin, sans se rendre compte qu'il devenait trop insistant. Il ferma les yeux et récita de mémoire :

> Quand le sepulcre du grand Romain trouvé,
> le jour apres sera esleu pontife :
> du senat gueres il ne sera prouvé :
> empoisonne son sang au sacré scyphe*.

Michel regarda son hôte avec stupeur.

« Et que lui trouves-tu de si exceptionnel ? Moi-même je n'y comprends goutte. »

Le regard de Marc Richard s'assombrit.

« Je me demande si tu ne te moques pas de moi. Tout le monde sait que l'avant-dernier pape, Marcel II, a été élu en avril de l'année dernière malgré la désapprobation de nombreux cardinaux, autrement dit de son sénat. Comme il est presque certain que sa mort, une vingtaine de jours plus tard, a été provoquée au cours de la messe par l'absorption du vin empoisonné provenant du sacré calice, le *schyphus*. Comment as-tu pu prévoir ces événements ? Tu as écrit ce quatrain voilà des années ! »

Michel n'en pouvait vraiment plus.

« Je l'ignore ! Je l'ignore, tu comprends ! » Pour une part, il mentait, et pour l'autre il disait la vérité ; il n'était toutefois pas disposé à révéler le secret de sa pratique à son invité. « Et d'ailleurs, que t'importe ? Quel rapport avec tes propos de tout à l'heure ?

— La tombe du Romain. Plusieurs de tes vers y font référence, et tous, immanquablement, évoquent un trésor caché. On peut aisément relier ces indications au "chaine Guien" auquel je faisais allusion. Il ne s'agit pas en réalité d'un chêne de la Guyenne, mais d'un chêne couvert de "gui". J'ai deviné juste, n'est-ce pas ? »

Michel commençait à détester son ami.

« C'est possible, mais je n'en sais rien. »

Marc Richard se leva d'un bond de la banquette. Il paraissait tout à coup furieux.

« Je ne te crois pas ! Ce trésor existe, et tu sais parfaitement où il se cache ! Un chêne couvert de gui, une tombe romaine découverte peu avant l'élection de Paul IV comme successeur de Marcel II. La devise classique du sépulcre aux dieux mânes. Même le lieu est mentionné en toutes lettres !

— Tais-toi, tu divagues. Comment pourrais-tu le savoir puisque je l'ignore ?

— Au contraire, nous le savons tous les deux. Tu me l'as fait lire toi-même dans l'une de tes prophéties encore inédites. *Vlpian*. Les gens sans cervelle liront Ulpiano et penseront à l'un des noms de l'empereur Trajan, ou bien à Ulpien le juriste. Mais toi et moi sommes parfaitement conscients qu'il s'agit de Volpiano, où la guerre faisait rage avant la trêve de Vaucelles. Volpiano, qui se trouve si près de Turin. La tombe au trésor se cache non loin de Turin, n'ai-je pas raison ?

— Il suffit ! » Le ton acrimonieux de son ancien ami attisa chez Michel une colère incontrôlable. Il désigna la porte. « Sors d'ici avant que je perde toute patience ! Je n'ai nul trésor à offrir à ta cause. Vous, les huguenots, vous prévalez de raisons tout à fait légitimes. Ce qui nuit à votre cause est votre inclination fanatique, qui vous conduit à la violence. Je crains que vous ne soyez payés en retour de la même pièce. »

Marc Richard allait sortir, quand il se retourna sur le seuil de la porte.

« Michel, nous avons besoin de ce trésor. Un besoin vital. Aucun obstacle ne nous empêchera de nous en emparer. »

Une voix féminine, dans son dos, s'exclama :

« Écoutez-le, le cafard ! “Aucun obstacle ne nous empêchera de nous en emparer.” Quel toupet ! Mais je sais bien, moi, ce qui t'arrêtera. Une belle bastonnade ! »

Jumelle venait d'intervenir, bouleversée et furieuse. Elle s'était saisie d'une longue bûche noueuse, destinée à la cheminée, qu'elle tenait en l'air de ses deux mains. Marc Richard, effrayé, la fixa avec haine, puis sortit précipitamment. On entendit la porte d'entrée claquer.

La jeune femme abaissa son arme. Elle haletait un peu et tenait de sa main gauche son ventre gonflé.

« Cette maison est en train de devenir un asile de fous. Et que voulait donc cette fripouille de frère ?

— Un trésor, répondit Michel en souriant. Juste un trésor.

— Et lui as-tu dit que c'est déjà miracle si nous arrivons à vivre convenablement ?

— Eh bien, en vérité, je suis déjà en possession d'un trésor. » Il s'approcha de sa femme et lui caressa les cheveux. Elle fit mine d'échapper à son étreinte, puis ferma les yeux et lui tendit ses lèvres. On aurait dit une chatte en train de ronronner.

L'hérétique

Les exécuteurs préposés aux blasphèmes, peut-être les trois hommes les plus redoutés de l'organisation complexe de l'Inquisition vénitienne, siégeaient, un rien méprisants, sur leurs chaises à haut dossier. Piero Carnesecchi était agenouillé devant eux sur un prie-Dieu. Il n'avait pas été torturé et son corps ne présentait aucune blessure. Cela ne l'empêchait pas de trembler ostensiblement, alors que les fenêtres géminées, ouvertes sur le Rialto, laissaient entrer une chaleur étouffante.

Le plus âgé des magistrats essuya du revers de la main la sueur qui coulait le long de son cou et s'adressa à ses collègues :

« Selon moi, nous ne possédons aucune compétence pour juger ce cas. Il est vrai que les écrits du suspect peuvent relever du blasphème. Il en va d'ailleurs de même pour toute la production littéraire du prétendu Cercle des Réformés. Mais le crime principal reste celui d'hérésie. À mon avis, nous devrions remettre cet homme à l'Inquisition de Rome, qui le réclame. »

Son collègue assis à sa gauche, un peu plus jeune et le visage rubicond, secoua la tête avec vigueur.

« Je ne suis pas d'accord. Rome ne songe qu'à mettre fin à notre autonomie, à nous Vénitiens. Jusqu'à présent nous avons su résister. Céder un de nos prisonniers serait se rendre aux prétentions de la papauté, avec tout le respect que je dois à Sa Sainteté Paul IV. Je propose plutôt de le déférer devant le Conseil des Dix : l'hérésie fait partie de sa juridiction. »

Le vieux magistrat manifesta une certaine perplexité.

« Mais c'est précisément le Conseil des Dix qui nous a transmis ce dossier. Même si j'en ignore la raison.

— Je la connais, moi, dit avec une grimace un peu amère le troisième exécuteur, un aristocrate aux épais cheveux blancs et au visage émacié. Le suspect est parvenu à faire intervenir en sa faveur Côme de Médicis et Ferrante Gonzague. Il jouit de protections si élevées que son arrestation risque de se transformer à tout moment en incident diplomatique. On nous a transmis un cas dont tout le monde a voulu se débarrasser. »

Le vieux magistrat regarda son collègue avec sévérité.

« On ne divulgue pas de telles informations en présence d'un prisonnier. » Il soupira et regarda Carnesecchi. « Bon, continuons. Faites entrer le témoin à décharge. »

Le père Michaelis, qui avait écouté toute la conversation caché derrière une tenture de velours, resta déconcerté. Le Saint-Office, à Rome comme à Madrid ou à Lyon, n'aurait jamais révélé l'identité des témoins, en faveur ou en défaveur de l'accusé. Il se résigna cependant, écarta le rideau et entra dans la pièce.

Carnesecchi se retourna pour le regarder. Son pâle visage manifesta une vive stupeur.

« Vous ! s'exclama-t-il. Je me souviens de vous. Nous avons fait connaissance l'année dernière à la cour de…

— … de Catherine de Médicis », compléta Michaelis. Qu'il dût intervenir le scandalisait. À l'évidence, la République vénitienne profitait de l'indépendance de sa propre Inquisition pour pervertir les procédures du Saint-Office. Un tel comportement était inadmissible. Cette farce une fois terminée, il en référerait à ses supérieurs et au cardinal Alexandre Farnèse, afin qu'il en informe le pape. Le clergé vénitien devait sans aucun doute être complice de cette mascarade.

Carnesecchi tenta un sourire et serra ses mains avec ferveur.

« Je vous remercie du plus profond du cœur, mon père. Vous me connaissez à peine, et pourtant vous prenez ma défense. Cette attitude est tout à votre honneur. »

Michaelis ne lui répondit pas. Il adressa une révérence aux exécuteurs.

« Vous connaissez déjà mon identité, et peut-être n'est-il pas nécessaire qu'elle soit répétée dans ce tribunal. J'appartiens à la Compagnie de Jésus, fondée par le défunt Ignace de Loyola. Comme vous le savez, la Compagnie est présente à Venise depuis des années. Interrogez-moi et je vous répondrai, mais uniquement sur des sujets qui peuvent être abordés en toute sécurité devant l'accusé. »

Michaelis avait prononcé ces paroles sur un ton poli, mais d'une grande fermeté. Le vieil exécuteur parut en proie à l'embarras. Il s'entretint en vénitien avec ses collègues, puis dit :

« Mon père, nous ne conduisons pas ici un procès, mais une simple instruction. Comme vous pouvez le constater, aucun notaire ne nous accompagne, et nul procès-verbal n'est rédigé. Piero Carnesecchi ici présent est soupçonné de blasphème contre la foi, et non d'hérésie. Si vous voulez avancer des arguments susceptibles de le disculper, je vous prierais de nous les exposer. »

Michaelis soupesa avec soin les mots qu'il jugeait les plus adaptés :

« Très excellents exécuteurs, en ce qui concerne le crime d'hérésie, je ne peux produire qu'un témoignage d'une valeur incertaine. En vérité, cet homme ne s'est pas rebellé ouvertement contre l'Église. S'il est vrai qu'il soutient certaines thèses des prétendus réformés, il demande également à travers ses écrits la convocation d'une nouvelle session du concile de Trente, et souhaite que ses idées puissent être discutées en ce lieu. En somme, il ne se révolte pas contre l'Église et en accepte le magistère. Vous devez en tenir compte. »

L'exécuteur au visage creusé fit un signe d'approbation et s'adressa à son collègue plus âgé :

« C'est tout à fait exact, et tous les papiers que nous avons confisqués le prouvent. Considérez en outre que c'est un jésuite qui parle. L'engeance luthérienne ne possède pas d'ennemis plus acharnés. »

L'autre haussa les épaules.

« Cela se peut, mais cet argument n'est nullement décisif. » Il regarda Michaelis. « Mon père, telle n'est pas seulement la question qui nous préoccupe. Notre problème est de découvrir si les écrits du suspect constituent ou non un blasphème contre Dieu. Pourriez-vous nous dire quelque chose à ce propos ?

— Ceux qu'il m'a été donné de lire n'insultent pas directement Dieu, ni son Fils ni le Saint-Esprit. Certes, ils sont truffés de mensonges et de déformations, mais on ne peut les gratifier du nom de blasphèmes. Je suppose que vous, Votre Excellence, avez fait fouiller la demeure du prisonnier. Y avez-vous trouvé des textes susceptibles de confirmer ce délit ? »

Le magistrat fit un geste vague.

« Si l'on s'en tient rigoureusement à la définition d'insultes adressées à la divinité, non. Nous avons découvert des œuvres de Lelio Socini, Aonio Paleario, Pietro Gelido et d'autres luthériens. Ils contiennent moins d'injures que n'en prononcent chaque jour les gondoliers de cette ville. Tout du moins dans un sens non métaphorique. Mais nous avons exhumé également un manuscrit codé… »

L'exécuteur s'interrompit car un messager, à la courte tunique rouge et or, venait d'entrer dans la salle. Ce dernier se précipita vers lui et lui tendit un pli couvert de sceaux. Puis, s'étant incliné, il se retira d'un pas pressé.

Le magistrat décacheta l'enveloppe et en tira une feuille qu'il lut rapidement. Son regard se fit plus déterminé. Michaelis le remarqua et se demanda s'il devait l'interpréter comme un signe positif ou négatif pour le jeu compliqué qu'il était en train de mener. Avant de s'en assurer, il devait toutefois satisfaire une autre curiosité.

« Votre Excellence, dit-il, vous parliez d'un manuscrit. De quoi s'agit-il ? »

Le vieil exécuteur sortit de sa torpeur.

« C'est un texte fort étrange, dont on ne parvient à lire que le titre : *Arbor mirabilis*. Il contient des dessins obscènes de femmes nues se baignant dans de curieux bassins et des représentations de plantes inconnues. Le traité, si effectivement c'en est un, pourrait contenir des expressions blasphématoires, en relation avec les illustrations. Mais il est rédigé dans une écriture codée, dont le suspect ne semble pas posséder la clef.

— C'est parce qu'il n'a pas encore été soumis à la torture, murmura sur un ton polémique le jeune magistrat. Peut-être alors sera-t-il capable de le traduire à la perfection. »

Carnesecchi, qui avait suivi tout le dialogue avec attention, s'insurgea pour la première fois. Le bruit d'un tintement révéla qu'il était retenu au prie-Dieu par des chaînes robustes.

« J'ignore tout de ce livre, protesta-t-il en s'agitant. Il appartenait à un magicien français, qui se disait prophète ! »

L'attention du père Michaelis s'accrut.

« Quel magicien ? dit-il, essayant de cacher sa propre émotion.

— Celui qui s'est rendu célèbre en écrivant des almanachs... Nostradamus ! »

Michaelis remercia Dieu avec transport. Les deux pistes qu'il suivait, celle de Carnesecchi et celle de Michel de Nostre-Dame, se rejoignaient de nouveau presque comme par miracle. Il était certain maintenant que le Seigneur l'avait placé sur la bonne voie. Il s'engagea à lui consacrer une nuit entière de prières et d'adoration.

Ses nouvelles certitudes l'incitèrent à adopter un air autoritaire.

« Je vous prierai, Votre Excellence, dit-il en s'adressant au plus âgé des magistrats, de faire sortir le prisonnier. Ce que je m'apprête à vous révéler ne doit pas être entendu par des oreilles étrangères. Je vous le demande en ma qualité de jésuite, et parle non seulement en mon nom, mais aussi en celui de mes supérieurs. »

Qu'un témoin, même influent, puisse suggérer à un organe judiciaire républicain la marche à suivre dans une instruction était tout bonnement inouï. Les trois magistrats délibérèrent entre eux en vénitien sur un ton vif. L'homme au visage émacié, qui semblait le plus indigné, se mit à gesticuler. Enfin, après une plaidoirie enfiévrée, le vieil exécuteur réussit à faire taire son collègue et fit un geste en direction des deux soldats, immobiles au fond de la salle.

Le prisonnier fut hissé à bout de bras et traîné au-dehors. Ses chevilles étaient retenues entre elles par une chaîne, qui ne lui permettait que d'effectuer de petits pas. Il jeta un regard implorant au père Michaelis.

« Vous continuerez à me défendre, n'est-ce pas ? »

Ce dernier n'articula aucune parole, mais abaissa et releva lentement les paupières, en signe d'assentiment. Carnesecchi cria :

« Je vous en saurai gré toute ma vie ! Vous entendez ? Toute ma vie ! » Les gardes le soulevèrent presque du sol, le contraignant à une sorte de trottinement rapide, tout à fait comique.

Le vieil exécuteur attendit que les tentures au fond de la salle se fussent refermées, puis il dit avec gravité :

« Père Michaelis, nous n'avons consenti à votre requête qu'à cause de l'immense respect que nous avons à l'égard de la Compagnie de Jésus. J'espère qu'à présent vous daignerez nous communiquer des éléments dont l'intérêt justifiera la violation de notre protocole. »

Michaelis s'inclina avec respect.

« Parfaitement, Votre Excellence. Ce que je souhaitais vous révéler en privé est que l'ancien monseigneur Piero Carnesecchi se trouve recherché par la justice et le Saint-Office français pour un délit d'une grande gravité. On le soupçonne d'avoir été le complice des huguenots qui, il y a cinq ans, en 1552, ont fait évader Michel Servet des geôles de l'Inquisition de Lyon. »

L'exécuteur à la complexion apoplectique manifesta sa stupeur :

« Vous faites allusion à l'hérétique qui fut ensuite brûlé vif par Calvin ?

— Lui-même.

— Je suppose alors que vous requérez la remise du suspect à la justice française.

— Tout à fait. Je peux me charger moi-même de l'emmener à Lyon, avec une petite escorte. Je ne vous demanderai que quelques hommes, juste le temps de le conduire jusqu'au Piémont, où la France garde une partie de son armée. Ce serait pour vous un excellent moyen de résoudre le conflit de compétence entre le Conseil des Dix et vous. Et une manière habile de vous débarrasser d'un détenu encombrant, dont tant d'illustres protecteurs ont pris la défense. »

Le visage rougeaud de l'exécuteur s'illumina. Il s'adressa à son collègue âgé :

« Voilà bien en effet une solution ! Du reste, nous ne saurions plaider plus avant une cause aussi étrangère à notre juridiction. »

Le chef de l'assemblée regarda fixement le père Michaelis. « L'idée est bonne, en effet, mais elle arrive trop tard. » Il montra la missive qui lui était parvenue quelques instants auparavant. « Notre doge, Lorenzo Priuli, ordonne que Piero Carnesecchi soit remis immédiatement en liberté. Et qu'il trouve à Venise un refuge sûr tout le temps qui lui paraîtra nécessaire. »

Michaelis avait redouté une issue semblable depuis le moment où le messager, aux couleurs de la Sérénissime, avait fait irruption dans le tribunal. Il ne tenta même pas de protester :

« Je suppose que vous devez obéir, murmura-t-il.

— Vous supposez bien. »

Les trois magistrats se levèrent de leurs sièges, lui donnant ainsi manifestement congé, mais Michaelis n'était pas disposé à accepter une défaite totale.

« Vos Excellences, dit-il, je comprends que pour vous cette affaire soit close. Il me semble en conséquence que les pièces à conviction que vous avez recueillies ne vous sont plus d'aucune utilité. L'une d'entre elles en revanche pourrait grandement me servir.

— Laquelle ? interrogea le vieil exécuteur tandis qu'il ôtait sa toge.

— Le manuscrit codé. Ma Compagnie compte des frères aux quatre coins du monde, versés dans toutes langues et disciplines. Peut-être serions-nous à même de déchiffrer un texte qui demeure pour vous incompréhensible. »

Le magistrat haussa les épaules.

« Pourquoi pas ? En effet, le dossier est clos. Voulez-vous bien me suivre ? »

Michaelis emboîta le pas à l'exécuteur le long d'un escalier qui descendait au rez-de-chaussée, au ras du canal, jusqu'à une petite pièce. Indifférents aux miasmes que la canicule apportait du dehors, deux jeunes hommes, assis à une table, compulsaient des dossiers. Les minutes des procès étaient empilées sur de longues étagères qui ployaient sous le poids des reliures. Il régnait dans le local une atmosphère poussiéreuse et presque irrespirable, qui arrachait aux employés de fréquents accès de toux.

L'exécuteur, couvert de sueur, fit signe aux deux adolescents de rester assis à travailler et à tousser en paix. Il prit sur l'étagère un manuscrit de taille moyenne et le tendit à son hôte.

« Voici l'*Arbor mirabilis.* Il est à vous, usez-en comme bon vous semble. »

Michaelis feuilleta le texte et demeura stupéfait. Il était rédigé à l'aide de caractères qui lui rappelaient divers alphabets, tout en restant très différents de tous ceux qu'il connaissait. Les illustrations, surtout, le déconcertèrent. Grossières et multicolores, elles possédaient quelque chose de charnel et d'obscène, même quand elles se bornaient à représenter une plante imaginaire ou une configuration céleste.

Il posa le volume avec un sentiment inexpliqué de malaise.

« Avez-vous demandé à Carnesecchi qui le lui a procuré ?

— Oui. Il paraîtrait qu'il lui a été confié par un certain Simeoni, un de ces astrologues florentins qui se pressent à la cour de la reine de France. »

Michaelis tressaillit. Il se souvenait parfaitement de sa rencontre avec la fiancée de Simeoni, lors du banquet en l'honneur de Nostradamus donné par Catherine de Médicis. Elle s'appelait Giulia. Il en conservait une image trop agréable pour qu'elle puisse demeurer dans son esprit sans constituer un péché. Il l'en avait d'ailleurs chassée. Mais voilà qu'elle revenait à sa mémoire…

Il dévia le cours de ses pensées et aussitôt frissonna. Mais c'était un frisson de satisfaction. Simeoni était lié à Carnesecchi, Carnesecchi à Nostradamus : une croisée de destins qui ne pouvait être fortuite. Il s'agissait de les aiguiller grâce à cette connaissance de l'humanité que seuls les jésuites possédaient, tandis que les autres ordres se perdaient dans d'inutiles abstractions. Il était certain qu'il serait à la hauteur de sa tâche.

Il referma le manuscrit, soulevant un nuage de poussière et de poudre d'encre séchée. Il attendit que le halo argenté se fût dissous, puis s'inclina devant le magistrat.

« Je vous remercie, Votre Excellence. Je ferai part à Sa Sainteté de votre courtoisie. »

L'exécuteur se fendit d'une révérence à son tour, oubliant pour un instant le maintien imposé par sa charge.

« Informez-la alors qu'elle compte à Venise des sujets loyaux, quoique jaloux de leur indépendance.

— Je n'y manquerai pas. » Michaelis se dirigea vers la sortie, le manuscrit sous le bras.

Dans la rue, il se sentit agressé par le soleil qui faisait scintiller le canal, dissimulant sa saleté sous un manteau brillant. On était au milieu de la journée et les passants se montraient rares. Il prit la direction de l'église Santa Maria Assunta, depuis des années le quartier général de la Compagnie de Jésus. Cette terminologie militaire se révélait dans ce cas parfaitement appropriée. Les jésuites vivaient en ville une sorte de siège, qui transformait leurs communautés en autant de fortins.

De nombreux nobles se montraient ouvertement hostiles envers eux et auraient souhaité que la Compagnie quitte la ville. Par bonheur, les doges ne sous-estimaient pas la puissance des disciples d'Ignace de Loyola et résistaient, pour le moment, aux pressions. Pire encore était en vérité la réalité de la vie religieuse à Venise. Le nombre exorbitant de monastères et d'églises pouvait faire croire à une population pieuse et dévote, perdue dans la contemplation de Dieu. Un simple coup d'œil au carnaval vénitien suffisait cependant à dissiper cette illusion.

Les nonnes avaient coutume de sortir masquées des couvents, attifées dans de riches et impudiques habits. Rares étaient alors celles qui se rebellaient à cette occasion si quelque chevalier laissait glisser sa main dans leur décolleté ou sous leurs jupes. Du reste, il ne s'écoulait pas une nuit sans visites masculines aux couvents de religieuses. Les patriarches n'avaient de cesse de dénoncer ces abus, mais ne parvenaient pas à y mettre fin. La luxure semblait la caractéristique première des habitants de Venise, aussi inextirpable que le blasphème.

Par chance, les réformés étaient en nombre restreint et appartenaient presque tous à la basse noblesse. Dans ces conditions, les prêches des jésuites, destinés autant au petit peuple qu'à l'aristocratie, avaient un effet notable. S'ils ne réussissaient pas à convaincre les Vénitiens d'abandonner le relâchement de leurs mœurs, ils les amenaient toutefois à se méfier des calvinistes. Certains jésuites laissaient ainsi entendre avec astuce à leur public qu'une victoire de la Réforme imposerait un comportement austère à toutes les classes de la société. Aucune menace ne pouvait les effrayer davantage.

Ce fut précisément l'un des prédicateurs les plus efficaces dont disposait la Compagnie que Michaelis croisa, non loin de Santa Maria Assunta. Le père Edmond Auger était un homme d'âge mûr, dont les cheveux blonds contrastaient étonnamment avec des yeux sombres et un peu fébriles. Il ne possédait pas la beauté de Michaelis, mais sa prestance, sa voix chaude et ses gestes calmes et vaguement sensuels lui assuraient un certain succès auprès du public féminin, le seul, du reste, qui montrait quelque assiduité aux sermons.

« Je tombe sur vous au bon moment, dit le père Auger en un français volubile. Êtes-vous au courant du désastre de Saint-Quentin ?

— Non. Que s'est-il passé ?

— L'armée du roi de France a été battue il y a trois jours à Saint-Quentin par Emmanuel Philibert de Savoie, le capitaine des troupes flamandes du roi d'Espagne. »

Michaelis, qui ces derniers temps s'était occupé de tout sauf de politique, s'enquit, un peu perdu :

« Et où se trouve Saint-Quentin ?

— Dans le Vermandois, au nord de la France, non loin de la Belgique. À présent, Philippe II menace directement Paris. Il peut décider de venger les défaites de son père, Charles Quint, et de mettre un terme à la monarchie française. »

En tant que jésuite, Michaelis ne cultivait aucune notion de patrie. S'il frémit, ce fut parce qu'il savait que le pape était l'allié des Français. La chute de Paris l'aurait exposé à une invasion de Rome par les troupes impériales qui, commandées par le duc d'Albe, se pressaient déjà menaçantes à ses portes.

« Et l'armée de François de Guise ? On m'a dit qu'elle était sur le point de contraindre le duc d'Albe à se replier. On parlait même d'une possible conquête de Naples par les Français…

— Les soldats du duc de Guise ont déjà été rappelés en France. » La voix du père Auger devint maussade. « Outre Paris, Rome se trouve également en grand danger. Toute la politique de notre pape est en train de s'effondrer. La faute en revient à Alexandre Farnèse qui a poussé le pontife à lier son sort à celui de Henri II. D'ici quelques semaines, ce dernier pourrait bien y perdre sa couronne. »

Michaelis, fort troublé, regarda distraitement un gondolier qui ramait avec énergie, plongeant son aviron dans l'eau rendue huileuse par les déchets et les urines qu'on y déversait. Il réfléchit quelques instants, puis dit :

« Paul IV ne peut être déposé. Philippe II n'oserait jamais.

— Oh, bien entendu. Mais Rome peut y perdre sa liberté d'action, ce qui se révélerait un événement d'une grande gravité. » Le père Auger soupira. « Au milieu de tout ce marasme, il reste un seul facteur positif en notre faveur.

— Et lequel ?

— Henri II, qui est animé d'une grande piété, pourrait considérer sa défaite comme une punition de Dieu pour son excessive tolérance envers les huguenots. En outre, la menace qui pèse sur son trône provient des Flandres, autrement dit d'un pays acquis en majorité à la Réforme. »

Michaelis haussa un sourcil.

« Ce raisonnement me paraît par trop forcé.

— Au contraire. » Les yeux noirs du père Auger s'étrécirent. « Si Henri réussit à sauvegarder son royaume, comme je l'espère, il devra rendre quelqu'un responsable de cette débâcle. Un ennemi proche. Et je sais de source sûre que des âmes bien intentionnées lui murmurent déjà à l'oreille le nom d'un possible bouc émissaire.

— Et nous serions ces bonnes âmes ? Nous, les jésuites ? »

Le père Auger esquissa un petit sourire.

« Et qui d'autre ? Si Henri conserve son trône, il ne pourra plus se plaindre qu'il ne possède pas l'instrument capable de le débarrasser des huguenots. Depuis quelques mois, la France s'est dotée d'une Inquisition. Le roi peut donc… »

Cette fois, Michaelis tressaillit violemment.

« Que voulez-vous dire par là ? L'Inquisition existe en France depuis des siècles. L'actuel chef du Saint-Office, Mathieu Ory…

— Mais il n'assume plus les fonctions d'inquisiteur général ! » Le père Auger parut stupéfait. « Vous l'ignoriez ? Sur la requête de Henri II, son ambassadeur à Rome, Odet de Selve, a demandé au pape la permission de créer en France une Inquisition sur le modèle de celle d'Espagne. L'autorisation est arrivée en avril. Nous bénéficions à présent en France d'un véritable Saint-Office, dirigé par les cardinaux de Bourbon, de Lorraine et de Châtillon. »

Le père Michaelis sentit s'écrouler nombre de ses aspirations. Il commenta, sur un ton exacerbé :

« Aucun de ces trois-là n'accomplira jamais rien de bon. L'Inquisition française est mort-née. »

Le père Auger lui répondit avec un petit ricanement.

« Mais non, mais non ! Vous oubliez les jésuites. Notre vocation n'est pas de commander, mais d'influencer. Les cardinaux que je viens de vous citer, bien qu'étrangers à la Compagnie, lui sont parfaitement soumis. »

Michaelis prit un peu de temps pour réfléchir, puis s'enquit :

« Vous retournez en France ?

— Oui. Je souhaite me tenir au courant de la suite des événements parisiens.

— Je vous accompagne.

— Prenez garde, je me rends directement à la capitale. Le voyage risque d'être long. »

Le père Michaelis désigna le manuscrit qu'il continuait à tenir sous son bras.

« Aucune importance. J'emporte avec moi de la lecture. »

Monstradamus

Les bras déjà creusés du canal de Craponne commençaient à faire revivre la campagne : tout autour d'eux avait poussé un moelleux manteau d'herbe s'étendant jusqu'aux collines. Les travaux étaient cependant loin d'être terminés et, tout au long de la plaine, des équipes d'ouvriers, torse nu, s'activaient dans le gigantesque chantier ouvert pour vaincre la sécheresse. Certains, tout en maniant bêche et pioche, s'efforçaient de chanter. Le soleil au zénith enrouait toutefois rapidement les voix, et le rythme devenait plus lent, malgré les efforts des contremaîtres.

Ni Michel ni Simeoni ne s'intéressaient beaucoup au spectacle. Ils conversaient entre eux à voix basse, essayant de ne pas se faire entendre du cocher, un jeune laquais mis à leur disposition par le notaire Étienne d'Hozier, capitaine de Salon, en vue de leur visite au nouveau canal.

Simeoni était d'une grande pâleur.

« … un spectacle atroce, je vous dis. J'ai aussitôt regretté de m'être rendu place Maubert, mais la cohue était telle que je n'avais plus moyen de revenir en arrière. Quand la charrette qui emmenait madame de Ratigny, madame de Longjumeau et les autres gentes dames huguenotes est apparue, la foule s'est mise à les insulter, les gratifiant du nom de "putains". Ils ont beaucoup moins hué les condamnés de sexe masculin. Il s'en est fallu de peu que le petit peuple traîne ces dames hors de la charrette et les mette en pièces. Peut-être d'ailleurs cela eût-il mieux valu pour elles. »

Michel fronça les sourcils. « Jumelle a raison. Ce fanatisme catholique prend surtout les femmes pour cible.

— Ma foi, vous savez comment sont les prêtres… Le spectacle qui s'est déroulé sur l'estrade a témoigné d'une barbarie ignoble. Hommes et femmes ont été dénudés, puis le bourreau leur a arraché la langue à chacun d'eux à l'aide d'une tenaille. Quelques dames ont imploré sa clémence, mais la voix du cardinal de Lorraine dominait leurs prières. Après cette mutilation, elles n'ont eu d'autre choix que de se taire. Le bûcher qui a suivi a dû constituer un soulagement pour ces pauvres gens. Ils étaient tout couverts de sang. »

Michel frissonna, bouleversé.

« Il est effrayant de constater que les catholiques entachent leurs consciences de crimes aussi abominables. J'ai bien connu le roi Henri, et il m'est toujours apparu comme une personne bonne et aimable. Je ne parviens pas à l'imaginer sous les dehors d'un sanguinaire.

— La défaite de Saint-Quentin l'a changé. Comme vous le savez, je me trouvais dans l'armée du duc de Guise quand nous avons été rappelés en France et que nous avons dû abandonner l'Italie méridionale à Philippe II. Eh bien, tous sans exception, du duc au dernier des officiers, se sont convaincus que la défaite avait été engendrée par la trop grande tolérance qu'on manifeste en France envers les huguenots. Une punition de Dieu, en somme.

— Comment ont-ils pu acquérir une conviction aussi absurde ? » demanda Michel avec étonnement.

La voix de Simeoni, déjà basse, se réduisit à un chuchotement :

« Pour ma part, je nourris quelques soupçons. Quelqu'un a dû suggérer cette idée à notre roi. Quelqu'un qui mise sur l'élimination totale des luthériens et des calvinistes, et se déclare prêt à tous les subterfuges pour atteindre ce résultat.

— Qui donc ?

— Dame, ce n'est pas très difficile à deviner ! Le père Edmond Auger, qui réclame une sorte de guerre civile contre les huguenots, est un jésuite. Or, le cardinal de Lorraine, le chef de l'Inquisition, entretient au grand jour des relations amicales avec la Compagnie de Jésus. C'est lui qui a conduit ce procès caricatural contre les calvinistes de Paris. » Simeoni leva une main, montrant sa paume. « Il est clair que je ne possède aucune preuve. Les jésuites ne paraissent pas à première vue aussi féroces et acharnés que le sont les dominicains. Mais j'ai la sensation que, pour poursuivre leur but, ils n'hésitent devant aucun expédient. Y compris la propagation de fausses rumeurs. »

Michel n'osa pas faire de commentaire. Il se tut brièvement, puis ordonna au cocher :

« Ramenez-nous chez moi. Nous en avons assez vu ici. »

Simeoni comme lui-même gardèrent le silence. Ce ne fut que lorsque la calèche passa devant l'hôpital Saint-Ladre, le long d'une des rues principales de Salon, que Michel se pencha vers son ami.

« Je vous en prie, ne mentionnez pas les bûchers de Paris devant Jumelle. Elle en serait choquée. Elle a vu sur les murs l'édit de Compiègne sur l'obligation d'exterminer les hérétiques et en a perdu le sommeil pendant plusieurs jours.

— Votre épouse sait lire ? » s'étonna Simeoni.

C'était une demande embarrassante. Quelques années plus tôt, Michel aurait répondu « malheureusement ». Mais désormais il n'avait plus peur de passer pour un mauvais mari. Il redoutait seulement de devoir fournir trop d'explications. Il éluda la question d'une phrase générique :

« Vous savez aussi bien que moi que les édits royaux sont déclamés à haute voix par les crieurs publics.

— C'est vrai, tout comme les sentences capitales. » Simeoni soupira. « Je crains que votre épouse n'ait pas fini d'en entendre. Les calvinistes arrêtés à Paris comptent au nombre de cent vingt-huit. L'exécution des sept gentes dames en annonce, je le crains, de nombreuses autres. »

Quand ils atteignirent sa demeure, dans le quartier Ferreiroux, Jumelle en personne vint leur ouvrir. Elle accueillit Simeoni avec un charmant sourire, non absent, pourtant, d'une pointe d'embarras :

« Oh, Gabriele ! Quel plaisir de vous revoir ! Comme vous pouvez le constater, je suis un peu plus vêtue qu'il y a deux ans, lorsque nous nous sommes rencontrés… dans des circonstances pour le moins spéciales. »

Simeoni se pencha pour lui baiser la main.

« Madame, considérez que nous faisons connaissance pour la première fois. Imaginez que cette nuit n'a jamais eu lieu.

— Mais allons donc ! Bien sûr que si ! rit Jumelle. Du reste, cet acte n'a vraiment rien d'étrange. Ce que nous avons fait, Michel et moi, n'est guère différent de ce que font tous les hommes et les femmes partout dans le monde. Excepté de rares prêtres et quelques religieuses. Vous ne vous y consacrez jamais, avec votre Giulia ? »

Simeoni rougit, mais se mit à rire à son tour.

« Malheureusement, nous en avons rarement l'occasion. Je viens à peine de revenir de la guerre en Italie et compte participer à la défense de Paris, comme il est de mon devoir. J'ignore même où se trouve Giulia en ce moment. La dernière fois qu'elle m'a écrit, elle résidait à Lyon.

— Venez, entrez. »

Simeoni franchit le seuil de la porte, suivi par Michel, qui avait adopté un air sombre. Jumelle devina l'état d'esprit de son mari et lui lança un regard interrogateur, mais sans faire aucun commentaire. Elle leur ouvrit le chemin jusqu'à la porte du salon, qu'elle ne franchit toutefois pas.

« Nous ne savons plus où recevoir nos invités, expliqua-t-elle. Le salon, dans lequel Michel recevait ses clients, se voit maintenant tout encombré de papiers et de livres. Je vais devoir vous installer en haut, dans son observatoire.

— Cela me convient parfaitement. »

Ils gravirent l'escalier. D'une porte de l'étage supérieur fit irruption Christine, la servante, une petite blonde aux cheveux filasse et au visage insignifiant. Elle portait une simple blouse, qui collait à sa poitrine plate.

« Madame, je crois que le petit Charles réclame votre présence. Magdelène et César montrent eux aussi quelque inquiétude, j'en ignore la raison.

— Je viens, je viens. » Jumelle sourit à son hôte. « Pardonnez-moi, messire. Mes enfants me réclament. Michel vous conduira dans son cabinet de travail.

— Allez donc, madame. » Simeoni se fendit en une courte révérence. « Et permettez-moi de vous adresser mes plus vifs compliments. Déjà trois bambins, et votre teint n'a rien perdu de sa fraîcheur !

— Quatre, répliqua Jumelle dans une moue. Je porte déjà le futur André ou la future Andrée.

— Alors je me dois également de féliciter votre mari. »

Les yeux de Jumelle brillèrent de malice, perdus dans d'autres pensées.

« Oh, absolument. De temps à autre, quand il oublie ses séances nocturnes et qu'il n'a nul désir de s'acheminer jusqu'à la porte de Cogos, il trouve le temps de me mettre enceinte. De toute façon, les enfants sont ma partie. » Sur ces mots, Jumelle disparut derrière la servante.

Michel sursauta. Il n'imaginait pas que son épouse était au courant de ses visites hebdomadaires à la porte de Cogos, lieu de l'unique bordel de Salon. Il s'y rendait chaque vendredi, tard dans la soirée, alors qu'il croyait qu'elle dormait ou qu'elle allaitait ses enfants. Une onde de frayeur contre laquelle il ne pouvait lutter s'empara de son cerveau. Il était désormais terrassé par l'inquiétude et devait s'en accommoder. Simeoni ne savait probablement rien de Cogos. Il le saisit par le bras et le traîna jusqu'à son cabinet. L'*officine*, comme il aimait à l'appeler.

Tandis qu'ils atteignaient cette pièce, un peu isolée des autres, Simeoni lui dit :

« Savez-vous, Michel, que j'ai fait l'acquisition de votre *Nouvelle pronostication pour l'année 1558* ? Le quatrain destiné au mois de juillet m'a fort surpris. »

Michel s'arrêta sur le seuil de la porte, alarmé malgré lui.

« À quel quatrain faites-vous allusion ? Je n'arrive pas à me souvenir de tous ceux que j'ai écrits.

— À ces vers. » Simeoni avait dû les apprendre par cœur, car il récita d'un trait :

> Guerre, tonnerre, maints champs depopulez,
> frayeur et bruit, assault à la frontière,
> grand Grand failli, pardon aux Exilez,
> Germains, Hispans, par mer Barba. Bannière*.

« Et qu'est-ce qui vous surprend donc tant ? demanda Michel tout en connaissant déjà la réponse.

— Vous dites que ces présages se rapportent au mois de juillet de l'année prochaine, mais ils décrivent fidèlement les événements survenus ces derniers mois, auxquels j'ai personnellement assisté. Guerre, coups de canon, champs abandonnés, fracas des armes, tel est bien le portrait de l'Italie que j'ai pu voir. Sans compter les menaces allemande et espagnole à nos frontières, malgré la disparition de Charles Quint, puissant entre tous les puissants. Tandis que notre roi, pour résister à l'assaut, fait appel, comme son père avant lui, aux navires turcs qui arborent l'étendard du corsaire Barberousse, et que la reine fait pression sur le duc de Florence pour qu'il accorde sa grâce aux exilés florentins qui combattent dans les rangs de l'armée française. »

Michel ne se compromit pas :

« C'est votre interprétation.

— Non, c'est la vérité ! répliqua Simeoni avec chaleur. Ce qui me paraît fortuit en revanche est votre datation. Dites-moi, en quelle période de l'année composez-vous vos présages ?

— Au printemps, et tout de suite après je rédige la dédicace. C'est une bonne période pour que mon almanach soit publié à temps pour la foire de la Toussaint à Lyon, qui se tient en novembre. Les calendriers s'y vendent comme des petits pains. Et pas seulement les miens. »

Simeoni secoua la tête. Il pénétra dans l'officine, baignée d'effluves persistantes, et se laissa tomber sur un petit fauteuil appuyé contre la fenêtre, provoquant la fuite d'un chat qui se léchait le poil sur le rebord.

« Michel, vous oubliez que vous êtes en train de parler à quelqu'un qui, comme vous, a été le disciple de *Meister* Ulrich de Mayence et a reçu le baptême du feu. Vous n'écrivez pas vos présages et vos prophéties pour des motifs vénaux. Admettez-le. »

Michel ignorait jusqu'à quel point il pouvait faire preuve de sincérité avec Simeoni, qu'il connaissait de façon trop superficielle. De plus en plus embarrassé, il dit sur un ton qui se voulait détaché :

« Je vis aujourd'hui de mes publications, qu'elles reflètent ou non la vérité. La profession de médecin ne se révèle pas assez rentable, et la goutte limite mes déplacements. Je suis donc devenu avant tout un écrivain.

— Allons donc, vous pouvez tromper qui vous voudrez sauf moi. Une part d'inconscient se cache derrière vos vers. Et je vais vous le démontrer. » Bien que sarcastique, le ton de Simeoni dénotait un certain respect. « La première édition de vos prophéties se compose de trois cent cinquante-trois quatrains. Si nous y ajoutons vos douze présages annuels, nous atteignons le chiffre de trois cent soixante-cinq. Celui d'*Abrasax*, selon l'alphabet juif. »

Michel fut déconcerté de voir ses propres calculs occultes exposés en pleine lumière. Il réussit à peine à balbutier :

« Vous omettez que cette année est sortie à Lyon une nouvelle édition de mes prophéties en 640 quatrains.

— Je ne l'oublie pas du tout. Mais j'y ajoute les 26 autres quatrains présents dans les almanachs de 1555 et 1557. Le résultat est 666, le chiffre de la Bête. Le chiffre du diable. » Simeoni éclata d'un rire fêlé et désagréable. « En somme, Michel, qui croyez-vous pouvoir tromper ? Vous ne pratiquez aucunement l'astrologie. Vous cultivez le commerce avec les démons. Comme nous tous, les anciens Illuminés. Vous ne pouvez le nier. »

Michel n'essaya même pas. Il rejoignit son siège de bronze, témoin de ses veillées nocturnes, et, ayant regagné une certaine assurance, dit :

« Gabriele, vous savez aussi bien que moi qu'invoquer les démons ne signifie pas vouer son âme à Satan. Les démons peuvent être rendus esclaves, au nom de Dieu, et forcés d'agir contre leur volonté. Ce qui reste conforme à l'œuvre du Christ, que nous nous devons tous d'imiter.

— Oh, mais je ne vous adressais aucun reproche ! se hâta de répliquer Simeoni. Je sais bien que vous n'êtes pas un nécromant, mais plutôt un *Magus*, un magicien. Je désirais seulement connaître la méthode que vous employez. »

Michel décida de faire confiance à son interlocuteur. Du reste, l'alternative aurait été de se taire.

« Dans ma jeunesse je me suis servi de drogues, piloselle et jusquiame surtout. Ma phase d'apprentissage. »

Simeoni opina.

« Nous sommes tous passés par là.

— Puis a suivi une période d'incursions involontaires dans l'autre réalité. Sans artifices et sans narcotiques, j'étais projeté dans un monde que je ne connaissais pas. Il suffisait alors d'un mot pour détacher mon esprit de mon corps. »

Simeoni approuva de nouveau :

« Vous avez expérimenté la seconde étape de l'initiation. Je la traverse en ce moment.

— Moi, je l'ai au contraire dépassée. » La voix de Michel devint plus grave : « La cérémonie phibionite m'a permis de mieux contrôler mes visions. Je peux les susciter à volonté, en suivant les anciens rites. Je possède un démon pratiquement à mes ordres et suis capable d'accéder à la vision dont on peut jouir aux frontières extrêmes de l'univers.

— Vos dires confirment les miens, insista Simeoni avec un sobre signe d'assentiment. Vous êtes désormais devenu un *Magus*, maître du temps et carrefour entre les hommes et les femmes.

— Ma foi, à travers Jumelle, j'ai réellement découvert la femme et compris le rôle qu'elle joue dans le cosmos. Tout le contraire de ce que m'a enseigné le christianisme du vulgaire. Quand je repense à la façon dont je considérais les femmes dans ma jeunesse… » La voix de Michel se brisa légèrement, le temps d'un instant. « Excepté dans de rares cas, je ne parviens absolument pas à dater mes visions. Si je répartis mes présages selon les mois, c'est uniquement parce que le public l'exige. C'est de toute façon ce que pense mon imprimeur Brotot, qui m'exhorte continuellement à la synthèse.

— De rares cas ? Ma foi, dans les *Prophéties* que j'ai vues, vous n'incluez jamais de dates.

— Je vous en ai donné la raison. Mais il existe des exceptions. L'un de mes quatrains qui n'a pas encore été publié concerne l'année 1999, une année de guerres. »

Simeoni haussa les épaules.

« Les trois quarts de vos prophéties et de vos présages concernent la guerre.

— C'est vrai, mais celle dont je vous parle se révèle très particulière. Le démon qui m'assiste, une créature obscène du nom de Parpalus, me l'a dictée en même temps que le présage qui précède celui que vous venez de me réciter. »

Michel pinça la base de son nez entre son index et son pouce, ferma les yeux et déclama :

> Là ou la foy estoit sera rompue :
> les ennemis les ennemis paistront,
> feu ciel pleura, ardra, interrompue
> nuit entreprise, Chefs querelles mettront*.

Il rouvrit les yeux et dit :

« Voici ce que je prévois pour l'année 1999, l'année où le Roy d'effrayeur descendra sur terre. Des désaccords entre des gens appartenant à des confessions différentes, qui vivaient auparavant unis, des inimitiés qui en alimentent d'autres. Et des déluges de feu tombant du ciel, des nuits qui brûleront de feux de joie provenant de manufactures abandonnées. Tout cela favorisera la pugnacité de quelques chefs. Désirez-vous que je vous lise ma prophétie pour cette année-là ? Je dois la chercher au milieu de tous ces papiers...

— Non, c'est inutile, je dois m'en aller sous peu. Du reste, l'année 1999 est encore loin, si Dieu le veut. » Simeoni posa les mains sur ses genoux et se pencha en avant. « Ce que je désirerais savoir encore, c'est le type de magie que vous employez. Les amulettes et les fumigations du *Picatrix* ? La magie des miroirs ? L'hydromancie ? La géomancie ? »

Michel hésitait beaucoup à fournir ce genre d'explications, mais Simeoni lui inspirait une confiance instinctive.

« Un peu de tout cela à la fois, mais surtout la magie de l'anneau, finit-il par admettre. Je sais que vous aussi êtes expert en cette matière. J'ai lu votre livre intitulé *Le Présage**, dans lequel vous pronostiquez une victoire de notre roi dans le Piémont, en vertu d'un anneau magique que vous auriez découvert à Lyon. »

Simeoni s'attrista.

« Ma magie s'est révélée bien faible. Si nous avons vaincu dans le Piémont, l'Italie est tombée aux mains des Espagnols. Tout le contraire de ce que j'espérais quand je me suis enrôlé. » Il secoua la tête comme pour éloigner cette pensée mortifiante. «Dans le Piémont j'ai surtout cherché une tombe. Je sais qu'elle doit se trouver entre Turin et Volpiano, ou tout au moins dans les parages. Mais je ne suis parvenu à découvrir ni le lieu ni la tombe.

— Et qui serait enterré dans cette sépulture ?

— Un dignitaire de l'ancienne Rome, je crois. Un triumvir. À l'entrée du sépulcre devrait figurer le sigle *D.M.*, qui le consacre aux dieux mânes.»

Michel, troublé, écarquilla les yeux. Il déglutit avec peine, puis murmura :

«Peut-être pourrais-je vous aider. Mais tout d'abord dites-moi, je vous prie, ce que vous comptez découvrir dans cette tombe. Un trésor, peut-être ?

— En un certain sens, oui, répondit Simeoni, perplexe. Jean Fernel a vu en songe un *sacellum* romain. Il s'y trouverait caché un anneau semblable à celui que Guillaume du Choul, lui aussi un ancien Illuminé, a exhumé à Lyon. C'est la raison pour laquelle je vous interrogeais sur la magie que vous pratiquiez, dans l'espoir que ce fût celle des anneaux.

— D'accord, cependant tout exercice de magie doit poursuivre un but. Qu'espérez-vous tirer de ce second anneau ?

— Si vous avez lu mon livre *Le Monstre d'Italie**, vous le savez déjà. Réunir l'Italie, devenue aujourd'hui un monstre aux sept membres, en un royaume unique soumis au roi de France. Un seul anneau s'est révélé insuffisant, je dois trouver son complément. Je compte suivre le duc de Guise à l'assaut de Calais, pour ensuite retourner à Turin.»

Michel sourit.

«Vous me paraissez un peu naïf. J'apprécie votre patriotisme, mais il est absurde de penser qu'un simple enchantement pourrait changer le destin politique de votre pays. Deux anneaux magiques recèlent bien entendu une grande puissance, mais le sort des nations est déterminé d'avance.»

Une voix soudaine résonna depuis le seuil de la pièce :

«*Le Monstre d'Italie*. Quel beau titre ! Il m'en évoque un autre : *Monstradamus*. Ne seriez-vous pas par hasard également l'auteur de ce livre, messire Gabriele ?»

Jumelle venait de réapparaître, adoptant sa pose caractéristique : les poings sur les hanches et les seins volumineux pointés en avant, comme s'ils étaient des armes offensives. Le tout complété par un sourire railleur.

Simeoni la regarda avec stupeur.

« *Monstradamus*... Madame, j'ignore de quoi vous voulez parler, balbutia-t-il.

— Laissez-moi vous l'expliquer, intervint Michel. *Monstradamus* est un pamphlet contre ma personne rédigé par un certain Hercules le François. Les invectives à mon égard se multiplient en ce moment. Je soupçonne que derrière tout cela se cache la main d'Ulrich, ou peut-être de Pentadius. »

Simeoni plissa le front.

« Hum, j'ai remarqué effectivement que certaines dédicaces de vos volumes polémiquaient avec de mystérieux détracteurs. Toutefois, je ne me suis jamais compromis dans aucun de ces écrits. » Il se tourna tout à coup vers Jumelle. « Madame, je vous jure sur ce que j'ai de plus cher que je ne suis pas Hercules le François. »

Jumelle haussa un sourcil d'un air sceptique.

« Il se peut. »

Simeoni bondit sur ses pieds.

« Je vois que vous ne me croyez pas. Je considère votre attitude comme une offense. » Il marcha vers la porte. « Bien le bonsoir à tous les deux. » Il s'inclina sèchement, puis disparut.

Michel s'était levé à son tour. Il lança à sa femme un regard chargé de reproche.

« Jumelle, mais quelle mouche te pique ? Ce n'est de toute évidence pas lui, mon ennemi ! »

Elle lui adressa un petit sourire.

« Je le sais bien, mais il est si ennuyeux. Il ne se décidait pas à partir. J'ai cherché n'importe quel prétexte pour nous en dépêtrer. »

Michel s'étrangla presque de colère.

« Tu... tu... as insulté délibérément...

— ... un casse-pieds. Oui, je l'ai fait et le referais sans hésiter. Toi et moi, nous devons parler de choses sérieuses. »

Michel sentit sa fureur s'atténuer. Il comprit que son épouse désirait l'interroger sur ses visites à la porte de Cogos. À l'évidence, elle était au courant depuis peu.

« Jumelle, attaqua-t-il, le visage dur, nous les hommes possédons certaines exigences qui…

— Assieds-toi et parlons-en », répondit-elle en s'installant avec grâce dans le petit fauteuil laissé libre par Simeoni. Voyant que Michel hésitait, elle ajouta sur un ton sardonique : « Allons, assieds-toi donc, mon cher Phibionite. »

Paris menacé

Le père Michaelis se sentait mal à l'aise dans les habits civils qu'il avait endossés. Sa tête était coiffée d'un haut couvre-chef où venait se ficher une courte plume, et son corps moulé dans un justaucorps brodé couvert d'une pèlerine noire. Il avait dissimulé le crucifix qui pendait à son cou sous sa chemise, où il irritait la toison blonde qui couvrait son torse. Mais ce qui l'agaçait plus encore était l'étroit caleçon de velours, alors à la mode, qui gonflait de façon impudique au niveau de l'aine.

À vrai dire, il n'avait pas choisi ce costume. Le père provincial de Paris l'avait imposé aux frères de la Compagnie susceptibles de fréquenter des lieux non dévoués à la religion. On craignait, ou feignait de craindre, des représailles huguenotes après le bûcher de la place Maubert. En outre, l'état de siège que subissait la capitale avait détourné les forces du Châtelet de leurs tâches habituelles, et encouragé les actions de la racaille. Un prêtre et plusieurs frères avaient été ainsi entièrement dévêtus en plein jour et abandonnés dans la rue, nus comme des vers. Un sort que les jésuites entendaient éviter.

Le père Michaelis rejoignit la boutique d'un marchand de vin, à deux pas de l'hôtel de Cluny, où il avait donné rendez-vous à Simeoni. Il pénétra dans le local avec circonspection, bien qu'il n'ignorât pas que le patron du négoce, affilié à une confrérie qui s'était donné pour mot d'ordre la vigilance armée contre les huguenots, avait reçu l'ordre de ne pas admettre d'autres clients. Seul, à l'une des deux tables installées entre les tonneaux, était en effet assis Simeoni, devant une carafe de vin rouge. Le marchand de vin, occupé à ranger sur une étagère de volumineuses bouteilles couvertes de poussière, se borna à un signe de bienvenue.

Le visage de Simeoni trahissait un vif tourment intérieur. Le père Michaelis le remarqua et s'en déclara satisfait. Il prit place en face de lui, sous le chandelier à roue, et posa un livre devant lui. Puis il entra aussitôt dans le vif du sujet :

« Votre *Monstradamus* fait grand bruit et se vend comme des petits pains. Je vous ai apporté un exemplaire de la nouvelle édition. Après Pierre Roux de Lyon, d'autres typographes se sont portés volontaires pour l'imprimer. »

Simeoni baissa la tête.

« Vous savez bien que je ne peux me montrer fier d'un succès de ce genre.

— Et en cela vous avez tort », répliqua Michaelis. Il détacha du mur l'un des verres qui y étaient suspendus, en nettoya l'intérieur et allongea la main vers la carafe. Puis il se versa deux doigts de vin. « En combattant Nostradamus, vous servez l'Église. Et cette perspective devrait vous rendre fier, messire Simeoni. Ou devrais-je plutôt vous appeler "Hercules le François" ? »

Simeoni s'attrista encore davantage.

« Ne me parlez pas de fierté. Je cause du tort à un ami car je suis victime d'un chantage. Il n'y a pas là de quoi me vanter.

— Un chantage ? Mais de quoi parlez-vous ? protesta le père Michaelis en feignant la stupeur. Si votre Giulia Cybo-Varano, ma foi oui, je connais maintenant son nom complet, s'est vue impliquée dans l'affaire de la rue Saint-Jacques, la faute ne peut certainement pas m'en être imputée. Elle fréquentait des dames suspectes qui, par la suite, se sont révélées des huguenotes fanatiques. Durant le procès, son nom a été cité par madame de Ratigny, avant que celle-ci y laisse sa langue. »

Malgré ses paroles cruelles, le ton de Michaelis restait calme, presque suave. Il voulait que Simeoni soit pleinement conscient de la menace qui pesait sur Giulia, et en même temps qu'il se sentît obligé de s'agripper à lui, comme à son seul ami supposé dans cette tragédie imminente.

Il resta cependant incapable de mesurer l'efficacité réelle de cette ligne de conduite. L'Italien paraissait renfermé sur son propre malheur et insensible aux sollicitations extérieures. Quand il sortit de sa torpeur, ce fut comme pour entamer un dialogue avec lui-même :

« Si le bûcher s'est révélé ignoble, le procès l'a été encore bien davantage. Au lieu d'accuser les prisonniers de calvinisme, ou même d'hérésie, le cardinal de Lorraine a soutenu que mère et fils, ou frère et sœur, se livraient à des rapports incestueux. Une monstruosité. Si Giulia était traînée de la sorte dans la boue, je crois qu'elle s'ôterait la vie.

— Rassurez-vous, cela n'arrivera pas. » Michaelis versa à Simeoni une nouvelle rasade de vin et l'obligea presque à boire. « Peut-être le cardinal de Lorraine a-t-il exagéré, je ne le nie pas. Tous les Guise se montrent un peu fanatiques. Cependant, vous devez vous rendre compte que le chancre huguenot doit être extirpé par tous les moyens, sans trop se soucier de raffinement. En bon catholique, vous ne pouvez qu'être d'accord... »

Simeoni vida son verre. Son visage, ordinairement plutôt séduisant, s'était boursouflé et avait pris une teinte cramoisie.

« Je ne sais si je suis un bon catholique. Peut-être pas. Mais j'ai toujours soutenu la cause de l'Église de Rome. Même lorsqu'on m'a raconté les massacres commis en Angleterre par Marie la Sanguinaire, ou lorsqu'on m'a parlé des femmes enterrées vivantes, en Flandres, parce qu'on les soupçonnait d'avoir adhéré à la Réforme. »

Michaelis fit un geste dédaigneux.

« On a beaucoup exagéré.

— Cela se peut. Mais j'ai vu de mes yeux une pauvre vieille taillée en pièces par la foule, à deux pâtés de maisons d'ici. Son curé l'avait dénoncée du haut de sa chaire car elle ne s'était pas présentée pour recevoir l'Eucharistie.

— Il n'a fait qu'appliquer les lois de l'État. Les ministres du culte sont contraints de tenir la liste de ceux qui désertent la communion.

— Un homme, un libraire, a été conduit au bûcher pour le même motif. Il n'avait pas communié uniquement parce qu'il boitait.

— C'est l'excuse la plus fréquente.

— Mais le comble reste d'avoir condamné pour inceste les malheureux arrêtés rue Saint-Jacques. Je ne sais comment Dieu pourra pardonner ce mensonge au cardinal de Lorraine et aux souverains de France. Je ne voudrais pas qu'un jour la même accusation se retourne contre un roi ou une reine, et que le peuple réagisse avec la même violence. »

Le père Michaelis plissa les lèvres en un fin sourire.

« Vous mettriez-vous à votre tour à prophétiser, docteur Simeoni ? Après avoir écrit *Monstradamus* ? » Son sourire disparut aussitôt. « Écoutez-moi bien, mon ami. Peu vous chaut en vérité la reine d'Angleterre, les huguenots des Flandres ou les calvinistes de Paris. Seul le sort de Giulia Cybo-Varano vous importe, n'est-ce pas ? »

Simeoni opina.

« Avant tout le sien.

— À la bonne heure. Vous savez que je suis en train de me damner pour la faire libérer. Sa vie ne se trouve, certes, pas en danger, mais j'imagine que le fait d'être prisonnière dans les souterrains du Châtelet, enchaînée à une paillasse humide, commence à lui peser. En outre, il est de notoriété publique que les hommes du lieutenant général abusent souvent des détenues. Tant de chair jeune et fraîche à portée de main… »

Simeoni sursauta. De sa bouche sortit un sanglot, puis une rafale de paroles saccadées :

« Mon Dieu ! Vous ne voulez pas dire que Giulia a pu être…

— Non, non ! » s'exclama le père Michaelis sur un ton rassurant. Il leva les mains. « Cette dame se trouve sous ma protection personnelle. Et elle le restera, jusqu'à ce que je réussisse à la faire libérer. Je compte d'ailleurs y parvenir prochainement. Et les services que vous, messire Simeoni, rendez à l'Église, y contribuent grandement. »

Il versa à son interlocuteur un autre verre de vin, que l'Italien but avec avidité.

« Que puis-je faire pour vous ? Un autre pamphlet contre Nostradamus vous serait-il de quelque utilité ? » Cette dernière phrase s'acheva en une séquence hachée de syllabes ininterrompues.

« Non, votre libelle se révèle plus que suffisant. L'accusation de sorcellerie que vous formulez contre lui a déjà dû parvenir aux oreilles de qui de droit. Je requiers de vous une tout autre faveur. Quand nous nous sommes rencontrés pour la première fois, vous m'avez dit que Nostradamus et vous-même avez appartenu à une secte dédiée à la nécromancie. Un conventicule dirigé par un certain Ulrich de Mayence. »

Les yeux embués de Simeoni brillèrent d'une faible étincelle.

« Les Illuminés. C'est d'eux que vous désireriez que je vous parle ?

— Oui, s'il vous plaît.

— Et Giulia sera sauve ?

— Je ferai mon possible pour qu'elle le soit.

— Alors, faites preuve de patience. C'est une longue histoire et je ne la connais qu'en partie. »

Simeoni, qui de temps à autre s'interrompait pour émettre force sanglots et hoquets, parla pendant presque un quart d'heure. Puis il conclut :

« Ulrich est vivant, mais très malade. J'ignore où il se trouve exactement, même si je suppose qu'il doit rôder autour de Nostre-Dame. Il doit être impatient de se venger. »

Michaelis avait écouté tout le récit les yeux à demi fermés.

« Mais voyez-vous cela... murmura-t-il. Une secte gnostique en plein XVIe siècle. Je ne m'attendais pas à quelque chose de ce genre. » Il saisit son verre de vin et en avala une gorgée.

Puis il tourna son regard vers le marchand de vin qui, assis sur une chaise de paille derrière le comptoir, feuilletait un opuscule. Michaelis ne put réprimer un sourire. Il avait reconnu l'un des almanachs de Nostradamus pour l'année en cours.

Simeoni s'était désormais engagé sur la voie de l'ivresse et branlait légèrement du chef.

« Vous me promettez que vous ferez tout votre possible pour sauver Giulia ? balbutia-t-il en adressant au jésuite un regard désespéré. Je vous ai révélé des informations que je n'avais jamais dévoilées à âme qui vive.

— Et vous avez bien fait. Ma position ne me permet pas de m'engager par des promesses ou des serments, mais soyez sûr que je m'occuperai de Giulia du mieux que je pourrai. » Michaelis se leva. « Que comptez-vous faire à présent ? Allez-vous rejoindre l'armée du duc de Guise ?

— Oui. Si par la suite Giulia est libérée, je reviendrai en Italie. Je cherche... » Simeoni, presque étouffé par un accès de toux, ne réussit pas à terminer sa phrase.

« Alors, bonne chance. » Michaelis le salua et rejoignit le comptoir. Il laissa tomber quelques pièces de monnaie sur le plateau de bois. « Quand il aura terminé sa carafe, portez-lui-en une autre, dit-il au patron. Je vois que vous savez lire. Si vous savez également écrire, notez chacun des mots que mon ami pourra prononcer dans son ivresse. Puis, quand il se sera endormi, jetez-le dehors. »

Le marchand de vin, un solide gaillard aux tempes fournies et dont le visage trahissait la bêtise, fronça les sourcils et demanda : « C'est un chien de huguenot ?

— Non, c'est un pauvre idiot. »

Michaelis allait sortir quand, sur le seuil, il se retourna. Il désigna l'opuscule que le boutiquier tenait en main.

« Je vois que vous lisez Nostradamus. Qu'y trouvez-vous de si particulier ? »

Les yeux bovins du marchand s'illuminèrent.

« Oh, il sait s'y prendre ! Savez-vous ce qu'il prévoyait pour le mois dernier ?

— Non, je n'en ai pas la moindre idée.

— Écoutez. » Le gaillard plongea son nez dans le fascicule et déclama à grand-peine :

> Froid, grand deluge, de regne dechassé,
> niez, discorde, Trion Orient mine,
> poison, mis siège de la cité chassé,
> retour felice, neuve secte en ruine*.

Michaelis secoua la tête.

« Je n'y comprends goutte. Vous, si ? »

L'autre esquissa un sourire un peu embarrassé.

« Ma foi, pas tout. Mais ce que je trouve clair est d'une précision surprenante. » Il se mit à compter sur ses gros doigts, comme s'il énumérait les prévisions qui s'étaient avérées. « Il a fait froid et il a beaucoup plu. Notre roi n'a pas été chassé, mais il a rejoint l'armée qui défend notre royaume. La ville assiégée est Paris, empoisonnée par les prétendus réformés. Par bonheur, l'armée du duc de Guise est revenue d'Italie, et la nouvelle secte des huguenots se porte au plus mal.

— Intéressant. Mais que veut dire "Trion Orient mine" ? »

Le marchand de vin écarta les bras.

« Je n'en sais vraiment rien. Mais cela doit avoir un sens. » Sa voix s'affaiblit un peu. « Je commets un péché en lisant cela ?

— Non, non. » Michaelis haussa les épaules et sortit dans la rue. Il ne jugea pas opportun d'expliquer que Trion était le nom latin de la Grande et de la Petite Ourse, qui, selon Nostradamus, regardait vers l'est.

Le ciel était plombé et il soufflait un vent bien trop glacial pour la saison. Ce temps s'accordait parfaitement avec l'état d'âme des Parisiens. Après la victoire de Saint-Quentin, les troupes de Philippe II avaient pris position en Picardie et semblaient surtout occupées à fortifier les châteaux de la région. Les habitants de la capitale se sentaient malgré tout menacés. Depuis des mois, désormais, ils vivaient en proie à la panique, un sentiment justifié il est vrai par les maigres victuailles qui parvenaient en ville.

L'angoisse générale se lisait jusque dans les tas de pierres entassés à l'entrée de certaines rues, destinés à être transformés, le cas échéant, en barricades sommaires. Des monceaux de lourdes chaînes attendaient, ici et là, d'être tendues pour constituer un obstacle aux chevaux des envahisseurs. En plusieurs endroits, on avait même retiré les pavés pour permettre de creuser rapidement pièges et tranchées.

L'espérance de chacun reposait sur l'armée du duc de Guise, revenue d'Italie à marche forcée et composée d'hommes encore frais et combatifs. D'ordinaire, Paris supportait mal que des troupes soient cantonnées à l'intérieur de ses murs. Les soldats mangeaient peu, buvaient beaucoup, volaient sans vergogne et ennuyaient les femmes. Cette fois, en revanche, tout soldat paré des lys royaux se voyait courtisé par la population et approvisionné par les maigres victuailles disponibles. On voyait en eux l'ultime rempart contre l'ennemi, dont on ignorait tout, excepté sa cruauté légendaire.

Le père Michaelis descendit la rue Saint-Jacques, l'une des quatre grandes artères qui délimitaient le cœur de Paris, en longeant les bâtiments de la Sorbonne. L'université résumait en quelque sorte tout ce que la Compagnie de Jésus comptait comme adversaires. Elle détestait avec acharnement les jésuites et s'efforçait d'arracher au roi un décret qui leur interdise l'enseignement de la théologie. Dans le collège sans nom ni caractère officiel vers lequel Michaelis dirigeait ses pas, elle avait déjà perçu un dangereux rival et avait exigé la fermeture du collège de Billom, le seul à bénéficier pour l'instant d'une autorisation.

La rue Saint-Jacques abritait également l'édifice où, seulement deux mois plus tôt, une foule déchaînée, excitée par ses propres curés, avait pris d'assaut le consistoire secret des huguenots. Michaelis n'avait pas assisté à la scène, mais il en avait entendu le récit : les prêtres avaient battu le rappel auprès du petit peuple, les avertissant que des centaines de calvinistes se livraient à une orgie sans nom et s'accouplaient entre consanguins ; une foule, exaspérée par l'état de siège, s'était acheminée à la lueur des torches vers le palais mis en cause. Des visages terreux s'étaient présentés aux fenêtres, il y avait eu des tentatives désordonnées de fuite ; un homme qui tentait de s'échapper avait été massacré à coups d'ongles et de jets de pierres. Puis les gens d'armes avaient fait leur apparition, et les débauchés, faisant semblant de prier, avaient été arrêtés…

Le collège, abrité de manière anonyme par le palais de Langres, à flanc de la colline Sainte-Geneviève, se dressait presque en face de la Sorbonne, et la détestait en retour. Le père Michaelis, engourdi par le froid, tira sur la corde de la cloche d'entrée. Un domestique, pâle et voûté, aux cheveux neigeux, vint lui ouvrir.

« Le père Auger est-il là ? demanda Michaelis.

— Oui, ainsi que le père Laínez. Ils vous recevront volontiers, car tous deux ont déjà requis votre présence. »

L'entrée du collège restait modeste, mais la décoration des pièces succédant au vestibule frappait par son caractère somptueux. Les murs s'ornaient de tableaux de sujet religieux d'école espagnole, et l'ensemble du mobilier possédait une certaine valeur. Signe de la faveur dont les jésuites jouissaient en ce moment auprès de la cour et, surtout, d'une grande partie de la noblesse. Les étudiants, invisibles, s'étaient probablement tous rendus en cours. L'enseignement des disciples d'Ignace de Loyola était réputé pour son extrême sévérité, même lorsque, de temps à autre, ils dispensaient à leurs élèves des cours de ballet. L'exigence d'éduquer de jeunes aristocrates imposait de leur inculquer également les principes de la vie en société.

Michaelis fut introduit dans un cabinet privé d'air, aux parois nues. Autour d'une table minuscule avaient pris place Edmond Auger et le père Diego Laínez, devenu général de la Compagnie après la mort d'Ignace, qui conversaient sur un ton animé en espagnol. Laínez fit signe à Michaelis de rester, l'invitant ainsi à écouter la fin de leur entretien.

« De ce point de vue, notre action se révèle un succès, dit le général, un homme au visage dur et énergique, encore pourvu, malgré son âge, de cheveux noirs. Les lettrés nous détestent, mais nous avons su conquérir le peuple et une bonne partie de la noblesse. Les huguenots ne réussissent plus à exploiter les protestations des misérables comme c'était le cas il y a quelques années encore. La plèbe s'est à présent rangée de notre côté et les considère comme la cause de leur pauvreté. Quand leur malaise trouve à s'exprimer, il se déverse sur eux. Nous ne pouvions rêver situation plus magnifique. »

Le père Auger manifesta une perplexité respectueuse :

« Pourquoi alors avez-vous défini récemment la France comme le maillon faible de l'Europe ?

— Parce qu'ici, en France, nous n'avons pas encore conquis la bourgeoisie. En Espagne, les artisans, les gens aisés de moyenne extraction et les notables des bourgs forment une classe encore impuissante, écrasée par la grande aristocratie terrienne. Il s'est avéré assez facile d'étendre là-bas notre contrôle, jusqu'à nous rendre indispensables à la Couronne. Ici, la situation se révèle différente. La bourgeoisie croît et prospère chaque jour davantage. C'est elle qui entretient les huguenots.

— Permettez-moi de ne pas être de cet avis, mon père. Le bourgeois français s'occupe peu de religion et se soucie surtout de ses propres intérêts.

— Et en cela vous avez tort. L'Angleterre et l'Allemagne nous ont démontré que la Réforme rencontre surtout l'approbation d'hommes modérés et besogneux, qui interprètent leur bien-être comme un signe de la faveur divine. Or, Luther, Zwingli et Calvin ont favorisé cette interprétation. Le résultat a été la transformation d'un mouvement de pauvres diables en un chancre étendu à toute la société. Car, gravez-vous bien cette idée en tête, ce sont toujours les gens aisés qui font l'Histoire. Même quand il n'y paraît pas. »

Edmond Auger écarta les bras.

« Peut-être avez-vous raison. Mais comment y remédier ? »

Les yeux gris et intelligents du père Laínez s'étrécirent un peu.

« Il faut en finir avant tout avec la prédication insensée des dominicains et des franciscains. La rigueur qu'ils prônent depuis des siècles encourage le riche à se sentir en faute et le pousse vers la racaille. Pour nous autres jésuites, ce comportement se révèle non seulement erroné, mais aussi parfaitement stupide. Le bien-être matériel ne relève en rien du péché, s'il s'accompagne de la foi. Et la foi se manifeste avant tout par l'ordre, la collaboration entre les différentes classes et le respect sur terre des hiérarchies célestes. Le vieil apologue de Menenius Agrippa, quoique d'origine païenne, reste toujours valide. Pour fonctionner, les membres doivent agir de concert et former un seul et unique corps.

— En quoi commets-je une erreur, alors ? » s'enquit Auger, un peu exaspéré.

Laínez lui adressa un regard affectueux.

« Oh, en rien d'essentiel, rassurez-vous. Si je suis venu de Rome, ce n'est pas parce que je juge fautive l'action de la Compagnie en France. Vous faites bien d'exciter la plèbe contre les huguenots. Mais le langage que vous employez semble davantage susciter des révoltes contre les riches que contre les hérétiques. Or, cette tendance peut se révéler extrêmement dangereuse. L'existence d'un ennemi commun doit cimenter les intérêts, non les diviser. Autrement, nous risquerions de pousser la bourgeoisie dans les bras des prétendus réformés. »

Le père Laínez s'interrompit tout à coup, comme s'il venait de s'apercevoir de la présence de Michaelis dans la pièce. Il le fixa avec sévérité.

« Voilà des heures que je vous fais chercher. Où donc étiez-vous fourré ? »

Michaelis sourit.

« Mon père, vous m'avez enseigné qu'un jésuite qui ne vit pas parmi le peuple ne peut être un bon jésuite. »

Les yeux du général de la Compagnie s'adoucirent instantanément.

« Vous avez écouté notre conversation. Qu'en pensez-vous ?

— Je pense que, comme le royaume de Henri II se solidarise contre ses ennemis extérieurs, de même le royaume de l'Église doit faire front contre ses ennemis intérieurs. La haine peut véhiculer l'amour. Une haine commune contre ceux qui menacent la suprématie pontificale aide à vaincre les différences et ouvre la voie de l'harmonie.

— Absolument. La haine peut servir l'amour, comme le péché la vertu. C'était aussi la conception d'Ignace.

— Cependant, le père Auger a raison quand il soutient que nous devons encourager la rébellion de la plèbe. Nous ne défendons pas le pouvoir politique, mais un pouvoir, ô combien, plus élevé. Nous devons nous désintéresser des crises du premier, puisque son caractère est transitoire. L'important est de former les générations futures et de se fondre entre-temps dans la société pour en partager les convulsions. Nous ne pouvons a priori prendre parti pour les riches ou pour les pauvres. Tout dépend de la manière dont, à un moment précis, les uns et les autres peuvent servir nos buts, bien supérieurs à l'histoire des hommes. »

Quoique s'exprimant avec courtoisie, Michaelis venait de contredire le chef incontesté de la Compagnie. Une attitude pour le moins inédite. Le père Auger pâlit à vue d'œil. Laínez ne parut pas, en revanche, le moins du monde troublé. Il réfléchit brièvement, puis dit :

« Vous avez raison. Je me suis mal exprimé. Je partage entièrement votre conception. »

Ne s'étant pas laissé intimider par l'idée de défier Laínez, Michaelis ne jouit même pas un court instant de sa victoire. Un tel sentiment lui était parfaitement étranger. Il se borna à s'enquérir :

« Pourquoi me cherchiez-vous, mon père ?

— Pour deux raisons, répondit le général après un bref soupir. J'ai bien reçu votre manuscrit, l'*Arbor mirabilis*. Je l'ai aussitôt envoyé en Allemagne, au comte Altemps, un de nos bons amis. Je sais qu'il s'y connaît en codes et en langages rares.

— Vous avez bien fait, mon père. D'ailleurs, j'ai appris récemment que ce livre obscène serait l'œuvre d'un Allemand. Si vous le désirez, je peux vous répéter… »

Laínez agita ses mains devant lui. Le gros anneau qu'il portait à l'annulaire droit brilla à la lueur d'une chandelle.

« Non, non. J'ai bien trop de dossiers à traiter. Envoyez-moi plutôt un rapport écrit. » Il soupira de nouveau. « Je sais qu'Ignace vous a autorisé à tenter de prendre la direction de l'Inquisition de France. Est-ce exact ?

— Oui, mon père », répondit Michaelis, alarmé. Il craignait qu'on lui oppose un veto.

« Ce serait en effet hautement souhaitable. Cependant, vous n'ignorez pas que nous autres jésuites préférons rester, autant que faire se peut, dans les coulisses. Or, l'Inquisition française se trouve actuellement aux mains d'un homme proche de la Compagnie : le cardinal de Lorraine, de la famille des ducs de Guise. La meilleure option serait de ne pas le remplacer, mais plutôt d'accroître l'influence que nous exerçons déjà sur lui. N'êtes-vous pas de cet avis ? »

Michaelis baissa la tête. Il avait caressé l'ambition de devenir grand inquisiteur de France, et le général venait d'y mettre fin. Il ne lui restait plus qu'à obéir *perinde ac cadaver*, la mort dans l'âme. Cela valait mieux ainsi : il comprenait à présent que son ambition avait été marquée sous le sceau du péché et de l'égoïsme.

« Vous avez parfaitement raison. J'agirai selon votre bon vouloir.

— Alors, allez, je vous donne ma bénédiction. Je n'ai rien d'autre à ajouter. »

Venant pourtant d'être congédié, Michaelis hésita à s'incliner et à sortir. Il ne bougea pas d'un pouce et murmura :

« Je souhaiterais vous consulter sur un point particulier, père Laínez.

— Parlez.

— Serait-ce grave si l'une des femmes arrêtées rue Saint-Jacques s'évadait avec notre complicité ? Non seulement elle est parfaitement innocente, mais sa libération pourrait en outre nous aider de bien des manières... »

Le général siffla entre ses dents.

« Ainsi formulée, votre demande ne peut avoir de réponse. J'en ignore les détails et ne désire pas les connaître. Il ne manquerait plus que je doive m'occuper de tous les cas particuliers qui surviennent en Europe. Décidez vous-même si cette évasion peut nous être utile ou pas : les provinciaux de notre ordre jouissent d'une totale autonomie. J'attends seulement de vous un rapport écrit. »

Michaelis demeura le souffle coupé.

« Les provinciaux ? Mais je ne suis pas provincial !

— À partir de ce moment, vous l'êtes. Pour Paris et pour toute la France du Nord. Et à présent, je vous prie, débarrassez-nous le plancher. »

Drame domestique

L'ancien capitaine Suffren, qui, sur l'ordre du bailli, assumait les fonctions de *rofian*, comme on disait en Provence, auprès du lupanar de la porte de Cogos, termina un peu ému la lecture à haute voix du conte.

« C'est très beau, commenta-t-il en posant le candélabre qu'il avait tenu levé au-dessus du livre. La demoiselle de compagnie de la marquise de Mantoue renonce à l'amour charnel et prend le voile des clarisses. Cette histoire possède une profonde morale. »

Les cinq filles qui vivaient et travaillaient au bordel avaient toutes les larmes aux yeux. L'une d'elles, une brune aux traits encore un peu infantiles, les sécha avec un mouchoir et dit, tout en se mouchant :

« Pour sûr, ce conte possède une morale, mais pas celle que vous prétendez. C'est à travers l'amour charnel que la damoiselle atteint l'amour spirituel. Quand le premier ne lui suffit plus, elle découvre la plénitude de l'amour de Dieu. »

Suffren leva un doigt réprobateur.

« Blanche, n'essayez pas de chercher dans ces pages une justification à votre mode de vie. »

La jeune fille se rebella.

« Mais telle n'était pas mon intention ! En revanche, je maintiens que j'ai parfaitement raison sur son sens !... Vous, docteur de Nostre-Dame, qu'en pensez-vous ? »

Michel, assis sur une élégante banquette à côté de Gervais Bérard, le chirurgien le plus célèbre de Salon, opina benoîtement :

« Je suis enclin à te donner raison et à donner tort à notre ami Suffren. Selon moi, Marguerite de Navarre n'a aucunement voulu déprécier l'amour physique. Tant la demoiselle que le gentilhomme dont elle s'amourache s'y seraient abandonnés sans remords, si la marquise ne s'y était pas opposée. La demoiselle prend soudain conscience que le corps n'est qu'une enveloppe médiocre, dont l'âme tente de s'échapper afin d'accéder à des sphères de vie supérieures… Et toi, Gervais, quel est ton avis, là-dessus ? Je te vois perplexe. »

Le chirurgien, un homme d'âge mûr aux cheveux déjà poivre et sel et au visage lunaire et boursouflé, parut se secouer de sa torpeur.

« Mon esprit était ailleurs. Comment s'intitule ce livre ?

— L'*Histoire des amants chanceux*, répondit Suffren après un coup d'œil au frontispice.

— La plus chanceuse reste sans doute Marguerite de Navarre, morte voilà dix ans. Si elle était encore de ce monde, elle aurait vu sa fille, Jeanne d'Albret, embrasser la foi huguenote en compagnie de son mari, Antoine de Bourbon. Le royaume de Navarre est en passe de devenir l'équivalent français de la Genève de Calvin : un véritable nid de serpents. »

Cette définition brutale fit tressaillir Michel. Il réprima un mouvement de colère et rétorqua, s'efforçant de demeurer calme :

« Marguerite a toujours manifesté envers tous la plus grande tolérance.

— Jusqu'à l'excès. Et son conte nous en livre la raison. Elle n'était ni catholique ni huguenote. Elle semblait plutôt se réclamer des idées de Plotin et d'Hermès Trismégiste. Elle aurait plu à mon frère François, qui perd son temps avec l'alchimie. »

Michel sentit sa colère monter à fleur de peau. Heureusement pour lui, les cinq filles protestèrent en chœur. Ce fut Blanche qui s'exprima au nom de toutes :

« Voilà bien une discussion pénible et ennuyeuse ! De tous vos beaux discours, je ne retiens qu'une chose : vous, messires, méprisez d'ordinaire les femmes et, à votre grand dam, voilà que vous devez reconnaître qu'un membre de la gent féminine a réussi à devenir un grand écrivain. Ne pensez-vous pas vous tromper du tout au tout ? »

Gervais Bérard esquissa un sourire cynique.

« Non point, ma chère petite. Tout le monde sait que les reines ont l'entrejambe aussi froid qu'un glaçon, au moins autant que les saintes. Prends l'exemple de Catherine de Médicis. Elle ne s'apparente pas davantage à une femme que les eunuques ne ressemblent à des hommes. Les femmes qui ne choisissent pas d'aller contre leur nature sont des créatures fragiles et instables, qui ne peuvent accéder au bonheur qu'en se pliant à l'obéissance et aux plaisirs du mâle. »

La rudesse de cette invective ramena au premier plan la réalité du bordel, que la lecture du conte, dans cette atmosphère confinée, avait jusqu'alors effacée. Dans une petite ville comme Salon, les hiérarchies entre prostituées, en vigueur à Paris, Lyon ou Bordeaux, n'existaient pas. On ne voyait aucune de ces courtisanes de haut vol, que fréquentaient nobles et prélats, ni aucune de ces laissées-pour-compte que l'âge, l'infirmité ou la misère contraignaient à passer leurs nuits dans la rue. Si hiérarchie il y avait, elle se révélait minime. À côté des putains de tavernes, qu'affectionnaient valets et clients de basse extraction, officiaient les prostituées de l'unique bordel autorisé, sous l'égide de dame Catherine Galine. Ce dernier avait ainsi été placé sous contrôle des autorités, qui participaient à sa gestion.

Le lupanar se dressait aux limites du quartier bourgeois, qui constituait sa clientèle habituelle. Le lieu affichait un raffinement discret, privé d'allusions aux rapports marchands. Des tapis de bonne qualité, des meubles d'une certaine élégance, quelques tableaux et de nombreux miroirs réussissaient à créer l'illusion que, sur ses deux étages, se déroulaient des activités parfaitement innocentes. Ce qui se révélait en partie exact. Plusieurs habitués, dont Michel, se rendaient en ce lieu davantage pour le plaisir de converser avec quelques amis au milieu d'une nuée vaporeuse de jolies filles que pour soulager un besoin physique.

Cet état de fait n'empêchait toutefois pas le bordel de représenter, pour les jeunes filles qui s'étaient laissées mettre en cage, la première marche d'un escalier qui descendait ensuite vers la taverne, puis vers la misère, et enfin les ramenait à la famine, qui avait constitué leur point de départ. Avec pour corollaire une rapide déchéance physique, accompagnée de maladies que personne ne savait soigner ou n'avait jugé intéressant d'étudier, puisque perçues comme des châtiments normaux pour une vie de péché.

Ce soir, les jambes de Michel le faisaient souffrir, et il se montrait peu disposé à tolérer la vulgarité de Gervais Bérard. Il ne supportait d'ailleurs sa présence qu'en raison de l'amitié qui le liait à son frère François.

« Monsieur, vos considérations sur les femmes offensent non seulement les demoiselles ici présentes, mais également mon épouse, et même ma mère, dit-il sur un ton coupant. Je vous prierais de présenter vos excuses. »

Gervais Bérard parut surpris. Après un instant de perplexité, il éclata de rire.

« Et à qui devrais-je les présenter ? À ces poulettes ? Quant à votre épouse… Eh bien, voilà quelqu'un auprès de qui j'aimerais personnellement m'excuser !

— Messieurs, du calme, grommela le capitaine Suffren, habitué à apaiser des altercations, ô combien plus violentes, il n'y a là nul motif de querelle. »

Ces derniers temps, peut-être à cause de la goutte, Michel se fâchait pour un rien.

« Monsieur Bérard, je vous prie à nouveau de présenter vos excuses à tous les gens présents ici, y compris ces demoiselles, scanda-t-il avec un timbre de voix volontairement provocateur. Ou vous devrez me rendre des comptes.

— À vous ? » Le rire du chirurgien devint grossier. « Et que voudriez-vous me faire, de grâce, me défier en duel ? Vous tenez à peine sur vos jambes. Même ce qui pend entre elles ne fonctionne pas. Depuis le temps que je vous rencontre ici, je vous ai seulement vu palper la poitrine des filles et échanger quelques baisers. Jamais vous n'en avez emmené une avec vous au premier. »

Bien que cette accusation s'avérât en grande partie fondée, Michel ne pouvait accepter qu'elle fût révélée en public.

« Retirez immédiatement ce que vous venez de dire, siffla-t-il, ou vous vous en repentirez. »

Les yeux noirs de Gervais Bérard brillèrent de méchanceté.

« Je sais bien, moi, pourquoi vous n'exhibez jamais votre attirail, susurra-t-il. Je l'ai lu en toutes lettres dans un opuscule intitulé *Monstre d'abus** : vous êtes un juif et vous ne voulez pas qu'on découvre que vous êtes circoncis. »

L'une des filles, une jeune rousse au visage un peu vulgaire répondant au nom de Françoise, protesta avec véhémence :

« Ce n'est pas vrai ! Le docteur de Nostre-Dame n'est pas circoncis ! Je peux le jurer ! »

Michel bouillait de rage, mais il savait que le chirurgien s'attendait à une explosion de colère.

« Je connais le pamphlet intitulé *Monstre d'abus*. Il est l'œuvre d'un huguenot et a probablement été imprimé à Genève. Vraiment, vous seriez d'accord avec lui ? »

Gervais Bérard pâlit sous le coup. Les bûchers de huguenots, supposés ou réels, se multipliaient dans toute la France.

« Non, je suis un bon catholique ! J'ai seulement… »

Michel ne le laissa pas finir :

« Quant au fait que je suis diminué, peut-être avez-vous raison. Mais considérez que je suis connu à la cour et que je possède des correspondants à travers toute l'Europe. Je jouis en outre de l'amitié des autorités de Salon. Si je croisais le fer avec vous, je serais sans aucun doute battu. Mais si nous mesurions notre influence, je crains que vous ne dussiez changer de métier. »

Blanche applaudit.

« Bravo, Michel ! Vous êtes un vrai homme, même si vous ne nous la montrez jamais ! »

Bérard se leva aussitôt et s'éloigna en hâte, la queue basse. On entendit, au rez-de-chaussée, le bruit d'une porte claquée avec fracas.

Michel se mit sur pied à son tour, les jambes tremblantes.

« Je dois moi aussi m'en aller, murmura-t-il. Pardonnez-moi si j'ai fait fuir un client.

— Certains clients, il vaut mieux les perdre », observa le capitaine Suffren, fort de sa position officielle.

Les cinq filles entourèrent Michel, joyeuses et souriantes. La plus grande d'entre elles, une blonde junonienne aux yeux bleus et aux traits assez grossiers, lui caressa la barbe.

« Merci, docteur. Il est rare de trouver quelqu'un qui prenne notre défense. Puis-je vous récompenser d'un baiser ?

— Ce n'est pas la peine, Mariette, répondit Michel, un peu intimidé malgré lui. Je n'ai rien accompli d'extraordinaire. »

La fille, d'un geste habile, fit tomber les bretelles de la tunique légère qu'elle portait. Elle souleva entre ses mains ses seins épanouis.

« Embrassez ceux-là, alors. Je sais que vous les appréciez beaucoup.

— Non, non, Mariette, répondit Michel avec un sourire affectueux. À mon âge, je dois me contenter d'admirer ta beauté. Et celle de tes amies. » Malgré la douleur qu'il ressentait dans ses jambes, il s'enfuit littéralement à l'étage inférieur, puis jusque dans la rue. Là, il respira profondément et se dirigea avec lenteur vers sa maison.

Le plus difficile restait à accomplir. Après lui avoir signifié qu'elle était au courant de ses visites à la porte de Cogos et avoir échangé avec lui un dialogue plein de compréhension, mais aussi de reproches, Jumelle n'avait plus abordé le sujet. Michel, en revanche, aurait souhaité en parler, peut-être pour s'engager à renoncer à cette distraction ou pour tenter de lui en expliquer les raisons. Toutefois, devant son silence, il avait manqué de courage. Du reste, il ne savait quels arguments mettre en avant pour se justifier. Il ignorait lui-même ce qui le poussait vers le bordel, et en analysant ses propres motivations, il ne découvrit que la vague aspiration de retarder une vieillesse désormais latente.

N'importe quel autre homme de Salon aurait continué de fréquenter le lupanar en toute insouciance et aurait battu l'épouse qui avait osé élever quelque objection. Mais Michel entretenait avec Jumelle des rapports bien différents de ceux qui prévalaient à l'époque. Bien qu'elle fût insolente, désobéissante et capricieuse, et qu'elle usât d'un langage peu châtié, elle se révélait la seule personne qui le comprenait vraiment et à laquelle il était lié par une véritable amitié. Ce n'était pas un hasard s'ils se tutoyaient, en un siècle où, entre mari et femme, on se vouvoyait. La cérémonie durant laquelle ils s'étaient unis, et avaient vaincu la haine d'Ulrich grâce au souffle de leur amour, avait scellé cette intimité.

Toutefois, le lupanar de la porte de Cogos creusait entre eux un fossé. Durant la journée, leurs rapports avaient l'aspect de la normalité. Le vendredi après-midi, en revanche, Jumelle se retirait à l'étage supérieur, tandis qu'il sortait furtivement de la maison et rentrait ensuite en silence. Par accord tacite, ils ne se livraient plus à l'amour physique, excepté les rares fois où Jumelle s'agrippait à Michel, poussée, peut-être, par un désir de maternité, et frottait son sexe contre le sien jusqu'à la pénétration. On aurait dit que les enfants représentaient à ses yeux le succédané d'un vide sentimental chaque jour plus tangible.

Durant la nuit, le problème, d'ordinaire, ne se posait même pas. Elle dormait le plus souvent avec l'un ou l'autre de ses rejetons. Lui veillait dans son officine, prisonnier de ses rêves, ses yeux rougis fixés sur l'anneau qui tournoyait sur la table et le projetait dans des dimensions indicibles et terrifiantes. Tandis que la douleur dans ses jambes le paralysait presque et que tout son corps subissait les tortures d'une sénescence précoce et convulsive.

Perdu dans ses pensées, il n'aperçut pas tout de suite la calèche découverte qui ralentissait à sa hauteur. Puis une voix cordiale l'arracha à sa méditation :

« Docteur Nostradamus ! Docteur Nostradamus ! »

Il se rendit tout à coup compte de l'endroit où il se trouvait. Il cheminait dans la rue principale du quartier Ferreiroux, devant l'habitation d'Antoine Marc, le frère du premier consul Palamède. Antoine Marc conduisait précisément la calèche, avec à ses côtés François Bérard, le pharmacien. C'était ce dernier qui l'interpellait. La nuit était déjà presque tombée, mais les lumières de la maison lui permirent de discerner les deux visages avec netteté.

« Michel, j'ai appris votre altercation avec mon frère, dit François avec excitation. Je vous demande pardon en son nom. C'est un homme grossier, qui cause à ma famille de nombreux problèmes.

— Il est inutile de vous excuser. » Michel se montrait un peu irrité d'avoir été arraché à ses réflexions, mais il s'efforça de sourire. « L'incident est clos, si incident il y a eu. En tout cas, il ne vous implique en rien.

— Voulez-vous que nous vous conduisions jusque chez vous ?

— Ma demeure se trouve à deux pas.

— Pour qui souffre de la goutte, la route peut se révéler longue. »

Michel se sentit légèrement humilié. Beaucoup de gens connaissaient, il est vrai, sa maladie, mais il préférait donner de lui l'image d'un homme fort et influent, détaché des préoccupations terrestres.

« Je vous remercie, mais je m'en sors très bien. »

Antoine Marc se pencha vers lui.

« Montez donc, docteur. Je dois vous délivrer un message. Je vous ai cherché tout l'après-midi.

— Un message ? De la part de qui ?

— D'un de vos soi-disant amis, mais je ne l'ai pas vraiment cru. C'est un homme au visage torve et asymétrique, qui m'a dit s'appeler le docteur Pentadius. »

Michel tressaillit violemment. Il ressentit un malaise, accompagné d'une impression de nausée. Sa voix se fêla, quoiqu'il s'efforçât de paraître calme :

« Très bien, je monte. Mais je vois que la place manque...

— Ne vous inquiétez pas, je descends. Je suis presque arrivé », déclara François Bérard.

Michel se laissa hisser presque à bout de bras par le pharmacien. Dès qu'il se fut installé sur la banquette du véhicule, Antoine Marc fouetta son cheval. Michel eut à peine le temps de saluer Bérard.

« Tripoly, où avez-vous rencontré Pentadius ? Est-il venu chez vous ? » Tripoly était le surnom qu'on donnait à Antoine en mémoire de ses voyages souvent aventureux. L'homme, proche de la cinquantaine, tendait désormais à l'embonpoint, mais encore un an plus tôt il avait joué les rôles d'espion, d'aventurier et de combattant dans les armées les plus disparates. C'était tout du moins ce qu'il prétendait. Les honnêtes gens de Salon, méridionaux jusqu'à la moelle, buvaient avec enthousiasme ses récits exotiques.

Tripoly fit signe que non.

« Je ne l'ai pas vu chez moi, mais dans la rue. Il a arrêté son carrosse au niveau de ma calèche. À ses côtés se tenait une dame aux formes opulentes, masquée par une voilette noire. Lorsque Pentadius m'a interpellé, j'ai tout de suite pensé à une erreur, mais il connaissait mon nom, ainsi que le vôtre.

— Que vous a-t-il dit ? demanda Michel, sur des charbons ardents.

— Il m'a prié de vous informer que votre maître à tous deux se meurt dans je ne sais quelle localité italienne. Il désirerait vous revoir une dernière fois avant d'expirer. Il vous prie de le rejoindre afin qu'il puisse vous demander pardon.

— Vous ne vous souvenez plus du nom de cette localité ?

— Non, et à vrai dire je n'ai même pas souhaité interroger cet homme à la face patibulaire. Il m'a seulement parlé d'une certaine "tombe du Triumvir", que vous devriez connaître. » Tripoly arbora la mine menaçante des habitués des tavernes de Salon. « Si j'avais croisé cet individu au détour d'une rue sombre, je vous assure que… zac ! zac !… je lui aurais transpercé la panse de mon épée. Au cours de mes voyages en Afrique et dans les Indes occidentales, j'ai connu des énergumènes au même regard fuyant. Eh bien, je n'en ai laissé aucun en vie. »

Michel ne prêta pas attention aux rodomontades de son compagnon. En proie à une vive inquiétude, il garda le silence durant le court trajet qu'il leur restait à parcourir. La fameuse « tombe du Triumvir » ne lui était en effet pas inconnue ; ou tout au moins elle ne l'était pas pour Parpalus, qui lui en avait suggéré l'existence. Il lui faudrait l'interroger sur ce sujet. Mais il n'avait aucune intention de revoir Ulrich, même agonisant, et d'écouter sa prétendue demande de pardon.

« Je dois partir en voyage en Italie d'ici quelques jours, continua Tripoly, afin de rencontrer, pour le compte du consistoire de Lyon, notre frère Piero Carnesecchi. Nous pensons que le temps est désormais venu de passer à la lutte armée contre ces brigands de catholiques, avant qu'ils ne nous massacrent tous. Deux cents huguenots bien exercés suffiraient, selon moi, à donner aux papistes de Provence une leçon qu'ils n'oublieraient pas de sitôt.

Nous avons cependant besoin de l'accord de Carnesecchi, qui a formé le consistoire et demeure notre pasteur. »

Ces paroles irritèrent profondément Michel. Il savait parfaitement que Tripoly appartenait au parti des réformés ; d'ailleurs, ce dernier ne cherchait pas vraiment à le cacher. Il semblait ne pas se rendre compte à quel point de telles professions de foi étaient devenues dangereuses. Depuis un certain temps déjà, le caractère tolérant des Provençaux avait pourtant été mis à rude épreuve. Si la violence qui régnait à Paris et dans la France septentrionale se mettait à contaminer à son tour la région, même sa qualité de frère du premier consul Palamède et d'ami du comte de Tende n'épargnerait pas à Tripoly une fin brutale. Or, la dernière chose que souhaitait Michel était bien d'être impliqué dans des conflits de religion.

Dieu merci, ils venaient d'arriver devant chez lui.

« Je vous remercie pour votre offre, Antoine. Malheureusement, l'état de mes jambes ne m'autorise plus les voyages que j'accomplissais étant jeune. En outre, une invitation de Pentadius n'est pas la plus alléchante des propositions.

— Sur ce point, je ne peux vous contredire, répondit Tripoly, tout en l'aidant à descendre. Je passerai vous saluer avant mon départ.

— Ma maison vous est toujours ouverte. »

Michel attendit que la calèche se fût éloignée, puis il boitilla jusqu'à sa demeure. La nuit était tombée désormais, mais la rue était encore éclairée par la lueur des fenêtres du rez-de-chaussée. Jumelle, qui d'ordinaire se couchait tôt, devait être encore debout. Mais il n'avait guère envie de faire les cent pas jusqu'à ce qu'elle se mette au lit.

Il fouilla sous son manteau à la recherche de ses clefs, jusqu'à ce qu'il s'aperçût que la porte était entrouverte. Il poussa le battant et entra sur la pointe des pieds. Les chandeliers du couloir étaient tous allumés, mais la lumière la plus intense provenait du salon. Son épouse avait-elle décidé de lui faire une scène ? Il déglutit et se dirigea vers la pièce.

Il fut surpris de voir Christine, leur servante, assise sur la banquette, avec à ses côtés leurs quatre enfants : André, né l'année précédente, reposait dans ses bras, Charles s'était endormi, sa tête sur l'accoudoir, tandis que Magdelène et César jouaient entre eux.

« Où se trouve donc Jumelle ? » demanda-t-il, tentant de chasser la funeste intuition qui l'envahissait.

Christine, embarrassée, écarquilla ses yeux bleus.

« Elle s'en est allée, dit-elle d'un filet de voix.

— Comment ça ? Elle s'en est allée ? » Michel ne voulait pas croire ce qu'il entendait.

Christine désigna une feuille pliée en quatre sur la table basse.

« Lisez cette lettre. Je crois qu'elle vous y explique tout. »

Michel s'empara du bout de papier, mais s'enquit avant de l'ouvrir :

« Avec qui est-elle partie ? J'imagine qu'un inconnu est venu la chercher, n'est-ce pas ? » Sa voix commençait à trembler.

« Je n'ai vu personne, répondit Christine en secouant la tête. Je pense que sa lettre vous fournira des éclaircissements. Tout ce que je peux vous dire est que madame a mis très longtemps à préparer ses bagages.

— Je sais bien, moi, avec qui elle est partie », murmura Michel d'un air sombre. Il s'approcha d'un candélabre et déplia la feuille. L'écriture en était grossière, et les erreurs de grammaire, présentes à presque toutes les lignes, rendaient la lecture pénible. Le sens du texte restait toutefois clair.

Dès les premières lignes, l'assurance temporaire de Michel s'évanouit. Voici plus ou moins ce qu'il lut, transcrit en langage correct :

> Mon cher Michel,
>
> J'ai décidé de quitter cette maison, peut-être pour toujours. Je te prie de croire que cela n'a pas été une décision facile à prendre. J'abandonne mes enfants, et tu peux imaginer ce que cela me coûte. Je ne sais malheureusement pas comment j'aurais pu les prendre avec moi.
>
> Tu t'es toujours comporté en mari affectueux, et avec le temps notre entente est devenue tout à fait satisfaisante. Ne crois pas que je te reproche tes visites au bordel. Tu sais mieux que quiconque que j'ai mené pendant longtemps la vie de ces filles, et je

reste parfaitement consciente que leurs visiteurs ne cherchent bien souvent qu'un simple assouvissement de leurs désirs physiques. Dans ton cas, cependant, j'excluerais la passion charnelle. J'aurais apprécié que, sachant que j'étais au courant, tu m'en parles avec franchise. Tu ne l'as pas fait, mais je te le répète, là n'est pas l'important.

Le fait est que, de même que tu aspires à une existence qui te soit propre, j'aspire moi aussi à une autre vie. Ma jeunesse s'est déroulée non sans accrocs, mais je l'ai passée dans un état de totale liberté que peu de femmes connaissent. J'ai payé le prix fort des violences et des humiliations, mais j'ai obtenu en échange la sensation de n'appartenir qu'à moi-même. C'est ce qui m'a permis, entre autres, de devenir l'une des rares femmes à savoir lire et écrire. La vie de taverne ne se termine pas quand les clients s'en vont. En réalité, elle ne fait que commencer. Les femmes qu'on dit « de mauvaise vie » mènent à la vérité une existence que les hommes ne soupçonnent même pas.

La femme mariée n'a en revanche pas de vie propre. Elle se consacre tantôt à ses enfants, tantôt à son mari. Si celui-ci lui témoigne parfois une tendre affection, cet amour lui-même devient une chaîne parmi tant d'autres. De nombreuses femmes acceptent ce joug sans protester. Moi non, je n'y parviens pas : je viens de la rue, où j'étais mon seul maître. Je ne peux tolérer plus longtemps un destin de poule pondeuse.

Je m'arrête là, parce que tu ne comprendras sans doute pas un mot de ce que je t'écris. Mais je devais trouver une manière de te le dire. Je pars loin d'ici, à la rencontre de mon destin. Prends soin des enfants, je t'en prie. Je te laisse tous mes biens, de la maison à mon patrimoine personnel. Peut-être nous reverrons-nous un jour.

Adieu de la part d'Anne Ponsarde, dite Jumelle.

Michel resta quelques instants sans voix, puis il froissa la missive dans la paume de sa main.

« Maudit Pentadius ! cria-t-il, furieux. Qui croit-il tromper ? Aucune femme au monde n'écrirait une lettre aussi diabolique ! » Il bombarda Christine de questions rageuses : « Es-tu parfaitement sûre de n'avoir vu personne à la porte ? Une calèche, un cheval, que sais-je ? Prends garde de ne pas me mentir ! »

La jeune fille, effrayée, fit un signe négatif de la tête. Les enfants se mirent à pleurer.

« Prépare mes bagages, ordonna sèchement Michel. Je dois retrouver Pentadius et délivrer Jumelle. » Puis il ajouta à voix basse : « La tombe du Triumvir. C'est là que je mettrai la main sur cette bande de damnés. »

Provocation en duel

Le père Michaelis restait stupéfait. Il n'aurait jamais supposé que les huguenots puissent être si nombreux et, surtout, si insolents. Toute la rive gauche de la Seine, depuis l'abbaye de Saint-Germain jusqu'aux tours du palais du Louvre, sur la rive opposée, rougeoyait de flambeaux. Des milliers d'hommes étaient arrivés de toute la France le 13 mai 1558. Six jours plus tard, ils n'avaient pas bougé et augmentaient encore en nombre. Les psaumes qu'ils entonnaient (en particulier le *Judicia tua, Domine*, qui, dans la traduction du Suisse Théodore de Bèze, avait pris un sens hostile au roi de France) retentissaient jusqu'à la Sorbonne.

« Tu as perdu ta torche, mon frère, dit un gaillard qui avait fait irruption derrière le jésuite. Prends la mienne. Je vais m'en chercher une autre. »

Michaelis hérita d'un brandon fumant, à la flamme incertaine. Tout en contemplant le feu, ses pensées volèrent vers les vers rageurs du prêtre catholique Artus Désiré :

> Prenez ceux des conventicules
> de nuict aux conciliabules
> et le mettez tous dans le feu*.

Le pauvre curé normand, qui exhortait ses concitoyens à envoyer au bûcher tous les huguenots, n'imaginait pas que conventicules et conciliabules puissent, respectivement, se transformer un jour en une religion structurée et en rassemblements de masse. Et pourtant, tel était bien le triste spectacle qui s'offrait à

Michaelis. Une foule immense de huguenots déclarés réunie sur le Pré-aux-Clercs, la vaste esplanade plantée d'herbe concédée aux étudiants parisiens en vue de leurs activités récréatives. En outre, quantité des gens présents portaient des armes. De jeunes gentilshommes à cheval, la pique au poing ou l'épée à portée de main, veillaient à maintenir l'ordre. En réalité, ils servaient à prévenir d'éventuels assauts de la part des hommes d'armes du Châtelet.

« Faites place ! Faites place ! » hurlèrent des voix excitées.

Le père Michaelis laissa tomber la torche, qui désormais lui brûlait les doigts, et s'écarta sur le côté. Dans le couloir qui venait de s'ouvrir déboulèrent les chevaux d'un petit cortège. Il réussit à reconnaître le roi de Navarre, Antoine de Bourbon, en selle sur un cheval bai. À ses côtés, droit sur ses étriers, chevauchait son frère, le prince de Condé. Suivaient des officiers et quelques soldats à pied, courbés sous le poids de leurs arbalètes. Une couleuvrine tirée par des mules fut accueillie par la foule avec des cris de joie.

Le passage se referma aussitôt, et Michaelis se trouva pressé de tous côtés. En jouant des coudes, il se fraya un chemin vers l'estrade sur laquelle prenaient place le roi de Navarre, le prince et leur suite. La nuit était calme, éclairée par une lune complice.

Il savait déjà qu'Antoine de Bourbon n'avait aucun intérêt à s'exprimer en public. Un tel acte serait considéré comme un défi direct adressé à Henri II, déjà exaspéré par la poussée tumultueuse de l'Église calviniste. Le roi de Navarre s'abstint en effet de prendre la parole et se borna dans un premier temps à chanter les psaumes que la foule continuait d'entonner. Le pasteur Pierre David, flanqué de son confrère François de Gay, connu sous le surnom de Boisnormand, fut chargé en revanche de haranguer la foule.

Pierre David dut agiter les bras en tous sens pour intimer le silence, mais il réussit enfin à se faire obéir. Son discours ne parvenait toutefois pas jusqu'aux recoins les plus reculés du Pré-aux-Clercs. Plusieurs volontaires se dévouèrent pour le répéter à haute voix à l'intention du public le plus éloigné de l'estrade. Il en résulta une sorte d'écho, qui conférait à chacune de ses phrases une emphase particulière. Le spectacle prenait, aux yeux et aux oreilles de Michaelis, une tournure grandiose et extrêmement inquiétante.

« Mes frères, il est de mon devoir de vous donner un très sérieux avertissement, cria le pasteur. Aujourd'hui, une ordonnance du parlement a interdit de chanter en groupe, armés et à une heure tardive. Pouvez-vous imaginer contre qui s'adresse cette mesure ? »

Un hurlement de fureur provenant de toute l'assemblée laissa deviner la réponse. Les cris se propagèrent graduellement jusqu'aux limites extrêmes du pré, au fur et à mesure que la nouvelle était répétée. Michaelis, de plus en plus préoccupé, vit à ses côtés une femme lever le poing en sanglotant et quelques bourgeois serrer la garde de la courte épée qu'ils portaient à la ceinture.

« Brûler vifs des innocents ne leur a pas suffi, continua David. Torturer, démembrer et amputer de la langue tant de pauvres femmes, uniquement coupables de clamer la vérité, ne leur a pas suffi. Ils veulent même maintenant nous empêcher de chanter les psaumes. Eh bien, permettez-moi de vous dire qu'une ordonnance aussi blasphématoire me paraît dictée par Satan en personne ! »

Une nouvelle explosion de fureur retentit. Les flambeaux oscillèrent et se hissèrent, à tel point que la Seine parut s'embraser. On aurait dit que le feu allait menacer les palais de l'autre rive.

« Satan se nomme Henri ! cria une voix aiguë. Et ses démons sont les Guise !

— Mort aux Guise ! Mort aux Guise ! » rugit la place.

David leva une main pour demander de nouveau le silence :

« Calmez-vous, mes frères. Nous devons agir sans précipitation. Demain on célébrera le jour de l'Ascension, et la lie catholique descendra dans la rue avec ses simulacres. C'est l'occasion rêvée de leur fournir la preuve de notre force. Voici ce que je vous propose : demain, à l'aube, nous quitterons ce lieu en procession et défilerons en rangs à travers toute la ville. Si nous tombons sur des bandes de fanatiques qui transportent leurs icônes païennes, nous les détruirons, ainsi que nous l'impose la vraie foi. Notre but n'est cependant pas de répandre la violence, mais de faire comprendre au souverain et aux gouvernants de France que l'Église réformée est une réalité puissante, qui ne peut être réprimée à coups de bûchers ou de décrets. À présent, dites-moi : acceptez-vous ma proposition ? »

Le grondement assourdissant qui s'éleva de la foule ne laissait pas place au doute. Le père Michaelis en conçut une certitude : la matinée du lendemain serait le cadre de violents affrontements. En traversant la ville pour se rendre au rassemblement, il avait déjà vu des groupes de volontaires appartenant à des confréries catholiques, occupés à confectionner, sous la direction de leurs prêtres, des étendards à la hampe pointue. L'existence même de cette mesure parlementaire rendait inévitable l'intervention des hommes d'armes de la Compagnie de l'Île* et peut-être même de la maréchaussée*, rappelée en ville depuis le siège. Tous ses plans risquaient d'être bouleversés.

Soudain pressé, il marcha rapidement vers la Seine, se frayant un chemin en jouant des coudes chaque fois que cela s'avérait nécessaire. Les huguenots s'étaient remis à chanter à perdre haleine, leurs psaumes adoptant à présent une cadence guerrière prononcée. Aux abords du pré, les chevaux des nobles piaffaient, comme s'ils pressentaient l'imminente bataille.

Michaelis fit halte à une seule reprise. Mêlé aux fidèles, il aperçut un homme qu'il avait déjà rencontré par le passé. Son nom était Jacques-Paul Spifane, et il avait acquis une certaine notoriété par sa conduite scandaleuse, dont il avait hérité une illustre maîtresse et de nombreux enfants. Puis, profitant de l'œil bienveillant que l'Église de Rome réservait aux péchés charnels du haut clergé, il avait entrepris une brillante carrière ecclésiastique. Selon les sources de Michaelis, l'homme, devenu évêque de Nevers, fréquentait maintenant la cour de Catherine de Médicis. Il ne s'attendait pas à le trouver ici, en habits civils, chantant ces psaumes si chers au cœur des huguenots.

Il prit acte de cette découverte et poursuivit son chemin, avant que Spifane ait pu le voir et le reconnaître. Ayant rejoint la Seine, il descendit un escalier de pierre jusqu'à la rive du fleuve. L'obscurité envahissait les berges, mais il profita de la lueur des torches qui se répandait depuis les quais et embrasait le courant de son reflet. Il remonta le quai et s'arrêta à l'endroit où une passerelle de bois menait à l'un de ces nombreux moulins à eau qui semblaient flotter sur le cours du fleuve. La grande roue à aubes se mouvait lentement, grinçant à chacun de ses tours.

Michaelis s'engagea sur le petit pont pour pénétrer dans la construction sur pilotis. Des chandeliers fumants éclairaient l'unique pièce, qui occupait tout l'espace, où s'empilaient des sacs de farine. Il n'eut même pas besoin d'appeler. Giulia émergea d'une cachette aménagée entre les ballots et courut à sa rencontre.

« Oh, comme je suis contente que vous soyez venu ! cria-t-elle en proie à l'émotion. Je souffre un peu de la solitude.

— En prison, vous avez dû vous trouver encore plus seule.

— Ma foi, pas vraiment. Je jouissais de la compagnie des autres détenues. Toutes des huguenotes, supposées ou véritables. J'espérais votre venue, et vous voilà, presque par miracle. Vous m'avez sauvée des cachots et je vous en serai à jamais reconnaissante. Conduisez-moi où bon vous semble, je vous suivrai. »

Michaelis s'efforça de sourire.

« Vous souhaitez donc vraiment quitter votre abri ? Si tel est votre désir, je ne saurais m'y opposer. Mais Paris en ce moment n'est pas une ville sûre. Encore moins pour qui compte la traverser à pied. »

Le père Michaelis n'était pas disposé à se l'avouer, mais la présence de Giulia le troublait. Malgré ses vêtements en désordre et sa longue chevelure ébouriffée, Giulia restait incroyablement fascinante. Peut-être était-ce à cause de ses yeux bleus brillants ou de son corsage de soie qui, tout en dissimulant sa poitrine, laissait ses épaules découvertes. Ainsi, elle ressemblait beaucoup à sa mère, la duchesse Cybo-Varano, telle que le jésuite avait pu la voir durant l'évasion de Michel Servet des geôles de Lyon : fière, extrêmement déterminée et séduisante.

Un membre de la Compagnie de Jésus ne pouvait toutefois se permettre des pensées de ce genre. Les jésuites se montraient, il est vrai, extrêmement tolérants envers les péchés charnels commis par d'autres, surtout s'ils jugeaient ce type de passion utile au but supérieur qu'ils poursuivaient. Leur conduite personnelle restait cependant irrépréhensible. Ce n'était pas un hasard si, au cours du concile de Trente, leurs représentants avaient soutenu contre ses détracteurs le dogme de la virginité de Marie, même après son accouchement. Ils se faisaient les apôtres d'une chasteté de fer pour les soldats de Dieu. Si les infractions restaient admissibles, de par la nature imparfaite des hommes, les combattants devaient avant tout se conformer à la plus rigide des disciplines et se tenir à l'écart du péché. En vertu de raisons stratégiques, ils excusaient toutefois certaines brebis du troupeau, en particulier dans les rangs du haut clergé.

Giulia parut remarquer l'embarras de son interlocuteur, car elle se mit à sourire. Puis elle dit :

« Je sais bien ce qui se passe là-dehors. J'écoute les rumeurs et, je vous l'avoue, de temps à autre je risque un œil. Je crains qu'un affrontement ne soit inévitable. Demain nous fêterons le jour de l'Ascension et de toutes les églises de Paris sortiront les processions rituelles. Ce serait un miracle si aucun incident ne survenait. » Elle remonta les bretelles de son corsage, comme si elle ignorait que ce geste, en apparence pudique, troublerait encore davantage le jésuite.

Le père Michaelis se hâta de baisser le regard, puis fixa un point au-delà de la jeune femme.

« Je reste convaincu moi aussi du danger que représente un face-à-face. Mieux vaudrait ne pas bouger d'ici.

— Non. Cette baraque flotte précisément au milieu du fleuve qui sépare les adversaires. Elle peut facilement être incendiée, détruite ou coulée. Sans compter qu'elle peut être envisagée par les vaincus comme un possible refuge. »

Michaelis fut contraint d'approuver. Depuis deux semaines désormais, il tenait Giulia cachée dans ce moulin et il aimait cette sensation de l'avoir tout à lui, se réjouissant de chacune de ses visites. Mais la jeune femme avait raison.

« Prenez vos affaires, et partons », lui ordonna-t-il.

Giulia écarta les bras.

« Je ne possède rien qui vaille la peine d'être emporté. Mes bijoux et mes vêtements m'ont été confisqués au Châtelet. Ils doivent à présent avoir échoué sur le dos de l'épouse de quelque lieutenant ou de quelque procureur.

— Alors, venez. »

Le père Michaelis conduisit Giulia à l'extérieur. Malgré la lune désormais haute dans le ciel, les huguenots continuaient de psalmodier, grisés à l'idée de l'imminente prise de possession de la ville. Personne, sur les quais, ne prêta attention à l'homme et à la femme qui sortaient du moulin et se dirigeaient en hâte le long des berges de la Seine. Il n'eurent aucun mal à traverser le pont dans la direction opposée au Pré-aux-Clercs. Michaelis ne jugea pas judicieux de retourner au collège de la rue Saint-Jacques, trop proche du rassemblement des hérétiques. Il ne savait pas très bien où aller, mais il espérait qu'une idée lui viendrait en chemin.

Giulia lui agrippa le bras.

« Dites-moi, je vous prie : m'avez-vous fait gracier ou seulement sortir de prison ?

— Sortir de prison, j'en ai peur. La grâce ne pourra intervenir qu'au terme de l'instruction, qui dans votre cas est encore en cours, ou bien du procès.

— Je peux donc être emprisonnée de nouveau à tout moment. Vous ne m'avez pas fait libérer, mais évader. C'est pour cette raison que vous m'avez tenue cachée…

— Ne vous inquiétez pas. Laissez-moi faire. Vous ne retournerez pas en prison, et cela devrait vous suffire. » Michaelis posa les yeux sur ce visage que la clarté lunaire rendait encore plus beau. Il jouissait du contact de sa main délicate sur son avant-bras. « L'accusation qui pèse sur vous s'avère insidieuse. Vous étiez l'amie de madame de Longjumeau, hérétique avouée. Certaines amitiés se paient chèrement.

— Mais je l'ai connue à la cour ! Elle se mêlait parfois aux dames de compagnie de la reine !

— Cela ne veut rien dire. Elle n'est pas la seule dame de la cour à avoir eu la langue arrachée par le bourreau. Les calvinistes ne trouveront aucune pitié en ce royaume. »

Ils avaient entre-temps franchi le pont qui menait à la cathédrale Notre-Dame, le seul sur la Seine qui ne servît pas de terrain d'opération à des bandes pittoresques de malfaiteurs déguisés en mendiants et de mendiants prompts à prêter main-forte aux coupeurs de bourses. Si les malandrins avaient déserté les lieux, toute activité nocturne n'en était cependant pas absente. Malgré l'heure tardive, quelques torches brillaient devant la cathédrale. Le regard du couple fut attiré par l'éclat de lames d'acier qui passaient en tintant de main en main et se voyaient distribuées à des hommes dissimulés dans l'ombre.

« Il n'y a pas de doute, murmura Michaelis. Demain, le sang va couler. » Il sentit un frisson parcourir les doigts de sa compagne. Il tenta de voir son visage, pour autant que l'obscurité le lui permettait. « Rassurez-vous. L'affrontement n'aura lieu que dans quelques heures.

— Ce n'est pas à cela que je pensais, lui répondit-elle d'une voix fluette. Je réfléchissais au supplice de madame de Longjumeau. C'était une femme douce, et même très tendre. Comment des chrétiens peuvent-ils avoir décidé de martyriser une créature aussi inoffensive ? »

Le père Michaelis se raidit.

« Ma chère amie, l'Église a beaucoup œuvré pour se faire reconnaître comme le seul facteur d'ordre dans un monde qui semble fait de pure barbarie. Même là où elle n'exerce pas directement sa domination, elle a réussi à proposer ou à imposer des règles communes et à les faire accepter des dirigeants. Une victoire des huguenots rendrait aux consciences leur liberté individuelle, et tout un projet politique et moral se verrait miné à la base, entraînant des conséquences dévastatrices. D'où la nécessité, exigée par les circonstances, de recourir à des méthodes brutales. C'est la survie d'un monde régi par des convictions partagées qui se trouve ici en jeu.

— La violence ne peut engendrer de sociétés durables.

— Oui, c'est exact. C'est bien d'ailleurs ce qui nous oppose, nous autres jésuites, aux dominicains et à leur Inquisition : notre priorité reste de séduire les consciences. Mais nous n'hésitons pas à recourir également à l'épée, si le mal tend à s'enraciner. Pour le reste, nous privilégions l'éducation et le prêche. Ainsi que le pardon, le fondement même de l'Église de Rome. »

Tout en conversant, le père Michaelis se demanda sur quelle rive de la Seine il pourrait dénicher un refuge sûr. Les demeures nobiliaires à la porte desquelles il aurait pu frapper ne manquaient certes pas sur l'île Notre-Dame, et bien d'autres se dressaient sur l'autre rive, une fois franchi le second pont, à commencer par celle, amie, des ducs de Guise. Mais Michaelis se méfiait des aristocrates autant que du peuple. Il les jugeait tous corrompus et déloyaux, à de rares exceptions près. Sa confiance allait en revanche à la bourgeoisie laborieuse. C'était cette même classe dans laquelle les huguenots puisaient à pleines mains, mais c'était aussi celle qui fournissait aux jésuites leurs meilleurs adeptes et qui semblait la plus sensible au renouveau catholique, ni révolutionnaire ni conservateur, qu'ils proposaient.

Après une brève hésitation, il guida donc Giulia dans la rue Saint-Louis, habitée en majorité par des avocats, des médecins sans fortune, des artisans et des boutiquiers.

« Je vous conduis à la maison d'un ami, lui dit-il. Il vous accueillera avec bienveillance.

— Ici aussi, on combattra demain, observa la jeune femme.

— Moins qu'ailleurs, croyez-moi. Au cœur d'un cyclone réside toujours une zone de calme. Dans cette rue, chaque tempête met plus longtemps à arriver, et la tranquillité est considérée comme une valeur absolue. Vous verrez, les affrontements se dérouleront sur un autre terrain. »

Il s'arrêta devant un édifice à deux étages, convenable sans être particulièrement élégant. Il dut tirer à deux ou trois reprises sur la corde de la cloche d'entrée, avant qu'une fenêtre ne s'ouvre au second étage. Une servante agacée, tenant à la main une bougie, fit son apparition. La flamme oscillante rendait encore plus grotesques ses traits déjà déplaisants.

« Qui cherchez-vous donc, à cette heure ? Messire Fabri est sorti, et messire Videl vient à peine de rentrer de Lyon. Il dort à présent, et pour rien au monde je ne le réveillerai.

— Au contraire, vous allez le réveiller, affirma Michaelis d'un ton suave mais ferme. Dites-lui qu'un provincial qu'il connaît bien le demande. Retenez bien ce mot : un provincial. »

La servante ricana.

« Je le retiendrai et le lui dirai demain. À présent, allez donc dormir, vous et votre dame. Ce n'est pas une heure pour les chrétiens. »

Michaelis n'apprécia pas que la mégère fît référence à Giulia. Il pensa à la manière dont Alexandre Farnèse avait réagi à l'outrage du camérier du Vatican. Rien n'était plus ridicule que l'arrogance d'un domestique. Il soupira et dit :

« Si je comprends bien, vous devez être huguenote. J'avais pourtant prié messire Videl de choisir son personnel avec le plus grand discernement. Je vois qu'il ne m'a pas écouté. Tant pis, je repasserai. J'espère qu'après votre mort, il se choisira une meilleure servante. »

La bougie oscilla dangereusement, tandis que la servante se signait.

« Mon Dieu, monsieur, mais que prétendez-vous là ? Je suis une bonne catholique ! Tout le monde vous le dira !

— Pourquoi, dans ce cas, désobéissez-vous à un provincial ? Mais peut-être ignorez-vous ce qu'est un provincial ?

— Non, non, je le sais parfaitement, mentit la servante. Je ne vous avais pas compris. Je vais de ce pas prévenir messire Videl. »

L'attente fut de courte durée. On entendit un cliquetis de verrous, puis un homme en chemise de nuit tenant un candélabre apparut sur le seuil. C'était un individu à l'âge indéfini, au visage grisâtre et au nez prononcé. Au fond de leurs cavités, ses yeux demeuraient perçants, et sa bouche, au contour dur, était striée de rides profondes. Son corps était si maigre que sa chemise laissait deviner ses côtes.

« Père Michaelis ! s'exclama Videl. Quel honneur ! » Il s'inclina devant Giulia. « Bienvenue dans ma modeste demeure, madame. »

L'habitation dans laquelle il guida ses visiteurs n'avait en réalité rien de modeste. De belles tapisseries, des coffres de bois précieux et de petits fauteuils rembourrés en décoraient harmonieusement l'intérieur. Toutes les pièces communiquaient entre elles, en l'absence de couloirs. Sur l'un des murs de la première, face à une cheminée sans feu, un grand tableau imitant l'esprit de l'Antiquité romaine mettait en scène une école de médecine entre des colonnades, sur fond de sommets lointains surmontés de petits temples. Le dessin restait toutefois approximatif, et la fumée avait trop obscurci la toile pour en permettre une interprétation sans faille.

Remarquant le tableau, le père Michaelis demanda :

« Comment va votre activité de médecin ? Elle semble florissante.

— Ne m'en parlez pas, ne m'en parlez pas ! gémit Videl, occupé à allumer les chandeliers du salon. Si ce n'était grâce aux gains que me procure l'astrologie, voilà longtemps que je serais ruiné. » Il termina sa tâche, puis désigna une banquette à ses hôtes. « Asseyez-vous, je vous prie. Je vais vous faire porter du vin doux par cette idiote de servante. J'ai également un serviteur, mais c'est un tire-au-flanc qui ne vient que le jour et mène la nuit une vie de débauché.

— Pas de vin, merci », dit Michaelis, oubliant de demander l'avis de Giulia. Après s'être enfoncé parmi les coussins, il observa : « Vous êtes également à présent un écrivain de grande renommée. Combien d'exemplaires a-t'on tirés de votre livre ? Je veux bien entendu parler de la *Déclaration des abus, de l'ignorance et des séditions de Michel Nostradamus.* »

En entendant l'énoncé du titre, Giulia poussa une exclamation étouffée. Michaelis crut qu'elle était en proie à une quinte de toux et n'y prêta pas attention.

Videl ne s'en préoccupa pas davantage. Il eut un petit rire qui découvrit ses pâles gencives.

« Six mille exemplaires. Mais tout le mérite vous en revient. Vous m'avez dicté ce livre presque mot à mot. »

Michaelis haussa les épaules.

« Ne soyez pas si modeste. C'est vous qui êtes versé en astrologie. Vous avez prouvé, même au lecteur le moins averti, que Nostradamus se montre en réalité parfaitement ignorant dans ce domaine. Je suis moi-même resté stupéfait de constater que tous ses thèmes astraux se révèlent faux.

— C'est pourtant bien le cas, opina Videl avec vigueur. Il calcule les éphémérides en prenant comme base la position de Venise. Il doit se servir d'un manuel publié sur la lagune. Mais en France, la configuration céleste s'avère fort différente.

— Vous voyez bien l'utilité de votre apport, commenta Michaelis sur un ton bienveillant. Je n'aurais jamais pu découvrir seul une erreur pareille.

— Mais je vous dois toute la partie où j'explique que Nostradamus ne recourt pas à l'astrologie, mais à la magie. Si le livre continue à circuler, il atterrira tôt ou tard dans les mains de l'Inquisition de France. Et le cardinal de Lorraine ne se montre pas particulièrement tolérant envers les sorciers.

— Non, c'est exact, pourtant le nombre des procès qu'il instruit reste dérisoire. Le Saint-Père le lui a d'ailleurs reproché», soupira Michaelis. Il désigna Giulia: «Pourriez-vous héberger cette dame chez vous? C'est-à-dire pour quelques jours, jusqu'à ce que le calme revienne dans Paris.»

Un reflet fébrile dans les yeux atones de Videl, lorsque ceux-ci se posèrent sur la jeune femme, laissa à penser qu'il l'aurait volontiers hébergée dans son lit, et ce pour une durée illimitée. Il n'aurait toutefois jamais osé dévoiler ses pensées, et encore moins contrarier la volonté d'un provincial des jésuites. Il baissa la tête et dit:

«Bien volontiers, mon père. Si madame peut s'adapter aux conditions précaires de ma vie de modeste bourgeois…

— Je saurai m'adapter, répondit Giulia avec un doux sourire. Je viens de connaître une expérience autrement plus terrible.»

Elle se serait peut-être livrée davantage, si un regard de Michaelis ne l'avait fait taire.

Le jésuite se leva et dit:

«Il se fait tard, il est grand temps que je me retire. Messire Videl, vous êtes la preuve vivante de l'utilité des confréries laïques que nous sommes en train de constituer. Nous sommes le seul ordre capable d'ouvrir ses rangs à la société civile. Si nous réussissons dans cette entreprise, les huguenots manqueront bientôt de terrain où s'enraciner.

— Soyez-en certain», répondit Videl. Il se mit sur pied à son tour et se fendit d'une courbette. «Si d'autres pamphlets contre le juif Nostradamus peuvent vous être de quelque utilité…

— Pour le moment, non. Jouissez plutôt des fruits de votre travail.»

Michaelis allait se diriger vers la porte, quand Giulia le retint.

«Mon père, si cela vous est possible, prévenez Gabriele de l'endroit où je me trouve.

— N'en doutez pas, mon amie. J'ai tenu Simeoni régulièrement informé de vos déboires, ainsi que de votre libération. Je le mettrai au courant de la suite des événements.

— Merci. Vous faites preuve d'une bonté sans limites.»

La phrase embarrassa un peu Michaelis, qui se hâta de prendre congé. Dans la rue il tomba sur une bande d'énergumènes qui se préparaient à la procession. Hormis quelques prêtres et frères, il vit surtout les représentants de la plèbe la plus misérable, armés de piques et de bâtons. Leurs torches conféraient aux étendards et aux images sacrées une tonalité sanguinaire. Tous regardaient avec des yeux sombres en direction de la rive gauche de la Seine.

La tombe de Mahomet

« Êtes-vous déjà venu ici ? » demanda avec surprise le capitaine François du Plessis de Richelieu, dit « le Moine », en retenant son cheval.

Michel, épuisé par la longue chevauchée, le regarda sans comprendre.

« Pourquoi me posez-vous cette question ?

— Lisez donc cette inscription. » Le capitaine désigna une plaque de marbre apposée sur le mur d'une villa patricienne, le long de la route qui, de Turin, prenait la direction du nord-est. Quelques rares habitations rurales étaient visibles aux alentours, dressées au milieu d'une campagne sans relief, rendue cependant fertile par les digues d'un fleuve. Les champs exsudaient une légère brume sous le soleil du matin.

Michel et Tripoly approchèrent leurs destriers pour mieux discerner l'inscription. Tripoly se chargea de la déclamer à haute voix :

> 1556. Nostre Damus a logé ici
> on il iia le Paradis l'Enfer
> le Purgatoire je ma pelle
> la Victoire qui mhonore
> aurala gloire qui me
> meprise oura la
> ruine hntiere*.

Richelieu secoua la tête.

« On dirait qu'elle a été écrite par un paysan ignorant, tant elle est couverte de fautes. Mais les paysans ne gravent pas de plaques. En tout cas, le sens reste clair : "Nostradamus a logé ici, là où résident le paradis, l'enfer et le purgatoire. Mon nom est Victoire. Qui m'honore héritera de la gloire, qui me méprise verra tomber sur lui la ruine." » Il se tourna vers Michel : « Vous vous êtes rendu dans cette région, il y a deux ans ? »

Michel restait ébahi.

« Non, murmura-t-il. Voilà des années que je n'ai pas mis le pied en Italie.

— Et pourtant cette inscription prétend le contraire. » Richelieu remarqua un palefrenier qui sortait d'une cabane adossée à la villa, une botte de foin entre les bras. Il le rejoignit : « Hé là, brave homme ! Comment se nomme ce bourg ? »

L'interpellé, impressionné par l'air bravache du cavalier, laissa tomber à terre son tas de foin.

« Victoire, mon seigneur. »

Richelieu adressa un clin d'œil à ses compagnons.

« Voilà donc une partie du mystère levée ! » Il fixa le garçon d'écurie. « Ainsi, selon vous, on accède d'ici à l'enfer, au purgatoire et au paradis ?

— Oh, pour sûr, répondit l'homme, de plus en plus inquiet. Ce sont les noms des trois fermes qui entourent la villa. » Ses yeux soudain s'illuminèrent. « Vous avez lu l'inscription, n'est-ce pas ?

— Oui. Est-ce qu'à votre connaissance un certain docteur Nostradamus serait passé par ici il y a deux ans ? »

Le regard du palefrenier s'éteignit un court instant, puis se ralluma.

« Non, aucun docteur. "Nostre Damus" fait référence à Notre Dame, c'est-à-dire à la Madone. Cette plaque a été gravée à l'occasion de la procession de 1556 pour célébrer la trêve de Vaucelles. Malheureusement notre barbier, qui a composé le texte, est pratiquement analphabète. Cette inscription fait rire tous les seigneurs qui viennent ici en villégiature.

— Et pourquoi donc celui qui honore ce bourg recevra la gloire, alors que celui qui le méprise verra la ruine s'abattre sur lui ? »

Le garçon d'écurie écarta les bras en signe d'impuissance.

« Je vous l'ai dit, notre barbier est un ignorant. Il voulait se référer à la Vierge, et au lieu de cela on dirait qu'il parle de Victoire. Un jour ou l'autre, il faudra que nous nous décidions à retirer cette dalle. »

Satisfait, Richelieu éclata de rire et retourna auprès de ses compagnons de voyage.

« Vous avez entendu ? Ce n'est qu'un malentendu. Mais je parierais que dans les siècles à venir, d'autres perdront leur temps à déchiffrer cette inscription, en lui donnant les significations les plus absurdes. »

Malgré la tristesse qui l'envahissait depuis le début de ce voyage, Michel esquissa un sourire forcé.

« Vous avez raison. C'est déjà le cas pour mes prophéties. » Il haussa les épaules. « Allons, reprenons notre route. Volpiano est encore loin. »

Ils éperonnèrent leurs chevaux et les menèrent au trot. Michel éprouvait le long de ses jambes une douleur presque intolérable, mais l'angoisse de retrouver Jumelle lui faisait oublier toute autre sensation. Il n'avait qu'une idée très imprécise de leur destination. La « tombe du Triumvir » pouvait être celle de César Octave Auguste à Rome. En 1521, au moment même où le pape Léon X quittait ce monde, peut-être empoisonné, on avait exhumé l'un des deux obélisques qui avaient orné son mausolée ; le déchiffrage de ses inscriptions avait permis de rendre cette attribution certaine. Mais ni obélisques ni mausolées ne peuplaient les rêves de Michel. L'image que lui suggérait Parpalus était celle d'une salle souterraine consacrée aux dieux mânes et éclairée par une lampe votive.

Et d'ailleurs ce nom, *Vlpian*, Volpiano, constituait une indication sans équivoque. Aux environs de Rome, il existait bien un bourg homonyme, mais il n'avait probablement aucun rapport avec la tombe d'Auguste. Non, décidément, il devait s'agir de Volpiano dans le Piémont, où Simeoni avait combattu. Comme, du reste, ce Richelieu, le guide le plus déplaisant et le plus odieux qui aurait pu leur échoir.

Le cours des pensées de Michel fut interrompu précisément par la voix forte du Moine, comme si celui-ci, devinant ses réflexions, se faisait un devoir de les confirmer :

« Voyez-vous ce champ jonché d'os ? Nombre d'entre eux proviennent d'animaux, mais il s'y trouve aussi un tas d'os humains. C'est ici que nous avons taillé en pièces un nombre considérable d'Espagnols qui tentaient de s'échapper après la défaite. Sans compter quelques paysans, complices ou simplement effrayés, qui fuyaient à leurs côtés. »

Plus ils s'éloignaient de Turin, et plus ils rencontraient en effet de maisons calcinées, de champs abandonnés et de cimetières de bétail à ciel ouvert. Les squelettes humains, encore suspendus aux branches des arbres par des bouts de corde, ne manquaient pas non plus. Quelques cartilages réussissaient encore à retenir leur ossature en une seule carcasse.

Des visions angoissantes se bousculèrent dans l'esprit de Michel, qui s'efforça de les chasser.

« La scène a dû être horrible, murmura-t-il, comme pour se distraire de ses pensées.

— Ma foi, pas vraiment. » Le Moine désigna dans un rictus une futaie de hêtres qui fermait le champ. « Là-bas, j'ai joui d'une jeune vierge que les Espagnols traînaient derrière eux. Puis je lui ai tranché la gorge pour venger les malheureuses de Saint-Quentin. Vous savez comme moi que les soldats de Charles Quint leur sectionnaient les mains afin de s'emparer de leurs anneaux. »

Michel frissonna. Tripoly, qui depuis des jours faisait des efforts surhumains pour se taire, explosa :

« Je ne crois pas que la jeune vierge dont vous parlez ait pris part aux atrocités de Saint-Quentin.

— Non, mais elle était allemande, et à coup sûr luthérienne. Je me suis confessé le soir même, et notre chapelain m'a absous, en échange il est vrai d'une somme rondelette. De toute façon, la fille méritait le bûcher. Grâce à moi, elle a connu une fin plus rapide et a peut-être même éprouvé du plaisir avant de mourir.

Elle caquetait comme une poule, mais les hérétiques ont pour habitude de feindre. »

Les massacres du Lubéron revinrent à la mémoire de Michel, et un haut-le-cœur lui monta à la gorge. Il réussit cependant à le retenir, préoccupé qu'il était par une crainte légitime. Tripoly était un calviniste proche du fanatisme. Philibert de Savoie, auquel ils avaient rendu visite à Turin, leur avait imposé l'escorte de Richelieu. Ce dernier, bien qu'ayant jeté depuis longtemps sa soutane de bénédictin aux orties, restait un catholique acharné, assoiffé de sang huguenot. Michel redoutait que, sous peu, Richelieu et Tripoly se décident à croiser le fer.

Dieu merci, aussi surprenant que cela paraisse, Tripoly semblait capable depuis quelques jours de dominer son sale caractère. Il attendit que le Moine se fût éloigné, puis s'approcha de Michel.

« Celui-là, un de ces jours, je me ferai un plaisir de l'éventrer, lui chuchota-t-il à l'oreille. Mais je ne le ferai pas mourir tout de suite : je lui arracherai d'abord les tripes, puis je l'étranglerai avec. »

Inquiet, Michel secoua la tête.

« Prenez patience. Ce butor connaît la région. Une fois la tombe trouvée, nous nous passerons de sa compagnie.

— Lui aussi risque fort de trouver sa propre tombe », promit Tripoly sur un ton sinistre. Puis il s'abrita derrière un silence courroucé et chevaucha à l'écart de ses compagnons.

Ils arrivèrent à Volpiano à la mi-journée. Michel s'était attendu à une petite ville, et fut surpris de découvrir, au pied d'une colline, un bourg de quelques maisons, serrées autour d'une église. Des murailles, dont seuls quelques vestiges noircis restaient en place, devaient autrefois l'avoir ceint. Tout autour, des tranchées, désormais envahies par la mauvaise herbe, formaient des cercles concentriques. L'affût d'une gigantesque couleuvrine rongée par la rouille surgissait du terrain, en même temps que des restes de machines de guerre désormais impossibles à identifier. Sur leurs bras et leurs poulies, des oiseaux avaient bâti leurs nids, et des sarments de lierre s'étaient agrippés au bois, disputant les espaces restés libres à de verdâtres manteaux de mousse.

Dans le bourg, il n'y avait pas âme qui vive. De rares boutiques donnaient une apparence de normalité, bien que s'ouvrant au rez-de-chaussée de bâtiments qui avaient vu leur toit troué par des jets de catapulte ou leurs façades criblées de tirs d'artillerie. En silence, les trois cavaliers s'engagèrent dans les ruelles tortueuses et malodorantes. L'enseigne grinçante d'une auberge leur parut la seule destination possible.

L'heure du déjeuner était venue, et dans le local une trentaine de soldats de la garnison française avalaient leur repas tout en conversant. Aucune femme n'était présente, rendant l'atmosphère de la taverne quelque peu étrange. L'aubergiste, un vieillard à la barbe blanche, indiqua aux nouveaux venus une des rares tables restées libres.

« Prenez place, messires. Je peux vous servir de la viande de bœuf épicée, du pain et du vin blanc. »

Michel se laissa tomber sur le banc, en jouissant du soulagement de ses membres inférieurs. Voyant que les autres se taisaient, il acquiesça.

« Fort bien. Mais avant toute chose, je désirerais une information. Connaissez-vous bien la région ?

— J'y suis né, messire.

— Savez-vous s'il se trouve des tombes romaines dans les parages ? »

Le vieux soupira.

« Des tombes… oui, nous n'en manquons pas. Mais romaines, je dirais que non. Dans les environs sont enterrés des soldats de toutes nationalités, sans parler des civils. Mais aucun Romain, pour autant que je sache. »

Michel attendit que l'aubergiste se fût éloigné, puis s'adressa à ses compagnons :

« Et pourtant, je suis certain que le lieu que je cherche se trouve ici, ou tout au moins dans cette région. »

Richelieu secoua la tête.

« Je connais cette zone comme ma poche. Aucun ancien Romain, triumvir ou autre, n'y possède une sépulture. Et celui qui vous parle a sans conteste creusé plus de tombes que n'importe quel officier de l'armée du roi. J'ai même enterré vivants des hérétiques à Metz, pour ne pas user la lame de mon épée. »

Une fois encore, Michel craignit que Tripoly ne cède à un accès de colère. Ce dernier continuait cependant d'afficher une admirable impassibilité. Seul le fond de ses yeux brillait d'un éclair menaçant.

Tout à coup, Michel vit, assis à une table au fond de la salle, sous une guirlande de toiles d'araignées, un visage qu'il connaissait bien. L'autre abaissa aussitôt le regard et pencha la tête vers l'écuelle qu'il avait devant lui. Michel demeura un instant perplexe, puis crut que l'homme ne l'avait pas reconnu. Il s'écria, couvrant le brouhaha des autres clients :

« Gabriele ! Gabriele Simeoni ! »

L'interpellé se poussa sur-le-champ, comme s'il voulait se cacher derrière les têtes des occupants de la table voisine. Puis il dut comprendre l'inutilité de son geste, car il se souleva à mi-buste, un pâle sourire sur les lèvres. Il salua Nostre-Dame de la main.

« Venez donc, mon ami ! l'invita Michel. Venez manger avec nous ! » Il s'adressa à ses compagnons : « C'est un ami très cher, astrologue à la cour de la reine et patriote italien. Il souhaiterait voir l'Italie unifiée sous les couleurs de la France.

— Maintenant que Charles Quint est décédé, peut-être n'est-ce pas impossible, commenta le Moine. Philippe II n'est qu'un empereur d'opérette. Il ne durera pas. »

Après une brève hésitation, Simeoni se dirigea vers eux, emportant son assiette, son couteau et son verre. Il posa le tout sur la table, à côté de Michel, puis resta debout en regardant les convives d'un air interrogateur.

Michel en éprouva une grande gêne et attribua son comportement à une forme de timidité. Il fit aussitôt les présentations :

« Mon cher Gabriele, voici François du Plessis de Richelieu, capitaine des arquebusiers du roi. Peut-être avez-vous connu à la cour son frère, qui porte le même nom. Et voici Antoine Marc, dit Tripoly. C'est le frère de Palamède, le premier consul de Salon, et l'oncle d'Adam de Craponne, le célèbre ingénieur qui a fortifié Metz après la conquête... Mais qu'avez-vous ? Vous me paraissez fort troublé.

— C'est que je ne m'attendais pas à vous trouver en Piémont», se hâta d'expliquer Simeoni. Il enjamba le banc et s'assit aux côtés de Michel.

Ce dernier observa son ami. Toute sa prestance semblait évanouie. Ses yeux bleus s'étaient opacifiés, et son visage, autrefois fin et régulier, était constellé de plaques rougeâtres. Son nez aussi avait pris une teinte pourpre, et son corps, gonflé au niveau de l'abdomen, tendait l'étoffe crasseuse d'un uniforme arborant les lys de France, déchiré à maints endroits. Son expérience de médecin fit suspecter à Michel une passion effrénée pour la bouteille. Mais il pouvait également s'agir de quelque fièvre contractée dans des zones marécageuses, exposées à des vents malsains, ou bien des effets de la vie épuisante de soldat.

Il décida de ne pas y prêter davantage attention.

«Si je suis venu jusqu'ici, c'est à cause d'une de nos vieilles connaissances : Pentadius. Il a enlevé mon épouse Anne Ponsarde. Je m'efforce de paraître calme, mais ce n'est qu'une façade. En réalité, je suis désespéré.

— Vous n'êtes pas le seul», répondit Simeoni d'une voix neutre. Michel pensait que la mention de Pentadius l'aurait fait au moins tressaillir. Mais le Florentin se contenta de vider son verre et d'empoigner la carafe que l'aubergiste venait à peine d'apporter.

Tripoly était au courant de l'enlèvement de Jumelle, mais Richelieu n'en savait rien.

«Votre épouse vous a été ravie? murmura-t-il. Philibert de Savoie ne m'en a rien dit. Je croyais que vous étiez l'un de ces amoureux des ruines romaines, à la recherche de la tombe d'un triumvir.» Il se tailla une tranche de bœuf et ajouta, tout en réfléchissant: «Dieu merci, je n'ai pas de femme. Ou plutôt, j'ai toutes celles que je veux. Et c'est moi qui les ravis.»

Simeoni parut frappé par l'une des phrases de son discours.

«La tombe du Triumvir? demanda-t-il, sortant de sa torpeur. Celle que vous mentionnez dans vos quatrains? "Du Triumvir seront trouvez les os*..."

— Oui, répondit Michel. Avez-vous eu connaissance de vestiges romains dans cette région?

— Non, j'en doute… » Simeoni soudain tressaillit. « Dites-moi, par "Triumvir", vous entendez un triumvir romain ? Ou bien…

— Ou bien ?

— … faites-vous allusion à une triple personnalité ? Comme la Sainte Trinité, ou certaines divinités païennes, comme Hécate. »

Michel se voyait une fois de plus confronté à l'un de ces cas où il ne savait quoi répondre. Les vers que lui suggérait Parpalus, tandis que l'anneau tournait en scintillant, s'avéraient le plus souvent tronqués et confus. Les visions qu'ils lui évoquaient n'étaient guère plus claires, hormis quelques détails plus précis que d'autres. S'il s'était remis à absorber piloselle et jusquiame, peut-être les images auraient-elles alors acquis davantage de netteté. Mais voilà des années qu'il n'ingurgitait plus cette mixture. Même la disparition de son adorée Jumelle ne l'avait pas persuadé de contrevenir à sa résolution. Il redoutait que, après s'être accumulé dans son sang, le mélange puisse entraîner la mort ou la folie.

Après avoir brièvement réfléchi, il répondit à son ami :

« Dans l'hypothèse que vous mentionnez… c'est-à-dire celle du Triumvir comme créature tripartite… connaîtriez-vous à Volpiano un sépulcre qui lui soit consacré ?

— À Volpiano même, non. Mais à une demi-journée de cheval d'ici, vers l'est, dans la vallée de Suse, s'étend une forêt qu'on appelle Borgone. Elle abrite une pierre sculptée qui représente un être d'apparence humaine debout sur un autel. » Il écarta les bras, tendant les pans de son manteau. « Les gens d'ici prétendent que cette pierre tombale renfermerait le tombeau de Mahomet.

— Mahomet n'est pourtant pas une créature triple.

— Non, mais il ne faut pas nécessairement donner raison aux croyances populaires. Je parierais que la figure sculptée sur la stèle n'est autre que celle de Jupiter Dolichenus, si vénéré par les soldats romains. Or, vous n'ignorez pas que Jupiter, chez les païens, appartient à une Trinité qui comprend Mars et Quirinus, ainsi qu'à une seconde triade, dite capitoline, composée de Junon et de Minerve. »

Durant ce dialogue, Richelieu, distrait, dévorait son plat de viande en s'empiffrant. Tripoly grignotait en revanche sa ration du bout des doigts en scrutant son adversaire de ses yeux hostiles.

Leurs regards tout à coup se croisèrent. Celui de Richelieu adopta instantanément une expression de défi. Tripoly n'abaissa pas son regard et se mit à fixer le capitaine avec une rage contenue. Les couteaux qu'ils tenaient tous deux en main commencèrent à taillader la viande, telles d'impétueuses épées.

Michel ne remarqua pas cette soudaine hostilité, pris qu'il était par le récit de Simeoni. Il regarda son interlocuteur et lui demanda :

« Mais existe-t-il réellement un sépulcre près de cette stèle sculptée ?

— Bien sûr que oui, mais il est très profondément creusé. À l'entrée, sous un chêne mangé de lierre, une inscription le consacre aux dieux mânes. Puis s'ouvre un long couloir. En l'empruntant, j'ai été surpris de constater que l'obscurité n'y régnait pas. Une lampe, allumée par Dieu sait qui, brillait curieusement dans un recoin. »

Une vive émotion s'empara de Michel, qui se remémora avec précision la scène que son ami décrivait. Nerveux, il s'enquit :

« Êtes-vous parvenu au fond du couloir ?

— Oui, mais j'ai dû m'arrêter là. Le corridor débouchait sur un puits aux parois irrégulières, et je n'étais pas équipé pour la descente. »

Un coup violent, asséné sur la table, interrompit cette conversation. Le capitaine Richelieu s'était levé avec furie. Il jeta à terre son écuelle.

« Aubergiste, cria-t-il, cette viande est bien trop cuite ! Elle empeste le brûlé comme la chair d'un huguenot sur le bûcher ! » Tout en vociférant, il défia Tripoly du regard. L'autre ne réagit pas.

Michel, alarmé, tenta de s'extraire du banc, mais ses jambes refusèrent de le porter, et il retomba assis. Il tendit les bras en direction de Richelieu.

« Capitaine, calmez-vous, de grâce ! Je viens de comprendre que notre recherche est à deux doigts du succès !

— Vous la poursuivrez tout seul, répondit l'officier en continuant à fixer Tripoly. Si un Judas est bien assis à cette table, comme je le crois, je l'attends en France pour y régler nos comptes. »

Tripoly gardait ses yeux baissés et restait silencieux. L'aubergiste s'était précipité, s'arrachant les cheveux.

« Messire, mais que vous arrive-t-il ? Ma viande est pourtant succulente ! »

Richelieu lui empoigna la barbe de la main gauche, et de la droite lui infligea un sonore revers de la main.

« Ôte-toi de là, maraud ! lui cria-t-il à l'oreille. J'ai bien vu que tu n'étais qu'un sale juif ! Pour le moment, nous devons nous occuper avant tout des hérétiques, mais n'aie crainte, votre heure sonnera bientôt ! »

Plusieurs clients avaient bondi sur leurs pieds. Un soldat avait même dégainé son épée et s'avançait l'air menaçant. L'œil mauvais de Richelieu suffit à l'arrêter dans son élan.

« L'ami, mêle-toi donc de tes affaires ! » lui cria le capitaine. Il regarda à la ronde. « Et ce conseil vaut pour chacun d'entre vous. Si vous l'ignorez encore, je suis celui qu'on appelle "le Moine", capitaine des arquebusiers de Sa Majesté. Je parie que vous avez déjà entendu parler de moi ! »

Cela devait être le cas, car un murmure parcourut les tables. Le soldat rengaina son épée et retourna à sa place sur la pointe des pieds, comme pour ne pas se faire remarquer.

Richelieu lança un dernier œil noir sur l'assistance, puis lâcha la barbe de l'aubergiste et sortit à grandes enjambées.

Michel éprouva un soulagement immédiat. Outre la violence de la scène, la référence aux juifs l'avait troublé en ramenant à sa mémoire le cauchemar constant de sa jeunesse. Il arracha la carafe des mains de Simeoni, qui se versait son énième verre, et remplit le sien.

« Il est effrayant de constater que la cause catholique se dote de défenseurs de ce genre », murmura-t-il avec amertume. Du coin de l'œil il suivit, non sans un serrement de cœur, les mouvements de l'aubergiste qui ramassait par terre les fragments de l'écuelle brisée.

« Une Église corrompue et violente doit obligatoirement employer des hommes corrompus et violents, commenta Tripoly, qui retrouva d'un coup son assurance. Si je revois jamais cet individu en France, je lui trancherai d'abord les oreilles, puis le décapiterai. Mais pas avant de l'avoir privé de sa virilité, pour lui apprendre à respecter les femmes qui se consacrent à la vraie foi.

— Oh, vraiment, j'admire votre courage ! » observa Michel avec une ironie que l'autre ne releva pas.

Ils terminèrent leur repas en échangeant de rares paroles, puis demandèrent trois chambres. Avant de se retirer dans la sienne, Simeoni arrêta Michel dans l'escalier qui menait à l'étage supérieur :

« Savez-vous que Giulia a été arrêtée et qu'on la soupçonne d'être luthérienne ? »

Michel tressaillit.

« Non, je l'ignorais. Je vous avoue que Jumelle occupe toutes mes pensées. C'est pourquoi j'avais omis de vous demander des nouvelles de Giulia.

— Ne vous excusez pas. Peut-être a-t-elle déjà été libérée. Un père jésuite m'a promis son appui.

— Eh bien, c'est déjà une garantie. Les jésuites deviennent chaque jour plus puissants. » Michel sentait ses jambes chanceler et ressentait un besoin urgent de se mettre au lit. « Allez donc dormir et ayez confiance. Demain, vous me raconterez toute votre histoire. »

Simeoni lui agrippa le bras gauche.

« Si quelqu'un trahissait un ami pour sauver la femme qu'il aime, lui pardonneriez-vous ?

— Oui. L'amour prédomine sur tout autre sentiment. Mais vous ne m'avez nullement trahi, Gabriele. Allons, montez dans votre chambre et dormez du sommeil du juste. Dès que j'aurai retrouvé Jumelle, je vous aiderai à chercher Giulia. »

Michel passa une nuit agitée dans la petite chambre crasseuse et poussiéreuse dont il avait hérité. L'absence de la fière et splendide Jumelle à ses côtés commençait à devenir une torture lancinante. En outre, les deux derniers vers du quatrain que Parpalus lui avait inspiré, au sujet de la découverte de la tombe signalée par les lettres *D.M.*, l'obsédaient :

Loy, Roy & Prince Vlpian esprouvee
pavillon Royne & Duc sous la couverte.

Que pouvaient-ils signifier ? Il n'en avait aucune idée. En tout cas, chaque fois qu'il s'interrogeait à leur sujet, se matérialisait dans son imagination la silhouette, tour à tour inoffensive et menaçante, d'Ulrich de Mayence, accompagnée par le souvenir terrifiant du baptême du feu.

Cette nuit-là, son ancien maître lui apparut en songe à plusieurs reprises. Il décida finalement de rester éveillé pour échapper à ce cauchemar. Demain serait un autre jour.

Abrasax. La toile

Le visage ridé de Parpalus, perdu dans les profondeurs du cosmos, semblait attirer les étoiles. Les astres se disposaient autour de lui en éventail, emplissant l'obscurité de fins filaments de lumière qui paraissaient se chercher, se toucher et s'unir entre eux. Il devint vite évident que se dessinait dans le ciel une monstrueuse toile d'araignée, parfaitement octogonale et d'une régularité irréelle. Les seize sabots n'avaient pas cessé de marteler furieusement le cerveau de Michel, mais aucune image ne les accompagnait plus. Quatre taches sombres continuaient pourtant de s'attarder dans son inconscient et d'avoir prise sur lui, pareilles à des noyaux informes de peur.

Ulrich, qui paraissait avoir atteint des dimensions de géant, désigna le firmament.

« Quel spectacle, hein ? Pouvait-on concevoir un décor plus digne pour le retour des quatre cavaliers ? »

Le jeune prêtre s'exprima d'une voix sévère, faisant preuve d'une assurance inattendue.

« Ce n'est pas à toi de décider des temps de l'Apocalypse. Tu te crois semblable à Dieu et tu cherches à usurper son pouvoir. Cette ambition causera ta ruine. »

Ulrich le regarda avec une compassion railleuse.

« Mon pauvre ami, tu ne sais même pas pourquoi tu te trouves ici et tu prétends me juger. Tu ne vaux guère mieux que les insectes qui se tortillent sous tes pieds. »

Le jeune homme abaissa le regard et poussa un cri. Le sable était constellé d'innombrables petits grumeaux, comme s'il avait plu. De chacun d'entre eux s'extirpaient péniblement pinces et pattes, s'agitant pour émerger du sol. De fugaces battements d'ailes aux reflets d'acier bruni accompagnaient leur effort. Le spectacle se poursuivait à perte de vue, sur toute la surface de ce monde. C'était un grouillement ininterrompu, qui faisait ployer la végétation et s'écrouler dunes et collines, dévorant leurs flancs. Des visages d'enfants aux yeux écarquillés se montrèrent ici et là, pour disparaître aussitôt sous des amas bistre d'insectes rampants.

Nostradamus sortit de sa torpeur.

« Tu peux tous les tromper, Ulrich, mais pas moi. Ce monde ne possède pas d'existence propre, il n'est que le produit d'un enchantement. Nous allons former la chaîne d'amour, et tes hallucinations disparaîtront dans le néant. »

La femme, qui semblait pétrifiée, s'approcha du prophète, faisant crisser sous ses pieds ailes et carapaces.

« Dites-moi comment nous devons procéder, Michel. Je suis prête à vous obéir.

— Prenez ma main et attrapez aussi celle de votre voisin. »

La femme obéit et essaya d'atteindre les doigts de l'homme au manteau noir. Celui-ci les retira cependant avec une sorte de dégoût.

« Je vous ai reconnue, souvenez-vous ? Je vous ai aimée, Catherine, et je suis prêt à vous aimer encore. Mais je vous conjure de ne pas toucher ce sorcier. C'est un agent du diable, tout comme le maître qu'il a renié. Dieu n'existe pas ici, et là où Il est absent, l'amour non plus n'existe pas.

— Ton Dieu n'était pas un Dieu d'amour, Molinas ! intervint le jeune prêtre sur un ton ironique. Mais pour le reste, je dois avouer que je te donne raison. Nous n'avons pas atteint le huitième ciel, comme ils essaient de nous le faire croire. Nous avons atterri en enfer. Je ne formerai aucune chaîne, car ce serait m'enchaîner au démon. Nostradamus, votre effort est pathétique. Vous et Ulrich êtes de mèche depuis le début. Vous espérez notre pardon dans le seul but de nous damner, afin que nous vous appartenions aussi dans l'au-delà.

— Mais nous sommes déjà damnés ! » cria la femme. Elle s'approcha de Nostradamus et lui agrippa le bras. « S'il nous

reste un espoir, il est indissociable de cet homme. Venez, Molinas, au nom de l'amour que vous avez éprouvé pour moi ! Venez vous aussi, Michaelis ! Vous vous croyez un saint, mais en réalité vous avez perverti votre foi en usant des armes du mensonge, de la folie et du crime ! À présent, vous avez l'opportunité de vous racheter et de purifier votre foi du sang dans lequel vous l'avez trempée ! »

Les deux hommes secouèrent la tête et, au lieu de s'approcher, reculèrent de quelques pas. Le tapis d'insectes ondoya sous leurs pieds.

Ulrich émit un petit rire cristallin.

« Tu vois, Michel, tu ne m'as pas seulement trahi en me désobéissant. Ta véritable trahison a été de devenir un magicien au rabais. Pour se hisser au rang de Magus, *il ne suffit pas de savoir lire au-delà du temps. Il faut posséder des pouvoirs réels et s'habituer à l'exercice de ces pouvoirs. Tu n'as jamais acquis cette faculté.*

— C'est faux, et tu vas en avoir la démonstration », répondit Nostradamus. Il serra la taille de Caterina et fixa ses compagnons. « À présent, je vais vous montrer quel risque court le monde matériel si vous ne savez pas opposer la magie de l'amour à la magie de la haine. Je vous ferai voir le second des quatre cavaliers, celui qui en 1999 ouvrira la voie au Roy d'effrayeur. Et je le ferai sans l'aide de Parpalus. »

Ulrich parut surpris.

« Sans Parpalus ? Tu n'en es pas capable !

— Bien sûr que si. Parce que je suis un Magus. *» Nostradamus ferma les yeux et, continuant à tenir la femme de son bras droit passé autour de ses hanches, il leva le gauche. Les paroles qu'il prononça, sans même ouvrir la bouche, frappèrent la voûte du firmament avec la force d'un ouragan. « BOR PHOR PHORBA PHOR PHORBA BES CHARIN BAUBO TE PHOR BORPHORBA… »*

Le résultat fut impressionnant. Parpalus contracta son visage joufflu et ridé, et huit pattes velues en sortirent, s'étendant démesurément jusqu'à recouvrir toute la toile d'araignée. On aurait dit qu'il venait d'ouvrir des failles dans la voûte céleste, et peut-être était-ce bien le cas, car celle-ci révéla à cet instant sa véritable nature, faite de bulles translucides qui s'entrecroisaient, chacune abritant la physionomie grotesque d'un archonte. Chacun d'eux avait l'apparence d'une femme nue, à peine esquissée, plongée dans un liquide vermillon. Des flots de sang passaient d'une bulle à l'autre et coulaient sur le sable, recouvrant ce monde d'horreur. Délivrés du sable et des insectes, monstres et enfants difformes réapparurent à la surface.

Pour la première fois, Ulrich parut s'alarmer. Il leva les bras au ciel et cria une formule alternative :

« GOD FATHR O DIO HER DOYODOD O YO DAUGTHR OISTH DOZH O THOU GOD DO ISSTHER DOIASER DOIER LOSER DOYIN A SHER DOES ASTHER ! »

Il ne réussit même pas à la terminer. Des nuées d'insectes s'envolèrent, tandis que d'autres continuaient à grouiller sur le sol. Les premiers ressemblaient à des aéroplanes de métal, qui piquaient rageusement vers la terre pour s'élever à nouveau. Les seconds s'apparentaient à des chariots d'acier qui sillonnaient le terrain en répandant de courtes traînées de feu. Tous étaient inondés du sang qui pleuvait d'en haut.

Ce fut une question de minutes, puis les insectes redevinrent des insectes, et le cauchemar prit fin, laissant place au paysage ordinaire. Nostradamus ruisselait de sueur et paraissait épuisé.

« Voilà, vous venez d'être confronté au second cavalier : la guerre. C'est ainsi que l'année 1999 commencera et ainsi qu'elle se terminera, si vous refusez de former la chaîne.

— Était-ce lui, le Roy d'effrayeur ? demanda Caterina d'un filet de voix.

— Non, vous n'avez vu que son univers. » Nostradamus s'adressa aux deux hommes qui se tenaient à distance. « Venez, mes amis, les invita-t-il.

— Non, répondirent-ils en chœur, leurs voix se superposant. Laisse-nous mourir. »

Ulrich, qui durant tout ce temps avait paru rapetisser, s'était à nouveau redressé, sûr de lui.

« Comme tu peux le constater, Michel, ton effort misérable n'a servi à rien. Tu es battu.

— Pas du tout, répondit le prophète. J'ai compris à présent

la nature du Roy d'effrayeur et ce qu'il t'offre pour bouleverser le cours du temps. »

Ulrich ricana.

« Même si tu l'as deviné, cela ne te sera d'aucune utilité. Je te le répète, tu es battu.

— C'est toi qui l'es. Car je m'apprête à évoquer l'autre Trinité. L'authentique. »

*L'*Abrasax *fut transpercé par un cri assourdissant. Parpalus rentra ses pattes et se recroquevilla, tandis que sa toile de lumière explosait en mille morceaux. Mais ce n'était pas le démon qui venait de hurler. C'était Ulrich, enfin secoué par une terreur incontrôlable.*

Aux dieux mânes

Le père Michaelis se sentait gêné par les arbustes qui, au cœur du bois de Borgone, dans le val de Suse, s'accrochaient à chaque instant à sa tunique. Par chance, il avait chaussé des bottes et non des sandales, autrement ses pieds auraient été tout ensanglantés.

« La pierre se trouve-t-elle encore loin ? demanda-t-il. Je dois me mettre en chemin ce soir même pour rejoindre le cardinal de Lorraine. Il séjourne encore à Cateau, et pour s'y rendre il faut bien compter au bas mot cinq jours à cheval.

— Nous devrions être presque arrivés, assura Simeoni. Mais rappelez-vous que je ne suis venu que deux ou trois fois, et que plus de six mois se sont écoulés depuis ma dernière visite. » Il jeta un coup d'œil à la ronde, comme il en avait pris l'habitude, puis se dirigea vers un massif de jacinthes des bois et de rhododendrons qui se dressait au-delà d'une futaie de pins sylvestres. « Ce qui me déplaît, dans le traité que vous venez de signer, est qu'il a rendu inutile le sacrifice de nombreux soldats comme moi. En réalité, vous avez non seulement livré à l'empereur Philippe II la Lombardie et le Piémont, mais également l'Italie tout entière. »

Le père Michaelis n'avait aucune envie de parler politique. Il ajouta toutefois :

« Je peux vous assurer qu'à Cateau-Cambrésis le cardinal de Lorraine n'a pas agi de son propre chef. Il n'a fait que suivre les instructions qu'il avait reçues de Henri II.

— Ce qui s'avère encore plus grave. On signe d'ordinaire une reddition après une défaite, pas après une série de victoires.

La prise de Volpiano s'est révélée inutile. Les Italiens qui ont servi la France vont devoir émigrer pour ne pas avoir à subir les représailles des Espagnols. Vous savez comme la cruauté des impériaux est légendaire. »

Le père Michaelis allait rétorquer qu'il ne se sentait aucunement concerné par ce problème, mais il se retint à temps. Il se contenta de répondre :

« La France a une guerre civile à combattre. Nous ne pouvions laisser sept mille soldats en terre étrangère. D'ailleurs, l'unique victoire française a été celle de Calais, l'année dernière. En Italie, le duc de Guise s'est enlisé dans le siège de Civitella. Le roi Henri a agi intelligemment. »

Simeoni allait répliquer quand ils rejoignirent une petite cuvette. Sur un rocher, ils devinèrent à peine, au milieu de la végétation qui entourait un chêne couvert de lierre, une pierre sculptée au prix de nombreux efforts. Elle représentait un homme qui, debout sur un autel, écartait les bras.

« Jupiter Dolichène, un et triple, expliqua le Florentin. Nous sommes parvenus à la tombe.

— Et où se trouve-t-elle ? Je n'en vois pas trace

— Attendez. »

Simeoni contourna les rochers disséminés sur le sol. Sur l'un d'eux poussait une grosse branche d'arbuste. Il lui suffit de s'en servir comme levier pour que le rocher se soulève, révélant une cavité. Plusieurs insectes s'envolèrent. Une fine couleuvre blanche, gênée par la lumière soudaine, se faufila en hâte à la recherche d'un nouvel abri.

« On peut y descendre facilement grâce à un escalier, dit Simeoni, voyant son compagnon hésiter.

— Oui, mais la lumière ?

— Il y en a, ne craignez rien. »

Du bord du trou s'enfonçait en effet un escalier de pierre, aux marches usées mais suffisamment larges. Après en avoir emprunté quelques-unes, le père Michaelis fit deux découvertes surprenantes. Tout d'abord, l'antre prenait au fur et à mesure de l'ampleur jusqu'à déboucher dans une véritable caverne. En second lieu, les parois, incrustées de minuscules cristaux, semblaient étinceler de lumière.

« Mais d'où provient cette lueur ? s'enquit-il, essoufflé. Y a-t-il donc quelqu'un au fond de ce trou ? »

Simeoni, qui avançait rapidement, lui fit signe que non.

« Cette tombe, scellée depuis des siècles, a sans doute accueilli un nombre impressionnant de morts. Elle est remplie d'effluves émanant des cadavres, qui se consument lentement le long des parois, dans quelque recoin où les cristaux se réfléchissent. Si vous avez déjà vu des cadavres, vous savez quelles exhalaisons se dégagent de leurs ventres durant leur décomposition. »

Même si la puanteur qui envahissait la caverne semblait donner raison à Simeoni, le père Michaelis secoua la tête.

« C'est impossible. » Il désigna un socle qui, au pied de l'escalier, portait les lettres gravées *D.M., Dis Manibus*. « Cette tombe est romaine. Les exhalaisons des cadavres ont dû se disperser depuis des siècles.

— Oh, mais elle renferme des morts beaucoup plus récents. Comme celui que vous cherchez. »

Ils firent quelques pas et s'arrêtèrent au bord d'un puits obscur.

« Voilà, c'est là, au fond, que gît Ulrich, couché sur la pierre tombale de quelque ancien soldat romain. Six mois après sa mort, son cadavre doit être à moitié dévoré par les insectes. »

Michaelis se pencha au bord du gouffre.

« Je ne vois en bas nul feu follet. Il y fait fort sombre.

— Oui. Il faut se munir d'une torche. Mais la descente se fait facilement. On peut poser le pied sur des pierres saillantes ou le glisser dans les failles de la roche. »

Le jésuite secoua la tête.

« Je ne compte certainement pas descendre. Mais je veux en revanche que vous me racontiez la rencontre entre Nostradamus et Ulrich.

— Mais je vous en ai déjà fait le récit ! protesta Simeoni.

— C'est vrai, mais cette fois je désire en connaître tous les détails. Venez, sortons d'ici. »

Quand ils furent de nouveau à l'air libre, Michaelis respira à pleins poumons l'air odorant du bois, chargé de tous les parfums du printemps. Il observa le rocher qui fermait la cavité et la branche qui servait de levier.

« Je voudrais sceller cette tombe à tout jamais, annonça-t-il. Avant de remettre la pierre en place, aidez-moi à ébouler les parois. J'ai remarqué qu'à l'entrée elles se composaient d'argile blanche. Nous n'aurons probablement aucune difficulté à les faire s'écrouler. »

L'entreprise fut en réalité plutôt pénible. Les deux hommes durent s'aider de grosses branches sèches. Ils transpiraient à grosses gouttes lorsque, à force de frapper sur l'argile, un pan de la paroi s'effrita et recouvrit la première partie de l'escalier. Le sol s'affaissa ici et là, obligeant Simeoni, qui craignait qu'un gouffre s'ouvrît sous ses pieds, à sauter en arrière. La surface se tassa enfin, sous un enchevêtrement de buissons.

« Bien, à présent, déplaçons la pierre », dit Michaelis.

Ils appuyèrent tous deux sur la branche jusqu'à ce que le rocher reprenne son emplacement originel. Simeoni essuya la sueur de son front du revers de la main.

« Mission accomplie, murmura-t-il d'une voix brisée par l'effort. Était-ce vraiment nécessaire ?

— Oui. Je veux qu'on oublie jusqu'au souvenir des Illuminés. Dissimuler pour toujours le sépulcre de leur fondateur était une étape indispensable. La végétation effacera toute trace de son existence. » Il indiqua la lisière de la cuvette. « Venez, retournons à nos chevaux. En chemin, vous me raconterez la rencontre entre Nostradamus et Ulrich. »

Ils s'engagèrent dans le bois touffu. Quand il eut repris son souffle, Simeoni dit :

« En réalité, vous savez déjà tout. Il y a six mois de cela, Nostradamus, un certain Tripoly, de confession huguenote, et moi-même avons découvert cet endroit. À l'entrée de la tombe gisait un cadavre atrocement défiguré, comme si une flamme lui avait brûlé les yeux et le visage.

— Peut-être avait-il tenté d'entrer dans le tombeau avec une torche allumée, commenta Michaelis. Et, ce faisant, il a provoqué l'explosion des gaz qui s'y étaient accumulés. »

Simeoni acquiesça.

« C'est ce que nous avons tous pensé. Nostradamus a cru reconnaître dans la dépouille un de ses vieux amis, un religieux augustin de Saint-Rémy nommé Marc Richard. Le mort portait en effet une soutane. »

Michaelis plissa le front.

« Marc Richard a fait l'objet d'une enquête à plusieurs reprises auprès de l'Inquisition de Toulouse à cause de ses sympathies calvinistes.

— D'après Nostradamus, il cherchait un trésor, qui aurait servi la cause des calvinistes de France. Et en effet, la grotte renfermait bien un trésor.

— N'omettez aucun détail, intima Michaelis. Vous êtes descendus dans la cavité. Et ensuite ?

— Ensuite, nous avons continué jusqu'au puits que vous avez vu. Il n'y faisait pas un noir d'encre comme aujourd'hui : une lueur très vive provenait même de l'intérieur. C'est pourquoi nous nous sommes décidés à descendre. Les jambes de Nostradamus le faisaient souffrir, et nous avons dû l'aider. Par moments, on aurait cru qu'il allait tomber, mais il avait tellement hâte de retrouver son épouse et Pentadius que… »

Michaelis s'arrêta tout à coup. Sa stupeur fut telle qu'il dut s'adosser contre le tronc d'un pin. Il leva sur Simeoni un doigt réprobateur.

« Vous m'aviez caché cela ! dit-il, furieux. Je croyais que Nostre-Dame était venu en Italie pour voir Ulrich. En quoi son épouse est-elle concernée ?

— Ma foi, je pensais que c'était un épisode secondaire, murmura Simeoni, fort embarrassé. Si Nostradamus s'est rendu secrètement dans le Piémont malgré la goutte qui le tourmente, c'est parce que son épouse avait disparu de chez lui. Il a cru qu'elle avait pu être enlevée par Pentadius, l'assistant d'Ulrich. »

Le front du père Michaelis se dérida un peu.

« Et en réalité, ce n'était pas le cas.

— Non. Pentadius a paru tomber des nues quand Nostradamus l'a accusé d'enlèvement. C'est un individu louche et pervers, mais il semblait plutôt sincère.

— Savez-vous si Nostradamus a pu par la suite remettre la main sur son épouse ?

— Je n'en ai pas la moindre idée. Après son entretien avec Ulrich, il est reparti en toute hâte pour la Provence, flanqué de Tripoly. Depuis, je n'ai plus eu de ses nouvelles. »

Michaelis soupira et s'écarta du tronc. Il se remit en chemin, relevant les pans de son froc jusqu'aux genoux.

« Parlez-moi de cette conversation entre Nostradamus et Ulrich.

— Il n'y a pas grand-chose à en dire, car elle n'a pas duré bien longtemps. Je vous ai déjà raconté l'essentiel. Ulrich a attendu que Nostre-Dame et Pentadius aient terminé leur querelle. Puis il s'est levé de la pierre tombale sur laquelle il s'était allongé, en s'aidant de ses avant-bras. Il avait tout l'air d'un mourant et accomplissait apparemment des efforts surhumains. Mais malgré sa souffrance, il nous a regardés, Michel et moi, avec un sourire tout à fait jovial et nous a appelés “mes fils”, comme si nous appartenions encore à son Église.

— Vous a-t-il expliqué pourquoi il avait choisi ce lieu pour mourir ?

— Tout d'abord, non. Il ne nous l'a révélé que plus tard.

— Alors, vous me le direz tout à l'heure. Racontez-moi encore leur conversation en vous en tenant à l'essentiel.

— Comme vous voulez. » La pinède cédait peu à peu la place à une châtaigneraie, tout aussi accidentée. Un hennissement au loin permit à Simeoni de s'orienter. Il traversa un ruisseau en posant soigneusement ses bottes sur quelques cailloux qui affleuraient à la surface, interrompant le cours d'eau, puis il attendit que Michaelis le franchisse à son tour. Il reprit alors son récit : « Ulrich nous a confié qu'il allait trépasser à cause d'une nouvelle épidémie de peste provoquée par la guerre. Son *Ekklesia* se verrait alors privée de chef pendant un certain temps. Il a alors demandé à Nostradamus, d'une voix affligée, s'il avait vraiment renoncé à devenir son successeur, à la tête de la papauté invisible.

— Nostre-Dame a dû lui confirmer sa décision.

— Absolument. Il se montrait très distrait, il était clair qu'il pensait à son épouse. Il a répété à Ulrich que l'amour est le moteur de l'univers, alors que l'*Ekklesia* se fonde sur la loi de la haine. Le vieillard a haussé les épaules. Puis ses paroles ont été plus ou moins celles-ci : “La foi des Illuminés s'appuie sur le réalisme. Le cosmos est gouverné par des forces aveugles, uniquement guidées par des règles mathématiques. Les hommes cultivent l'illusion de vouloir tout ramener à leur dimension. Le Christ était un pur esprit, l'expression de l'unité à l'intérieur du chiffre Trois. Pour le rendre compréhensible, il a été transformé en une sorte de vagabond occupé à résoudre les problèmes d'une poignée de bergers. Or, la création s'avère infiniment plus complexe : elle est régie par des dieux indifférents à la réalité matérielle. Seule l'abstraction compte vraiment.” En vérité, Ulrich n'a fait qu'insister sur la théologie fondamentale de l'*Ekklesia.* »

Ils étaient arrivés en vue des chevaux, attachés au tronc d'un peuplier. Le père Michaelis fixa Simeoni avec sévérité.

« Vous avez appartenu vous aussi à la secte des Illuminés. Avez-vous réellement cru à toutes ces sottises ?

— Je dois l'avouer, répondit l'autre, un peu gêné. Mais voyez-vous, la kabbale et l'ensemble de la magie naturelle sont nés, en réalité, de concepts qui ne s'avèrent guère différents. Nostradamus et moi-même, comme d'autres d'ailleurs, avons pris nos distances avec cette théologie, parce que nous croyons en la distinction entre le bien et le mal. Mais la pensée d'Ulrich descend en droite ligne d'une philosophie grecque non aristotélicienne. Vous savez à quel point ce siècle vénère les Grecs. »

« Voici donc la racine du mal », pensa en lui-même le père Michaelis, tout en détachant du tronc la bride de son cheval. Les jésuites, en bravant la culture dominante, avaient su voir loin.

« Précisez-moi encore deux détails, demanda-t-il à Simeoni. Vous m'avez déjà parlé d'une sorte de rendez-vous au-delà de la mort qu'Ulrich aurait donné à Nostradamus. Quels mots a-t-il employés exactement ?

— Michel continuait de répéter que la loi de l'amour et de l'attraction gouverne toute chose. Ulrich lui a rétorqué en ces termes : “C'est faux, mais cela pourrait devenir vrai. Le huitième ciel se montre sensible aux perturbations de son équilibre et adapte ses propres règles à celles des âmes qui y ont accès. Tu as, certes, prouvé que tu étais capable d'y pénétrer, mais ta volonté reste encore trop faible pour bouleverser l'ordre établi. Si, peut-être, tu réussissais à te présenter dans cette sphère en compagnie de tes pires ennemis, liés à toi par une chaîne d'amour véritable, tu aurais alors la possibilité d'imposer ta loi. Dans le cas contraire, la loi en vigueur restera la mienne, et même le monde matériel se verra contraint de s'y conformer. Car ce qui, dans les sphères extérieures, est abstraction et équilibre suprême, n'est que chaos et régression dans le monde asymétrique de la matière. Et il est juste qu'il en soit ainsi. Comme il est juste que le Roy d'effrayeur descende parmi les hommes au cours de l'année que Parpalus t'a déjà dévoilée." Puis il s'est tu. »

Michaelis réfléchit sur le sens de ces paroles. Il ne les comprenait pas entièrement, mais n'osait demander des éclaircissements à Simeoni. Celui-ci devait penser qu'il était au courant de toutes ces choses. Il se contenta d'ajouter :

« Venons-en au second objet de ma curiosité. Pourquoi Ulrich a-t-il précisément choisi ce tombeau pour mourir ? »

Simeoni détacha à son tour son cheval, monta en selle et lui répondit :

« Ulrich nous a toujours répété, à nous les Illuminés, qu'il existe sur terre des lieux contigus au huitième ciel, en raison de l'intersection des trois cent soixante-cinq sphères de l'*Abrasax*. Ne me demandez pas ce que cela signifie. Je sais seulement que s'ouvrent sous la croûte terrestre des précipices disposés en réseau, à travers lesquels même le non-initié peut rejoindre la sphère proche de Dieu. La tombe du Triumvir constitue l'une de ces portes. D'ailleurs, la présence du trésor à l'intérieur le prouve.

— Quel trésor ? demanda le père Michaelis, ne parvenant pas à dissimuler plus longtemps sa curiosité dévorante.

— Un anneau en forme de serpent qui se mord la queue. Il paraît que sa valeur est inestimable. C'était cet objet que cherchait le père Richard avec tant d'acharnement qu'il y laissa la vie. Ce même objet que j'ai traqué à mon tour durant des années. Nous l'avons trouvé au doigt d'Ulrich, quand il a expiré sans aucune agonie.

— Qui l'a en sa possession, maintenant ? Pentadius ou Nostradamus ?

— Nostradamus. Pentadius a fui durant notre entretien avec le *Meister.* »

Michaelis hocha la tête et éperonna son cheval. Les deux hommes s'éloignèrent du bois de Borgone, empruntant un large sentier qui passait entre de douces collines vallonnées, parsemées de fleurs. Le charme des lieux et l'air agréablement parfumé enchantaient l'âme, avec la complicité d'un beau soleil printanier qui réchauffait sans brûler. Pourtant, de temps à autre, quelques vestiges macabres venaient rappeler qu'on s'était récemment battu avec une cruauté inouïe dans cette zone.

Maisons calcinées, squelettes de bovins, cadavres décomposés de pendus émergeant du feuillage des hêtres, surgissaient çà et là au détour du chemin. Si la férocité des impériaux restait légendaire, ce triste spectacle portait en l'occurrence l'empreinte fanatique du duc de Guise. Si Civitella lui avait résisté, c'était parce que, dans le premier bourg tenu par les Espagnols dont il s'était emparé, le duc avait ordonné l'assassinat de tous les habitants sans exception, des nouveau-nés aux vieillards. Les Guise, à commencer par leur représentant le plus en vue, le cardinal de Lorraine, concevaient en effet chaque bataille livrée par le roi de France comme un épisode d'un affrontement plus général entre le bien et le mal, dans lequel le mal était incarné par l'hérésie huguenote sous toutes ses variantes. En conséquence, ils envisageaient l'usage systématique de la brutalité comme un devoir.

Dans cette conviction, ils bénéficièrent du plein appui de Paul IV, le pape à demi fou et perpétuellement ivre qui, presque chaque jour, promulguait des décrets sanguinaires contre les réformés. Bien que fortement diminué par l'hydropisie, ce dernier continuait de conseiller au roi de France l'emploi de la violence comme unique planche de salut pour la Chrétienté. Il allait même jusqu'à reprocher au cardinal de Lorraine un excès de bonté dans la gestion de l'Inquisition, qu'il aurait voulu diriger de son propre chef. Au-delà des Alpes, il pouvait compter sur des oreilles attentives à son message et trouvait dans d'innocents paysans, qui avaient la malchance de vivre sur le théâtre des opérations, les victimes prédestinées de sa fureur éthylique.

Le père Michaelis chevauchait, indifférent aux spectacles macabres qui émergeaient de la végétation luxuriante de ces vallées. Il redoutait une question que Simeoni lui avait déjà posée et à laquelle il avait promis de répondre une fois de retour de leur expédition. Lorsque, au terme d'un long trajet, il entendit s'approcher les sabots du cheval de son compagnon, il comprit que le moment était venu. Il soupira et attendit.

« Mon père, dit Simeoni, vous m'avez annoncé des nouvelles de Giulia. Je m'inquiète tant pour son sort que j'en perds le sommeil. Quand pourrai-je la revoir ?

— Rassurez-vous, Giulia ne court aucun danger. Vous savez bien que je me suis personnellement chargé de la faire libérer et de lui trouver une cachette afin de la soustraire aux persécutions.

— Je le sais et je vous en serai éternellement reconnaissant. Elle se cache donc encore ? »

Le père Michaelis hocha la tête.

« Oui, à Paris. Je l'ai laissée aux bons soins d'un ami dévoué corps et âme à la Compagnie de Jésus. Vous la verrez dès que l'armée française en Italie sera renvoyée dans ses foyers et que vous serez libre de retourner dans la capitale. Ce n'est qu'une question de jours, en somme. »

Simeoni émit une sorte de sanglot.

« Je ne comprends pas pourquoi, depuis plus d'un an, elle ne répond à aucune de mes lettres. Au cours de certaines périodes, je lui ai écrit tous les jours.

— Par prudence, c'est évident. Elle a peur de vous compromettre. » Michaelis réussit à mentir sans altérer le ton de sa voix. Il avait donné l'ordre à Laurens Videl d'intercepter toute la correspondance qu'adressait ou recevait Giulia, et de la lui remettre, de façon qu'il pût la lire, puis de la détruire. Cette attitude, ô combien odieuse, se voyait dictée par la nécessité de ne pas mettre en danger la sécurité de la jeune femme. Ou, du moins, telle était la justification de ses actes à laquelle Michaelis s'efforçait de croire.

« Tant pis, je la reverrai d'ici peu, et ce jour-là sera le plus beau de ma vie », dit Simeoni. Il retint son cheval et s'écarta du jésuite, comme s'il craignait qu'une trop grande insistance puisse nuire à l'avènement de ce jour.

Ils se trouvaient désormais en vue de Suse lorsqu'ils aperçurent un cortège imposant qui sortait de la ville. Composée de fantassins, d'arquebusiers et d'archers, la troupe n'avait toutefois pas l'air belliqueuse. Les soldats, d'allure plutôt joyeuse, agitaient des étendards aux armes de la Savoie et des lys de France avec une sorte d'euphorie. Du reste, des religieux de tous ordres se mêlaient également à eux. Une foule de petites gens formaient une haie sur leur passage, acclamant un personnage encore invisible pour le moment.

Surpris, Michaelis arrêta sa monture sur un coteau, non loin du parcours du cortège. Simeoni l'imita et lui posa une question que le jésuite ne put entendre. Une colonne d'arquebusiers français, alignés en rangs approximatifs, précédait le défilé. L'homme qui les commandait, un cavalier portant une cuirasse d'acier, s'approcha des deux observateurs. Il les regarda un court instant à travers la fente de son casque, puis le souleva, découvrant un visage hirsute et brutal, aux sourcils broussailleux.

« Nous nous sommes rencontrés, il y a six mois de cela, mais peut-être ne vous souvenez-vous pas de moi, dit-il à Simeoni. Mon nom est François du Plessis de Richelieu, plus connu sous le nom du Moine.

— Je me souviens parfaitement de vous, répondit Simeoni, sans se montrer particulièrement amical, non plus qu'hostile. Que fête-t-on ? »

Richelieu désigna la foule derrière lui.

« On ne fête rien. Nous accompagnons à Paris le duc Emmanuel Philibert de Savoie. Ses noces avec Marguerite, la sœur de Sa Majesté Henri II, figurent au nombre des conditions du traité de Cateau-Cambrésis.

— Puis-je vous demander la raison d'un tel déploiement de force, capitaine ? s'enquit le père Michaelis. La route jusqu'à Paris devrait être sûre. »

Richelieu esquissa un sourire cruel.

« Le fait est que nous manquons en France de bonnes épées et d'une grande quantité de poudre à canon. La véritable guerre ne fait que commencer. Le temps des huguenots est révolu. »

Le soudard les salua, rabaissa son casque et reprit sa route. Michaelis nota la pâleur qui s'était emparée du visage de Simeoni. Bien qu'il n'entendît pas les mots qu'il prononça, il lui sembla en deviner le sens :

« Il me faut absolument voir Giulia. » La phrase suivante lui parvint en revanche avec netteté. « J'ai besoin de boire quelque chose. »

Michaelis lui adressa un triste sourire.

« Oh, vous ne tarderez pas à trouver ce réconfort. Suse est remplie de tavernes. »

Violence

« Comment avez-vous pu ? » hurla Tripoly en faisant irruption dans le salon. Il devait avoir trouvé la porte ouverte et être entré sans plus de cérémonie. Rien d'étonnant à cela, en vérité. Du jour où Jumelle s'en était allée, la maison de Michel était tombée à l'abandon, malgré les efforts de Christine. Il arrivait souvent que la porte d'entrée batte à tous les vents tout au long de la nuit. « Comment avez-vous pu ? répéta Tripoly. Vous n'êtes pas un homme, mais le diable en personne ! »

Michel abandonna le cahier sur lequel il était en train d'écrire, lors d'un des rares moments de repos que lui concédaient ses enfants. Il regarda son ami avec étonnement.

« Comment ai-je pu quoi ?

— Prévoir avec tant d'exactitude la mort du roi ! »

Michel demeura le souffle coupé.

« Pourquoi, il est décédé ? Je savais qu'il avait été blessé lors d'un tournoi.

— Il est mort, je vous dis, et bien mort ! Sous peu, vous entendrez les cloches sonner en signe de deuil à travers tout le pays.

— Pauvre de lui. Cela me peine beaucoup, murmura Michel machinalement.

— Pas moi. C'était un bourreau et un scélérat. » Tripoly leva les poings en l'air, comme s'il voulait défier le spectre du monarque. « Mais tel n'est pas le sujet qui nous occupe. Le plus important est que vous aviez prévu cet événement dans ses moindres détails. »

Si Michel avait été moins déprimé, il se serait enorgueilli de cette reconnaissance. Il se contenta de dodeliner doucement de la tête.

« Oui, je m'en rends compte à présent. Il aurait suffi que je remplace le grain par de l'orge… »

Tripoly écarquilla les yeux. « Mais de quoi diable êtes-vous en train de parler ? Oubliez vos céréales. Je me réfère au 35ᵉ quatrain de la première centurie de vos *Prophéties*. Je l'ai appris par cœur, car il entrera à coup sûr dans l'histoire :

> Le lyon jeune le vieux surmontera
> en champ bellique par singulier duelle :
> dans caige d'or les yeux lui crevera :
> deux classes une, puis mourir, mort cruelle*.

Extraordinaire ! Extraordinaire ! » conclut Tripoly. Puis il se laissa tomber sur un fauteuil, comme si son enthousiasme l'avait littéralement épuisé.

Michel essaya d'attirer son attention.

« Excusez-moi, mais je ne comprends pas. Où donc y voyez-vous une allusion à Henri II ?

— Vous vous moquez ? demanda Tripoly, suspicieux, avant de se mettre à ricaner. Non, vous me mettez à l'épreuve. Je le vois bien. Il ne fait pourtant aucun doute que les deux lions, dont l'un aura le dessus sur l'autre, ne sont autres que le roi Henri et son adversaire dans le tournoi du 29 juin dernier, le comte Gabriel de Montgomery. Ce dernier a bien blessé Sa Majesté à un œil en transperçant la visière d'or de son casque, que dans votre quatrain vous appelez "cage". Et voilà qu'à présent Henri a trépassé et qu'il brûle en enfer. Vous pouvez juger sa mort cruelle, elle n'a pas été assez rapide à mon goût… Mais pourquoi secouez-vous la tête ? »

Michel s'amusait.

« Parce que votre interprétation me paraît un peu tirée par les cheveux. Tout d'abord, Henri était plus jeune que Montgomery, il ne peut donc être désigné sous le vocable de "lyon jeune". En second lieu, "champ bellique" désigne un champ de bataille et ne peut donc se référer au tournoi de la rue Saint-Antoine. Ensuite, vous oubliez les “deux classes une”, autrement dit les deux flottes qui n’en forment qu’une. Comment l’expliquez-vous ? »

Tripoly se laissa un peu désarçonner, mais pas complètement.

« Michel, vous avez toujours dit et répété que, le plus souvent, vous ne saisissez pas le sens des prophéties que vous couchez sur le papier. Eh bien, fiez-vous à moi. Pour une fois, vous avez mis en plein dans le mille, que cela vous plaise ou non.

— Mais je connais parfaitement le sens de ce quatrain ! » protesta Michel, légèrement exaspéré. Il avait encore bien en tête les images que Parpalus avait fait défiler dans son esprit tandis qu’il lui suggérait ces vers. « Il fait allusion à la lutte entre deux frères empereurs, Alexis et Isaac Ange, dans la Byzance d’il y a trois siècles. Le premier a vaincu le second et lui a fait crever les yeux dans la prison d’Anémas, sur la Corne d’or. Pendant ce temps, la flotte des croisés qui assiégeait la ville s’est unie à celle de Venise. “Deux classes une.” Comprenez-vous à présent ? »

Tripoly se montra frappé par l’argument. Toutefois il objecta :

« Si votre interprétation se révèle exacte, votre prophétie renvoie au passé, et non au futur.

— Mes prophéties naissent dans une sphère où le temps est aboli. »

Michel comprit que son ami restait encore perplexe, mais il ne se sentait pas disposé à lui fournir davantage d’explications. Heureusement, Tripoly se contenta d’une observation de portée plus modeste :

« C’est bien vous pourtant qui venez d’avouer à l’instant que vous aviez prédit la mort du roi !

— Oui, mais pas dans ce quatrain ! Dans un autre ! Écoutez, et puis vous jugerez. Je vous récite à mon tour d’après mémoire :

En l’an qu’un œil en France regnera
la court sera à un bien fascheux trouble :
le grand de Bloys son ami tuera :
le regne mis en mal & doute double.

Réussissez-vous à traduire ?

— En partie, oui, bougonna Tripoly. Quand un grand œil…

— Autrement dit un grand roi. L'Œil, dans les hiéroglyphes égyptiens que j'ai étudiés, représente le monarque. Il symbolise en effet le soleil.

— … régnera sur la France, la cour connaîtra une situation terrible. Le grand de Blois tuera son ami. Le royaume sera alors bouleversé et l'inquiétude redoublera. »

Michel se laissa aller à un sourire narquois.

« Je comprends que ces vers ne vous évoquent rien. J'ai malheureusement toujours affaire à des imprimeurs pressés et incompétents. Dans mon manuscrit original, j'avais écrit "le grain", au lieu de "le grand".

— Et qu'est-ce que cela change ?

— Quel est le nom complet du comte de Montgomery ?

— Eh bien, Gabriel de Lorges, seigneur de… » Tripoly s'interrompit en plein milieu de sa phrase. « J'y suis ! L'orge !

— Exact. Lorges passait une bonne partie de l'année à Blois, auprès de la cour. Et j'ajouterai que, dans mon almanach en prose de 1559, j'avais déjà prévu pour le mois de juin la mort d'un prince ou d'un souverain. J'y ai écrit en outre que la France glorifierait son monarque. Comme c'est le cas aujourd'hui. »

À ce moment, en effet, les cloches de toutes les églises de Salon commencèrent à sonner le glas. Tripoly, qui paraissait très impressionné par les facultés de Michel, pâlit sur le coup et courut à la fenêtre. Le meunier du moulin d'en face s'était avancé sur le seuil de sa porte avec toute sa famille. Les habitants de Ferreiroux commençaient à quitter maisons et boutiques et à sortir dans la rue.

« Je ne voudrais pas que le deuil qu'on s'apprête à célébrer dans tout le pays pour la mort de cette canaille devienne un nouveau prétexte pour nous persécuter, nous autres huguenots, dit Tripoly. Pourquoi personne ne veut-il m'écouter ? Nous n'avons jamais été aussi forts qu'en ce moment. Nous pouvons nous prévaloir à nos côtés des Bourbon de Navarre, des Coligny, des Condé, en d'autres termes de la meilleure noblesse du royaume. Le comte de Tende feint de s'opposer à nous, mais en réalité il a rejoint notre bord. À présent que le bourreau mange les pissenlits par la racine, nous pourrions facilement appeler le peuple à la révolte contre les Guise. Il suffirait de percer un millier de panses et, avec le soutien de l'Angleterre, le sceptre tomberait dans notre besace. »

Michel fut saisi d'horreur en entendant ce discours. Les images de violence et de cruauté qui le tourmentaient presque chaque nuit étaient toutes liées à des conflits de religion. Il éprouvait, certes, quelque sympathie pour les réformés et pouvait même admettre que leur foi fût, en théorie, la seule authentique. Mais ce en quoi il croyait vraiment était une synthèse entre paganisme et christianisme, où les anciens dieux de l'Olympe, devenus des planètes, conservaient leur pouvoir, tout en se soumettant à la domination d'un Dieu plus fort.

« Je crains que vous ne nourrissiez de douces illusions sur les sentiments du peuple », dit-il en essayant de se lever. Ses jambes le faisaient à nouveau souffrir. « Et peut-être exagérez-vous quand vous dénigrez Henri II. Les gens le considéraient comme un bon roi.

— Mais comment pouvez-vous dire cela ? rugit Tripoly, en parvenant à dominer le bruit de plus en plus assourdissant des cloches et le brouhaha qui enflait dans la rue. Vingt jours avant le tournoi, il a désigné personnellement, en pleine séance du parlement, les nobles destinés à être envoyés à la Bastille. Anne de Bourg, Louis de Faur, Paul de Foix et d'autres encore ont été arrachés à bout de bras de leurs sièges et conduits en prison, les fers aux pieds. Quel “bon roi” s'acharnerait ainsi sur la noblesse ? Allons donc, il tient plutôt du Caligula ou du Commode…

— Le problème de l'Église réformée de France est qu'elle recrute de nombreux adeptes parmi la noblesse et le haut clergé, mais fort peu au sein de la bourgeoisie et du peuple. En revanche, en Allemagne ou en Angleterre…

— Mon Dieu, quel désordre dans cette maison ! »

Cette dernière phrase venait d'être prononcée par une voix féminine. Michel, qui avait réussi à se remettre sur pied, se tourna aussitôt vers la porte, mais ne vit personne.

« Christine ? cria-t-il d'une voix incertaine.

— Ce n'était pas Christine, dit Tripoly, surpris lui aussi. Je l'ai à peine entrevue, mais cette femme était plus grande qu'elle. Elle a dû monter à l'étage. »

Michel, la gorge nouée, boitilla en direction de la porte. Tripoly le précéda.

« Je m'en vais avant que la situation dans ce pays ne dégénère. Si vous aviez besoin d'une épée, venez me trouver. Le comte de Tende et Marc Palamède nous en ont déniché une grande quantité. Nous sommes même rentrés en possession de quelques arquebuses. »

Michel ne lui prêta aucune attention. Il rejoignit l'escalier qui menait à l'étage et commença à le gravir péniblement, une marche après l'autre. D'en haut lui parvenaient les voix fluettes de Magdelène, César et Charles, ainsi que les pleurs d'André, le dernier fils qu'il avait eu de Jumelle avant son enlèvement. Mais il ne parvint pas à déduire ce qui pouvait bien se passer là-haut.

Tandis qu'il se dirigeait vers la chambre à coucher, son cœur se mit à marteler douloureusement sa poitrine. Ses tempes bourdonnèrent. Il rassembla son courage et passa la tête par la porte de la chambre.

Christine était assise au bord du lit, entourée de trois des petits. Le quatrième, André, se pelotonnait entre les bras de Jumelle, qui lui couvrait le front de baisers. La jeune femme leva les yeux.

« Bonjour, Michel. Comment vas-tu ? » se borna-t-elle à dire.

Michel était paralysé de surprise et de joie. Il contempla le visage de son épouse, toujours aussi ravissant, malgré quelques cheveux gris dans sa chevelure de jais. Puis il oublia ses élancements aux jambes, courut à sa rencontre, posa André sur le lit et la serra dans une étreinte passionnée, qu'elle lui rendit avec chaleur. Il l'embrassa, mais très chastement, car elle lui refusa ses lèvres. Indifférent à son geste, il lui caressa les cheveux et la dévora des yeux avec une tendresse débordante.

« Jumelle, quelle peur tu m'as faite ! balbutia-t-il. Je t'ai cherchée jusqu'en Italie ! Je craignais que Pentadius ne te tue pour venger Ulrich. »

Le regard de Jumelle se voila de stupeur.

« Pentadius ? Que vient faire Pentadius là-dedans ? »

Michel, à son tour étonné, relâcha son étreinte.

« Ce n'est donc pas lui qui t'a enlevée ? Qui, alors ?

— Mais personne, murmura Jumelle. N'as-tu point lu ma lettre ? »

Michel mit quelques secondes à comprendre le sens de cette phrase, puis il se sentit vaciller. Il fit un geste brusque en direction de Christine.

« Emmène les enfants en bas. »

La jeune fille prit André dans ses bras et, de sa main restée libre, elle regroupa les autres petits et les poussa vers le couloir.

« Ferme la porte », ordonna Michel. Il attendit, glacial, que le battant se fût refermé, puis il se tourna vers Jumelle. Il ne ressentait aucune émotion. « Explique-toi », lui intima-t-il.

Les cloches continuaient à sonner dans tout Salon. Jumelle n'essaya pas de cacher son angoisse, qu'elle semblait pourtant maîtriser. Peut-être avait-elle déjà envisagé le caractère inéluctable de cette confrontation.

« Je n'ai rien à t'expliquer. Si tu as lu ma lettre, tu sais déjà tout. »

Michel ne voulait pas encore croire ce qu'il entendait.

« Cette lettre, si nous parlons bien de la même, tu ne peux l'avoir écrite. Aucune femme ne peut l'avoir écrite.

— Les autres femmes, je ne sais pas, mais moi oui. »

Elle prononça cette phrase sans insolence, et même avec une pointe de regret. Cela suffit cependant à déchaîner la colère que Michel couvait en lui. Pour la première fois de sa vie, il poussa un juron. Il leva le poing et l'abattit avec rage contre le mur, laissant l'empreinte de ses doigts sur la tapisserie. Des éclats de bois vermoulu tombèrent du plafond.

Jumelle, effrayée, recula d'un pas. Son regard resta cependant serein et ne s'abaissa même pas un court instant.

« À présent, tu vas vouloir me frapper, dit-elle d'un filet de voix. Au fond, je peux te comprendre. C'est toi qui ne me comprends pas… »

Michel s'agrippa de toutes ses forces à la maigre lueur d'espoir que ces paroles semblaient receler.

« Ta lettre contenait donc un message secret ? Oh, quel idiot je fais ! J'aurais dû le comprendre tout de suite. Je me suis arrêté au sens premier des mots. Moi, qui vis de la vente de poèmes au sens caché ! » Il avait conscience du caractère erroné de son interprétation, mais il espérait avec ferveur qu'elle l'accepterait.

Jumelle secoua la tête.

« Non. Ma lettre était très claire. Je voulais reconquérir ma liberté, et surtout ma dignité. C'est pourquoi je vous ai quittés, nos enfants et toi.

— Aucune femme n'abandonnerait sa maison et sa progéniture ! hurla Michel. Qu'ai-je fait à part t'aimer ? Quelle faute ai-je commise ? Aide-moi à comprendre, et peut-être omettrai-je de te punir. Mais prends garde, si tu ne te montres pas convaincante, je te ferai regretter d'être née ! »

La colère de Michel était bien réelle, et pourtant, tout au fond, elle se voyait freinée par deux sentiments : une douleur profonde, qui le frappait à présent de plein fouet, et le malaise diffus de celui qui se trouve en face d'une situation dont il sait qu'elle possède un sens, mais qu'il ne parvient pas à déchiffrer, faute de disposer du code adéquat. Un peu comme les lecteurs occasionnels de l'*Arbor mirabilis*. À l'époque de son affrontement avec Magdelène, il n'avait éprouvé que douleur. Peut-être l'âge avait-il ajouté le malaise.

Jumelle croisa les mains sur sa poitrine et énonça lentement, avec effort :

« À partir d'un certain moment, je l'avoue, tu m'as comblée de tendresse et d'attentions. Tu as même voulu t'unir à moi, au cours de cette cérémonie dont je ne me rappelle plus le nom, en m'impliquant dans ta quête. Mais je n'ai jamais été une personne autonome. Pour toi, j'ai joué tour à tour le rôle de l'amante, de l'épouse, de la mère, de la complice. Je n'ai jamais été simplement Anne Ponsarde. Comprends-tu ? »

Michel écarquilla les yeux.

« Non, je ne comprends pas. Explique-toi. »

Elle soupira. Il était évident qu'elle s'efforçait de rester aussi claire qu'elle le pouvait.

« Chacun des rôles que j'ai tenus dans ma vie répondait à une attente de ta part. Ton jugement sur moi a toujours dépendu de la manière dont je les incarnais. Ton amour a été comme une récompense pour mon obéissance. Beaucoup d'autres femmes s'en seraient contentées, mais je viens d'un milieu différent du leur.

— Tu viens de la rue et du bordel ! » dit Michel avec une méchanceté volontaire, qui cachait un total désarroi.

Jumelle ne se vexa pas.

« C'est vrai. Pendant des années j'ai accueilli entre mes jambes des hommes qui, ensuite, se retiraient. Ils me payaient et prenaient congé. Aucun d'eux n'a jamais pensé m'attacher de façon permanente à son service. Et, tout bien réfléchi, je leur en suis reconnaissante. Je me souviens tout au moins fort peu de leurs visages et de leur conversation. Je me rappelle de mes propres états d'âme, non de ceux des étrangers qui s'impatientaient devant la porte de ma chambre. Quand ils s'en allaient, je restais Jumelle. Avec toi, j'ai été jour et nuit madame de Nostre-Dame. »

Cette déclaration, prononcée d'une traite, témoignait d'une immoralité monstrueuse. Michel fut de nouveau en proie à une vive colère. Il avança en boitillant vers son épouse, qu'il repoussa jusqu'à un angle de la pièce, et leva sur elle un doigt réprobateur.

« Le malheur de ma vie a été d'épouser deux catins et d'en avoir eu pitié ! » hurla-t-il. Il comprit aussitôt qu'il condamnait du même coup Magdelène et, embarrassé, dévia le tir. « Tu ne m'as pas seulement abandonné, tu as aussi abandonné le fruit de ta chair ! As-tu conscience que tu es une mère indigne ? »

Pour la première fois, Jumelle baissa un peu la tête.

« Perdre mes enfants m'a fait beaucoup souffrir. Quand je demeurais chez ma sœur…

— Ta sœur ?

— Oui, où croyais-tu donc que je me cachais ? Durant tout ce temps, je suis restée ici, à Salon. » Jumelle releva la tête. « Perdre mes enfants a été une expérience éprouvante. C'est pour eux que je suis revenue. Mais, de même que je ne veux pas être ton prolongement, je ne désire pas non plus être celui de mes enfants. La maternité m'a procuré un immense plaisir, mais elle ne peut être un devoir. »

L'effroi de Michel était tel que ses jambes ne le portèrent plus et qu'il tomba assis sur le lit. Il lui semblait vivre un cauchemar si fou et irréel qu'il frisait le délire. Il ne lui fut pas facile de formuler une réponse adéquate. Quand il y parvint, il la trouva approximative et insuffisante.

« Tu es en train de blasphémer des obscénités dictées par le diable ! Il doit avoir pénétré à l'intérieur de ton corps et t'avoir perverti la raison. C'est Dieu qui a décidé du rôle de l'homme et de la femme. La maternité est ta vocation naturelle. Si tu la renies, tu n'es plus une femme. Tu es bonne pour l'enfer ! »

Jumelle était devenue d'une pâleur impressionnante. Ses yeux, qui n'avaient jamais été aussi beaux, ne trahissaient toutefois aucune timidité ou lassitude. Ils ne manifestaient pas davantage d'insolence, mais plutôt une intelligence sur la défensive.

« Si je prétendais que la vocation d'un homme est la paternité, tout le monde se mettrait à rire. Mais pour une femme, la situation est tout autre. Sans maternité, elle n'existe même pas. Et le plus beau, c'est qu'elle n'existera pas de toute manière, qu'elle engendre ou non une progéniture. » Jumelle joignit les mains. « Michel, c'est toi-même qui m'as enseigné que l'homme et la femme sont complémentaires et qu'ensemble ils forment une force irrésistible. Quelle complémentarité peut-il exister si nous vivons sur des niveaux différents ? Nous pouvons redonner vie à notre relation, mais sur la base de l'amitié, qui vient avant l'amour et en constitue une variante. Même la maternité peut se renouveler, si nous partons de ce point de départ. Penses-y. Notre bonheur est à portée de main. »

Michel ne parvenait pas à élaborer une réplique cohérente, qui ne dégénère pas en anathème ou en violence. Il opta pour la seconde. Il glissa sur le bord du lit et commença à retirer sa ceinture.

« Déshabille-toi, ordonna-t-il d'une voix neutre.

— Pourquoi ? Tu veux me violenter ? » Jumelle avait adopté une fragile impassibilité, non exempte de peur.

« Non. Tu le mériterais, mais je suis vieux et malade. Je vais te fouetter, et voilà tout. J'aurais déjà dû le faire il y a bien longtemps. Tu saigneras un peu, mais ce sera toujours mieux que le bûcher qui t'était destiné.

— Si tu devais battre un homme, tu ne lui ordonnerais pas de se dévêtir. Tu veux tirer plaisir de ma punition, admets-le. »

Michel fut très frappé par cette observation. Il resta un instant indécis, puis se leva. Il finit d'enlever sa ceinture.

« Fort bien. Je te battrai donc tout habillée. Mais ne crois pas que cela atténuera ta souffrance. »

Jumelle se pencha contre le mur et abaissa la tête, la tenant entre ses mains pour protéger son visage. Michel assura sa prise sur la ceinture, faisant tournoyer la boucle. Puis il réfléchit et empoigna la boucle, cinglant l'air de la langue de cuir. Finalement, il ouvrit la main et laissa tomber la ceinture sur le sol. Harassé, il s'affaissa sur le lit.

« Je ne peux pas, murmura-t-il.

— Pourquoi ? demanda Jumelle, qui continuait à se tenir courbée vers le mur.

— Parce que je t'aime. »

Le dos de la jeune femme se redressa. Elle se retourna, faisant voltiger ses cheveux. Sur son visage aux yeux brillants s'affichait un sourire ingénu.

« Moi aussi, je t'aime. »

Michel, ému, lui tendit les bras. À cet instant, des coups frappés à la porte du rez-de-chaussée retentirent avec une extrême violence.

« Ouvrez ! Ouvrez sur l'heure ! »

Michel fut brutalement ramené dans le contexte dont il s'était extrait. Les cloches continuaient de sonner, tandis que le brouhaha dans la rue devenait assourdissant.

« Ouvrez ! hurlait-on en bas. Ouvrez ou nous enfonçons la porte ! » Michel pâlit. Il donna à Jumelle une caresse rapide, récompensée par un tendre sourire.

« Va chercher les enfants et barricade-toi avec eux dans mon cabinet de travail. Dans un coin de la pièce, tu trouveras l'arbalète, ainsi qu'une vieille épée. Sur la table, un anneau en forme de serpent qui pourra nous être encore utile. Je reviendrai aussitôt que je le pourrai. »

Sur ces entrefaites, Michel sortit de la chambre et descendit avec toute la rapidité que lui permettaient ses jambes douloureuses. Tripoly, en quittant la maison, s'était souvenu de fermer la porte.

Mais elle n'était pas verrouillée, et ses gonds vibraient déjà sous les coups furieux.

Michel inspira un grand bol d'air, puis souleva le loquet du verrou. La porte s'ouvrit et s'abattit contre le mur. Il se trouva en face d'une petite foule armée de piques, écumant de colère. À sa tête, brandissant un manche de pioche, se tenait le meunier Lassalle, que Michel considérait pourtant comme un ami.

Après un bref instant de confusion, Lassalle pointa le manche sur la poitrine de Michel.

« Docteur de Nostre-Dame, hurla-t-il. Il y a de cela une demi-heure, un hérétique reconnu est sorti de chez vous. Vous êtes donc l'ami et le protecteur des huguenots qui ont assassiné notre roi ! Niez-le, si vous pouvez ! »

Michel ne sut pas quoi répondre, si grande était la panique qui s'était emparée de lui. Il comprit que tout discours serait inutile. Il réussit seulement à bafouiller :

« Estienne, voyons, vous me connaissez. Je ne suis pas un huguenot.

— Vous mentez ! » brailla le meunier. Puis il s'adressa à la foule : « Cet homme ment !

— Oui, il ment ! crièrent quelques-uns. À mort ! À mort ! »

La foule leur fit immédiatement écho :

— À mort ! À mort le huguenot ! »

Michel ferma les yeux, incapable de penser. À cet instant, on entendit les sabots de plusieurs chevaux marteler le pavé.

« Que faites-vous, canailles ? s'exclama une voix dure et impérieuse. Gare à vous si vous osez lever le petit doigt sur le docteur de Nostre-Dame ! Je tuerai le premier qui touchera à un cheveu de sa tête ! »

Michel ouvrit les yeux. Il vit le baron de La Garde qui brandissait son épée dégainée et l'agitait avec rage. D'autres cavaliers, au nombre desquels Marc Palamède, le premier consul de Salon, l'entouraient.

La multitude ondoya et recula. Le meunier tenta de s'éclipser, mais deux soldats de la suite du baron le rejoignirent et l'agrippèrent par le bras. L'un lui tordit le poignet, le contraignant à laisser tomber son bâton, tandis que l'autre le giflait avec violence.

La troupe se dispersa. Le baron et le premier consul s'approchèrent de la demeure de Nostradamus.

« Tout va bien, Michel ? demanda de La Garde.

— Oui, Poulin. Je vous remercie infiniment.

— Barricadez-vous à l'intérieur et évitez de sortir aujourd'hui. » Le baron désigna le ciel. « J'ai lu votre opuscule sur la comète qui passera en septembre et sur les troubles qu'elle nous apportera. Eh bien, pour une fois, mon ami, vous avez péché par optimisme. La guerre civile a déjà commencé. »

À l'enseigne du Cheval blanc

Le père Michaelis fut déconcerté par l'aspect joyeux de Salon, en un moment où la France entière arborait le deuil. Les rues avaient été tapissées de sable, puis recouvertes d'herbes odorantes. Les façades des maisons croulaient sous les guirlandes de fleurs et les banderoles brodées des lys de France et de la croix de Savoie. Le cortège qui escortait la duchesse Marguerite de Berry, sœur de Henri II, venue rejoindre son mari Emmanuel Philibert de Savoie, présent dans le pays depuis déjà deux mois, avançait péniblement à travers les haies de paysans enthousiastes, quoique silencieux, qui envahissaient les rues. Et pourtant, on était en décembre et, après la sécheresse prolongée qui avait dévasté les campagnes durant l'été et l'automne 1559, le ciel nuageux soufflait un vent glacial et violent.

Le père Michaelis se tourna vers le cardinal Alexandre Farnèse, avec lequel il partageait le carrosse de couleur sombre et dépourvu d'armoiries qui, à la suite des véhicules élégants des courtisans, grimpait la côte en grinçant vers le château de l'Empéri.

« S'il n'y avait pas la duchesse de Berry, vêtue de noir de la tête aux pieds, et la consigne de silence imposée au peuple, personne ne réaliserait que la France pleure encore la mort de son roi. »

Le cardinal lui adressa un petit sourire.

« Dame, à présent vous avez un autre roi, François II. Ce n'est encore qu'un enfant, mais il a droit au trône, même si les huguenots le contestent.

— Ce n'est pas lui qu'ils contestent, mais celui qui a pris sa place. »

Le sourire d'Alexandre Farnèse s'agrandit, sarcastique.

« Allons, prononcez donc son nom. Nous savons bien tous deux de qui il s'agit. »

Le père Michaelis, agacé, pinça les lèvres.

« Si nous le savons, il est inutile alors que je vous le dise.

— Vous faites toujours preuve d'une grande prudence, vous les jésuites, n'est-ce pas ? » Alexandre Farnèse éclata de rire. « Fort bien, c'est donc moi qui vais vous le dire. Celui qui gouverne aujourd'hui la France est le cardinal de Lorraine, patriarche et protecteur de tous les Guise. Et je parie que cette situation n'est pas pour déplaire à la Compagnie de Jésus. Je me trompe, peut-être ? »

Ce fut au tour de Michaelis de sourire.

« Non, vous avez raison, elle nous satisfait pleinement. » Puis il redevint sérieux. « Ce qui m'inquiète est que le cardinal fait payer les dépenses du traité de paix de Cateau-Cambrésis presque exclusivement à la basse noblesse. Or, c'est auprès d'elle que les huguenots rencontrent l'approbation. Dans plusieurs régions de France, des conflits armés se sont déjà déclenchés. Si la petite aristocratie se jette en masse vers les réformés, tout le pays risque de se métamorphoser en un immense champ de bataille.

— C'est exact », répondit Alexandre Farnèse. Il allait poursuivre quand une brusque secousse leur signala que le carrosse était parvenu à son terme. Il sortit la tête par le fenestron, et la retira aussitôt. « Emmanuel Philibert est monté sur l'estrade, entouré des consuls. Je souhaiterais passer inaperçu, mais vous, vous n'avez pas ce problème. Jetez donc un coup d'œil. »

Michaelis obéit. Après un court instant, il rentra sa tête dans l'habitacle, une grimace sur son visage.

« Quel mauvais goût ! s'exclama-t-il. Ils ont laissé exposés les cadavres de quatre huguenots pendus, le long d'une rue latérale. Au risque que la duchesse ne les voie.

— Même ici, ils ont tué des huguenots ? Cela me semble un signe encourageant.

— Le parlement d'Aix accomplit son devoir et a déjà arrêté un bon nombre de réformés. À Salon, cependant, seul le menu fretin a écopé. Sur l'estrade se tient Marc Palamède, le premier consul. Il est soupçonné de calvinisme, et son frère Antoine Marc, dit Tripoly, a été condamné par contumace.

— Le fait même que les huguenots soient contraints de prendre la fuite est également très bon signe. »

Michaelis fronça les sourcils.

« En apparence, seulement. Il s'agit malheureusement d'un exil doré. Le comte de Tende, le gouverneur de la Provence, ne fait guère d'efforts pour mettre la main sur les fugitifs. Je parie qu'en ce moment, Tripoly chevauche en toute impunité en direction de Nantes, où les réformés ont convoqué leurs états généraux.

— Vous êtes même au courant de cette réunion ? chuchota le cardinal Farnèse, admiratif. Je croyais que c'était un secret connu des seules forces de gendarmerie. »

Le père Michaelis retroussa les lèvres.

« Vous oubliez que nous autres jésuites avons des yeux un peu partout, grâce à bon nombre de laïcs qui nous prêtent obédience. J'ai en outre été nommé provincial de la région parisienne et de la France du Nord. Et à ce titre, toutes les confessions et les délations parviennent sans exception jusqu'à mes oreilles. »

Les cloches de Salon se mirent à sonner joyeusement. De la foule, restée jusqu'à présent silencieuse en raison du deuil, s'éleva un murmure excité.

« Le moment est venu, dit le cardinal. La cérémonie a commencé. Descendez jeter un coup d'œil, et puis revenez m'informer. »

Le père Michaelis ouvrit la portière du véhicule et plongea dans la multitude, que l'escorte des soldats tentait en vain de contenir le long de la rue en pente. De ce poste d'observation, le cortège des dignitaires paraissait tout à fait imposant. Des dizaines de carrosses, de pages, de damoiselles et de gentilshommes aux habits rutilants se pressaient aux abords de l'estrade. Se mêlaient à eux des petites gens du coin, des honnêtes commis aux filles du bordel, jusqu'aux valets qui avaient profité de l'occasion pour s'autoriser une belle beuverie. Mais prédominaient surtout les *cabans,* comme on appelait les paysans des campagnes environnantes. Une myriade d'enfants aux pieds nus s'amusaient à se bagarrer, se jetant des poignées de sable, mettant à nu en maints endroits la fange malodorante qui jonchait d'ordinaire la rue.

Michaelis aperçut sur l'estrade la duchesse Marguerite, tout de noir vêtue, qui s'avançait à la rencontre du duc de Savoie dans son beau costume ivoire. Le contraste était saisissant entre cette femme de haute stature, légèrement voûtée, et ce petit homme, à peine plus grand qu'un nain. La portée symbolique de cette union, célébrée en vertu d'une clause de traité, restait toutefois très forte. Presque toutes les femmes pleuraient, tandis que les hommes cherchaient à masquer leur émotion.

Avant que la rencontre n'ait lieu, un homme au béret carré, arborant une longue barbe blanche et tenant un billet entre les mains, s'interposa entre les époux.

Michaelis s'adressa à un quidam qui portait un tablier de boucher.

« Qui est donc cet individu, là-bas ? lui demanda-t-il.

— Mais c'est Nostradamus, le grand prophète ! répondit l'homme avec enthousiasme. C'est lui qui a rédigé la phrase de bienvenue que vous voyez peinte sur tous les murs : *Sanguine Trojano, Trojana stirpe…* qui signifie “De sang troyen, née de lignée troyenne, devenue reine par la grâce de Vénus”. Comme vous le savez sans doute, notre maison royale descend en droite ligne de Molossos, le fils d'Hector de Troie[1].

— Ah oui », murmura Michaelis, distrait. Nostradamus avait commencé de lire une allocution dont la foule ne réussissait pas à comprendre un seul mot. Le jésuite en profita pour observer son ennemi, qu'il n'avait pas revu depuis le banquet de la cour. Michel de Nostre-Dame était un homme un peu plus petit que la moyenne, qui faisait plus que son âge, peut-être à cause de sa barbe, entièrement blanche et si longue qu'elle lui chatouillait la poitrine. Son corps, trapu et robuste, était enveloppé dans une cape noire, jetée sur un pourpoint et des chausses de même couleur.

Un homme tout à fait ordinaire, en somme. La seule particularité de son aspect était un teint rougeaud, qui tendait au pourpre

1. Molossos est en réalité le fils qu'Andromaque eut de Pyrrhos (ou Néoptolème), roi d'Épire, dont elle devint la captive après la mort de son mari, Hector, et la chute de Troie. (*N.d.T.*)

au niveau de son nez. À cette distance, le père Michaelis ne pouvait juger en toute équité, mais ce visage lui parut plutôt être celui d'un buveur invétéré que d'un ascète rigoureux.

Tandis que Nostradamus continuait de pérorer dans le vide, et que les deux nouveaux époux s'épiaient sans manifester beaucoup d'enthousiasme, Michaelis chercha le boucher des yeux.

« Êtes-vous vraiment sûr que cet homme soit un prophète ? Il m'a tout l'air d'un ivrogne impénitent. »

L'interpellé parut scandalisé.

« Messire... pardonnez-moi, je veux dire, mon père... le docteur Nostradamus est réputé partout dans le monde pour ses prophéties et ses présages. Il a même été reçu à la cour de la reine. On dit qu'il lui a prédit que ses trois fils régneront chacun à leur tour. Ce qui signifie qu'au moins deux d'entre eux sont destinés à mourir jeunes.

— Eh bien, en tout cas, cela reste à vérifier, sourit Michaelis.

— Je mettrais ma main au feu que c'est bien ce qui se passera. Nostradamus ne se trompe jamais.

— Je vois qu'ici, à Salon, vous le tenez en haute estime.

— En vérité, tous dans le pays ne pensent pas comme moi. Certains prétendent qu'il serait huguenot. Mais c'est faux : il se rend régulièrement à la messe et distribue toujours de généreuses aumônes. Aucun huguenot ne se comporte ainsi. Nombre d'entre eux adorent Mahomet et presque tous, en faisant semblant de prier, blasphèment le nom de Dieu. En outre, ils s'accouplent entre consanguins.

— C'est vrai », approuva le père Michaelis sur un ton amusé. Puis, de but en blanc, il demanda : « Savez-vous où se trouve l'auberge du Cheval blanc ?

— Oh, pas très loin d'ici. » Le boucher désigna la rue latérale où pendaient les cadavres des trois malheureux. « Avancez jusque là-bas au fond, puis tournez à gauche.

— Merci. »

Le père Michaelis lança un dernier coup d'œil à l'estrade. Nostradamus avait fini de lire son hommage et s'était retiré à l'écart. Puis ce fut le tour de Marc Palamède, qui déclama des banalités d'une voix de stentor. Les deux époux continuaient de s'observer du coin de l'œil sans ferveur aucune.

Michaelis retourna au carrosse.

« L'auberge du Cheval blanc se trouve à deux pas, dit-il au cardinal Farnèse. C'est là que doit me rejoindre la dame que vous souhaitez rencontrer. Peut-être est-elle déjà arrivée.

— Pensez-vous que nous puissions nous y rendre à pied ?

— Oui. Personne ne vous reconnaîtra. Il suffit que vous dissimuliez votre camail rouge sous mon manteau noir, et que vous retiriez votre calotte. Les gens n'ont d'yeux que pour la cérémonie, et d'ici peu il va se mettre à pleuvoir.

— Fort bien. »

Peu après, le père Michaelis, vêtu de sa simple soutane, frayait un chemin au cardinal parmi la foule, jouant des coudes. Quand la pression de la cohue se ralentit, Alexandre Farnèse rejoignit le jésuite.

« Pourquoi avez-vous fait venir ici votre protégée ?

— Parce que l'île de la Cité, où elle est restée cachée jusqu'à maintenant, n'est plus sûre. Le quartier de Saint-Germain, qui lui fait face, est appelé "la petite Genève" tant il est infesté de réformés. Ma compagnie a même dû renoncer pour le moment à rouvrir le collège de la rue Saint-Jacques. Nos étudiants risquent leur vie. »

Le cardinal désigna les quatre pendus au-dessus de leurs têtes.

« Dans le Midi, la situation semble plus favorable.

— Seulement en apparence. À Paris, ce sont les nobliaux et les lettrés qui prennent parti pour Calvin, tandis que le peuple et la bourgeoisie sont de notre côté. Ici, dans le Sud de la France, les bourgeois commencent au contraire à manifester quelque sympathie pour les huguenots, particulièrement dans les villes. Les marchands de Lyon sont désormais presque tous devenus calvinistes. Et savez-vous pourquoi ?

— Dites-le-moi.

— Parce que les jésuites ne se sont pas encore enracinés en Provence. Ce jugement vous paraîtra peut-être intéressé, mais c'est la vérité. »

Alexandre Farnèse ne fit pas de commentaire. Dès qu'ils eurent tourné le coin, une série de petites bâtisses anonymes apparut au fond de la rue. L'une d'elles, plus élevée que les autres, arborait une longue enseigne de bois qui dépassait sur la ruelle, tenue par un bras métallique, et que les cochers détestaient car ils s'y cognaient bien souvent le front. Une peinture médiocre représentait le cheval blanc typique de nombreuses auberges. Le pavé n'était à cet endroit pas couvert de sable, ni d'herbes aromatiques. Un petit cours d'eau jaunâtre, puant l'urine humaine et animale, s'écoulait joyeusement dans la rigole centrale.

L'intérieur de l'auberge leur parut plus convenable que son apparence extérieure ne le laissait augurer. Des tables étaient disposées en bon ordre, les murs, quoique noircis, restaient propres, et la cheminée paraissait fonctionner normalement sans enfumer la pièce. De petits groupes de gentilshommes et de dames, ayant probablement déserté le cortège nuptial, occupaient la plupart des bancs.

« Je n'ai plus de place, dit sur un ton brusque l'aubergiste, une femme âgée à la forte poitrine, quand elle aperçut les nouveaux venus. Ni pour manger ni pour dormir. Toutes mes chambres sont réservées depuis longtemps. »

Michaelis vit le visage du cardinal s'assombrir. Il pensa qu'en d'autres circonstances le prélat aurait non seulement fait débarrasser une chambre ou une table, mais probablement l'auberge tout entière. Et il aurait certainement fait bastonner l'aubergiste et son mari, si elle en avait un. Mais ce n'était pas le moment de chercher querelle.

« Nous ne voulons ni nous restaurer ni nous reposer. Nous avons rendez-vous avec une voyageuse italienne, la duchesse Giulia Cybo-Varano, qui a réservé une chambre. »

La patronne ouvrit tout grand la bouche.

« C'est une duchesse ? Elle a pourtant l'air…

— Elle se trouve donc ici.

— Oui, elle est arrivée ce matin.

— Allez l'appeler. Dites-lui que le père Michaelis l'attend. »

La femme jeta un coup d'œil à la ronde, cherchant des yeux le garçon occupé à servir les tables. Puis elle décida de monter elle-même. Elle grimpa l'escalier qui longeait le comptoir en soufflant un peu.

Quand l'aubergiste eut disparu, le cardinal Farnèse dit à voix basse :

« Comment avez-vous convaincu Giulia de venir ?

— Oh, très facilement. Elle fait tout ce que je lui ordonne. En outre, elle espère retrouver ici son amant, l'astrologue Gabriele Simeoni. »

Le front du cardinal se plissa.

« Un amant ? Vous ne m'en aviez pas parlé. »

Le père Michaelis lui jeta un regard soupçonneux. Pour la première fois, l'idée lui traversa l'esprit que Farnèse nourrissait peut-être à l'encontre de Giulia des intentions autres que celles qu'il avait proclamées. Il la repoussa aussitôt. Quoique la sensualité du cardinal ne fût plus à prouver, il était impossible qu'il se fût dérangé pour une femme, en importunant le provincial des jésuites pour que ce dernier la lui procure. Michaelis se promit de ne plus faire tant de cas, à l'avenir, de ses propres sentiments, particulièrement tendres quand il était question de la duchesse.

« Vous ne devez pas vous préoccuper de Simeoni, dit-il au cardinal. C'est un pauvre ivrogne qui ne troublera pas vos plans. Je l'avais laissé à Suse dans une taverne. Puis il a remonté la France en passant d'une auberge à l'autre. À Paris, il a tenté de mettre la main sur Giulia, mais il ignorait où elle se cachait. Catherine de Médicis ne l'a même pas admis à la cour.

— Une larve, en somme, commenta Alexandre Farnèse, rasséréné.

— Non, un homme intelligent, mais trop idéaliste. Il prêchait l'unité de l'Italie, rien de moins. Il est probable qu'un jour ou l'autre il atterrira ici à Salon. Il était autrefois l'ami de Nostradamus : ils ont appartenu à la même secte. »

Le cardinal s'alarma de nouveau.

« Vous voulez dire qu'il peut nous tomber dessus d'un instant à l'autre ? »

Michaelis sourit.

« Non. La route entre Paris et Salon est semée d'auberges.

Pour Simeoni, elles constituent autant d'étapes d'un chemin de croix où une halte s'avère nécessaire. »

À cet instant déboucha de l'escalier Laurens Videl, suivi par Giulia et l'aubergiste. Le médecin accourut en souriant vers le jésuite.

« Père Michaelis, quelle joie de vous revoir ! s'exclama-t-il. Comme vous le voyez, je vous ai ramené votre protégée. »

Michaelis fut fort agacé d'entendre son nom prononcé à haute voix, qui plus est associé à une phrase qui pouvait être mal interprétée. Quelques clients avaient en effet tourné la tête. Il essaya toutefois de faire bonne figure.

« Mon cher ami ! s'exclama-t-il à son tour, feignant l'allégresse. Vous avez été magnifique ! Je m'étonne cependant de vous voir ici, et non à l'église. Ignorez-vous que ceux qui assistent à la messe en l'honneur des époux bénéficieront d'une année entière d'indulgence ?

— Vous dites vrai ? demanda le bourgeois.

— Mais oui. Courez donc. L'office est déjà commencé, mais la mesure reste, je crois, encore valable pour les retardataires.

— Alors, j'y vais de ce pas. » Videl s'inclina. « J'espère que vous et votre ami saurez me pardonner.

— Mais bien entendu. Dépêchez-vous. Nous nous verrons tout à l'heure. »

Lorsque Michaelis se tourna enfin vers le cardinal et Giulia, il ressentit une légère inquiétude. Le prélat souriait à la jeune femme avec une chaleur excessive, tandis qu'elle le contemplait avec un sérieux non exempt peut-être de crainte.

« Bien, faisons les présentations », commença le jésuite, mais Giulia l'interrompit d'une voix grave : « C'est inutile. Je connais déjà Son Éminence.

— Et j'ai gardé quant à moi un souvenir ému de vous », dit Alexandre Farnèse d'un ton rêveur. Giulia portait une pèlerine de toile sombre sur une robe sobre en velours vert, serrée à la taille par une ceinture dorée. Le cardinal tendit l'index de sa main droite et écarta délicatement l'ourlet de la pèlerine, découvrant la silhouette élégante et gironde de la jeune femme. « Ces dernières années vous ont gâtée. La plaine ondoyante a cédé la place à un paysage de collines, fort agréable, ma foi. »

L'observation, inconvenante malgré la tournure qui se voulait gracieuse, réveilla chez Michaelis les pires doutes. Il s'efforça de ne pas y penser. Il s'interposa entre les deux interlocuteurs et désigna une table libre.

« Venez, asseyons-nous. Giulia, le cardinal a une excellente nouvelle à vous communiquer. »

La jeune femme, les joues empourprées, ne se rebella pas. Michaelis la trouvait tout à fait fascinante. Il la fit asseoir en face de lui et indiqua à Farnèse une place à sa droite. Le prélat préféra toutefois faire le tour de la table et s'installer à côté de Giulia.

Le garçon accourut. Le père Michaelis commanda de la citronnade pour tout le monde, afin de l'éloigner, puis il dit à la duchesse :

« Chère amie, après toutes ces années, on vient enfin de vous rendre justice, à vous ainsi qu'à la mémoire de votre mère. Peu avant la mort de Sa Sainteté le pape Paul IV, en août dernier, le cardinal Farnèse a réussi à lui arracher la signature de l'acte de révocation de l'excommunication qui pesait sur les dames de Camerino. »

Le visage tout entier de Giulia s'illumina. La jeune femme porta les mains à sa poitrine, comme si elle voulait calmer les battements de son cœur. Ses yeux se remplirent de larmes.

« Est-ce bien vrai ? s'exclama-t-elle, paralysée par l'émotion. Mon Dieu, si c'était le cas, cela serait le plus beau jour de ma vie !

— C'est tout à fait vrai, confirma Alexandre Farnèse avec gravité. J'ai fait exécuter une copie de l'acte et je suis venu de Rome tout exprès pour vous la remettre. » Il fouilla sous son manteau et en tira un parchemin replié, fermé par quantité de sceaux. « Voilà, lisez vous-même. »

Giulia prit l'enveloppe avec des doigts si tremblants qu'elle ne parvint pas à la décacheter. Elle éclata en sanglots.

« Oh, je suis au comble du bonheur ! dit-elle entre deux pleurs. Merci, Éminence, merci ! Votre bonté ne connaît point de limites ! Si ma mère se trouvait parmi nous… Laissez-moi vous remercier en son nom également ! »

Michaelis regarda autour de lui.

« Calmez-vous, ma douce amie. La salle est bondée, et de nouveaux clients arrivent à chaque instant. S'ils vous voient pleurer, ils pourraient se méprendre sur vos sentiments.

— Vous avez raison. » Giulia reprit contenance du mieux qu'elle put, même si les larmes continuaient à couler le long de son visage. « À présent, je vais pouvoir épouser Gabriele en plein jour. Je pourrai me déplacer librement, peut-être retourner en Toscane... »

Michaelis leva une main.

« Ne soyez pas trop pressée, ma chère, dit-il sur un ton affectueux. N'oubliez pas que vous êtes encore une fugitive recherchée par l'Inquisition. Il me sera désormais plus facile de faire cesser les poursuites contre vous, mais il faudra encore un peu de temps. »

Giulia ne manifesta aucune désillusion.

« Oh, j'aurai de la patience. Ma mère et moi en avons eu tellement...

— Mais peut-être pourrait-on faire accélérer le processus. Qu'en dites-vous, Éminence ? Pensez-vous qu'il soit possible d'aider la duchesse ? »

Alexandre Farnèse parut réfléchir.

« Peut-être bien, dit-il finalement. Selon le *Repertorium Inquisitorum,* tout inquisiteur est en mesure de réhabiliter d'un simple sermon celui qui s'est amendé de sa faute, sans purgation ni autre formalité. Je pourrais intervenir personnellement auprès du cardinal de Lorraine afin qu'il accomplisse les démarches nécessaires. Un geste de bonne volonté de la part de la duchesse serait toutefois utile pour prouver qu'elle reste étrangère à toute hérésie.

— Lequel ? demanda Giulia. Demandez-moi ce que vous voulez. »

Le cardinal fit une pause, le temps pour le garçon de verser la citronnade, puis reprit :

« L'idéal serait de contribuer à la capture d'un hérétique. Ce qui détournerait de vous tout soupçon. Je sais que vous êtes une bonne catholique et que vous comprenez par conséquent qu'un tel geste ne pourrait viser que le bien. »

Giulia manifesta une certaine stupeur.

« Mais je ne connais aucun hérétique. Ceux qu'il m'a été donné de rencontrer ont tous été arrêtés. »

Le père Michaelis lui sourit.

« Réfléchissez bien, il est important que vous soyez rapidement acquittée et que vous puissiez jouir de votre bonheur. N'avez-vous pas par le passé fréquenté des huguenots ?

— Ma foi, oui. À Lyon, il y a de cela quelques années. Pietro Gelido, Michel Servet, Piero Carnesecchi. Certains parmi eux sont morts. »

Le père Michaelis mima une vive stupeur. Il fixa le cardinal.

« Carnesecchi ? Serait-il vivant ?

— Oui. Il s'est réfugié à Venise.

— Tiens donc... » murmura le père Michaelis, pensif. Jusque-là, la conversation suivait la ligne définie précédemment avec Farnèse. Il s'agissait maintenant de jouer une carte que même le prélat n'attendait pas. Il espéra que ce dernier n'aurait pas la stupidité de le contredire. « Ma douce amie, dit-il à Giulia. J'ai jusqu'à présent soigneusement évité de vous parler de Simeoni. Vous savez déjà que je l'ai quitté à Suse l'année dernière. J'ai appris que de là il se serait rendu jusqu'à Venise, peut-être sur vos traces. Or, vous n'ignorez sans doute pas que la Sérénissime est alliée à l'empereur. Simeoni a cru que personne ne reconnaîtrait en lui un officier français. Malheureusement, quelqu'un l'a dénoncé. Devinez qui. »

Giulia, déconcertée, ne répondit pas. Michaelis ajouta :

« Piero Carnesecchi. Lui-même. C'est sa faute si Simeoni croupit enchaîné dans les geôles de Venise. »

Giulia allait pousser un cri, mais Alexandre Farnèse eut la présence d'esprit de couvrir sa bouche de ses doigts.

« Restez calme, duchesse. Votre ami sera bientôt libéré. » Il s'assura que la jeune femme, suffoquée par les larmes, n'avait plus l'intention de crier et retira sa main. « Soyez tranquille. Vous connaissez Carnesecchi et pouvez l'approcher sans crainte. L'Inquisition ne vous permet pas de voyager, mais je vous conduirai moi-même à Venise. Vous démasquerez cette crapule et nous ferons en sorte que votre Gabriele soit remis en liberté. »

Le père Michaelis acquiesça.

« Ainsi, ma chère, vous obtiendrez deux résultats au lieu d'un. Le cardinal de Lorraine pourra annoncer votre réhabilitation. Et vous, délivrée de l'excommunication, pourrez enfin épouser le beau Gabriele. Qu'en dites-vous ? Ne voyez-vous pas là une intervention de la Providence ? »

Giulia rassemblait les forces nécessaires pour lui répondre, quand fit irruption dans l'auberge un groupe de paysans, excités et armés de bâtons. À leur tête, un homme de haute stature, à la barbe rousse, qui portait le même costume qu'eux : un manteau d'hiver à manches longues et au capuchon de toile grise. Son poing était refermé sur la garde en forme de « S » d'un estoc, probablement d'origine espagnole.

« Messires, permettez que je me présente : Curnier, chef des paysans catholiques de Salon, débuta-t-il d'une manière dramatique. Il est de mon devoir de vous annoncer que ce jour de fête s'est vu endeuillé par un horrible crime. Nous venons d'apprendre qu'à Paris les huguenots ont assassiné le président Minard, le juge qui a condamné Anne de Bourg et ses complices huguenots. »

Tous les clients se levèrent d'un bond. Peu d'entre eux connaissaient personnellement Antoine Minard, mais tous savaient qu'il était le président du parlement de Paris. La nouvelle se révélait en effet d'une gravité extrême.

« Nous, *cabans,* nous déclarons lassés des atrocités commises par les luthériens, poursuivit Curnier sur un ton menaçant. Et nous nous disons également fatigués de la passivité de vous autres gentilshommes. Que ceux d'entre vous qui n'ont pas froid aux yeux nous suivent. Nous allons débusquer les hérétiques qui se cachent dans le pays. »

Sur ces mots, Curnier tourna les talons, ses paysans lui emboîtant le pas. En sortant, l'un d'eux fracassa avec son bâton l'unique fenêtre de l'auberge fermée par une vitre, comme pour laisser une trace de leur passage.

Des gentilshommes présents, seuls quelques-uns dégainèrent leur épée et se joignirent aux villageois. Les femmes se mirent à se lamenter, tandis que les hommes commentaient l'événement avec excitation. L'aubergiste s'arrachait les cheveux : un panneau de verre était un luxe rare par les temps qui couraient.

Le père Michaelis regarda ses compagnons d'un air préoccupé. Ce qu'il vit le troubla profondément. Le cardinal Farnèse se tenait derrière Giulia et, sous prétexte de la calmer, avait posé ses mains sur ses seins et les lui caressait doucement. Elle, hébétée, le laissait faire.

Michaelis se demanda si son plan si parfait ne venait pas de connaître une variante imprévue et désagréable. Il se sentit malheureux. Pis encore, il se sentit stupide.

Terreur à Salon

Jean de Chevigny s'agrippa avec force au bras de Michel de Nostre-Dame.

« Que vous le vouliez ou non, je resterai toujours auprès de vous. Votre grandeur est telle que votre ombre éclaire autant que le soleil. C'est dans cette ombre que je désire vivre. Comme secrétaire mais, s'il le faut, également comme copiste, marmiton, palefrenier… Je suis prêt à tout pour demeurer à vos côtés ! »

Michel contempla le jeune homme avec une expression indulgente teintée d'agacement.

« L'ombre qui éclaire autant que le soleil, celle-là je ne l'avais encore jamais entendue. Mon garçon, trouvez-vous vraiment que le moment soit bien choisi ? Ne voyez-vous pas ce qui se passe autour de vous ? » Il désigna, sur les rebords des fenêtres du quartier Ferreiroux, les lampes et bougies qui venaient de s'éteindre après avoir brillé toute la nuit. La fraîche brise matinale soufflait les dernières mèches encore allumées. « Nous discuterons de votre proposition chez moi. Par les temps qui courent, quiconque s'attarde dans les rues risque sa vie. »

Chevigny ne s'avoua pas vaincu.

« Si je vous ai accosté ainsi à la sortie de la messe, c'est parce que je ressens un besoin impérieux de vous servir. Vous êtes détenteur d'un secret qui dépasse les pouvoirs de l'homme. Je ne vous demande pas de me le révéler. Je désire seulement que vous me preniez à votre service sans vous sentir obligé de me faire participer à vos recherches. Il me suffira de me consacrer à celui qui, sur terre, se rapproche plus que tout autre de Dieu. »

Michel allait lui clouer le bec d'une réplique cinglante quand ils pénétrèrent sur la place du Bourg-Neuf, l'une des forteresses des *cabans* rebelles. Nombre d'entre eux, enroulés dans leur manteau gris, dormaient sur le pavé, avec à leurs côtés leur béret orné de plumes de poule. Leurs razzias nocturnes baignées de sang, guidées par les lumières que les habitants de Salon devenus complices allumaient sur leurs fenêtres et balcons pour éclairer les rues, les épuisaient.

Des groupes de *cabans* étaient cependant déjà levés et s'étaient réunis pour décider des prochaines expéditions punitives, en ce cinquième jour de contrôle absolu sur la petite ville. Tout avait commencé par une série de violences et de bastonnades au détriment des huguenots suspectés, après qu'ait été dévoilée la tentative de coup d'État opérée par ces derniers à Amboise, où résidait la famille royale.

Quand le bailli Pierre de Roux, seigneur de Beauzevet, avait essayé de freiner les brutalités de Salon, il avait rencontré une réaction si hostile qu'il avait été contraint de se réfugier dans un palais de la place des Arbres. En un rien de temps, les *cabans* avaient accumulé paille et bois autour de l'édifice, jusqu'à la hauteur du premier étage. Ils étaient bien décidés à mettre le feu au bûcher, quand à la dernière minute était intervenu le nouveau premier consul, Antoine Cadenet. Celui-ci avait convaincu le bailli de se démettre de ses fonctions et l'avait escorté jusque dans les cachots du château de l'Empéri. Un geste propre à calmer les esprits. Malheureusement, les *cabans* l'avaient interprété comme une invitation à exercer la justice dans le pays. De jour, ils se tenaient tranquilles, mais de nuit, armés de torches, ils partaient à la chasse aux huguenots suspectés, qu'ils frappaient et traînaient jusqu'au château. Le premier consul se voyait contraint de les arrêter pour leur éviter une fin bien pire.

Il faisait jour à présent, mais mieux valait se méfier des *cabans*. Michel feignit une sérénité qu'il n'éprouvait pas. D'un geste il intima le silence à Chevigny, puis s'achemina en boitant entre les bandes de paysans en armes. Quelques-uns fixèrent les deux hommes d'un air soupçonneux.

Michel entendit une question qui le fit frissonner :

« Qui sont ces deux-là ? demanda un *caban.*

— Le plus âgé est Nostradamus, l'auteur des almanachs, répondit une voix que Michel reconnut être celle d'un boucher à qui il avait vendu un horoscope. C'est un bon catholique et un homme fort savant.

— Un magicien ne peut être un bon catholique. Peut-être devrions-nous l'interroger.

— Oublie ça. Il n'a rien d'un huguenot. La reine le consulte souvent. »

Michel feignit l'indifférence et continua de traverser la place, la gorge serrée. Il maudissait l'état de ses jambes qui l'obligeait à marcher lentement. Il espérait ardemment que Chevigny continuerait de se taire. Le jeune homme semblait heureusement avoir compris la situation et l'épaulait en silence. Les *cabans* se remirent à s'entretenir d'un autre sujet.

Michel et Chevigny avaient désormais atteint l'extrémité de la place quand ils entendirent un chœur de hurlements se rapprocher. Il leur fut bientôt possible de distinguer le sens de ces cris :

« Vive la religion ! À mort les luthériens ! Vive les *cabans* ! » Mais ils ne surent deviner d'où provenaient ces exclamations.

Soudain, Michel recula sur le côté et fit signe à l'adolescent qui l'accompagnait de l'imiter. De la rue dans laquelle ils allaient s'engager jaillit un cortège qui avançait d'un pas pressé et furieux. À sa tête marchait Louis Villermin dit « Curnier », le chef reconnu des *cabans.* Son aspect sauvage et fanatique, encore accentué par des cheveux coupés ras et une lourde croix de bois qui rebondissait sur sa poitrine, contrastait avec l'allure raffinée et circonspecte du gentilhomme qui déambulait à ses côtés.

Michel reconnut sur-le-champ ce dernier. Il s'agissait d'Antoine de Cordes, l'un des plus ardents partisans du parti des Guise à Salon. Réputé être un homme modéré, il s'était en effet efforcé durant les trois premiers jours de terreur de sauver la vie de huguenots suspectés, les arrachant à leurs bourreaux et les emmenant au château. Mais les *cabans* l'avaient par la suite associé à leurs violences, à tel point qu'il ne pouvait plus faire marche arrière sans risquer lui-même d'y perdre la vie. Livide, on aurait dit non pas le complice mais plutôt le laquais de Curnier.

« Au bûcher ! Au bûcher ! Mort aux luthériens ! » hurla le cortège en débouchant sur la place. Plusieurs *cabans* se mirent alors à taper sur les tambours qu'ils portaient en bandoulière et à sonner de la trompette, engendrant une cacophonie infernale. Leurs compagnons encore endormis se levèrent d'un bond et les accueillirent avec des cris d'enthousiasme.

« Quelle bande de brutes ! éclata Chevigny. Pourquoi le clergé ne les arrête-t-il pas ? »

Michel ne lui répondit pas. Une vision terrible l'avait figé sur place. Entre les *cabans* s'avançait en trébuchant, ballottée de l'un à l'autre, une petite vieille toute couverte de sang. Son visage était si tuméfié qu'il n'était plus reconnaissable. Sur ce masque sanguinolent se plaquaient des touffes de cheveux blancs, arrachées en maints endroits.

Michel se sentit défaillir. Il éloigna brusquement Chevigny, qui le poussait du coude, et courut vers Antoine de Cordes. Ses jambes vacillaient, mais en lui l'indignation prédominait sur la peur.

« Seigneur de Cordes, vous ne pouvez fermer les yeux devant un crime ! » hurla-t-il d'une voix étranglée, en partie couverte par le vacarme.

Curnier se tourna aussitôt dans sa direction.

« Que se passe-t-il ? s'enquit-il avec rudesse.

— Rien, rien. C'est un de mes amis », se hâta d'expliquer de Cordes. Le gentilhomme était devenu d'une pâleur mortelle, comme s'il était en proie à une fièvre subite. Il saisit Michel par le bras et l'entraîna au loin.

« Ne commettez pas d'imprudence ! lui murmura-t-il à l'oreille. C'est votre peau que vous risquez, ne comprenez-vous donc pas ? »

Michel désigna la vieille, qui avait entre-temps disparu entre les manteaux gris de ses tyrans.

« Qui est cette malheureuse ? Que comptez-vous donc lui faire ?

— Parlez plus doucement ! » supplia de Cordes. Il baissa les yeux. « C'est la mère d'un huguenot. On la conduit à la léproserie pour la décapiter.

— Et vous me l'annoncez comme ça, sans sourciller ?» Michel sentit l'amère saveur d'un haut-le-cœur monter à sa gorge et lui couper le souffle. Il réussit à l'évacuer. « Empêchez-les donc !

— Je ne le puis. Et d'ailleurs elle est déjà à moitié morte. Plus tôt ils lui couperont la tête, mieux cela vaudra pour elle. »

Michel se cacha la tête entre les mains.

« Mon Dieu ! Mon Dieu ! Mais qu'arrive-t-il ? Est-ce donc là la religion du Christ que vous servez ?

— Taisez-vous ! lui ordonna de Cordes avec une énergie soudaine. Ne comprenez-vous pas que, pour une victime de ces bêtes sauvages, j'en ai sauvé vingt autres ? Malheureusement pour nous, Poulin de La Garde a pris la mer, mais Marc Palamède est en train de regrouper nos forces pour rétablir l'ordre dans le pays. Il a convoqué demain une assemblée des notables. Venez-y et vous contribuerez vous aussi à ramener le calme. »

Le son des tambours et des trompettes s'éloignait. Ayant regagné un peu d'assurance, de Cordes ajouta :

« Docteur de Nostre-Dame, vous savez aussi bien que moi combien souffrent les catholiques dans des pays dominés par luthériens et calvinistes. Il arrive qu'une juste cause soit obligée de recourir à des moyens cruels, lorsque cela s'avère nécessaire. Quelques innocents en feront bien évidemment les frais, mais c'est la conséquence inévitable de toute guerre. »

Michel avait les yeux rougis par l'émotion.

« Mais la guerre incarne le mal. Ne le voyez-vous pas ?

— Non, répondit brusquement de Cordes. À présent, rentrez chez vous. Vous n'êtes plus en danger. Et cessez de penser à cette vieille femme. »

Michel se sentit extraordinairement impuissant, vieux et malade. Il n'avait jamais éprouvé auparavant ce sentiment avec autant d'intensité. Habitué à des voyages hors du temps, il avait fini par cultiver l'illusion que les années passaient sur lui sans le toucher, malgré sa barbe et ses cheveux devenus blancs depuis déjà longtemps. La goutte, mais surtout l'incapacité d'intervenir en une circonstance qui aurait demandé de l'action, lui rappelèrent qu'il avait cinquante-sept ans, à une époque où l'on mourait autour de soixante. Être capable de voir plus loin dans le temps ne signifiait pas en ralentir le cours. Il ploya la tête et rejoignit Chevigny.

Ce dernier parut prendre conscience de la crise personnelle que traversait son compagnon, car il passa son bras autour du sien et le soutint. Puis ils s'éloignèrent ensemble de la place.

À l'entrée de la rue qu'ils avaient empruntée en silence, ils furent confrontés à un autre exemple de barbarie. Une vingtaine de *cabans,* séparés du cortège mené par Curnier, avaient pris d'assaut la demeure du second consul, Louis Paul, qu'ils soupçonnaient d'hérésie. Le dignitaire, son frère et leurs familles s'étaient toutefois mis à l'abri depuis longtemps. Furieux de ne pas trouver de proies humaines à se mettre sous la dent, les *cabans* avaient décidé de mettre à sac l'habitation et la boutique au rez-de-chaussée, détruisant plus que pillant. La rue était ainsi jonchée de graines, et du premier étage tombaient des écritoires, des chaises, et même un berceau. Une jeune fille à demi nue, sans doute une servante du premier consul, errait, trébuchant comme une somnambule. Elle pressait ses mains contre sa robe, dont les traces de sang au niveau de l'aine laissaient deviner le type d'outrage qu'elle venait de subir.

Chevigny cacha les yeux de Michel de la paume de sa main droite. « Maître, certains spectacles ne sont pas pour vous. Vous évoluez dans une sphère trop supérieure pour avilir votre regard avec toutes ces misères. »

Michel écarta les doigts du jeune homme avec colère.

« Laissez-moi en paix et ne vous avisez pas de me traiter comme un enfant ! Ne comprenez-vous pas que je vois des horreurs de ce genre chaque nuit ? Voilà le don que m'a laissé Ulrich ! Un don qui ressemble fort à une malédiction. »

Il se rendit compte qu'il avait humilié Chevigny et adoucit un peu le ton de sa voix :

« Bien entendu, vous ignorez qui est Ulrich, et vous n'êtes donc pas en mesure de me comprendre. Du reste, je parlais sans réfléchir. J'ai reçu un don empoisonné, ce qui ne m'empêche pas cependant de le cultiver. On ne peut fermer les yeux sur la vérité, même quand elle se montre horrible. Alors, s'il vous plaît, laissez-moi décider si je dois ou non les fermer. »

Chevigny retira sa main, et il se dirigèrent ensemble vers le quartier Ferreiroux, encore épargné par la rage des *cabans.* Après l'intervention en sa faveur du baron de La Garde, Michel n'avait plus été ennuyé par le meunier, qui continuait cependant de le regarder de travers. Ses pires angoisses, Michel les connaissait au sein de sa propre maison. La réconciliation avec Jumelle avait été complète et était sur le point de se voir consacrée par la naissance d'une nouvelle petite, qu'ils avaient décidé d'appeler Anne, en l'honneur de sa mère. Persistait toutefois entre les époux une faille invisible, source de tourment pour chacun d'eux. Il avait renoncé à fréquenter le bordel et se comportait en mari dévoué ; il n'avait toutefois pas encore compris les motifs de la fugue de son épouse et les attribuait au tempérament malicieux et sensuel caractéristique des femmes, du moins s'il en croyait les écrits de ses contemporains. Elle, de son côté, se montrait une mère affectueuse, mais avait perdu, au regard de son mari, son ancienne spontanéité. Tout en vivant sous le même toit, ils se fréquentaient au fond assez peu. Cette situation les faisait tous deux souffrir, mais en silence.

Michel ouvrit le cadenas du verrou avec sa clef, et s'aperçut que le loquet intérieur, rabattu, tenait la porte fermée. Il approuva cette précaution et frappa à la porte avec vigueur. L'œil effrayé de Christine l'épia à travers une fente. Puis le loquet fut levé et le battant s'ouvrit.

« Quoi de neuf, Christine ? » demanda Michel d'une voix volontairement neutre. En ces jours dramatiques, il lui semblait de son devoir, en tant que maître de maison, de maintenir une apparence de normalité et de ne pas accroître l'anxiété des femmes qui vivaient à ses côtés.

« Rien, monsieur. Madame tient salon avec ses invités.

— Ses invités ? s'exclama Michel, interdit. J'avais pourtant donné l'ordre de ne faire entrer personne.

— Mais ce sont des amis à vous. » Christine, qui avec les années était devenue une jeune fille pâle et osseuse, paraissait visiblement embarrassée. « En tout cas, c'est ce que m'a dit la patronne.

— Nous allons bien voir, dit Michel. Venez, Chevigny. »

Sur le seuil du salon, le spectacle qui s'offrit à lui lui coupa le souffle. Jumelle, le ventre gonflé et l'air fatigué, mais toujours aussi belle, trônait sur un fauteuil près de la fenêtre. Autour d'elle étaient assis sur des chaises et des banquettes quelques hommes dont Michel connaissait bien les noms. Les deux individus vêtus de velours noir, avec des chaînettes d'argent autour du cou et à la ceinture, étaient le vieil Amalric de Mauvans et son fils le jeune Barthalès. À Salon, ils étaient considérés comme les chefs indiscutés du parti huguenot, et depuis des jours les *cabans* les cherchaient partout. L'assassinat, quelques mois plus tôt, du frère de Barthalès, Antoine, avait fourni aux réformés de Craux leur premier martyr.

Encore plus compromettant était le troisième hôte, vêtu d'une élégante casaque de brocart lacérée en maints endroits et toute couverte de poussière. Il s'agissait du second consul Louis Paul en personne, riche négociant avant que les *cabans* ne saccagent ses biens.

« Michel, j'ai accueilli ces quelques amis sans attendre ton retour car ils couraient un grand danger, expliqua Jumelle, comme si elle voulait prévenir d'éventuelles objections de la part de son mari. Ils connaissent ton bon cœur et ont demandé asile chez nous. Et je crois qu'ils ont bien fait. »

Michel ne répondit pas, anéanti qu'il était par la vue d'une quatrième personne étrangère. Il s'agissait de Blanche, la fille du bordel qu'il préférait lorsqu'il fréquentait encore la porte de Cogos. Il était si gêné qu'il ne savait que dire. Même la jeune fille paraissait mal à l'aise. Elle portait une robe fort pudique, dotée d'une haute collerette, et ses cheveux étaient dissimulés sous une coiffe de soie blanche. La manière même, presque féline, dont elle s'était lovée dans le fauteuil révélait cependant une sensualité naturelle impossible à cacher.

Jumelle fut la première à rompre ce silence embarrassé.

« Michel, je crois que tu connais Blanche, dit-elle sur un ton légèrement malicieux. Elle et ses compagnes ont dû fuir. Les *cabans* les considéraient comme une récompense à leurs exploits et les brutalisaient chaque fois. Même la patronne de la maison, Catherine Galine, n'a pu les en empêcher, bien qu'elle ait épousé ce mufle de Curnier. Blanche ne savait où aller et s'est réfugiée ici. »

Louis Paul, un homme revêche au crâne complètement chauve, haussa un sourcil.

« Certaines présences ne me semblent pas bien morales, en un moment tragique comme celui-là. Dieu subit déjà moult offenses. Je ne voudrais pas qu'une once supplémentaire de péché, sur la balance céleste, déchaîne sa colère. »

Jumelle lui adressa un grand sourire.

« Vous avez parfaitement raison, monsieur le second consul. Si vous craignez tant l'ire divine, pourquoi ne retournez-vous donc pas chez vous ?

— Non, non, se hâta d'intervenir Michel. Notre devoir chrétien est d'accueillir quiconque se trouve en péril de mort. Messires, et vous, demoiselle Blanche, vous avez fort bien fait de frapper à la porte de mon humble demeure. Je ne sais à quel point elle peut vous offrir quelque sécurité, mais pour le moment, ce sera probablement mieux que la rue. Anne, es-tu certaine que le meunier ne s'est aperçu de rien ?

— Je crois qu'il effectue des rondes avec les *cabans*.

— As-tu donné à ces braves gens de quoi remplir leurs estomacs ?

— Christine leur prépare un repas.

— Et les enfants, qu'en as-tu fait ?

— Ils jouent dans ton officine. »

Chevigny, qui jusqu'à présent avait dévoré Blanche des yeux, sortit tout à coup de sa léthargie.

« Ah, la légendaire officine du docteur Nostradamus ! Le temple des vérités dévoilées et des magies les plus déroutantes ! » s'exclama-t-il. Il s'adressa au petit groupe des huguenots : « Messires, je dois vous prévenir que je suis un catholique fervent, tout dévoué à notre Saint-Père Pie IV. Mais je le suis également à mon très haut maître Michel de Nostre-Dame, et respecterai ses invités quels qu'ils soient. Je profite d'ailleurs de l'occasion pour vous révéler que j'ai décidé de consacrer ma vie entière au docteur Nostradamus et je me proclame devant vous son esclave ! » Sur ces mots, Chevigny se jeta aux pieds de Michel.

Jumelle, ébahie, regarda fixement son mari.

« Où diable as-tu déniché ce fou ? »

Michel haussa les épaules.

« C'est lui qui m'a trouvé », bougonna-t-il. Puis, s'adressant au jeune enfiévré, il lui dit : « Mon ami, apprenez que pour l'heure, j'ai bien d'autres chats à fouetter. Vous déciderez plus tard du tournant à donner à votre vie. »

Chevigny se leva, s'appuyant sur le genou de Blanche, qui le laissa faire.

À cet instant, Amalric de Mauvans bondit sur ses pieds.

« Il me semble entendre des chevaux. Seraient-ce enfin les nôtres ? »

Barthalès se leva à son tour et secoua la tête.

« J'en doute fort. Tripoly se trouvait à Amboise, et il a pris la fuite après que le coup d'État contre la résidence royale a été découvert. Nous ne comptons malheureusement pas d'autres défenseurs de notre parti dans la région. »

Louis Paul arborait une mine sombre.

« Il pourrait bien s'agir au contraire de renforts pour les *cabans*. On dit que Richelieu, dit "le Moine", sillonne les parages. » Il regarda Michel qui s'était approché de la fenêtre et scrutait en vain la rue. « Vous avez évoqué ce triste sire dans un de vos quatrains inédits, docteur Nostradamus, vous vous souvenez ? C'est vous qui me l'avez fait lire. »

Michel s'assura que le bruit des sabots s'éloignait jusqu'à s'éteindre complètement. Puis il se retourna et acquiesça :

« Je m'en souviens parfaitement. » Il récita de mémoire :

> De nuict viendra par la forest de Reines,
> deux pars valtorte Herne la pierre blanche.
> Le moine noir en gris dedans Varennes,
> esleu cap. cause tempeste, feu sang tranche*.

« Je crois en effet, expliqua-t-il, que ce moine noir devenu gris, c'est-à-dire défroqué, et nommé capitaine, pourrait bien être Richelieu. Et il sera responsable du feu, du sang et de la tranche, autrement dit de la décapitation des têtes.

— Je ne comprends cependant pas quels sont les lieux que vous citez. La France compte au moins trente Varennes, sans oublier un fleuve.

— Varennes, la forêt de Rennes-en-Grenouille, Vautorte, Ernée et Pierre-Blanche sont toutes des localités de la province du Maine, au nord de la Loire.

— Mais les combats dans cette région ont cessé.

— Vous avez raison, mais si mes prévisions se révèlent exactes, ils ne vont pas tarder à reprendre. »

Chevigny, qui massait les épaules de Blanche, sans doute pour la consoler, interrompit son activité et leva les bras au ciel.

« Un prophète ! cria-t-il. Que dis-je, le plus grand prophète de tous les temps ! Comme il est merveilleux de se trouver dans la même pièce que lui et de respirer le même air ! »

Jumelle lui décocha une œillade sarcastique. Elle allait faire un commentaire piquant, quand Christine apparut sur le seuil.

« Le repas est-il prêt ? » demanda-t-elle à la servante.

Le visage de Christine avait pris une teinte encore plus livide que d'ordinaire.

« Non, madame… Il est arrivé une chose terrible… Le potage bouillait, quand de la casserole ont commencé à sortir des scarabées. Par dizaines… que dis-je ?… par centaines ! Toute la cuisine s'est vue envahie de ces dégoûtantes bestioles ! »

Michel poussa un cri.

« Comme à la cour de Catherine ! Cela signifie que… »

Il ne put terminer sa phrase. Le grondement des sabots recommençait de marteler la rue, cette fois tout proche. On entendit des chevaux hennir et piaffer jusque devant la maison. Un instant plus tard, quelqu'un frappa avec violence contre la porte.

« Ouvrez ! Ouvrez tout de suite, au nom du roi ! »

Les sieurs de Mauvans dégainèrent leurs épées. Jumelle, malgré son gros ventre, se leva avec un air déterminé.

« Je vais prendre l'arbalète. Elle nous a servi une fois, elle nous servira bien encore. »

Michel sentit la sueur couler sur son front. Il fit un geste convulsif de dénégation.

« Résister serait inutile. Je vais ouvrir et tenter d'éloigner ces gens. »

Il écarta Christine et parcourut le couloir en boitant. Des

coups furieux continuaient à retentir. La gorge nouée, il ôta le verrou et leva le loquet. La porte vola sur ses gonds.

La surprise de Michel fut telle que la tête lui tourna.

« Bertrand ! s'exclama-t-il.

— C'est bien moi, répondit en souriant son frère cadet. Le comte de Tende nous a envoyés, Marc Palamède et moi, pour vous délivrer des *cabans*. Mais qu'attends-tu donc pour m'embrasser ? »

Les deux frères tombèrent dans une étreinte qui sembla interminable. Puis Michel écarta Bertrand et le contempla des pieds à la tête. Il avait quitté un adolescent et retrouvait un homme. Bertrand portait une cotte d'armes aux armoiries du gouverneur de Provence et un casque à cimier, à la longue visière. Aux endroits où l'armure laissait place à l'étoffe, des renflements laissaient deviner une musculature nerveuse et bien développée.

« Tu as bien changé, murmura Michel.

— Toi, non, en revanche, mon frère, répondit Bertrand sur un ton affectueux. En somme, ne vas-tu pas me faire entrer ? J'ai tant de choses à te raconter. Te souviens-tu de cette poulette nommée Giulia Cybo-Varano ?

— Oui. » Michel se trouvait au comble de la confusion.

« Eh bien, je l'ai revue à Tende, la semaine dernière. Elle se rendait en Italie. Si tu voyais quelle femme elle est devenue ! Tout le portrait de sa mère, avec tout ce qu'il faut là où il faut. Mais, par la sainte miséricorde, dois-je continuer mon récit sur le seuil de ta porte ?

— Non, entre, entre, balbutia Michel. Ma maison t'est grande ouverte. » En son for intérieur, il espéra que les Mauvans avaient rengainé leurs épées.

La recluse

« Les nouvelles que vous m'apportez ne sont guère réconfortantes », dit le père Jean Leunis, directeur du collège romain de la Compagnie de Jésus.

Le père Michaelis opina.

« C'est vrai. Je ne me serais jamais attendu à ce que la capitulation de la France devant la soi-disant Église réformée soit aussi rapide. » Il s'interrompit pour s'agripper au siège. Le carrosse qui les conduisait à travers Rome jusqu'au monastère de San Marcello devait s'être engagé dans une ruelle mal pavée, entraînant de fréquentes et pénibles secousses. « Tout a commencé avec la conspiration d'Amboise et la répression qui s'est ensuivie, poursuivit-il. La défaite des hérétiques s'est transformée en victoire.

— Comment est-ce possible ? demanda le père Leunis.

— Je vous l'ai déjà expliqué », répondit Michaelis, quelque peu impatienté. Jean Leunis était d'origine wallonne, et Michaelis, comme tous les Français, avait tendance à juger les Wallons un peu lents à comprendre. La corpulence massive et le visage aux traits grossiers de son confrère ne contribuaient pas à démentir cette conviction. « Le bûcher d'Anne de Bourg, en décembre dernier, n'avait pas vraiment ému le peuple. Mais à Amboise, le cardinal de Lorraine a exagéré. Pendre autant de conjurés aux fenêtres d'une demeure royale a dénoté un penchant macabre et inopportun. Cette image de grappes de cadavres suspendues aux murs du château a bouleversé la France entière.

— D'où cette réputation d'hommes implacables dont jouissent à présent les Guise.

— Exactement. » Michaelis pensa en son for intérieur que Leunis se montrait peut-être un peu moins obtus qu'il ne l'avait supposé. « À partir de ce moment, le cardinal de Lorraine a commencé à faire marche arrière, tout comme la reine. L'édit de Romorantin a en principe mis les hérétiques à l'abri de la loi civile, sauf en cas de troubles graves occasionnés à l'ordre public, et les a déférés devant les seuls tribunaux religieux, qui ne peuvent les condamner à mort.

— Une résolution scandaleuse, murmura le père Leunis.

— Pis encore. Elle constitue un signe de paix en temps de guerre. En pratique, on peut appeler cela une reddition.

— Si le cardinal de Lorraine croit pouvoir retrouver sa popularité de cette manière, il se trompe.

— Absolument. » Cette dernière observation fit enfin prendre conscience à Michaelis qu'il avait en face de lui un interlocuteur perspicace, quoique d'origine wallonne. « Malheur à un lion qui retire ses griffes au cours d'une mêlée : même un chiot comprendrait qu'il a peur et se préparerait à l'attaquer. Dieu merci, les reines possèdent plus d'intelligence que les chiots. Selon moi, l'heure de la ruine des Guise a sonné. »

Le carrosse gravissait une pente. Le père Michaelis souleva à peine les rideaux noirs du fenestron, soigneusement fermés, et jeta un coup d'œil au-dehors. Une végétation luxuriante, ravivée par le soleil de ce mois de juillet, avait remplacé le paysage de masures qu'ils avaient jusqu'à présent traversé.

« Comme Rome est belle en un jour comme celui-ci, soupira-t-il. À Paris, il pleut sans interruption depuis deux mois.

— Vous êtes parisien ? demanda le père Leunis.

— Non, je suis né provençal sous un climat en tous points semblable. Un jour ou l'autre, je retournerai d'ailleurs dans ma terre natale.

— La Provence, si je ne me trompe, reste encore à l'abri de l'hérésie.

— Loin s'en faut. Les calvinistes possèdent malheureusement une de leurs plus anciennes et puissantes églises à Lyon, et de là ils ont essaimé vers le sud. Dieu merci, ils recrutent leurs adeptes presque exclusivement au sein de la noblesse et de la bourgeoisie. Ils n'ont pas réussi à contaminer les paysans et les villageois, restés fidèles au catholicisme. Dans certaines localités, des cultivateurs catholiques ont même déclenché des insurrections contre des seigneurs huguenots. À Salon-de-Craux, un cul-terreux ignorant, un certain Curnier, a même été élu second consul, sous la pression du petit peuple des campagnes.

— Cette évolution me paraît fort positive.

— En vérité, elle est loin de l'être. Des trois états traditionnels, seule la bourgeoisie compte réellement. Du reste, la colère des paysans a tendance à fondre comme neige au soleil. Nous sommes en train d'étudier des mesures drastiques pour la raviver. » Le père Michaelis jeta un nouveau coup d'œil furtif à travers le fenestron. Puis il rabaissa les rideaux et regarda son confrère avec gravité. « Écoutez. Nous sommes presque arrivés, et j'aurais besoin de connaître la situation actuelle en détail. J'ai sué sang et eau pour éloigner Carnesecchi de Venise, où il se tenait à l'abri. Il a refusé de retourner en France. J'ai alors fait en sorte qu'il vienne à Rome, en qualité d'invité du concile de Trente. Je m'attendais à ce que l'Inquisition lui mette aussitôt la main dessus, et j'apprends en revanche qu'il jouit de la protection du monastère de San Marcello, en tant que reclus volontaire. Qu'est-il donc arrivé entre-temps ? »

Le père Leunis écarta les bras.

« Vous le savez aussi bien que moi. Le nouveau pape, Pie IV, se trouve être un Médicis, apparenté au grand-duc Côme. Or, ce dernier a toujours protégé Piero Carnesecchi, qui lui a rendu quantité de services. Le résultat est que même ce nouveau procès s'est enlisé. Carnesecchi s'est vu contraint de se retirer à San Marcello tandis que, en théorie, l'instruction de son procès se poursuit. La vérité est que, quelle qu'en soit la sentence, nul n'osera toucher un hérétique défendu par le grand-duc de Toscane et par le pape. »

Michaelis secoua la tête d'un air navré.

« La situation à Rome devient comparable à celle de la France. Le parti des tolérants et des conciliateurs gagne chaque jour du terrain.

— Vous avez parfaitement raison, mais le pire c'est que chez nous, c'est le pape lui-même qui a pris la tête de ce parti. »

Le volume de la voix du père Leunis s'était sensiblement affaibli. « Si vous ne veniez pas de rabattre les rideaux, vous auriez pu apercevoir les ruines du palais de l'Inquisition. À la mort de Paul IV, la populace de Rome l'a démoli pierre à pierre. Eh bien, au mois de mai dernier, Pie IV a promulgué une bulle par laquelle il a absous les citoyens romains coupables de cette destruction. Si je vous raconte tout cela, c'est pour vous donner une idée du climat qui règne ici.

— Le Saint-Office doit être réduit à l'état de fantôme dans cette ville.

— Honnêtement, non. L'inquisiteur général, frère Michele Ghisleri, est un homme résolument inflexible. Il a essayé par tous les moyens de traîner Carnesecchi en prison et sur le bûcher. Malheureusement, il s'est révélé incapable de s'opposer à de si fortes volontés.

— Michele Ghisleri, murmura, pensif, Michaelis. Un dominicain, si je ne me trompe.

— C'est exact, mais des plus intelligents. Il s'est adjoint la compétence d'un éminent juriste, l'évêque Diego Simancas, grand inspirateur de l'Inquisition d'Espagne. Un homme habile, pour ainsi dire un nouvel Eymerich. Je ne peux que vanter les mérites de l'un, comme de l'autre. Ce n'est pas leur faute si un Médicis a été nommé à la tête de la papauté. »

À cet instant, le carrosse s'arrêta dans un grincement. Lorsque le cocher descendit pour lui ouvrir la portière, le père Michaelis dut cligner des paupières pour s'adapter à l'intensité de la lumière. Devant lui se dressait une église baroque, croulant sous le poids de statues disgracieuses et de frises. Le monastère, un bâtiment bas et anonyme qui s'étendait sur son flanc, pouvait être confondu avec un presbytère. Le soleil frappait si durement sur sa façade d'un blanc immaculé qu'il en émanait un halo doré, comme si les pierres étaient incandescentes.

Michaelis et le père Leunis tirèrent sur la chaîne de la cloche d'entrée de l'hôtellerie, dans laquelle s'entrelaçaient des ramifications séchées de plantes grimpantes. Un moine grand et chauve accourut aussitôt.

« Nous appartenons à la Compagnie de Jésus, annonça Michaelis. Nous devons rencontrer le cardinal Farnèse.

— Oh, mais bien entendu. Il est déjà arrivé et vous attend. Entrez donc. »

Si à l'extérieur la chaleur paraissait insupportable, il faisait en revanche presque froid à l'intérieur. Ils parcoururent des couloirs aux parois humides, où par endroits des arcades de vieilles pierres mal jointes laissaient deviner que l'édifice s'élevait sur un bâtiment beaucoup plus ancien, peut-être pas même chrétien. Alexandre Farnèse conversait dans la salle capitulaire avec un homme d'une cinquantaine d'années vêtu d'une soutane et d'un manteau épiscopaux. Lorsqu'il aperçut les visiteurs, le cardinal se précipita à leur rencontre.

« Pardonnez-moi, mais je dois terminer cet entretien avec mon ami. Veuillez m'attendre dans le couloir. Pendant ce temps, père Michaelis, lisez donc cette missive. » Il tendit une enveloppe au jésuite. « C'est un ami commun qui vous l'envoie, l'évêque Marcus Sittich d'Altemps. »

Tandis que le père Leunis s'éloignait un peu par égard pour son confrère, Michaelis ouvrit l'enveloppe, déjà décachetée, et lut la lettre qu'elle contenait :

> Cher Sébastien,
>
> Je me trouve encore en Allemagne, mais reviendrai bientôt à Rome. Je dois prendre possession de l'évêché de Cassano, où personne ne me connaît encore. En outre, je dois passer saluer mon oncle, Sa Sainteté Pie IV, qui, en accueillant mes vœux, a voulu faire de moi, ancien homme d'armes, un homme d'Église. Dans l'intervalle, pour tromper le temps qui me sépare de mon retour, j'ai examiné avec soin le manuscrit que vous m'avez envoyé et que vous m'avez dit s'appeler l'*Arbor mirabilis*. J'ai tout d'abord été extrêmement surpris. Le langage dans lequel il est écrit ne ressemble à aucun autre. En outre, le même mot se retrouve parfois répété à la suite, ce qui donne l'impression d'un texte incohérent et fantaisiste, composé précisément dans le seul but de tromper ses lecteurs. C'est tout du moins ce que j'ai cru de prime abord, mais j'ai par la suite abandonné cette hypothèse : la cohérence qui manque au texte transparaît en effet dans les illustrations ; j'y ai

décelé également la main de deux calligraphes différents, tous deux capables d'écrire dans cette langue obscure avec une grande aisance. Mais je ne veux pas vous ennuyer avec tous ces détails. Qu'il vous suffise de savoir que, après des jours et des jours de dépit, la légende d'une de ces figures m'a conduit sur la bonne voie. Une fois la première clef trouvée, j'ai progressé de plus en plus rapidement et peux me vanter aujourd'hui d'avoir traduit presque les deux tiers du manuscrit. Je ne vous divulguerai cependant pas son contenu par lettre. Je dois pour l'instant compléter ma traduction, mais je puis d'ores et déjà vous annoncer que si mon interprétation se révèle exacte, l'*Arbor mirabilis* constitue l'une des œuvres les plus horribles et infernales jamais conçues par un esprit humain, un véritable défi sacrilège adressé à Dieu et au genre humain tout entier. Je ne peux vous en révéler davantage, pour l'instant, par écrit. J'attendrai donc de vous revoir et de pouvoir vous confier de vive voix un secret qui donne la chair de poule et que, j'espère, vous déciderez d'enterrer à tout jamais.

Bene et feliciter vale.

Le père Michaelis resta perplexe, à contempler la missive, la retournant entre ses doigts. Voyant qu'il avait terminé sa lecture, le père Leunis s'approcha.

« Vous semblez préoccupé. Mauvaises nouvelles ? »

Michaelis sortit de sa rêverie.

« Non. Ou peut-être que si, mais en tout cas elles n'ont rien à voir avec les problèmes qui nous préoccupent. » Il chercha des yeux un chandelier et brûla la lettre. Il attendit que des lambeaux enflammés tombent sur le sol, où la feuille finit de se consumer. Puis il en dispersa les cendres du talon.

Le cardinal Farnèse apparut alors sur le seuil de la salle capitulaire, en compagnie de son hôte. Ce dernier était un prélat de haute stature, aux cheveux noirs et touffus, légèrement grisonnants sur les tempes, et au bouc triangulaire surmonté par de longues moustaches pommadées. Ses yeux gris en amande paraissaient songeurs.

« Monseigneur, permettez que je vous présente deux éminents représentants de la Compagnie de Jésus, le père Michaelis et le père Leunis. Et voici, mes amis, l'évêque Diego Simancas, ou Iacobus Septimacencis, ainsi qu'il signe d'ordinaire. Il est l'un des membres les plus influents de l'Inquisition d'Espagne. Il est venu à Rome pour expliquer au pontife le point de vue de la Suprême sur le cas de l'évêque Carranza, dont vous avez sans doute entendu parler. »

L'échange de courbettes qui s'ensuivit s'accompagna de fugaces regards hostiles, à peine dissimulés sous de pâles sourires. L'Inquisition espagnole était la plus solide des institutions dominicaines ; quant à la Compagnie de Jésus, elle devait apparaître aux yeux d'un personnage comme Simancas aussi agréable qu'une brûlure.

« J'ai beaucoup entendu parler du procès fait à monseigneur Carranza, dit le père Michaelis. On dit qu'il est conduit dans le mépris le plus absolu des règles. »

Simancas le foudroya du regard.

« Quand il s'agit d'hérétiques luthériens, comme en l'espèce, toute prudence est une forme de complicité. »

Michaelis soutint son regard.

« Ah, je vois que vous avez déjà prononcé la sentence. Étrange, je croyais le procès encore en cours.

— Il est encore en cours parce que l'hérétique Carranza jouit de protecteurs inespérés. Et les plus insidieux se cachent au sein de l'Église, comme des poux dans un manteau de riche.

— Allons, mes amis, ne vous querellez pas, intervint Alexandre Farnèse avec un sourire chaleureux. Si monseigneur Simancas se trouve ici, c'est parce que j'ai souhaité qu'il interroge Piero Carnesecchi, hôte de ce monastère, et qu'il rapporte au pontife le résultat de cet entretien. Le pape Pie IV est d'une bonté comparable à celle d'un saint, et l'indulgence dont jouit Carnesecchi le prouve. Mais, comme tous les Médicis, il est également l'ami de l'Espagne catholique et sait que monseigneur Simancas est l'un de ses plus ardents défenseurs. La parole d'un aussi éminent juriste trouvera peut-être auprès du pape une oreille plus attentive.

— Et pourrais-je savoir ce que monseigneur a retiré de cette conversation ? demanda le père Michaelis, feignant l'innocence.

— Oh, c'est fort simple, répondit Simancas. Ce Carnesecchi est un hérétique invétéré, qui aurait déjà dû être brûlé sur le bûcher. Il est scandaleux qu'il puisse vivre ici en toute impunité, qui plus est en compagnie d'une putain qui lui réchauffe son lit.»

Michaelis tressaillit.

«Une putain? Quelle putain?

— Oh, vous la connaissez fort bien, répondit le cardinal Farnèse en continuant à sourire béatement. Celle-là même que vous avez mise aux trousses de cet hérétique et qui l'a conduit de Venise à Rome.»

Michaelis fut saisi d'un frisson incontrôlé. Il n'ignorait pas que Giulia avait accompagné Carnesecchi à Rome, mais il pensait qu'elle serait immédiatement repartie. Il l'avait fait chercher tant en Provence qu'à Paris et n'imaginait pas la retrouver dans ce monastère.

«Puis-je voir l'hérétique? s'enquit-il, essayant de paraître impassible.

— Certainement.» Alexandre Farnèse s'inclina devant Simancas. «Je vous libère, monseigneur. Vous savez déjà ce que vous devez dire au Saint-Père. De mon côté j'intercéderai auprès de lui pour qu'il n'insiste pas pour faire transférer ici le procès de Carranza: cet Espagnol doit être jugé dans son pays.

— Absolument.» Simancas se fendit en une révérence appliquée. «Je remercie par avance Son Éminence.»

Peu après, le cardinal Farnèse guida les deux jésuites, à travers des couloirs plongés dans la pénombre, vers l'aile du monastère qui abritait les cellules.

«Quel individu désagréable, n'est-ce pas? commenta-t-il. Froid comme un serpent et aussi sinistre qu'un tombeau.»

Le père Leunis, qui jusque-là s'était tu, approuva avec vigueur.

«Toute l'Inquisition espagnole est bâtie sur ce même modèle. C'est l'âme dominicaine qui imprègne ce pays. Elle peut nous aider à défendre le catholicisme, aujourd'hui en mauvaise posture. Mais à la longue, tant de fanatisme favorise l'apparition du luthéranisme, même là où il n'avait jusqu'à présent pas réussi à s'implanter.

— Je le sais bien, je le sais bien, convint sur un ton débonnaire le cardinal. Comme je sais également que l'évêque Carranza est parfaitement innocent. Mais si les *Domini canes* veulent sa tête, il nous faudra bien un jour ou l'autre les contenter. Dieu saura nous pardonner : son Église ne peut perdre l'Espagne en un moment pareil. »

Ils parvinrent devant une cellule à la porte grande ouverte, au fond d'un couloir qui suintait l'humidité. De l'intérieur provenaient deux voix, l'une féminine, l'autre masculine. En les entendant, Michaelis recula d'un pas.

« Avant de visiter le reclus, je désirerais m'entretenir avec la femme, dit-il. Seul, si possible. »

Le cardinal haussa les épaules.

« Comme vous voulez. Nous entrerons, le père Leunis et moi, et converserons avec lui de tout et de rien. Mais ne vous éternisez pas avec Giulia. Je dis cela également pour votre bien : la donzelle se montre bien trop intelligente et pourrait vous extorquer des informations qu'il est préférable de garder secrètes. »

Alexandre Farnèse et le père Leunis pénétrèrent dans la cellule. Un instant après en sortit Giulia. Quand elle vit Michaelis, elle poussa un cri de joie et se jeta à son cou.

« Oh, quelle extraordinaire surprise ! Merci, merci d'être venu ! J'espérais tant que vous reviendriez me voir ! »

Terriblement embarrassé, le père Michaelis détacha les bras de la jeune femme passés autour de ses épaules. Des mois s'étaient écoulés depuis qu'il l'avait vue la dernière fois. Il lui trouva mauvaise mine, mais elle restait d'une beauté saisissante. Son visage, légèrement émacié, restait d'un ovale parfait, et ses yeux, bleus comme ceux de sa mère, s'accordaient à la perfection avec son gracieux petit nez retroussé. De part et d'autre de sa bouche étaient cependant apparues deux rides, tandis qu'une autre moins profonde lui barrait le front.

Giulia paraissait clairement sur le point de pleurer, et seule sa volonté de fer l'en empêcha. Peu d'hommes, pensa Michaelis avec une admiration involontaire, auraient été capables d'une telle retenue.

« Que vous est-il donc arrivé ? lui demanda-t-il avec douceur. Voilà bien longtemps que je n'ai pas reçu de vos nouvelles.

— Oh, si vous saviez… Nous avons été tous deux trompés. Simeoni ne s'est jamais rendu à Venise, ni n'y a été retenu prisonnier. Mais je l'ai appris bien trop tard.

— Mais que me dites-vous ! s'exclama Michaelis, feignant un profond étonnement. C'est incroyable… Pourquoi donc, lorsque vous l'avez découvert, n'êtes-vous pas rentrée en France ?

— J'aurais voulu le faire, mais je ne l'ai pas pu, murmura Giulia. Cet homme me retient prisonnière.

— Qui, Carnesecchi ? s'étonna Michaelis.

— Non, pas lui, le pauvre. Le cardinal Alexandre Farnèse. » Cette fois, deux larmes coulèrent le long des joues veloutées de la jeune femme. Michaelis comprit instantanément que les deux sillons au coin de sa bouche avaient été creusés par les pleurs.

« Expliquez-vous, mais rapidement. Nous ne pouvons bavarder bien longtemps. »

Giulia tira un mouchoir de la manche de la modeste robe qu'elle portait. Elle s'essuya les yeux, puis dit sur un ton empressé :

« Je vous ai obéi, ainsi qu'au cardinal. À Venise, j'ai approché Piero Carnesecchi sans grandes difficultés : c'est un homme foncièrement bon et gentil, rempli de confiance envers son prochain. Il a refusé de retourner en France, alors, conseillée par Alexandre Farnèse, je l'ai persuadé de venir à Rome.

— Comment avez-vous réussi à le convaincre ?

— Oh, je lui ai simplement fait valoir que le nouveau pape était un Médicis, si enclin à l'indulgence qu'il avait levé la sentence d'excommunication qui pesait sur moi. Et que, de la même façon, il pourrait bien le gracier, lui qui avait été le proche collaborateur de Côme de Médicis, et mettre fin à son exil à Venise.

— Astucieux. Une idée du cardinal, je suppose.

— Non, l'idée est venue de moi. »

Le père Michaelis demeura de nouveau le souffle coupé par l'admiration. La conviction que les femmes étaient de petits animaux gracieux peu doués d'intelligence vacilla en lui définitivement. L'écho de la conversation qui se déroulait à l'intérieur de la cellule lui parvint et il l'interrogea sur un ton fiévreux :

« Dites-moi le reste en quelques mots. Pourquoi être restée à Rome ?

— Le cardinal m'a tout d'abord enfermée dans son palais, puis, quand Carnesecchi a été confiné ici, il m'a emprisonnée à mon tour dans ce même monastère.

— Dans quel but ? »

Giulia lui adressa un petit sourire triste.

« Vraiment, vous ne pouvez le deviner ? »

Michaelis n'avait en vérité aucun mal à le deviner ; mais il avait comme évacué cette pensée, épouvanté par la douleur qu'elle lui procurait. Maintenant qu'il était contraint de la regarder en face dans toute sa cruauté, il balbutia :

« Il vous a possédée ? »

Giulia baissa les yeux.

« Oui, mais pas comme lorsque j'étais plus jeune et que ma mère me vendait aux hommes. Je me suis refusée à lui. Chaque fois il a dû abuser de moi en usant de la violence. »

Incapable de contrôler le trouble qui l'envahissait, le père Michaelis ne put prononcer un seul mot.

Giulia le regarda avec une expression suppliante.

« Donnez-moi des nouvelles de Gabriele, je vous prie. Savez-vous où il se trouve ? »

Michaelis ne lui répondit pas. Une idée audacieuse venait de lui traverser l'esprit. En un instant, il se l'appropria. Il saisit Giulia par un bras et la poussa le long du couloir, dans la direction opposée à celle de la cellule.

« Marchez d'un pas vif, sans faire le moindre bruit, lui murmura-t-il. Et gardez le silence le plus absolu. »

Il craignit à maintes reprises de perdre son chemin, mais il retrouva enfin la salle capitulaire. Quelques moines le fixèrent avec un air surpris, mais ne lui demandèrent aucun compte. Michaelis se dirigea d'un pas assuré vers l'hôtellerie, continuant à pousser Giulia devant lui. Le religieux qui lui avait ouvert lisait un livre d'heures, juché sur un haut tabouret placé devant la fenêtre. Il se leva aussitôt.

« Cette dame ne peut sortir, mon père. Ordre du cardinal Farnèse. »

Michaelis feignit l'agacement, comme si l'autre énonçait une évidence.

« Et c'est précisément sur l'ordre du cardinal que j'accompagne cette femelle en prison, affirma-t-il sur un ton péremptoire. Voulez-vous bien m'ouvrir cette porte ? »

Le moine ne lui aurait peut-être pas obéi si Giulia, ayant compris la situation, ne s'était débattue comme une furie.

« Laisse-moi, prêtraillon ! Je ne désire pas croupir dans ta geôle !

— Mon Dieu, mais elle m'a tout l'air d'une sorcière ! » commenta le moine, scandalisé. Il se hâta de lever le loquet qui fermait la porte.

Le carrosse les attendait devant l'église San Marcello. Le cocher s'était abrité des rayons brûlants du soleil à l'ombre d'un platane.

« Les chevaux sont-ils prêts ? lui demanda Michaelis.

— Oui, mon père. Nous pouvons partir quand vous le souhaitez.

— Alors, partons. »

Tandis qu'il aidait Giulia à grimper dans le véhicule, Michaelis se rendit compte de la gravité de son geste. Il ne rencontrerait aucun problème avec le père Leunis, mais il avait offensé le puissant cardinal Farnèse, grand protecteur de la Compagnie de Jésus. Il aurait dû envoyer au père Laínez un rapport circonstancié, puis attendre les foudres du général. À moins que son geste n'ait été justifié par une nécessité impérieuse.

Eh bien, nécessité il y avait eu. Il était, certes, en train de l'élaborer a posteriori, mais elle s'avérait bien réelle : son péché était au fond de nature vénielle. Il ne pouvait négliger la possibilité que le Seigneur lui-même ait pu inspirer son comportement.

Tandis que le carrosse se mettait en mouvement, il se tourna vers Giulia, bouleversée mais heureuse :

« Vous m'avez demandé des nouvelles de Simeoni. Je crois savoir où il se trouve. Tenez-vous vraiment à le revoir ?

— Oh, oui !

— Je vais vous emmener auprès de lui. Mais à une condition... »

Suffoquée par la joie, Giulia lui prit la main.

« Toutes les conditions que vous voulez ! Je serai à jamais votre débitrice !

— Vous devrez transmettre à Simeoni un ordre que je vais vous donner. Un ordre pour le moins étrange.

— Quel que soit cet ordre, Gabriele et moi le suivrons sans hésitation.

— Bien. » Avec un regret inavouable, Michaelis retira sa main de l'étreinte de ces doigts délicats. Il tendit la tête hors du fenestron. « Où te diriges-tu ? cria-t-il au cocher, dominant le bruit des sabots.

— Vers Rome, mon père.

— Non, nous n'allons pas à Rome. Sors de la ville et prends la direction du nord. Et fouette les chevaux. »

L'auteur de l'attentat

Michel comprit aussitôt que cette nuit différerait des autres. L'anneau représentant un serpent qui se mordait la queue tournoyait depuis déjà bien trop longtemps, entre le chandelier et le gros volume du *De Occulta Philosophia* de Cornelius Agrippa. Tandis qu'il récitait mentalement la séquence de l'*Abrasax*, s'arrêtant sur la signification de chacun des chiffres, la rotation lui parut même s'accentuer au lieu de ralentir.

Il se trouva tout à coup projeté dans un monde sombre, privé des couleurs vives et bigarrées du huitième ciel. Cette obscurité semblait fourmiller de taches légèrement plus claires, petites et de forme allongée. Leurs contours se firent progressivement plus distincts. Michel fut paralysé par l'horreur. Autour de lui s'élevaient des murs formés de milliers et de milliers de scarabées, qui grouillaient dans toutes les directions sur des surfaces invisibles, dont il ignorait si elles étaient horizontales ou verticales.

Il comprit que cette nuit, il n'avait pas rendez-vous avec Parpalus, mais avec Ulrich. Cette constatation lui glaça le sang. C'était sa première rencontre avec le *Meister* depuis la mort de ce dernier. Il savait qu'elle aurait lieu un jour ou l'autre, mais il avait naïvement espéré qu'elle n'adviendrait pas avant plusieurs années.

Ulrich apparut à l'improviste, couvert de ses insectes préférés et entouré par les ténèbres. Michel éprouva une peur si intense qu'il devint insensible à sa morsure : comme quelqu'un qui reçoit un coup si violent qu'il émousse sa sensibilité. Il remarqua à peine le curieux reflet métallique des ailes des scarabées. Toute son attention était concentrée sur les traits du magicien le plus puissant que l'humanité ait jamais connu et eu pour ennemi.

Ulrich n'avait plus rien du fragile vieillard qu'il avait été dans les dernières années de sa vie. Il toisait au contraire Michel de toute sa hauteur, avec des yeux cruels et fébriles derrière lesquels paraissait brûler un feu secret. Les insectes entreprirent d'escalader sa très longue barbe. D'une main surgie de nulle part, le magicien la lissa, faisant choir des grappes de coléoptères.

« C'est un plaisir de te revoir, Michel », dit Ulrich. Sa voix semblait provenir d'un point lointain et envelopper son interlocuteur de toutes parts.

Michel n'aurait jamais pensé pouvoir lui répondre. Il réussit pourtant à formuler sur un timbre assez assuré :

« Voilà deux ans que nous ne nous sommes vus, *Meister*. Depuis le jour de votre agonie dans la tombe du Triumvir. »

La silhouette gigantesque d'Ulrich se courba un peu en avant, tandis qu'un éclat de rire éraillé jaillissait d'on ne sait où, comme si les scarabées qui se fondaient dans l'obscurité en étaient les auteurs.

« Des années ? Des jours ? Mon fils, ta façon de calculer le temps m'est désormais étrangère. Et peut-être l'a-t-elle toujours été. » Le rire s'éteignit. « La mort est une chose bien curieuse. Je crois qu'on y gagne une grande liberté. Surtout lorsque l'on se rend maître de la dimension dans laquelle on se trouve.

— Dieu en est le maître, affirma Michel sans grande conviction.

— En règle générale, c'est exact. Toutefois, comme je te l'ai déjà expliqué avant de mourir, la loi de Dieu est fondée sur les mathématiques. Les nombres sont la seule clef qui permet d'accéder à l'univers créé par Lui, et à ses multiples sphères. Celui qui réussit à dominer les mathématiques peut tout dominer. »

Michel, instinctivement, se rebella.

« Non ! La seule et unique loi est fondée sur l'amour et l'attraction. Si les objets, les personnes et les esprits ne s'attiraient pas, rien n'existerait en ce bas monde. Les mathématiques seules rendent Dieu superflu et constituent donc un blasphème. »

L'imposant visage d'Ulrich se courrouça.

« Comme tu t'es éloigné des concepts que je t'ai enseignés quand tu étais encore adolescent ! L'univers n'est que chaos, régi par la seule norme numérique. Dieu n'est rien d'autre qu'une série de proportions et d'équilibres. Dans son dessein, les entités individuelles ne comptent pas. Car lui-même est un dessein, et non une entité.

— Vous vous trompez, *Meister*. Dieu est amour, donc empathie. Les rapports qu'entretiennent hommes et femmes existent également entre les atomes et les plus minuscules particules de l'existence. Tout ce qui existe possède une forme duelle. Dieu est la force qui permet aux dualités de devenir une entité unique. »

À la grande surprise de Michel, Ulrich opina.

« Il est possible que ce que tu prétends soit vrai. Tu sais pertinemment que la création est une réalité psychique, et non physique, modelée par les vecteurs de pensée des vivants. Ta conception du cosmos est plausible, mais elle n'est plus actuelle. Le siècle dans lequel tu vis, et dans lequel je vivais autrefois, l'a vue s'affaiblir. Je peux t'assurer que les siècles à venir sanctionneront la prédominance de ma propre conception. Je peux déjà le voir. En changeant la pensée, ils modifieront également l'univers et se conformeront à mon modèle. »

Michel ressentit une angoisse abyssale.

« Dieu ne pourra tolérer cette évolution !

— Dieu se limite à fournir les mesures. Ce sont les hommes qui forgent par la suite leur monde terrestre. » Ulrich fit un geste ennuyé. Des nuées de scarabées sautèrent dans toutes les directions, prenant une teinte argentée. « Maintenant, Michel, il suffit. Je voulais seulement t'annoncer que je t'attends. Il ne te reste plus beaucoup d'années devant toi. Quand tu me rejoindras, tu décideras toi-même si tu veux redevenir le disciple obéissant que tu étais, ou si tu préfères me défier. Dans ce cas, je peux d'ores et déjà t'affirmer que tu seras vaincu. Ta loi d'attraction aura perdu toute sa force.

— Je ne serai plus jamais ton esclave !

— Alors tu disparaîtras complètement des nuages de conscience qui flottent dans l'éther. Et tu ne seras pas davantage en mesure de me combattre. Veux-tu connaître un secret ? D'ici un siècle terrestre, la magie n'opérera plus. D'ici deux siècles, elle deviendra risible et d'ici trois, plus personne n'y croira. Et tu sais comme moi que la magie n'opère que si l'on y croit. » La silhouette d'Ulrich commençait à perdre de sa définition. « Le seul lambeau de pouvoir magique qui te reste d'ailleurs aujourd'hui est celui qui contraint Parpalus à te révéler des fragments du futur. Mais c'est un pouvoir bien stérile. Tes prophéties ne peuvent se vérifier qu'en se réalisant. Elles ne te servent donc à rien. Tu n'es qu'un misérable vendeur d'almanachs. »

Ulrich s'évanouit tout à coup et Michel se trouva immergé jusqu'à la taille dans une mer laiteuse, sous un ciel blanc parcouru de nuages rapides. Il vit au loin des silhouettes immobiles, qui paraissaient pétrifiées. On aurait dit qu'elles représentaient tous les êtres, dieux, démons et dragons, qui avaient peuplé les songes et les cauchemars des hommes depuis les temps les plus reculés. Puis, cette vision s'évanouit à son tour, et la réalité reprit possession du cerveau de Michel avec la violence douloureuse d'un tympan qui s'ouvre à nouveau aux bruits de ce monde, après une période de surdité.

Il fut stupéfait de se retrouver place des Arbres, à côté de la fontaine, par une matinée chaude et ensoleillée. Il était entouré d'une foule regroupée autour d'une estrade, sur laquelle prenaient place les autorités de Salon. Il comprit que, depuis que l'anneau avait commencé de tourner, douze heures au moins avaient dû s'écouler. Le lendemain de sa séance nocturne devait en effet se dérouler une cérémonie en l'honneur d'Adam de Craponne, qui avait désormais achevé les derniers tronçons de son canal.

De l'estrade, l'ancien premier consul, Marc Palamède, le vit et lui fit signe de grimper. Michel répondit par la négative. Cette foule l'inquiétait. À côté des bourgeois, accompagnés de leurs valets, elle comptait de nombreux *cabans,* lovés dans leurs manteaux gris malgré le soleil de cette fin de juillet. Il comprit aisément le motif de leur présence. Sur l'estrade, mêlé aux seigneurs locaux, se pavanait Louis Villermin dit Curnier, qui exhibait à l'épaule sa cocarde de second consul. Depuis sa nomination, imposée par la force le 2 mai 1560, c'était la première cérémonie d'importance à laquelle il participait. Il avait de toute évidence souhaité que la place grouille de ses adeptes. À ses côtés, le nouveau bailli, Antoine de Cordes, semblait traiter l'épouse du chef du peuple, Catherine Galine, avec tous les égards.

Les yeux préoccupés de Michel coururent à l'angle droit de l'estrade, où s'étaient regroupés les rares soldats de la garnison de Salon, sous le commandement du capitaine Jean d'Isnard. Michel fut quelque peu rassuré en constatant qu'aux côtés de l'officier se tenait Bertrand, demeuré à Salon avec la permission du comte de Tende. Il fut cependant surpris de voir que son frère faisait des gestes dans sa direction, comme pour lui indiquer quelqu'un.

Michel chercha du regard la personne que Bertrand lui désignait. En la découvrant, son cœur sursauta violemment. De l'autre côté de la fontaine, séparée de lui par une foule de *cabans,* il vit une femme encore belle et séduisante, avec des mèches de cheveux blonds s'échappant de sa coiffe. Il n'eut aucun doute : il s'agissait bien de Giulia Cybo-Varano. Il resta à la contempler quelques instants, notant sa grande ressemblance avec sa mère ; puis un vide soudain ouvert parmi les paysans déplaça son attention sur un autre personnage.

C'était un homme aux cheveux ébouriffés, que Giulia tenait par la main. De son bras resté libre, il tenait un paquet de forme allongée, enveloppé dans un tissu. Quelques minutes s'écoulèrent avant que Michel parvienne à le reconnaître. Mais oui, c'était bien Gabriele Simeoni ! Comme il avait vieilli ! Son visage, autrefois plaisant et régulier, était devenu flasque. Ses yeux, éteints et égarés, alourdis par des rides et des cernes apparents, avaient pris une couleur jaunâtre. Son nez paraissait rouge et gonflé. On aurait dit l'un de ces forains italiens de quatre sous qui débarquaient de temps à autre dans le bourg pour faire rire les passants en récitant de piètres comédies.

Michel essaya de les rejoindre, mais il dut se frayer un chemin parmi les *cabans,* ralenti par ses jambes douloureuses. Il vit Giulia poser un baiser sur la joue de Simeoni. Puis ce dernier, son paquet toujours sous le bras, l'abandonna et passa la porte d'un édifice bas et étroit, à deux étages. L'ancienne demeure de la famille Mauvans était déserte depuis trois mois.

L'archevêque d'Arles, titulaire de la seigneurie de Salon-de-Craux, commençait depuis l'estrade à donner la bénédiction à la multitude rassemblée sur la place. Sans perdre Giulia des yeux, Michel fut contraint de s'arrêter pour effectuer le signe de croix. Mieux valait ne pas se montrer impie ou distrait au milieu d'une foule comme celle-là.

Ayant achevé sa bénédiction, l'archevêque commença de déclamer d'une voix douce, quoique parfaitement audible :

« Mes enfants, le temps de la réconciliation est venu. Trop de sang a coulé en France depuis ces derniers mois. Si des actes de violence devaient encore se perpétrer, il deviendrait impossible de mettre fin aux dissensions, et la guerre civile, de probabilité, deviendrait certitude. Ce qui ne signifie pas pour autant que nous devons faire preuve de tolérance envers l'hérésie. Le cardinal de Lorraine, dont vous tous connaissez le caractère inflexible à l'égard des hérétiques, se montre le premier aujourd'hui à recommander à la fois prudence et clémence. La reine elle-même, préoccupée de l'unité du royaume, a adopté cette attitude. Il n'est plus possible de se laisser aller à la vengeance et aux représailles. C'est pourquoi je vous dis… »

Michel fut conquis par ces paroles, qu'il n'espérait pas. Il oublia un instant Giulia et se concentra sur la silhouette lointaine et en apparence fragile du prélat. Autour de lui, quelques *cabans* protestèrent à voix basse, mais ils restaient peu nombreux. Le discours semblait avoir convaincu la majorité d'entre eux. Du reste, le temps des récoltes, jusque-là retardées par la froideur de l'hiver et du printemps, était enfin arrivé. La plupart des paysans se préoccupaient davantage de gagner quelques sous, qui leur permettraient d'entretenir leurs familles tout au long de la morte saison, plutôt que de s'impliquer dans des controverses religieuses.

« … je vous dis que, sans céder d'un pouce à l'hérésie, il nous faut appliquer autant que faire se peut la vertu chrétienne du pardon. Il est absurde que tant de gentilshommes bien nés de Salon aient dû quitter ce bourg en laissant leurs champs en jachère, entraînant moins de travail et plus de famine pour nos paysans. Je sais que nombre d'entre eux se trouvent parmi nous aujourd'hui. C'est à eux que je m'adresse, les suppliant de… »

La voix de l'archevêque fut couverte par une explosion et un hurlement, poussé par Curnier. Le chef du peuple contemplait avec une stupeur horrifiée le trou qui s'était ouvert dans sa poitrine. Il vacilla un peu, tandis que de sa bouche jaillissait un flot de sang. Puis il s'affaissa sur l'estrade. Catherine Galine lança un cri et tomba à genoux auprès du corps.

La place tout entière paraissait commotionnée. Puis un *caban* hurla d'une voix de stentor :

« Ce sont les huguenots ! Ces maudits huguenots ! » Il désigna la maison des Mauvans.

Michel regarda en direction de l'édifice. Un nuage de fumée s'échappait encore d'une fenêtre du second étage. Il chercha Giulia des yeux, mais la jeune femme avait disparu. Il comprit en un instant ce qui s'était passé. Seul un arquebusier bien entraîné au maniement des armes aurait été capable d'un tir aussi précis.

Les *cabans* s'étaient mis à scander en chœur leur cri de guerre, absurde mais terrifiant :

« Zou ! zou ! zou ! zou ! » Ils se précipitèrent avec furie vers la maison des Mauvans, levant leurs fourches et sortant les coutelas qu'ils dissimulaient sous leurs manteaux. Sur l'estrade, l'archevêque avait renoncé à s'exprimer et secouait la tête d'un air désolé. Aux extrémités de la place, les soldats reculèrent sous la poussée de la foule. Bertrand et le capitaine d'Isnard tentèrent d'empêcher que leurs chevaux ne se cabrent. Ils furent désarçonnés et disparurent au milieu de la mêlée.

Michel se trouva repoussé contre la fontaine, puis un choc violent le jeta à terre. Il fut piétiné et dut se protéger la tête avec ses mains. Il ne réussit à se remettre debout que lorsque la cohue se dissipa. Il se dirigea alors en boitant vers l'une des rues qui partaient de la place. Du coin de l'œil, il vit la maison des Mauvans en proie aux flammes.

Il se hâta vers le quartier Ferreiroux avec toute la vitesse que ses jambes douloureuses lui permettaient. Aux images de l'attentat se succédaient dans son esprit des fragments des visions que Parpalus lui suggérait, nuit après nuit : morts cruelles, batailles insensées, dévastations, effusions de sang. Il se souvenait parfaitement des vers qu'il avait insérés, sous la dictée du démon, dans l'almanach de l'année précédente, en référence au mois de juillet 1560 :

> Longue crinite leser le Gouverneur.
> Faim, fièvre ardante, feu & de sang fumée.
> A tous estats Joviaux grand honneur.
> Sedition par razes allumée*.

Ces vers sonnaient douloureusement juste. La comète à la longue chevelure, qui était apparue dans le ciel en septembre de l'année précédente, avait annoncé la perte de contrôle du gouverneur sur la Provence. Il lui était facile désormais de vérifier l'exactitude de cette prévision. Famine, mouvements factieux, déluge de feu et de sang s'étaient bien manifestés. Devant l'urgence de la situation, on avait effectivement convoqué, en grande pompe, pour le mois suivant, les états généraux. Nul doute cependant qu'ils se verraient tôt ou tard dominés par les adeptes de Jupiter, autrement dit par ces huguenots que l'Église catholique considérait comme païens. Mais auparavant devait éclater une sédition perpétrée par des hommes rasés, comme l'étaient les *cabans* les plus fanatiques.

Connaître le déroulement des faits ne fut d'aucune aide à Michel ; en réalité, cela accentua même son angoisse. Le quartier Ferreiroux était désert, ce qui lui paraissait de bon augure : peut-être cela signifiait-il qu'une partie des habitants, fatigués de ce climat de violence, avaient cette fois préféré se cloîtrer chez eux au premier signe d'émeute, plutôt que de descendre dans la rue avec les *cabans.* Michel lorgna la façade du moulin de Lassalle et constata que l'entrée et les fenêtres en avaient été barricadées. Rasséréné, il s'avança jusqu'à la porte de sa propre maison.

Il allait y frapper lorsqu'il entendit des pas pressés derrière lui, suivis d'une voix implorante : « Michel ! Michel ! »

Il se retourna et pour la énième fois ce matin, vacilla sous le coup de la surprise et de l'émotion. Gabriele Simeoni accourait vers lui, tenant Giulia par la main. Tous deux transpiraient à grosses gouttes, arborant une pâleur telle qu'on les aurait crus sur le point de s'évanouir. Giulia se mit à le supplier, d'une voix brisée :

« Cachez-nous, je vous prie, docteur de Nostre-Dame ! Ils nous traquent. S'ils nous prennent, ils nous tortureront à mort ! »

Dans le cerveau de Michel émergea soudain une image qu'il avait tenté d'oublier. Il revit, sur le fond sinistre d'une Aix dévastée par la peste, Diego Domingo Molinas qui se débattait, attaché à la roue d'un chariot en flammes, tandis que la mère de Giulia, dénudée et terrorisée, essayait de se protéger des coups de fouet qu'une foule enragée lui infligeait avec une violence impitoyable.

Il ne doutait pas que les fugitifs recevraient un châtiment similaire, sinon exactement identique. À Aix, il avait joué le rôle du justicier. Mais durant toutes ces années, il avait changé. Il n'avait plus envie à présent de provoquer un supplice et possédait le courage suffisant pour essayer de l'empêcher. Il adressa un geste brusque aux deux amoureux.

« Venez, vite ! »

Il n'eut pas besoin de frapper, car le battant s'ouvrit. Sur le seuil apparut Jumelle, encore livide à cause de son récent accouchement, mais avec une expression déterminée sur le visage.

« Entrez ! Voulez-vous donc qu'ils vous voient tous ensemble ? »

Michel poussa Giulia et Simeoni à l'intérieur, puis leur emboîta le pas. Il s'adressa à son épouse, qui rabattait le verrou :

« Sais-tu ce qui est arrivé ?

— Vaguement. J'ai vu les flammes de la fenêtre, puis ces deux-là qui te couraient aux basques. Il est évident qu'ils cachent quelque chose. Qu'ont-ils donc combiné ?

— Ils ont assassiné Curnier.

— Dieu soit loué ! s'exclama joyeusement Jumelle. Je parie que même sa mère fêtera la disparition de ce porc meurtrier.

— Si quelqu'un les a vus entrer ici, nous sommes perdus.

— Peut-être, mais que peux-tu y changer ? Comme disait Corinne à propos du mal napolitain, toute la vie est une prise de risque perpétuelle. » Jumelle fixa ses nouveaux invités avec un étonnement soudain. « Mais je les connais, ces deux-là ! Ce sont Simeoni et sa fiancée. Comment diable, jeunes gens, l'idée vous est-elle venue d'égorger ce pourceau ? »

Au lieu de lui répondre, Simeoni murmura d'une voix rauque :

« Pourrais-je avoir à boire ?

— Oui, mais de l'eau. Un seul ivrogne dans cette maison me suffit. » Jumelle s'engagea dans le couloir. « Suivez-moi, vous verrez qu'ici la compagnie ne vous manquera pas. Depuis le mois de mai, cette maison est devenue une sorte d'auberge. Très demandée, il faut croire, car tous s'y précipitent. »

Elle les accompagna en cuisine. Elle s'empara d'une louche accrochée au mur et s'en servit pour puiser l'eau d'un seau avant de la verser dans deux tasses. Giulia et Simeoni burent avidement. Ils semblaient un peu plus calmes.

« Nous devons trouver un endroit où les caser, dit Jumelle à Michel. Le premier étage est déjà occupé par les Mauvans, et nous avons installé Blanche dans le grenier, à côté de ton officine. Dans le salon dort ce joli cœur de Louis Paul, qui d'après moi pisse dans la cheminée. En pratique, il reste donc la chambre des enfants, le cagibi de Christine et notre chambre à coucher. »

Michel écarta les bras.

« Nous allons les mettre dans notre chambre. Nous n'avons pas d'autre solution. Nous dormirons avec les enfants.

— Qui sont déjà cinq. Adieu, nuits de sommeil… »

Giulia s'éclaircit la voix.

« Nous ne voulions pas vous causer tant de désagréments…

— Mais pensez donc. Cette déclaration d'intention paraît pour le moins étrange, dans la bouche de quelqu'un qui vient de commettre un attentat et de déchaîner une petite révolution. » Le regard ironique de Jumelle se fit affectueux. « Mais enfin, les amoureux m'attendrissent, et je vous cède volontiers mon lit. Vous êtes une femme séduisante. Veillez à en faire meilleur usage avec votre ami que Michel avec moi. Ce que j'ai entre les jambes semble plus ou moins l'intéresser une fois l'an, quand l'envie lui prend d'engendrer un nouveau rejeton. Ne suivez pas son exemple. Votre bas-ventre, correctement employé, pourrait même éloigner votre amant de la bouteille. Profitez de l'occasion et combattez un plaisir factice en lui faisant découvrir un plaisir authentique. Faites-lui remuer les reins. D'ailleurs, qui sait quand vous serez en mesure de repartir d'ici. »

Michel dissimula son embarras par une phrase brutale adressée à ses hôtes :

« Si je dois vous garder chez moi, j'exige, vous m'entendez, *j'exige* que vous me révéliez la vérité sur votre crime. N'étant pas assassins de métier, vous avez dû être influencés par quelqu'un. Je veux connaître son nom. Compris ? »

Giulia but de nouveau, puis soupira :

« C'est une histoire très compliquée...

— Peu m'importe. Je désire la connaître en détail. Vous me le promettez ?

— Je vous le promets.

— Fort bien. À présent, allez vous reposer. Jumelle va vous accompagner. » Michel leva un doigt réprobateur : « Et rappelez-vous : vous n'êtes pas encore hors de danger. Aucun de nous ne l'est. »

Comme pour confirmer ces paroles prémonitoires, une forte clameur leur parvint de l'extérieur, entrecoupée de hennissements et de bruits de sabots. Quelqu'un frappa à la porte. De l'étage on entendit les pleurs subits des enfants et les vagissements d'Anne, leur dernière-née.

Jumelle tressaillit.

« Dois-je aller chercher l'arbalète ?

— Non, c'est inutile. Accompagne ces deux-là au premier. J'essaierai de me tirer d'affaire une fois encore. »

Michel rejoignit la porte et souleva le loquet. Il attendit que son épouse et ses deux invités aient monté l'escalier, puis il ouvrit le battant, les mains tremblantes.

Il se trouva en face d'un Bertrand tout courbaturé et couvert de poussière, mais souriant.

« Michel, j'apporte de bonnes nouvelles !

— Lesquelles ? »

Bertrand désigna la rue. Quelques seigneurs à cheval, entourés d'intendants et de régisseurs, escortaient un cortège de *cabans* en direction des murs d'enceinte. Les paysans avaient perdu leur air menaçant. Ils s'efforçaient de marcher en rang d'un pas soutenu.

« Le capitaine d'Isnard a conçu une idée brillante, expliqua-t-il en riant. Il a fait mander tous les propriétaires terriens des environs pour ordonner aux *cabans* de reprendre aussitôt le travail, sous peine de le perdre. La révolte a cessé comme par miracle. Comme tu le vois, les journaliers s'en retournent tout penauds dans leurs champs. La veuve de Curnier gesticule encore sur l'estrade en pestant contre leur lâcheté.

— Avez-vous capturé les auteurs de l'attentat ? demanda Michel d'une voix hésitante.

— Non. Celui qui a tiré s'est enfui par une fenêtre située à l'arrière de la maison des Mauvans et s'est carapaté comme un lapin. Sais-tu ce que je crois ?

— Non. Quoi donc ? demanda Michel, la gorge serrée.

— Que la donzelle que je t'ai montrée sur la place, cette Giulia Cybo-Varano, connaît le nom de l'auteur de l'attentat. J'ai vu qu'elle lui courait après, comme si elle voulait l'attraper. Je la cherche pour l'interroger.

— Ne désires-tu pas entrer ? » La voix de Michel avait pris une inflexion angoissée.

« Non, répondit Bertrand. Je dois d'abord mettre la main sur cette femme. » Il salua son frère et partit précipitamment.

Les *sodales*

Le visage du meunier Lassalle avait pris une teinte si violacée qu'on aurait dit qu'il étouffait de rage. Ou peut-être était-ce la faute du froid hivernal qui pénétrait par toutes les fentes du vaste grenier à blé, transformé en salle d'assemblée.

« Et moi, je vous dis que c'est un huguenot ! cria-t-il. Quand, le 26 août de l'année dernière, le roi a décrété l'amnistie pour tous les calvinistes suspectés, tout un cortège d'hérétiques est sorti de chez lui. Il s'y trouvait les deux Mauvans, plusieurs jeunes femmes et un homme qui ressemblait comme deux gouttes d'eau à l'assassin de ce pauvre Curnier. Il les gardait tous cachés chez lui ! »

L'assistance émit un murmure général. Le père Michaelis en ressentit une joie secrète, mais feignit indifférence et scepticisme.

« Si vraiment le docteur de Nostre-Dame est un huguenot, il le cache bien. Il fréquente les offices, dédie ses almanachs au pape ou à des personnalités dont la foi catholique ne peut être mise en doute, comme le baron de La Garde. Je ne vois pas où réside le danger. »

Lassalle vit du coin de l'œil plusieurs personnes de l'assistance opiner du chef. Ce qui porta son exaspération à son comble.

« Où réside le danger ? Je vais vous le dire ! Nostradamus devient chaque jour plus célèbre. On s'arrache ses pronostics, et ses *Prophéties* ont déjà fait l'objet de je ne sais combien d'éditions. Des visiteurs viennent depuis Paris et l'Allemagne pour se faire établir leur horoscope. Depuis que les gens ont appris qu'il jouit de la confiance de Catherine de Médicis et qu'ici, à Salon, il s'est entretenu avec Marguerite de Navarre, c'est un défilé de princes et de chevaliers. Même l'évêque de Béziers, Lorenzo Strozzi, l'a fait mander à son chevet pour se faire soigner par lui !

— Et alors ? demanda un boulanger qui s'était assis dans les dernières rangées.

— Alors, nous avons à Salon un huguenot, qui plus est dévoué au culte du diable, en passe de devenir le citoyen le plus connu de toute la ville. Voulez-vous en connaître la conséquence pratique ? La canaille des alentours, qui le méprisait encore en juillet de l'année dernière, aujourd'hui le porte aux nues, comme il est de coutume avec les gens célèbres. Les gueux font la queue pour être reçus chez lui…

— Évidemment, dit un petit propriétaire qui se tenait appuyé à ce qui avait été autrefois une mangeoire. Il les soigne gratuitement et leur distribue de généreuses aumônes.

— Une ruse pour rentrer dans leurs bonnes grâces. Si à l'avenir le nouveau roi Charles IX nous laisse à nouveau les mains libres contre les hérétiques, il suffira d'un mot de Nostradamus pour que la plèbe se rebelle contre nous. Et ce mot, il le prononcera, soyez-en sûrs. Tous ses amis sont des huguenots du plus beau calibre. Le sacrifice de ce pauvre Curnier a été parfaitement inutile. »

Cette fois, les signes d'assentiment se manifestèrent en grand nombre, et même ceux qui se contentaient de rester immobiles donnaient l'impression d'être favorables au meunier.

Le père Michaelis esquissa un petit sourire ironique.

« Vous surestimez beaucoup la fidélité du peuple à ses bienfaiteurs. » Il se leva. Ainsi qu'il l'avait supposé, son geste contraint Lassalle à se rasseoir. « Ce que vous dites de Nostradamus est peut-être vrai, même s'il ne me paraît pas être un démagogue. Le véritable problème est tout autre : Salon tout entière se trouve désormais sous la coupe de l'hérésie, et la faute doit vous en être imputée. À vous, les bourgeois, et à votre indolence. Il vous a paru commode, n'est-ce pas, d'envoyer en avant-garde les *cabans,* l'année dernière, et de vous tourner les pouces en observant leurs prouesses ? Et quand leur soulèvement a pris fin, qu'avez-vous fait ? Je vais vous le dire : rien de rien. Vous avez même applaudi le retour des huguenots à leurs postes de commandement. »

La salle vibra d'un mouvement de nervosité, peut-être annonciateur d'une protestation, qui cependant ne vint pas.

« Considérez la situation, continua le père Michaelis en durcissant le ton. Tout d'abord Louis Paul a été réintégré dans ses fonctions. Ensuite Tripoly, un calviniste déclaré, a été nommé chef militaire de la région, avec deux cents hommes sous ses ordres. Cent vingt autres soldats ont été enrôlés dans la garde personnelle du comte de Tende, qui, au nom de la tolérance, laisse entrer dans ses rangs des hérétiques. Antoine de Cordes a été dépossédé de sa charge de bailli et remplacé par Guillaume de Brunet, un huguenot notoire. Et vous, que faites-vous ? Rien. Vous pensez à votre commerce et vous vous adaptez à cette nouvelle situation.

— Cette accusation est injuste ! » Ce cri du cœur venait d'être lancé par Olrias de Cadenet, un avocat de la place de la Halle, dans le quartier du Bourg-Neuf : un homme maigre, emmitouflé dans un manteau élimé, témoin d'un chiffre d'affaires peu honorable. « Vous savez aussi bien que moi que cette situation déplorable est uniquement la faute de la Couronne. Le cardinal de Lorraine est entré en disgrâce, et les Guise ont perdu toute liberté de mouvement. Catherine de Médicis a fait d'Antoine de Bourbon son conseiller le plus proche et a libéré le prince de Condé. On vient en outre de promulguer ce mois-ci un édit qui autorise les offices et les prêches dans les maisons privées, légitimant ainsi les deux mille églises réformées existant en France. Salon ne constitue qu'une minuscule tesselle d'une mosaïque bien plus vaste. »

Un vendeur de bestiaux du quartier d'Arlatan, au visage et aux manières de brute, se leva bruyamment.

« Et d'ailleurs, monsieur le jésuite, il est tout à fait faux de prétendre que nous, le tiers état de Salon, n'agissons pas ! À votre avis, qui procure les armes, l'argent et le vin du seigneur des Porcellets ? C'est grâce à nous s'il combat encore ! »

Le père Michaelis se raidit. Des Porcellets représentait l'un de ses cauchemars quotidiens. Membre d'une noblesse insignifiante, il tentait de reproduire en Provence l'œuvre de Richelieu, dit « le Moine », dans la région du Maine. Il avait rassemblé une milice composée de soldats débandés, de paysans restés sans travail, de brigands et d'idéalistes. À leur tête, au nom de l'orthodoxie catholique, il battait les campagnes entre Saint-Chamas, Lançon et Salon, en chasse des huguenots supposés. D'ordinaire, ses victimes se révélaient être des familles de paysans qui vivaient dans des hameaux isolés. Ses soldats violentaient les femmes, puis massacraient toute la famille, enfants y compris. Les maisons étaient pillées, les cadavres jetés au fond des puits. Un incendie marquait en général la fin de l'expédition.

Michaelis s'était souvent demandé si « le pourceau demy-homme* », évoqué par Nostradamus dans plusieurs de ses quatrains, n'était pas précisément le seigneur des Porcellets ; d'autant plus que l'allusion à Chalon-sur-Saône et Mâcon, contenue dans l'un d'eux, semblait se référer à deux des plus horribles massacres perpétrés par le *condottiere* catholique dans le Lyonnais. Les entreprises louches de ces milices irrégulières avaient, il est vrai, servi de prétexte au comte de Tende pour confier le commandement militaire des troupes à Tripoly. Sans compter que la terreur qu'elles semaient sur leur passage conduisait la population des campagnes, jusqu'alors conservatrice, à manifester une sympathie toujours croissante pour le parti huguenot.

« Je vois que nous ne nous comprenons pas bien, dit le père Michaelis avec une sévérité qui confinait à la violence. Ce n'est pas en armant des bandits et en fomentant des troubles que cette plaie que représentent les huguenots pourra être vaincue. Vous êtes tous de braves hommes, travailleurs et plus ou moins aisés. Si vous voulez voir triompher la cause catholique, vous devez commencer par vous comporter vous-mêmes en catholiques. Comment se nomme votre confrérie ? Je ne m'en souviens jamais.

— La confrérie des *Battats,* répondit un teinturier qui se tenait debout derrière la table. Ce qui veut dire des Flagellants.

— Je le sais bien. N'oubliez pas que je suis provençal, moi aussi. » Le père Michaelis pointa le doigt sur l'assemblée et le fit courir lentement devant les têtes présentes. « Et quelles sont les activités de cette société ? Je veux vous l'entendre dire.

— La procession », répondirent-ils en chœur.

Michaelis acquiesça.

« C'est exact, la procession annuelle. Et quoi d'autre ? »

Personne ne répondit.

« Je vais vous le dire, moi : rien d'autre. Dès que la procession est terminée, ou que vous sortez d'une réunion comme celle-ci, vous vous sentez tous délivrés de toute obligation. Certains d'entre vous ne vont pas à la messe, d'autres se confessent et communient seulement à Pâques, d'autres encore mangent de la viande le vendredi. Nombre d'entre vous, en outre, fréquentent les filles du bordel, ou se donnent du bon temps avec leurs servantes. En pratique, ils enfreignent toutes les règles de conduite imposées à tout bon catholique. »

Lassalle protesta :

« Mais le clergé lui-même se comporte ainsi ! Mon curé, par exemple...

— C'est bien là que réside la tragédie ! l'interrompit Michaelis sur un ton dramatique. Les huguenots ne triomphent pas parce qu'ils possèdent plus d'armes que nous, plus d'argent, davantage de complicité ou de protection. Ils triomphent parce qu'ils cultivent la pureté, qui est toujours un facteur de force. Ils triomphent parce qu'ils privilégient la vie spirituelle. Ils triomphent parce qu'ils ont en face d'eux des catholiques qui s'abrutissent en faisant bombance et en se vautrant dans le vice, des cardinaux de ma connaissance à certains gentilshommes que vous connaissez vous aussi. Sans parler des rares employés qui sont demeurés par Dieu sait quel miracle de notre côté. Oisifs, portés sur la bouteille, ils travaillent mal et prient encore plus mal. Mais au fond, ils ne font que se conformer à l'exemple que leur offrent leurs patrons. »

Michaelis dut essuyer son front de la sueur qui s'y était accumulée, malgré le froid. Dans la salle tomba un grand silence. Plusieurs membres de l'assistance se montrèrent frappés par la dénonciation des maux du parti catholique. Tous furent troublés par l'allusion au parasitisme des ouvriers, objet de lamentations continuelles.

« C'est la raison pour laquelle je vous ai convoqués, poursuivit le jésuite. Si votre confrérie des *Battats* veut posséder un sens, elle doit acquérir une dimension supplémentaire : devenir une compagnie, une congrégation. Il en existe déjà à Paris, Rome et Naples. Elles n'accomplissent pour l'instant que leurs premiers pas, mais prospèrent pourtant de façon si satisfaisante qu'elles contraignent les huguenots à la défensive.

— Et quelle est la différence entre une confrérie et une congrégation ? s'enquit le teinturier.

— C'est fort simple : les congréganistes, ou *sodales,* adhèrent à tout un modèle de vie. Ils se confessent très fréquemment, voire chaque semaine, communient tous les quinze jours, prient et accomplissent des exercices spirituels à tout moment de la journée, et font de la chasteté une règle à laquelle il leur est impossible de déroger. Cette philosophie constitue un mur efficace contre la propagation de l'hérésie. »

Bien que Michaelis se soit exprimé avec fougue, aucune des personnes présentes ne paraissait vraiment convaincue par son plaidoyer. Lassalle se fit le porte-parole de la perplexité générale :

« Vous nous demandez de nous transformer en une sorte de communauté monastique, mais ce que nous y gagnerons en échange ne me semble pas très clair… »

Michaelis apprécia cette sincérité. Il se rassit et fit un geste ample.

« Avant tout, vous renforcerez l'authentique idéal chrétien, et je crois que cette perspective vous tient tous à cœur. Mais il existe également un motif pratique. Jusqu'à présent, vous, les bourgeois, n'avez partagé que votre foi et pas grand-chose d'autre. En tant que *sodales*, vous serez amenés à tout partager : vous vous fréquenterez, prierez ensemble, vous vous opposerez unis aux huguenots. Vous deviendrez non seulement une petite armée, mais aussi une véritable classe dirigeante, qui sauvegardera ses intérêts au nom de valeurs communes : pureté, labeur, prière et discipline.

— Et les employés que vous évoquiez tout à l'heure ? demanda le meunier. Valets, domestiques, apprentis ? Devrons-nous les exclure ?

— Pas du tout. Au contraire, vous devrez vous les attacher sur la base de la foi que vous partagez. Il serait toutefois préférable de leur créer une congrégation à part, liée à la vôtre, mais distincte. L'avantage n'en sera que réciproque. Les employés trouveront en vous des patrons affectueux et compréhensifs. Vous obtiendrez d'eux des bras actifs et obéissants. La foi vous unira et garantira votre fraternité. »

L'assemblée paraissait désormais nettement plus favorable à la proposition. Certains continuaient toutefois à exprimer leur désaccord, tandis que d'autres s'efforçaient de les convaincre. Il s'ensuivit un léger brouhaha, que Michaelis accueillit avec satisfaction. Quand il s'aperçut que le ton de la conversation montait d'un cran, il leva le bras. Ce simple geste suffit à ramener aussitôt le silence.

« Je n'attends pas de vous une adhésion immédiate, mais je ne souhaite pas sortir d'ici sans rien avoir obtenu de concret. Vous, messire Lassalle, serez le responsable de la congrégation des *Battats* pour le quartier Ferreiroux. Et vous, avocat Cadenet, la dirigerez dans le secteur du Bourg-Neuf. Ceux d'entre vous qui sont d'accord pour y participer peuvent leur laisser leurs noms. Ceux qui refusent d'y prendre part peuvent s'en aller sur l'heure. »

L'initiative s'avérait très hasardeuse. Lassalle et Cadenet comptaient peut-être parmi les plus sceptiques de l'assistance. Ni le meunier ni l'obscur avocat ne se rebellèrent toutefois à l'idée de conduire la classe aisée de Salon. Personne d'autre ne déclina l'invitation. La perspective de rester exclus de l'assemblée ne semblait attirer aucun des présents. Plusieurs se levèrent et s'approchèrent des deux hommes désignés pour s'inscrire dans la nouvelle compagnie.

Satisfait, le père Michaelis se leva.

« Que tous ceux qui ont manifesté leur adhésion reviennent ici ce soir, après le coucher du soleil. Nous prierons ensemble, puis je vous confesserai, un par un. Maintenant vous pouvez vous retirer, mais ne révélez à quiconque ce qui s'est dit ici. Il n'est nullement nécessaire que nos ennemis connaissent nos plans. »

Michaelis se dirigea vers la sortie. Un homme âgé, mais encore robuste, vêtu d'habits civils, se détacha du mur auquel il était resté adossé jusqu'à cet instant, tapi dans l'ombre, et lui emboîta le pas. Un tanneur qui tenait boutique place des Arbres se précipita pour leur ouvrir la porte d'un geste prévenant. Dehors, il ne manquait plus que le brouillard pour ajouter à la désolation du paysage, aux collines enneigées. Le froid glaçait les os.

« Eh bien, qu'en dites-vous, père Nadal ? demanda Michaelis en exhalant une bouffée de vapeur.

— Habile, très habile, répondit le gros jésuite. Vous avez su faire coïncider les devoirs de la foi et les intérêts personnels. Mais je crains que toute cette belle harmonie ne s'évapore avec la rapidité des volutes qui s'échappent en ce moment de nos bouches.

— Tout dépend de la confession, répondit le père Michaelis. C'est la seule arme dont les huguenots ne disposent pas. La règle une fois instaurée, nombreux seront ceux qui voudront s'y soustraire. Mais ils oublient qu'une fois dans le confessionnal, je serai au courant de tous leurs manquements.

— Ne croyez-vous pas qu'ils soient capables de mentir ?

— Certains d'entre eux, si. Mais j'exigerai également que leurs épouses et leurs filles se confessent. Si un homme transgresse ainsi la loi de la pureté et tente de me le cacher, il sera trahi par ses propres femmes. Donnez-moi toute latitude, et sous peu, Salon sera sous notre contrôle. Pourvu que vous me permettiez de demeurer ici.

— Je suis venu spécialement de la capitale pour vous l'annoncer. Paris est désormais presque pacifiée : le luthéranisme et le calvinisme s'y sont, en vérité, peu enracinés, malgré l'excessive indulgence de Catherine de Médicis. Je m'apprête à prendre la direction de la Compagnie du Nord. Vous pourrez donc vous établir ici.

— En tant que provincial de la Provence ?

— Non. En tant que provincial de toute la France. »

Si le père Michaelis avait été rongé par l'ambition, il aurait assurément été submergé de bonheur. Mais il n'avait pas l'habitude de s'intéresser à son propre sort. Aucun jésuite ne l'avait. Il éprouva donc une satisfaction modérée et un sentiment de gratitude qu'il manifesta par une révérence.

« J'essaierai d'être à la hauteur de ma tâche, père Nadal. »

L'autre lui sourit.

« Oh, je ne doute pas que vous le serez. »

Ils s'étaient entre-temps quelque peu éloignés de l'ancien grenier à blé, le long d'un sentier boueux qui bifurquait. L'un des embranchements menait à une ferme sur deux niveaux, de toute évidence abandonnée, avec un toit en partie effondré ; l'autre descendait, à travers des plantations d'oliviers, vers la plaine et Salon, dont on apercevait les murs d'enceinte flambant neufs.

Michaelis fit halte au croisement.

« Je ne peux vous accompagner jusqu'au bourg, dit-il en désignant les ruines. Je vais dans cette direction. »

Le père Nadal fronça les sourcils, mais ne formula aucune demande.

« Vous devez avoir vos raisons. Je ne sais si nous nous reverrons. Je compte repartir au plus vite pour Paris.

— Avant que nous nous quittions, je dois, si vous me le permettez, vous poser deux questions qui concernent toutes deux ma nouvelle fonction.

— Parlez sans crainte. »

Le père Michaelis observa les bourgeois qui sortaient en grappes du grenier. Il baissa la voix :

« Vous avez lu mes rapports et n'ignorez donc pas que j'ai causé un grand tort au cardinal Alexandre Farnèse. Ce dernier est légat pontifical à Avignon, même s'il n'y réside guère. N'y a-t-il pas quelque danger que la rancœur qu'il nourrit probablement à mon égard ne vienne entraver ma mission ?

— Non. Il fut un temps où notre général obéissait fidèlement à Farnèse. Aujourd'hui la situation s'est inversée. Le fait est que nous avons gagné en puissance depuis quelques années, et que les cardinaux qui se rangent à nos côtés se comptent désormais par dizaines.

— Je comprends. » Le père Michaelis nota avec satisfaction que les bourgeois s'engageaient sur un autre sentier, plus large et mieux entretenu, qui partait depuis l'arrière du grenier. « J'en viens à ma seconde interrogation. J'ai confessé au père Laínez, comme à vous d'ailleurs, avoir incité à un meurtre, ici à Salon. J'espérais avec cet attentat susciter une révolte catholique, mais j'ai sous-évalué la force de la noblesse huguenote. Quoi qu'il en soit, il s'agit bien d'un homicide. Je me trouve donc en état de péché mortel. »

Sur le visage rêche du père Nadal apparut un léger sourire.

« Vous savez bien que chez nous le péché mortel est permis, si la lutte que nous menons l'exige. Dans votre cas, vos intentions étaient louables. Elles ne se sont d'ailleurs pas révélées entièrement stériles, dans la mesure où elles ont contraint nos ennemis à sortir à découvert. À la première occasion, je vous donnerai l'absolution, et nous convaincrons le pape de vous accorder l'indulgence. »

Le père Michaelis comprit qu'il était inutile d'ajouter quoi que ce soit. Avant de prendre définitivement congé, le père Nadal l'interpella cependant :

« Croyez-vous qu'il soit vraiment utile pour vous de rester dans cette modeste ville de trois mille âmes ? Peut-être vaudrait-il mieux que vous vous transfériez à Aix.

— Plus tard. Salon est un lieu plus stratégique qu'il n'y paraît. Ici se sont réunis les états généraux de Provence. Ici habite Tripoly, l'actuel bras droit du comte de Tende. Ici sont réunis les catholiques les plus fervents, de ceux qu'on appelle les *cabans* aux bandits du seigneur des Porcellets. Ici, en outre, réside un homme dangereux, représentant d'une secte dont nous ignorons tout…

— Vous voulez parler de Nostradamus ?

— Absolument. Vous avez entendu vous-même, par la bouche de Lassalle, à quel point sa célébrité s'accroît. Et le meunier ne connaît qu'une part infime de la vérité. Personnellement, je n'aurai de cesse de voir Nostradamus jeté en prison et finir sur le bûcher.

— Alors, bonne chance. J'attends vos rapports. Que Dieu vous protège. » Le père Nadal se recroquevilla dans son manteau et s'éloigna.

Michaelis attendit un peu, puis il marcha vers la bâtisse en ruine. La porte était entrouverte et grinça sous sa poussée. La pièce dans laquelle il entra était privée de meubles, hormis une chaise et une table sur laquelle étaient posés un verre en terre cuite et un broc en bois. Un homme somnolait assis sur la chaise, à côté de la cheminée éteinte.

« Où se trouve-t-elle ? » demanda le père Michaelis sans préambule.

Simeoni sursauta et le fixa de ses yeux embués.

« Elle n'a pas voulu venir, répondit-il d'une voix pâteuse. Elle se méfie de vous.

— Nostradamus l'aurait-il convaincue ? s'enquit le père Michaelis, alarmé.

— Oh, non. Giulia vous est encore très reconnaissante et vous considère comme son sauveur. Ni Nostradamus ni sa vipère de femme n'ont réussi à la faire changer d'avis.

— Pourquoi, alors, se méfie-t-elle de moi ?

— Parce qu'elle reste persuadée que vous me faites du mal. »

Le père Michaelis tressaillit, mais préféra s'abstenir de répondre. Nerveux, il tira de la bourse pendue à sa ceinture une pièce d'or et la posa sur la table.

« Écoute-moi bien, Simeoni. Je dois te parler de cet or, d'un anneau et d'un certain médaillon ayant appartenu à un homme qui se faisait appeler Denis Zacharie. »

Simeoni eut une longue quinte de toux, puis devint attentif.

Le prophète désarmé

« Mais que faites-vous, malheureux ! hurla Chevigny. Arrêtez tout de suite, laissez-le tranquille ! Savez-vous bien qui il est ? Nostradamus, le grand prophète, l'auteur des *Présages* ! »

Il essaya de faire écran de son corps devant son ami, mais un colossal *caban* l'écarta avec autant de facilité que s'il s'était débarrassé d'une brindille.

« Nous savons parfaitement qui il est. C'est un luthérien. Il connaîtra la même fin que ses semblables. » Sur ces mots, il fit tournoyer son bâton, sur lequel était gravée une croix, et l'abattit sur le dos de Michel. Deux autres *cabans,* parmi ceux qui faisaient cercle autour de lui, s'avancèrent, leurs gourdins en main, et se mirent à le frapper à leur tour.

Michel tomba dans le sable, face la première. Il ressentit un élancement terrible à l'échine, qui se propagea immédiatement jusqu'à ses jambes, déjà endolories. Les coups suivants ne le firent pas tant souffrir, mais se mêlèrent à un sentiment d'humiliation, tout aussi pénible que les horions. Les yeux remplis de larmes et de poussière, il se souvint de l'époque encore assez proche où les juifs pouvaient être frappés en toute impunité, parfois à mort, sur la place publique. Ce furent les cloches de l'église Saint-Michel, qui sonnaient à toute volée pour célébrer le vendredi saint, qui lui suggérèrent ce rapprochement. Bien que converti au christianisme depuis plusieurs années, son père avait toujours préféré rester chez lui ce jour-là avec sa famille.

« Il suffit ! Il suffit ! Vous ne voudriez pas le tuer ! cria Chevigny.

— Bien sûr que si ! dit un *caban.* Mais ce n'est pas nous qui nous en chargerons. Le seigneur des Porcellets ne va pas tarder à arriver. Nous égorgerons ton magicien devant la cathédrale, en même temps que les autres hérétiques capturés. »

Michel sortit de sa torpeur et recouvra sa lucidité. Il sentit qu'on lui balançait un coup de pied dans les côtes qui le fit tousser et cracher un filet de sang. Mais les coups se calmèrent progressivement. La perspective d'une exécution publique devait davantage séduire les *cabans* qu'une mise à mort individuelle. Peut-être bénéficiait-il de quelque répit.

Il aurait pu, en faisant usage de sa magie, faire mourir quelques-uns de ses tyrans et effrayer ainsi les autres. Il avait la formule adéquate sur le bout des lèvres. « *Vassis atatlos vesul ectremus, verbo san hêrgo diaboliâ herbonos.* » Il ne l'avait jamais expérimentée, mais Ulrich, quelques années auparavant, lui en avait expliqué les effets. Ses paroles altéreraient l'atmosphère autour de la personne choisie pour cible, produisant en elle des modifications. Son flux sanguin deviendrait irrégulier, gonflant certaines veines et en vidant d'autres. La peau se mettrait à palpiter par endroits, déclenchant d'épouvantables hémorragies. L'homme décéderait au milieu d'une mare de liquide noirâtre.

Mais mieux valait connaître le nom de sa victime, sans quoi le phénomène frapperait au hasard. Michel n'avait pas le courage de décréter la mort à l'aveugle. Il préféra fermer les yeux et attendre passivement son destin. Une voix de baryton vint toutefois l'empêcher de s'abandonner à son supplice imminent.

« Bravo, mes enfants ! Je vois que vous en avez attrapé un autre. Qui est-ce ?

— Nostradamus, le célèbre sorcier, répondit le chef des *cabans.* Le protecteur des Mauvans et de tous les luthériens de Salon.

— Non, c'est faux ! C'est un bon catholique ! cria Chevigny. Un saint inspiré par Dieu ! L'homme le plus grand qui ait jamais existé. »

La voix de stentor prit un accent sarcastique.

« Ah, oui ? Mes bons *cabans,* je vois que vous avez mis la

main sur un gibier de choix. Octroyez donc à ce grand homme son martyre. Tous les saints d'importance ont eu le leur. »

Michel avait déjà reconnu cette voix. Elle appartenait à Jehan de Hans, un prédicateur franciscain âgé d'à peine trente ans, arrivé de Paris quelques jours plus tôt. C'était lui qui, en ce 4 avril 1561, jour du vendredi saint, avait incité les fidèles venus des campagnes à se débarrasser une fois pour toutes des hérétiques. Cinq cents paysans l'avaient aussitôt pris au mot. Quelques maisons brûlaient encore, risquant de propager l'incendie à tout le bourg. Des scènes analogues se déroulaient au même moment à travers toute la Provence, à l'initiative des catholiques, comme à celle des huguenots.

Michel se prépara à mourir. Il revit en songe les trois soleils alignés, qui depuis des années déjà semblaient vouloir lui transmettre un message. Mais cette vision fugace fut aussitôt noyée sous un voile de sang. Le coup qu'il attendait tardait cependant à s'abattre sur sa tête. Il s'aperçut que les clameurs avaient cessé et que seul le son des cloches se faisait entendre.

De sa main droite, Michel ôta le sable de ses paupières et ouvrit les yeux. Il comprit aussitôt la raison de ce calme relatif. Du fond de la rue avançait rapidement et en silence une importante procession, tandis qu'une seconde, moins nombreuse, remontait l'autre extrémité de la rue. Toutes deux brandissaient une bannière représentant la Vierge victorieuse, armée d'une épée. Quantité de lames luisaient d'ailleurs au sein des deux cortèges, la garde baissée ou traînée sur le sol.

Les *cabans* les fixaient sans comprendre, le regard perdu. Jehan de Hans, homme maigre mais vigoureux, à la longue barbe, se fit le porte-parole des paysans. Il marcha avec suffisance vers la plus imposante des processions. Parvenu à quelques pas, il leva la main droite et dit :

« Soyez les bienvenus, mes frères ! Si j'en juge par vos étendards, vous souhaitez vous unir à nous pour infliger une punition à ces huguenots. Le travail de nettoyage vient à peine de commencer et nous manquons de bras. Avant ce soir, il ne restera plus un seul hérétique vivant dans tout Salon. »

Michel était parvenu à s'asseoir. Il tressaillit en voyant que de la procession se détachait un homme qu'il connaissait bien : le meunier Lassalle. Il portait une écharpe blanche en travers de sa poitrine et un chapeau à larges bords orné d'un rosaire.

Lassalle s'avança vers le franciscain et dit d'un ton sec :

« Retourne-t'en à Paris, mon frère. Ici tu nous as déjà causé assez d'ennuis. »

L'autre parut surpris, puis gonfla le torse. Il parla d'une voix encore plus forte qu'à l'ordinaire :

« Qui te crois-tu pour me donner des ordres ? Quelle secte sers-tu ?

— Aucune. Je représente la congrégation des *Battats.* Et voici, à l'autre bout de la rue, celle des petits artisans*. L'émeute que tu as déclenchée, mon frère, risque de ruiner cette ville industrieuse. Retourne chez toi. Nous nous occupons de nos luthériens. »

Jehan de Hans se tourna tout à coup vers les *cabans.* Il fit un geste ample et dramatique.

« Avez-vous entendu, mes frères, cet impudent ? Ceux-là cherchent protection sous le manteau de la Vierge, mais ce n'est en vérité qu'un tas d'hérétiques. Empoignez vos bâtons et dispersez-les ! »

Aucun des *cabans* ne bougea. Plusieurs d'entre eux rejetèrent au contraire leur capuchon gris en arrière, découvrant leurs crânes rasés. Ils paraissaient au comble de la gêne.

Le meunier rit.

« Il est inutile de te donner tant de mal, mon frère, aucun d'eux ne touchera à un seul de nos cheveux. Ils connaissent bien ceux qui m'accompagnent. » Il désigna la foule derrière lui. « Tout ce que la ville de Salon compte de vendeurs, d'acheteurs, de prêteurs sur gages, d'employeurs, de notaires et de juges participe à ce cortège. Tous les petits commerçants se sont regroupés dans l'autre. Tes *cabans* savent reconnaître la main qui les nourrit. »

Le franciscain ne s'avoua pas vaincu.

« Ne tombez pas dans ce piège ! cria-t-il aux siens. La dernière fois, déjà, vous vous êtes pliés aux nobles et êtes retournés dans les champs ! Pour découvrir qu'ils avaient presque tous embrassé l'hérésie huguenote ! »

Le chef des *cabans* se chargea de lui répondre :

« Ceux-là ne sont pas nobles, frère Hans, et pas davantage hérétiques. Ce sont les bourgeois qui nous cèdent une avance au cœur de l'hiver, achètent les paniers tressés par nos femmes et administrent les magasins d'approvisionnement. Avec tout le respect que nous vous devons, nous ne serons pas assez fous pour leur causer du tort. »

Michel aurait voulu écouter la suite de cette conversation, qui s'annonçait pour le moins animée. Mais Chevigny, profitant de la pause, était accouru vers lui et le tirait par les bras. Il fut contraint de se remettre debout, malgré les élancements qui martyrisaient son échine et ses flancs. Il entendit la voix de Jehan de Hans crier : « Derrière tout ceci, je vois l'empreinte des jésuites ! Ils se sont emparés de Salon sans qu'aucun de vous ne s'en aperçoive, pauvres idiots ! Mais ils ne perdent rien pour attendre, ces hypocrites ! Un jour ou l'autre… » La voix se perdit dans le dos de Michel, traîné par Chevigny. La procession des petits artisans s'ouvrit avec indifférence pour les laisser passer.

Dans les rues qui menaient au quartier Ferreiroux régnait un certain calme, même si portes et fenêtres étaient barricadées et si quelques commerçants gardaient leurs boutiques, armés de gourdins.

« Comment vous sentez-vous, maître ? finit par demander Chevigny.

— Mal, répondit Michel, et il disait la vérité. Mais je ne souhaite ni me soigner ni me reposer. Je désire quitter immédiatement ce maudit pays. Il ne m'a réservé qu'injures et humiliations, et voilà qu'à présent on me roue de coups. Je serai déjà loin avant que le calme, et je l'espère aussi la raison, ne reviennent.

— Je vous comprends, maître, mais n'exagérez pas le danger, dit Chevigny. Si notables et bourgeois se montrent hostiles à la révolte, cette dernière cessera. Du reste, je pense que d'ici quelques heures les soldats du comte de Tende et du commandant Tripoly ne tarderont pas à être ici. Et cette fois, ils ne se feront pas prendre par surprise. »

Michel serra les dents, assailli par les douleurs des ecchymoses, ajoutées à celles de ses pauvres jambes. Il ne réussit à parler qu'après avoir craché le sang qui imprégnait encore sa bouche.

« Je ne suis pas tranquille. Le mois de mars s'est conclu par de funestes présages. Ouragans et grêles d'une violence inouïe se sont abattus dans tout le Sud-Ouest. Ici et là, la peste est réapparue. Je prévois des malheurs pour moi, pour Jumelle, pour vous, pour nous tous. Je n'ai guère envie de rester dans cette ville ivre de haine. »

Chevigny leva les bras au ciel, retirant ainsi son appui à son maître, qui manqua tomber.

« Ah, quel grand, quel très grand prophète ! Mon Dieu, je suis si ému que je vais me mettre à pleurer ! Vous aviez tout prévu, dans les moindres détails !

— Qu'ai-je donc prévu ? demanda Michel, déconcerté.

— Écoutez, je connais les vers par cœur ! » Chevigny porta les mains à ses tempes et récita :

Montauban, Nismes, Avignon et Besiers,
peste, tonnerre et gresle à fin de Mars,
de Paris pont, Lyon mur, Montpellier,
depuis six cents et sept-vingt trois pars*.

Michel aurait souhaité aborder un autre sujet. Il secoua toutefois la tête.

« Si les deux premiers vers font bien allusion aux calamités du Sud-Ouest, j'ignore en revanche ce que le pont de Paris, le mur de Lyon et Montpellier peuvent signifier...

— Le fait est que vous ne suivez pas les chroniques, autrement vous en connaîtriez le sens. À Paris, il y a quelques jours, les huguenots ont suscité de violents désordres au Pré-aux-Clercs, engageant une furieuse bataille sur le pont Saint-Michel. À Lyon, ils ont tenté d'interrompre une procession, mais se sont trouvés bloqués par les murs de la ville. Il n'est pas dit d'ailleurs qu'ils n'essaieront pas de nouveau. À Montpellier, enfin, ils se sont rendus maîtres de l'église Notre-Dame-des-Tables et en contrôlent l'entrée, les armes à la main. Tout ceci me stupéfie.

— Vous avez raison », murmura Michel tout en observant au loin sa propre demeure, heureusement encore intacte. Devant la façade, il aperçut cependant une inquiétante animation

Indifférent à ce qui passait autour de lui, Chevigny n'avait pas l'intention d'interrompre là son exégèse.

« Je ne parviens cependant pas à comprendre la dernière rime et tous ces chiffres. »

Michel fut sur le point de l'envoyer au diable, mais il tenta de se dominer.

« Si vraiment vous tenez à le savoir, je peux vous y aider. En transcrivant mes visions, j'essaie de ne pas fournir de dates trop précises, pour ne pas effrayer le lecteur moyen. J'adresse cependant un signe au lecteur averti en retranchant ou en ajoutant à la date quelques centaines d'années.

— C'est vrai ! s'exclama Chevigny. Tous les quatrains qui concernent les Templiers sont datés avec ce système !

— Oui, et pas seulement ceux-là. Prenez le quatrain dont nous sommes en train de parler. Multipliez sept par vingt-trois. Qu'obtenez-vous ?

— 161.

— Maintenant, ajoutez-y 600. Combien cela fait-il ?

— 761.

— Exact. À présent il suffit d'additionner une quantité arbitraire de siècles. Disons huit, soit 800 ans. Quel est le résultat ?

— 1561. » Chevigny se mit à pâlir. « Que Dieu me garde ! Mais c'est l'année en cours !

— Absolument. Et maintenant, par pitié, ayez l'obligeance de me laisser en paix. »

Ce que Michel apercevait désormais devant sa maison l'inquiéta terriblement. Une grosse charrette s'était rangée devant l'entrée, et diverses personnes y entassaient meubles et bibelots. Ayant le soleil dans les yeux, il ne put reconnaître les pillards, dont il n'apercevait que les silhouettes. Il voulut se mettre à courir, mais une insupportable douleur aux tendons l'en empêcha. Il se mit alors à poser une jambe raide après l'autre, comme une poupée dont on aurait bougé successivement les articulations. Par chance, la rue était en pente descendante.

« Michel ! Enfin ! J'allais partir à ta recherche… Mais que t'est-il arrivé ? »

Entendre la voix de Jumelle fut pour Michel un baume capable de lui redonner un peu de force. Il courut au-devant de son épouse et l'enlaça. Il la tint serrée contre lui, joue contre joue, l'espace d'un instant qui lui parut à la fois éternel et trop bref. Puis il l'écarta de lui doucement et la fixa de ses yeux sombres.

« Ne te préoccupe pas pour moi, mon amour. Explique-moi plutôt pourquoi vous empilez toutes ces affaires ?

— Nous sommes en danger, Michel ! En grand danger ! »

Michel acquiesça.

« C'est exact, mais je crois que sous peu le calme reviendra. Les bourgeois de Salon s'efforcent d'anéantir le fanatisme, et je pense qu'ils y parviendront. » Il vit Giulia et Simeoni, occupés à hisser un fauteuil sur la charrette. « Je crois savoir que quelqu'un que nos amis connaissent bien se trouve à l'origine de tout ce désordre. Mais il n'y a pas lieu de s'alarmer.

— Bien au contraire ! dit Jumelle. Le capitaine d'Isnard est venu nous voir il y a une heure. Il affirme qu'un mandat d'arrêt contre toi va bientôt t'être délivré ! »

Michel sursauta, puis haussa les épaules.

« Les *cabans* se sont acharnés sur moi, mais ils m'ont libéré presque aussitôt. Un mandat d'arrêt émis par eux ne vaut rien.

— Mais celui-là était signé par le roi de France ! »

Cette révélation troubla énormément Michel. Il déglutit à maintes reprises.

« Dis-tu vrai ? »

Mais Jumelle ne l'écoutait pas. Elle observait la bouche de son mari. Puis ses yeux intelligents se posèrent sur sa cape, trouée à un coin, sur la chemise qui dépassait de sa ceinture, sur ses chausses toutes souillées de terre.

« Quelle imbécile ! murmura-t-elle. Je ne m'étais encore aperçue de rien… Quelle égoïste je fais ! Tu as du sang séché sous la lèvre, sur la barbe et sur tes vêtements. » Elle posa les mains sur les joues de son mari et les attira à elle. « Que t'est-il donc arrivé ? Raconte-moi, mon pauvre chéri… »

Michel esquiva la question.

« Oh, rien de vraiment grave. Chevigny te fera un récit circonstancié… Mais où donc est-il passé ? »

Il aperçut le jeune homme sur le seuil de sa maison. Ce dernier avait vu Blanche sortir, un vase dans les mains, et avait aussitôt couru vers elle. Il lui disputait à présent le transport de ce lourd objet, avec une insistance exagérément galante.

Jumelle leur décocha une œillade critique.

« Blanche est une délicieuse petite, mais elle mériterait un homme un peu mieux pourvu au niveau du caleçon, et un peu moins bête. » Elle se retourna vers son mari. « Michel, tu sais combien le capitaine d'Isnard est une personne digne de foi et un ami sincère. J'ai pris son avertissement au sérieux. C'est pour cette raison que j'ai fait venir la charrette. Je crois qu'il serait préférable de nous transférer ailleurs, en attendant que reviennent tranquillité et sécurité.

— D'accord, mais où pouvons-nous aller ?

— Mon premier mari, messire Ponsard, que Dieu ait cette moitié d'homme en sa miséricorde, possédait une maison à Avignon, rue de la Servellerie, dans la paroisse de Saint-Agricol. J'ai pensé que nous pouvions nous rendre là-bas.

— Si ce mandat d'amener existe vraiment et qu'il s'avère bien signé par le roi, il restera aussi valable à Avignon qu'à Salon.

— Certes, mais avec tout le marasme qui règne dans les environs, qui viendra nous y chercher ? À Salon, par contre, tous connaissent ton adresse. Donne-moi raison, mon amour. Fuyons pendant qu'il en est encore temps. »

Michel restait indécis, quand il vit un spectacle qui le décida. Christine sortait de la maison en poussant devant elle sa nichée d'enfants. Magdelène, César, Charles et André se tenaient désormais tous sur leurs jambes. La jeune fille tenait en revanche Anne dans ses bras.

L'idée que quelqu'un puisse faire souffrir sa progéniture le terrorisa. Il courut à l'intérieur rassembler ses affaires. Une demi-heure plus tard, la charrette se mit péniblement en marche, tirée par un cheval aussi patient qu'une bourrique. Michel faisait office de cocher, tandis que Jumelle, Christine et les enfants avaient grimpé sur le monceau de leur chargement, recouvert d'une toile cirée. Giulia, Simeoni, Blanche et Chevigny les suivaient à pied, deux par deux.

Michel fit signe à Giulia de le rejoindre. La jeune femme se sépara de son amant, accéléra le pas et avança jusqu'à la hauteur du siège. Le cheval progressait si lentement qu'il ne lui fut pas difficile de battre de vitesse l'allure du disgracieux animal.

Michel se pencha vers elle.

« Giulia, je me dois d'aborder un sujet qui, je le sais, vous déplaît. Il y a quelque temps, vous m'avez révélé que ce jésuite, le père Michaelis, vous avait poussés, Gabriele et vous, à mettre fin aux jours de Curnier. Puis, vous n'avez plus souhaité m'en parler. Je ne connais pas ce religieux, mais…

— Mais si… Vous l'avez rencontré à la cour de la reine.

— Cela se peut, mais je n'en ai nul souvenir. Je suis surpris que vous le défendiez chaque fois que j'évoque son nom. Je suis un peu effrayé par le poids que cet homme porte sur ses épaules. Il semble que ce soit lui, conduit par je ne sais quels intérêts, qui attise les révoltes de Salon, pour ensuite les éteindre quand cela lui chante. Il semble régenter la vie de la ville selon un plan préconçu, connu de lui seul. Au fond, il vous a utilisée, vous aussi, comme un simple instrument. »

Giulia secoua sa chevelure blonde, retenue par une résille.

« Vous ne connaissez pas tous les détails de cette histoire, et je ne peux vous les expliquer. Tout ce que je peux vous dire est que le père Michaelis m'a sauvé la vie et m'a cachée à ses risques et périls. C'est un homme à la foi sincère, un authentique idéaliste. Bien différent de nombre de prélats que j'ai connus. Je ferai toujours tout ce qu'il me demandera.

— Dites-moi franchement : serait-il par hasard tombé amoureux de vous ? »

Giulia tressaillit, puis baissa la tête.

« Je crois que oui, à sa manière. Mais il m'a toujours respectée, et je reste persuadée qu'il continuera à le faire. Pourquoi me posez-vous cette question ? »

Avant de répondre, Michel regarda par-dessus son épaule, puis baissa la voix autant que le bruit des sabots du cheval sur le pavé le lui permettait.

« Parce que, tout en vous respectant, il s'est acharné sur votre Gabriele, comme s'il en était jaloux. Il l'a fait chanter, lui a offert une arme, l'a converti à la boisson et à une vie dissolue. Gabriele n'est plus que l'ombre de l'homme qu'il était autrefois. Je sais que ces paroles vous feront souffrir, mais c'est la vérité. »

Giulia parut terriblement perturbée, puis elle releva la tête. Elle fixa sur Michel ses yeux limpides, à présent voilés de tristesse.

« J'ai moi aussi soupçonné que le père Michaelis était jaloux de Gabriele, sans même le savoir, et qu'il lui faisait du mal par amour pour moi. Mais même si cela était vrai, je suis la seule coupable, car je n'ai pas su rester assez proche de Gabriele pour le ramener sur le droit chemin. Je m'efforce aujourd'hui de réparer mes torts. » Giulia fit une pause, puis ajouta : « Le père Michaelis a probablement commis des fautes, mais envers moi il a toujours été d'une bonté infinie. C'est pourquoi je me suis juré de lui obéir, toujours et malgré tout. Apprenez simplement une chose : ma mère et moi avons subi les humiliations les plus honteuses, à cause de l'excommunication que Paul III avait proclamée contre nous. Or, le père Michaelis est intervenu auprès du cardinal Farnèse, pour que cet anathème soit levé. Cet acte a marqué pour moi la fin d'un horrible cauchemar et la certitude que ma vie serait différente de celle de ma pauvre mère. »

Michel approuva.

« C'est vrai, vous m'aviez informé de la levée de votre condamnation. Le père Michaelis a effectivement accompli là un geste des plus nobles à votre égard.

— Il a fait bien plus que cela ! Il m'a redonné espoir ! Je sais à présent que les épreuves que je traverse en ce moment ne sont que passagères. Le moment viendra où je pourrai épouser Gabriele et l'aider à redevenir l'homme qu'il était. » Giulia parlait avec passion. Elle fouilla dans son décolleté et en tira un petit parchemin roulé avec soin. « Je porte toujours l'absolution papale sur mon cœur. Je la regarde chaque fois que je suis malheureuse. Elle m'aide à réaliser qu'un futur plein de promesses m'attend. »

Michel fronça les sourcils.

« Vous savez donc lire ?

— Oh, non. Seulement quelques mots, ici et là. Ma mère n'a jamais voulu que j'apprenne. Il m'est encore douloureux de l'admettre, mais elle nourrissait envers moi une sorte de jalousie et ne souhaitait pas que je réussisse à l'égaler.

— Pourrais-je voir ce document ? »

Giulia hésita, puis lui tendit le rouleau.

« Bien sûr. »

Michel serra les rênes entre ses genoux et déroula le parchemin. La calligraphie s'enrichissait de toutes sortes de fioritures et de signes conventionnels qu'utilisaient d'ordinaire les copistes et les nobles, afin que seuls leurs collègues soient en mesure d'interpréter le texte qui leur était délivré. Il dut faire un effort pour réussir à déchiffrer le contenu de la feuille. Ces lettres fleuries acquirent finalement un sens :

> *Priapus Quintus Episcopus, servus servorem Dei,*
> atteste que la porteuse de la présente bulle est dotée de deux seins doux et parfumés, et d'un ventre humide et accueillant.
> Ordonne à tous les fidèles d'user pour leur plaisir de tant de grâce divine, car nulle part il n'est dit que le paradis ne se puisse goûter qu'après la mort.
> *Datum i Roma apud lupanarem Johannae Florentinae.*
> M.D.LIX.

Les larmes vinrent aux yeux de Michel. Giulia tendait la main pour récupérer son précieux document. Dominant la boule qui serrait sa gorge, il lui dit :

« Permettez que je garde ce parchemin, je vous prie. La route pour Avignon est loin d'être sûre, et nous pourrions rencontrer quelque danger. Caché dans ma bourse, votre document ne peut craindre d'être égaré. »

Giulia parut perplexe, puis lui sourit :

« J'ai confiance dans le père Michaelis, mais j'ai également confiance en vous. Conservez-le donc. »

Michel reprit les brides en main et n'ajouta plus rien. Il connaissait à présent le nom de l'artisan de tant de malheurs. Il se promit de lui rendre toutes les souffrances qu'il avait causées et se préparait encore à occasionner. Avec les intérêts.

Confrontation directe

Tandis qu'il s'approchait du château de Marignan, par une froide matinée de décembre 1561, le père Michaelis se sentait euphorique. Après tant d'efforts, les choses s'ajustaient enfin presque par enchantement. Avant tout, la scandaleuse tolérance de Catherine de Médicis à l'égard des huguenots commençait à s'amenuiser. La faute, il lui fallait bien l'admettre, devait en être imputée aux huguenots eux-mêmes. L'affaiblissement des Guise semblait leur avoir donné un sentiment illusoire d'impunité. Au lieu de jouir de leur victoire, ils avaient déchaîné dans toute la France une offensive contre l'Église catholique et ses symboles. Les édifices religieux avaient été occupés, les statues de la Vierge et des saints détruites à coups de marteau et de pioche. Des épisodes de ce genre s'étaient déroulés au printemps dans la Haute Provence et la vallée du Rhin, suivis des destructions iconoclastes d'Orange, de Montpellier, de Nîmes, d'Agen et de dizaines d'autres localités. De nombreux prêtres catholiques avaient été assassinés en cherchant inutilement à protéger leurs lieux de culte de la furie des destructeurs.

Les huguenots avaient même poussé l'audace jusqu'à envisager de s'emparer de la cité de Lyon. Le complot avait bien failli réussir. Catherine de Médicis avait alors réuni à Poissy, en un ultime effort de conciliation, théologiens catholiques et calvinistes, dans l'espoir de les inciter à un compromis doctrinal. Mais l'intransigeance de Théodore de Bèze, du côté huguenot, et du cardinal de Lorraine, du côté catholique, avait fait échouer la manœuvre. Entre-temps, la nouvelle que les réformés recrutaient une véritable armée était parvenue à la cour. La menace ne planait plus seulement sur les Guise, mais aussi sur le très jeune souverain, Charles IX. La reine se préparait à agir avec la rage d'une lionne qui voit son petit en danger.

« Poussons-nous jusqu'à l'entrée principale ? » demanda le cocher, quand le château fut en vue.

Le père Michaelis passa la tête par le fenestron.

« Oui. J'ai averti le comte de mon arrivée. » Il lança un coup d'œil distrait à la campagne lombarde, toute recouverte de neige, et rentra la tête.

Abandonné contre le dossier rembourré de la banquette, il savoura son second motif de satisfaction. Nostradamus avait été enfin arrêté ! Cette nouvelle dépassait ses espérances les plus folles. Depuis un certain temps déjà, il avait envoyé à la cour tous les opuscules qu'il avait fait rédiger : *Monstradamus, Le Monstre d'Abus,* la *Déclaration des abus, ignorances et séditions de Michel Nostradamus*, et d'autres encore. L'effet en avait été nul. La renommée du « prophète » ne faisait que croître, et même Ronsard, l'élégant poète idolâtré par la France entière, l'anti-Rabelais par excellence, avait dédié au visionnaire de Salon un hommage dithyrambique en vers.

Puis, Dieu merci, une idée géniale avait permis au père Michaelis d'amener Charles IX à jeter en prison ce coquin, à peine revenu de quelques mois d'exil à Avignon. Il ne lui restait plus à présent qu'à le remettre tranquillement aux mains de l'Inquisition. La corde, le chevalet et les autres délicats instruments du Saint-Office se chargeraient du reste.

Le château, propriété du comte de Tende, qui y séjournait durant les mois d'hiver, n'avait vraiment pas l'allure d'une prison. C'était une construction vaste et élégante, plus proche d'une villa que d'une forteresse, si elle n'avait point été flanquée d'une paire de grosses tours. Le corps de garde, extrêmement réduit, se limitait à une poignée de soldats enveloppés dans de lourds manteaux et armés de simples piques. D'autres hommes d'armes, à coup sûr des mercenaires, avaient allumé un feu dans un champ, à un endroit où la neige avait fondu, et conversaient nonchalamment entre eux.

« Je suis le père Sébastien Michaelis, de la Compagnie de Jésus. J'ai l'autorisation de rendre visite au prisonnier. »

L'officier de garde accueillit cette déclaration avec stupeur.

« Vous êtes attendu, mon père, mais je ne comprends pas à quel prisonnier vous faites allusion.

— L'hérétique qui a été enfermé dans les cachots du château.

— Les cachots ? » L'officier se tourna vers un de ses frères d'armes : « As-tu jamais entendu parler de cachots ?

— Non, à moins que le père ne veuille parler des caves.

— Ah, oui, cela se peut. » L'officier regarda Michaelis. « Quoi qu'il en soit, le comte de Tende est au courant de votre visite et a donné l'ordre de vous faire entrer. Vous pouvez amener votre carrosse jusqu'au portail. Le personnel de service s'occupera des chevaux et vous conduira dans le cabinet de travail du comte. »

Le père Michaelis rentra la tête dans l'habitacle et attendit que le cocher l'ait conduit jusqu'à l'entrée. Deux serviteurs vinrent à sa rencontre et, à l'annonce de son nom, le saluèrent d'une courbette.

« Suivez-moi, mon père, dit un domestique âgé, vêtu d'une élégante livrée verte. Les appartements de monsieur le comte et de madame la comtesse se trouvent au second étage. »

L'intérieur du château se révéla moins frivole que l'extérieur ne le laissait supposer. Dans le vestibule, de nombreux soldats, en tenue d'arquebusier, nettoyaient leurs armes ou astiquaient leurs épées. Les tapisseries faisaient preuve d'une étonnante sobriété, et le long des couloirs s'alignaient des cuirasses en parfait état, qui ne paraissaient guère anciennes. On aurait dit qu'elles étaient là non pour embellir l'espace, mais pour être utilisées en cas de nécessité. Les panoplies d'estocs et de haches d'armes suspendues aux murs suggéraient elles aussi l'idée d'un arsenal prêt pour un emploi rapide. Apparemment, le comte de Tende n'oubliait pas la guerre civile qui sévissait dans cette Provence pourtant lointaine, bien qu'il évitât de montrer ses craintes à quiconque.

L'attente du père Michaelis devant le cabinet de travail du gentilhomme, situé au sommet d'un vaste escalier de marbre, fut de courte durée. Quand le domestique sortit, le comte en personne vint à la rencontre de son visiteur, un grand sourire sur son visage un peu mou.

« C'est un honneur pour moi d'accueillir dans mon château le représentant d'un ordre si jeune mais déjà si prestigieux, commença-t-il. Voilà longtemps que je désirais faire un brin de causette avec un jésuite. »

Le père Michaelis s'inclina.

« Je discuterai volontiers avec vous, monsieur le comte. Vous connaissez cependant le but principal de ma visite. »

Claude de Tende plissa imperceptiblement le front.

« Oui, j'ai lu votre lettre. Et j'avais déjà auparavant pris connaissance de la missive de Sa Majesté Charles IX. » Il désigna son écritoire, encadrée de deux fauteuils dorés doublés de velours rouge. Un gros chandelier de table suppléait à la lumière du jour, si faible qu'elle éclairait à grand-peine la pièce.

Tous deux prirent place. Le père Michaelis remarqua aussitôt un volumineux fascicule sur lequel avaient été tracées à l'encre, d'une main hâtive, les lettres *SJ.* Le comte s'était certainement documenté sur la Compagnie, la *Societas Jesus,* avant de le recevoir. Et il ne se souciait pas de le cacher. On aurait même plutôt dit que ce dossier avait été laissé bien en vue tout exprès pour laisser entendre à Michaelis qu'il avait en face de lui un interlocuteur averti.

« Venons-en tout de suite au fait, dit le comte. J'ai obéi fidèlement à l'ordre de Sa Majesté. Le 16 décembre, je me suis rendu personnellement à Salon, où j'ai arrêté le docteur Michel de Nostre-Dame. Je l'ai alors conduit ici, où il se trouve encore.

— Dans les cachots, j'imagine.

— Les cachots ? Nous n'avons rien de similaire dans cet édifice, et d'ailleurs l'ordre du roi ne mentionnait pas la prison ferme. Non, j'ai accueilli le docteur dans mes appartements. »

Michaelis s'attendait à un aveu de ce genre, et pourtant il sursauta.

« J'espère que vous plaisantez », laissa-t-il échapper.

Les yeux placides du comte se durcirent instantanément.

« Mon père, vous oubliez que vous parlez au gouverneur de la Provence. Je peux me montrer très tolérant, mais je n'admets pas l'insolence. Ni de la part d'un laïque, ni de la part d'un religieux. »

Le père Michaelis se hâta de baisser le regard.

« Veuillez m'excuser, je ne voulais pas vous paraître irrespectueux, murmura-t-il, feignant une soumission qu'il n'éprouvait aucunement. Ma stupeur vient de ce que je réalise que vous ignorez peut-être tous les chefs d'accusation qui pèsent sur Nostradamus, ainsi que leur gravité.

— Leur gravité ? » Le comte de Tende haussa les épaules, accompagnant ce geste d'un petit rire. « Dans sa lettre, Sa Majesté me demande d'enquêter sur l'auteur de présages si sombres et si tragiques qu'ils pourraient susciter des désordres, à une époque qui n'en connaît que trop. Eh bien, j'ai mené mon enquête. Les almanachs de Nostradamus prédisent en effet quantité d'événements funestes. J'ai donc prié son auteur, au nom de notre vieille amitié, de modérer à l'avenir son ton. Et je l'ai retenu ici non en qualité de prisonnier, mais d'hôte. »

Le père Michaelis décida de se montrer à tout prix conciliant.

« Assurément, vous avez très bien fait, monsieur le comte, puisque l'ordre du roi comportait un caractère si vague. Je suis cependant en mesure de vous informer plus en détail sur les enquêtes conduites au sujet de Nostradamus, sur ordre du cardinal de Lorraine. Vous déciderez vous-même par la suite s'il se montre encore digne de demeurer votre invité, ou s'il ne mérite pas au contraire un traitement beaucoup plus rigoureux.

— Je vous écoute. Parlez, mais, s'il vous plaît, évitez de mentionner cette légende de l'appartenance de Nostradamus au parti huguenot. J'ai eu entre les mains les épreuves de ses *Présages* pour l'année 1562. Ils sont dédiés à Fabrizio Serbelloni, cousin du pape Pie IV et commandant militaire du Comtat Venaissin. Aucun hérétique ne dédierait un almanach à l'homme envoyé par le pape pour défendre la suprématie catholique en Provence. »

Le père Michaelis opina.

« Ce que vous dites est vrai, mais je ne prêterais pas trop foi aux dédicaces. Si je ne me trompe, l'almanach de 1561 était adressé à Pie IV en personne…

— Oui. Et celui de 1560 m'était consacré, ajouta le comte de Tende avec satisfaction.

— Je le sais. Toutefois l'accusation qui pèse sur Nostradamus ne concerne ni l'hérésie, ni la sédition, mais plutôt la sorcellerie. »

L'aristocrate parut surpris, mais ne perdit pas contenance. Il esquissa un sourire.

« Vous ne voudriez pas me faire croire que le cardinal de Lorraine s'occupe, en un moment comme celui-ci, d'allégations de ce genre. Tout le monde sait que Nostradamus est un astrologue, mais pas une ligne de ses écrits ne prouve qu'il s'agit d'un nécromant. »

Pour le père Michaelis commençait la phase la plus difficile de cet entretien. Il devait persuader un homme entièrement voué à la politique de prendre au sérieux une accusation complètement étrangère à ses intérêts, de surcroît fondée sur des preuves si faibles que même le plus fanatique des inquisiteurs espagnols les aurait jugées insuffisantes. Et pourtant, il lui fallait réussir : l'enjeu était bien trop élevé. Il inspira profondément et commença :

« Il est malaisé en effet de déduire des écrits de Nostradamus un commerce direct avec le diable. Vous aurez toutefois remarqué les frontispices de ses œuvres.

— Oui, mais je n'y ai rien vu de compromettant.

— Le plus souvent y figure le dessin de Nostradamus soutenant un globe terrestre et pointant le doigt vers les étoiles du zodiaque. »

Le comte de Tende écarquilla les yeux.

« C'est exact. Et alors ?

— Ce geste répète l'iconographie traditionnelle d'une divinité persane représentant le soleil : Mithra, ou *Mythras*. Des références de ce type sont présentes à travers toute la vie et l'œuvre de Nostradamus. Son blason de famille porte l'inscription *Soli Deo,* qui peut être lue comme une consécration “au dieu Soleil”. Dans l'*Épître à César,* qui ouvre l'édition de ses prophéties parue il y a six ans, il prétend que son inspiration lui vient “du plus haut des astres”. Dans sa propre demeure, il s'abandonne à ses visions, couronné de laurier, une plante solaire, et les transcrit en se servant d'une plume de cygne, un oiseau cher au soleil…

— Comment savez-vous tout cela ? demanda le comte, effrayé.

— Je possède mes informateurs. Du reste, il suffit de lire les livres que Nostradamus a écrits. Dans un volume qui n'a jamais été imprimé, dédié aux hiéroglyphes égyptiens, il mentionne fréquemment le nom de "l'Œil", en tant que symbole royal. Or, dans les *Dialogues d'amour* de Léon l'Hébreu, l'un des textes dans lesquels Nostradamus puise le plus souvent, le soleil est appelé "l'Œil de Dieu" ; l'équivalent de "l'Œil de Zeus" de la magie gréco-romaine. Léon l'Hébreu a en fait volé ce même concept à Marsile Ficin, qui attribue au soleil une puissance divine. Et Ficin, à son tour, a inspiré l'astrologue Antoine Mizauld, dont Nostradamus…

— En somme, cessez donc de pérorer ! cria le comte exaspéré. Pourquoi me racontez-vous tout cela ?

— Parce que depuis quelques minutes, je suis en train d'observer cette tenture, répondit, impassible, le père Michaelis, désignant l'un des rideaux de velours vert qui occultaient partiellement les fenêtres. Et qu'il me paraît évident que quelqu'un se cache là-derrière. Et je ne serais pas très étonné, monsieur le comte, si ce quelqu'un n'était autre que votre ami Nostradamus. »

L'aristocrate s'empourpra et ne sut que répliquer. Le père Michaelis savoura brièvement son triomphe, puis se dirigea vers la tenture :

« Allons, sortez, docteur. Vous n'êtes plus un enfant. Vous avez parfaitement compris ce dont je vous accuse. Venez vous disculper. »

Le velours frémit, puis Nostradamus sortit en boitillant de sa cachette.

« Je n'ai pas à me disculper. »

C'était la première fois que le père Michaelis se trouvait face à face avec son ennemi depuis leur rencontre à la cour de Catherine de Médicis. Il aurait préféré éviter un affrontement direct, mais le piège grossier tendu par le comte le lui avait imposé. Il fixa le prophète avec une vive curiosité. La petite taille, le nez rouge, la barbe excessivement longue et un peu sale, et le drôle de béret carré n'évoquaient ni la figure d'un magicien ni celle d'un adversaire valable. Ses yeux, voilés d'une mélancolie rare chez les hommes médiocres, dénotaient toutefois une grande intelligence ; tandis que sa voix, douce et sereine, suggérait une certaine sagesse.

Nostradamus boita jusqu'au fauteuil le plus proche et s'y laissa tomber, comme si l'effort de rester longtemps debout l'avait harassé. Il ferma un instant les paupières, puis les rouvrit.

« L'idée de cette mise en scène ne vient pas de moi, ni de monsieur le comte. C'est vous qui nous avez surpris en pleine conversation. Mieux valait que vous ignoriez l'intimité qui me liait au gouverneur.

— Autrement, votre statut de prisonnier n'aurait pas tenu, n'est-ce pas ? » Tout en formulant cette question, le père Michaelis lui fit comprendre du regard qu'il n'attendait pas de réponse. Il ajouta : « Savez-vous de quoi vous êtes accusé ? »

Ce fut au tour de Nostradamus de sourire.

« La question classique qui ouvre les interrogatoires du Saint-Office. Peut-être vaut-il mieux que vous la reformuliez ?

— Volontiers. Vous m'avez parfaitement entendu. Comprenez-vous de quoi je vous soupçonne ?

— Je crois que oui, mais je préfère l'entendre de votre bouche.

— Je vais vous le dire tout de suite. Je vous soupçonne d'être un hérétique, mais d'une hérésie différente de celle des huguenots. Comme Hermès Trismégiste, *Picatrix,* Ficin, Léon l'Hébreu et Mizauld, vous considérez les planètes comme des puissances célestes, ayant le Soleil pour souverain. Votre hérésie se nomme paganisme. Pour vous, la planète Mars s'apparente au dieu Mars, la planète Mercure au dieu Mercure, et ainsi de suite, jusqu'à reconstituer entièrement le panthéon antichrétien, sous les fausses apparences du firmament. »

La discussion avait pris un tour trop savant pour que le comte de Tende puisse la suivre. L'aristocrate fit toutefois observer, comme pour faire oublier son récent embarras :

« Tous les astrologues pensent la même chose. Et pourtant on les tolère.

— Moi pas, rétorqua d'un ton tranchant le père Michaelis. Soutenir que le destin des hommes est écrit dans les planètes ou le zodiaque signifie le confier à ces mêmes dieux que les chrétiens ont rejetés. En ce sens, les astrologues se rapprochent des huguenots. Tous deux croient que notre destin est décidé d'avance et qu'en conséquence la confession ou l'indulgence ne valent rien. Mais alors que les huguenots rencontrent une certaine résistance, les astrologues, par leurs simplifications, réussissent à introduire leurs conceptions païennes au cœur de chaque foyer.

— Je crois en notre Seigneur, Jésus-Christ, fils de Dieu», dit Nostradamus, sans paraître le moins du monde troublé.

Le comte de Tende renchérit :

« Et je peux le prouver. Depuis qu'il réside en mon château, Michel s'est rendu à la messe tous les jours. Et je me permets de vous rappeler, mon père, que son frère Jehan, parlementaire à Aix, a dû goûter la paille humide du cachot pour avoir défendu avec trop de vigueur la cause catholique. »

Le père Michaelis acquiesça.

« Je ne mets pas en doute la sincérité de la profession de foi du docteur Nostradamus. Il a également existé autrefois une doctrine diabolique qui a tenté de marier christianisme et esprits planétaires, culte du soleil et adoration de Dieu. Elle se nommait gnosticisme. Voilà le nom de l'hérésie à laquelle ce sorcier adhère. »

Michaelis ne s'attendait pas à une confession, qui d'ailleurs ne vint pas, mais il attendait au moins une réponse. Nostradamus haussa mollement les épaules et dit :

« Ce sont là des élucubrations de votre cru, qui ne possèdent aucun poids. Du reste, ce n'est pas pour cette raison que Charles IX a chargé monsieur le comte de m'interroger.

— C'est parfaitement exact ! » s'exclama Claude de Tende. Il regarda le jésuite avec une antipathie déclarée. « Mon père, que je sache, vous n'êtes ni le cardinal de Lorraine ni même un inquisiteur. Et encore moins un agent de la justice royale. Mon devoir est de m'occuper d'une guerre civile, et non d'almanachs. Pensez donc à vos pauvres, et je pourrai m'en retourner à mes affaires.

— Et s'il existait un rapport direct entre la guerre civile et les activités de ce présumé prophète ? »

Cette fois, Nostradamus parut vraiment stupéfait. L'une de ses jambes se mit à trembler légèrement, à tel point qu'il dut la maintenir immobile à l'aide de sa main.

« Sur quel prétendu rapport êtes-vous en train de divaguer ? »

Le père Michaelis abordait un passage de la conversation encore plus délicat que les précédents, mais il se sentait assez euphorique pour l'aborder sans crainte.

« Notre reine, Catherine de Médicis, ne se sépare jamais d'un certain médaillon. Docteur Nostradamus, savez-vous de quel objet je parle ?

— Eh bien, je le crois, répondit le médecin, visiblement troublé.

— C'est vous qui le lui avez remis, n'est-ce pas ?

— Oui, et alors ?

— Sur l'une des faces de ce médaillon est représentée une créature grotesque dotée d'une grosse tête de poule. Le verso montre Jupiter en personne, entouré de symboles de planètes et d'"esprits planétaires". Dans un coin, un carré au-dessus d'une croix illustre le soleil, selon une symbologie typique de la philosophie occulte. C'est bien ce même médaillon dont nous parlons, n'est-ce pas ?

— Oui, mais je continue à ne pas comprendre. Ce n'est pas moi qui ai frappé ce pendentif. Il est l'œuvre de l'astrologue Fernel, mort il y a trois ans. »

Le père Michaelis opina.

« Je le sais. Seul un astrologue pouvait fondre en une seule médaille tant de paganisme et persuader la très catholique reine de France de la porter suspendue à son cou. » Le jésuite paraissait à présent véritablement indigné et contrôlait moins bien ses paroles. « Votre intervention se situe ailleurs. Confirmez-vous avoir reçu ce médaillon du docteur Denis Zacharie ? »

Nostradamus écarta les bras.

« Non, mais tant de temps a passé depuis... »

Le père Michaelis regarda fixement le comte.

« Messire, permettez que je vous informe que Zacharie, le pseudonyme de Joseph Turel Mercurin, a été médecin à la cour de Navarre. Il y est devenu l'intime confident d'Antoine de Bourbon et de Jeanne d'Albret, huguenots déclarés et protecteurs de l'Église réformée de France. Mais, bien plus qu'en tant que médecin, il exerce surtout ses admirables dons dans l'art de l'alchimie. Et il s'y montre si habile qu'il a même réussi à fabriquer de l'or. Bon nombre d'entre nous, aujourd'hui, se demandent pourquoi le parti huguenot semble disposer de richesses quasi illimitées, voire même supérieures à celles de la couronne de France. Eh bien, je vous laisse deviner la réponse, monsieur le comte. »

Si Claude de Tende semblait toujours n'y comprendre goutte, Nostradamus restait interdit. Sa jambe tremblait de manière tellement convulsive qu'il renonça à la maintenir.

« Vous délirez ! s'exclama-t-il, si agité qu'il paraissait sur le point de pleurer. Qu'ai-je à voir avec toutes ces divagations ?

— Je vais vous le dire. » Le père Michaelis fouilla sous son manteau. Il montra entre le pouce et l'index un long éclat d'or. « Le reconnaissez-vous ? Je parie que oui. »

Nostradamus semblait foudroyé.

« Mais c'est…

— Bien, je vois que vous le reconnaissez, l'interrompit Michaelis, satisfait. Oui, il a bien été retiré d'une coupe d'or fin que vous avez reçue en hommage, il y a quelques mois, de Hans Rosenberg, propriétaire de manufactures et de mines à Augusta, en Sicile. Rosenberg est un partisan convaincu de la cause des réformés, et les finance un peu partout dans toute l'Europe. Avec cette coupe, il a voulu vous remercier de l'avoir sauvé de la crise de ses mines, qui allait l'emporter. »

Le comte de Tende bondit sur ses pieds, furibond.

« En somme, père je-ne-sais-qui, je commence à croire que vous vous moquez de moi ! Une farandole de noms, de faits insignifiants… Où voulez-vous en arriver, de grâce ? »

Le père Michaelis désigna Nostradamus.

« Votre ami le sait parfaitement. En même temps que cette coupe, il a reçu une médaille d'or absolument identique à celle que porte au cou Catherine de Médicis. Or, le conseiller de Hans Rosenberg se nomme Denis Zacharie. Comprenez-vous à présent qui est le responsable de la prétendue remise en activité des mines d'Augusta et du fleuve de métal précieux qui afflue dans les caisses des rebelles huguenots ?

— Mon Dieu ! hurla le comte, de plus en plus irascible. Vous ne cessez de brandir la menace d'une conspiration gigantesque et vous n'en apportez pas le moindre début de preuve !

— Je l'ai, la preuve, répliqua calmement le père Michaelis. Je possède toute la correspondance échangée par le docteur Nostradamus durant ces derniers mois. Son secrétaire, Chevigny, a pris la bonne habitude de la recopier soigneusement. Il ignore que ses copies lui ont été dérobées. »

Nostradamus devint d'une pâleur mortelle.

« Jumelle ! murmura-t-il. Elle m'a encore trahi ! »

À cet instant, la porte s'ouvrit, laissant place au vieux domestique.

« Le capitaine Tripoly vient d'arriver, monsieur le comte, annonça-t-il, indifférent aux invités présents dans le cabinet de travail. Il sollicite d'être reçu. »

Le père Michaelis vit le projet qu'il avait si soigneusement élaboré s'écrouler d'un seul coup. Il n'ignorait pas que le comte de Tende manifestait quelque sympathie pour les huguenots, mais il avait compté sur la neutralité pro-catholique de façade à laquelle l'aristocrate était tenu en raison de sa charge de gouverneur. Il avait espéré que, par crainte d'être percé à jour, ce dernier lui remettrait Nostradamus. Mais l'annonce inopinée de l'arrivée du chef des milices huguenotes, en un château catholique, équivalait à une confession. Le comte de Tende n'avait plus d'autre choix que de camper sur ses positions. Pour le père Michaelis se posait désormais le problème de réussir à sortir vivant de cet édifice.

Il se leva en hâte.

« Je vais prendre congé, monsieur le comte. Je vous ai fourni toutes les données de la situation. Il vous impute de décider à présent de la solution à adopter. »

Ni le comte ni Nostradamus ne soufflèrent mot. Michaelis se dirigea rapidement vers la sortie. Il passait le seuil quand il entendit l'aristocrate lui rétorquer d'un ton sarcastique :

« Mon bon frère, je possède moi aussi des données que vous avez oublié de me citer. Je sais que vous avez armé la main de l'assassin de Curnier. Que vous tenez en esclavage Giulia Cybo-Varano, après l'avoir enlevée au cardinal Alexandre Farnèse. Que vous poussez la bourgeoisie de Provence à se révolter contre les nobles, et le peuple contre la bourgeoisie. Je sais aussi que vous utilisez les hommes comme des marionnettes et avez fait des trois États votre petit théâtre. Prenez garde cependant qu'un fil ne vienne à se rompre. Le vôtre. »

Le père Michaelis frissonna, mais se garda d'ouvrir la bouche. Ce n'est qu'une fois le jardin rejoint, la gorge encore intacte, qu'il se permit un soupir de soulagement. Il courut vers son carrosse et fit fouetter les chevaux, tandis que la neige commençait à tomber dru.

Veille de guerre

Michel n'en croyait pas ses yeux. Il s'adossa à la façade d'une maison précédée d'un portique et essaya de se rapprocher le plus possible des deux individus en train de converser. Aucun passant ne s'interposant entre eux, leurs voix lui parvenaient parfaitement limpides. Il tendit l'oreille.

Il avait aussitôt reconnu l'homme blond, malgré ses habits civils : il s'agissait du jésuite qui l'avait interrogé. Il se souvenait parfaitement de son nom : Michaelis ; son prénom, en revanche, s'il l'avait jamais entendu, lui échappait pour l'instant.

« Ma chère petite, des lettres comme celle-ci ne me sont d'aucune utilité, disait le religieux. On y parle d'un certain Jean de Morel, qui demande à Nostradamus de lui restituer une somme d'argent qu'il lui aurait prêtée quelques années plus tôt. On ne sait même pas à quelle occasion.

— Chevigny m'a dit que c'était il y a sept ans, en 1555, répondit une voix féminine un peu rauque, quoique empreinte d'une certaine douceur. Le docteur s'est rendu à Paris à la demande de la reine, sans un sou en poche, et ce Morel lui a avancé la note de l'auberge dans laquelle il était descendu. »

Bien qu'il ait déjà reconnu le profil de la jeune femme, tache sombre se détachant sur la neige, Michel ressentit un coup au cœur. Il n'avait jamais douté un seul instant de Blanche. Il se la rappelait durant leur exil à Avignon, ne ménageant pas ses efforts pour prodiguer ses soins à Jumelle et ses enfants. Ou bien, des années plus tôt, au bordel, quand la jeune fille ôtait son corsage d'un geste gracieux, offrant ses seins pleins et fermes à ses caresses inoffensives. Michel ne parvenait pas à voir en elle une vipère traîtresse. Et pourtant, la vérité s'affichait sous ses yeux.

« C'est de lettres toutes différentes dont j'ai besoin, dit Michaelis sur un ton impérieux. Toutes celles qui proviennent d'Allemagne, par exemple. Surtout celles écrites par des huguenots.

— Mais je ne sais pas lire ! protesta Blanche. Je subtilise les copies que Chevigny effectue de la correspondance du docteur, je vous les montre, puis je les remets en place. Je n'ai pas la moindre idée de leur contenu.

— C'est vrai, fit le jésuite, soudain radouci. J'oubliais que tu ne sais pas lire. D'ailleurs, presque toutes ces missives sont rédigées en latin. » Il lui rendit la lettre. « Repose-la avec les autres et veille à m'apporter sans faute de nouvelles copies. T'es-tu amourachée de ce Chevigny ? »

La fille secoua la tête.

« Et comment le pourrais-je ? Son seul amour se nomme Nostradamus. Il lui voue une dévotion aveugle.

— N'oublie pas de t'en servir, ou je te promets que tu retourneras au bordel. Inutile de te rappeler qu'un grand nombre de prostituées ont été fouettées par les huguenots, et parfois même occises. Si la maison de la porte de Cogos a été épargnée, c'est uniquement parce qu'elle est tenue par la veuve de Curnier. Mais elle reste un cas tout à fait exceptionnel, dans cette région. »

Blanche baissa la tête.

« Soyez tranquille, je vous obéirai. »

Michel n'en écouta pas davantage. Il se faufila le long du portique et revint sur ses pas, respirant avec peine. Il s'était comporté en idiot. Il avait supposé que c'était Jumelle, l'adorable Jumelle, qui l'avait dénoncé. Certes, le précédent que constituait son activité d'espionne pour le compte de Molinas lui avait fourni un prétexte imparable. Mais si Michel l'avait soupçonnée sans l'ombre d'une hésitation, c'était en réalité pour une tout autre raison : il n'avait pas encore réussi à comprendre pourquoi, du jour au lendemain, elle les avait abandonnés, lui et leurs enfants. L'affection retrouvée avait petit à petit adouci la douleur de ce déchirement inexplicable, mais la blessure ne s'était jamais entièrement refermée. Son épouse lui était en quelque sorte restée étrangère et distante, y compris dans leurs moments d'intimité. De cette constatation était né ce soupçon spontané.

À présent qu'il connaissait la vérité, Michel ne parvenait même pas à détester Blanche. La jeune fille subissait sans nul doute le chantage du jésuite et, bien qu'elle fût maintenant devenue membre à part entière de la famille, à l'égal de Christine et du bizarre Chevigny, elle demeurait une pièce rapportée, récente et précaire, dans la vie quotidienne de la maison Nostre-Dame. Il pouvait seulement lui reprocher d'avoir encouragé chez lui une certaine froideur à l'égard de Jumelle, après son retour de « captivité » auprès du comte de Provence, et de la méfiance vis-à-vis du comportement de son épouse. Mais il n'éprouvait aucune rancœur véritable.

Une autre sensation prédominait en lui. Il lui semblait que, depuis l'au-delà, Magdelène, dont il avait causé la mort, poussait les femmes de sa vie à se révolter contre lui, rendant impossibles ses rapports avec elles. Le sexe féminin lui paraissait de plus en plus étranger et insaisissable, comme s'il se fût agi d'une autre espèce. Peut-être les inquisiteurs avaient-ils raison quand ils reprochaient aux femmes d'obéir à des lois différentes de celles de Dieu. Et pourtant, sa conviction personnelle, dans sa forme définitive, considérait l'union et l'harmonie entre hommes et femmes comme les fondements de l'âme universelle. Pendant un certain temps, il avait cru s'être imprégné de cette notion, mais de toute évidence il s'était trompé. Il se promit de s'aventurer plus à fond dans les abîmes fascinants de la magie, seuls en mesure de lui fournir une réponse…

Michel traversait la place des Arbres quand il entendit une voix le héler :

« Docteur ! Docteur ! »

L'individu qui venait à sa rencontre lui arracha une grimace involontaire. Il s'agissait du meunier Lassalle, qui venait d'interrompre sa conversation avec quelques hommes du peuple. Les rapports du meunier et de Michel n'avaient pas été trop mauvais ces derniers temps, même s'ils se maintenaient sur le plan d'une politesse formelle et suspicieuse, mais le voir ainsi tout sourire l'inquiéta plus que cela ne le rassura.

« Docteur, je voulais vous apprendre une nouvelle qui vous fera sûrement plaisir, commença Lassalle. Un édit royal vient de rendre légale l'Église réformée dans toute la France. Le saviez-vous ?

— Non, je l'ignorais », répondit Michel, frappé par cette déclaration. Puis, craignant un piège, il se hâta d'ajouter : « En tant que catholique, je ne sais qu'en penser. Peut-être cette mesure était-elle nécessaire. Le parlement de Paris l'a-t-il déjà enregistrée ?

— Non, mais je pense qu'il le fera dès le mois prochain. On dit que la reine en personne a souhaité voir cet édit promulgué. » Le meunier écarta ses bras robustes. « Nous avons eu à subir trop de violences et de provocations ces derniers temps. Savez-vous que le mois dernier les huguenots ont saccagé l'église Saint-Médard, à Paris ? Ils y ont assassiné bon nombre de fidèles pour venger l'un des leurs. Ici même, à Salon, on a trouvé des excréments dans le bénitier de l'église Saint-Michel, et dimanche dernier quelqu'un y a introduit des porcs durant la messe. Il n'était plus possible de continuer ainsi. »

Michel crut deviner dans les paroles du meunier une note de sincérité ; il ne baissa pas la garde pour autant.

« Ne me dites pas que vous, qui dirigez la congrégation des *Battats,* vous vous réjouissez de l'autorisation octroyée aux calvinistes d'exercer leur propre culte.

— Je ne m'en réjouis pas, non. Mais je serai sincère avec vous, docteur, parce qu'au-delà des apparences, je vous aime bien. » Lassalle désigna le groupe d'où il s'était esquivé. « J'en parlais justement tout à l'heure avec mes amis. Cette congrégation a fonctionné un temps, mais aujourd'hui elle se révèle un désastre. Savez-vous pourquoi ?

— Je n'en ai aucune idée.

— Le jésuite qui nous l'a imposée a exigé qu'à l'ancienne confrérie des *Battats*, composée de bourgeois et de gens importants, soit adjointe une congrégation des petits artisans, formée d'employés, d'apprentis et d'hommes de peine. La dévotion commune à la Vierge et l'assistance aux sacrements auraient dû suffire à les faire marcher du même pas…

— Et cela n'a pas été le cas ?

— Absolument pas. Les manœuvres, qui pour la première fois se trouvaient réunis, en ont profité pour exiger des honnêtes gens de meilleures conditions de travail et des paies plus élevées, au nom précisément de la fraternité catholique. Ils sont devenus insolents comme jamais. Non que je pense, comme tant de mes amis, que la Compagnie de Jésus a bouleversé l'ordre social. Je dis seulement que ce père Michaelis s'est trompé dans ses calculs et nous a fait tomber de Charybde en Scylla. Il s'est peut-être cru très intelligent, mais c'est un imbécile. »

Michel avait eu vent des problèmes suscités par les congrégations de Salon. Il feignit cependant l'ignorance et se borna à observer :

« Ni la légitimation de l'Église réformée ni l'arrêt des hostilités religieuses ne changeront cette situation. Vous devriez au moins dissoudre la congrégation des manœuvres, voire les deux.

— Croyez-vous que nous n'y avons pas pensé ? Les questions du père Michaelis, du fond de son confessionnal, se font de jour en jour plus insidieuses et concernent précisément notre projet. » Lassalle plissa le front. « À Lyon, il y a quelques années, les manœuvres protestaient continuellement et se livraient à de sanglantes révoltes. Puis la ville est devenue huguenote. Ce sont les avocats, artisans, libraires, commerçants, en somme tout le tiers état, qui tiennent maintenant les rênes du parti calviniste. Et manœuvres et employés leur obéissent sans protester. La paix entre les classes est revenue, même si les escarmouches avec les catholiques se poursuivent. Le fait est que les huguenots ont mis les classes laborieuses aux commandes. »

Michel écarquilla les yeux.

« Messire Lassalle, vous n'allez pas me dire qu'à présent, vous sympathisez pour…

— Je ne vous ai rien dit. » Le meunier lui tourna brusquement le dos et partit rejoindre le cercle de ses amis, encore en pleine discussion.

Michel prit la direction du quartier Ferreiroux, traînant péniblement ses pieds dans la neige. La nouvelle de l'édit royal de pacification l'obsédait, le distrayant de toute autre pensée. Il lui vint à l'esprit que le présage qu'il avait rédigé pour le mois de janvier 1562 correspondait en tout point à la situation actuelle :

> Desir occult pour le bon parviendra.
> Religion, paix, amour & concorde.
> L'epithalame du tout ne s'accordra.
> Les haut qui bas & haut mis à la corde*.

L'espoir profond de faire régner le bien, la paix religieuse, l'amour et la concorde semblait en effet s'être finalement imposé. Si cet avènement paraissait réconfortant, les derniers vers du quatrain jetaient en revanche une ombre sur ce cadre idyllique. L'épithalame, le poème nuptial, sonnerait faux, et les troubles se poursuivraient même après la pendaison, dans les halles* de Paris, au début du mois, du huguenot Pierre Craon, accusé du siège de l'église Saint-Médard.

C'était en tout cas l'avis de l'horrible Parpalus… si ces visions provenaient bien de lui. Michel n'en était plus aussi certain. Il arrivait en effet de plus en plus souvent qu'un cauchemar fasse irruption dans son esprit, sans aucune intervention démoniaque apparente. Ulrich, lové dans son répugnant manteau de scarabées, lui apparaissait désormais fréquemment en songe. Parfois aussi, Michel se déplaçait, même pour un temps très bref, dans le temps et dans l'espace, oublieux des événements qui s'étaient déroulés dans l'intervalle. Cette expérience ne l'effrayait pas trop, puisqu'elle rentrait dans les attributions traditionnelles d'un *Magus.* Ce qui le terrorisait, en revanche, était que ces phénomènes continuaient à intervenir en dehors de son contrôle.

Cette pensée suffit à le plonger de nouveau au cœur du cauchemar. Ce matin-là, le quartier Ferreiroux grouillait de mendiants, d'ordinaire peu nombreux dans cette partie de la ville. Il les avait remarqués en passant, mais n'y avait tout d'abord guère prêté attention. Les affrontements religieux, les expéditions menées dans les campagnes par les mercenaires, catholiques ou huguenots, les foyers de peste qui se rallumaient, engendrés par la guerre et la famine, avaient fait confluer dans les centres urbains un grand nombre de miséreux.

Ces mendiants avaient toutefois quelque chose d'étrange. Michel s'en aperçut tout à coup avec horreur. Ils étaient affligés de blessures mortelles, qui ne saignaient pourtant pas : gorges tranchées, thorax mettant les côtes à nu, membres entièrement écorchés. Ils se mouvaient tels des automates, déplaçant lentement des jambes tordues et frêles, qui auraient soutenu à grand-peine un enfant.

« Ulrich... » murmura Michel machinalement. Mais il n'y avait pas trace du *Meister*. Seules l'entouraient ces figures sinistres, qui le fixaient à présent toutes à l'unisson.

Il n'éprouvait toutefois aucune terreur. Il savait qu'un incident était sur le point de se produire, mais il avait acquis la conviction d'évoluer dans une sphère dans laquelle il était devenu plus fort. Ses jambes ne le faisaient plus souffrir, et le poids des années paraissait envolé. Il resta immobile, attendant la suite des événements.

Les mendiants s'étaient rapprochés. L'un d'eux, qui tenait dans sa main gauche son bras droit coupé net, se traîna jusqu'à lui. C'était une créature pâle, aux cheveux blondasses et aux yeux d'un bleu délavé, perdus dans de profondes orbites. Il ouvrit une bouche édentée et énonça :

« La mort s'approche à neiger plus que blanc*. »

Un instant après, les mendiants disparurent, tout comme la place. Il souffla un violent tourbillon couleur cendre, parcouru de spirales sanguines, qui s'empara du cerveau de Michel comme s'il voulait l'attirer dans un gouffre. Il vit les yeux d'Ulrich lui sourire avec affection, pour être aussitôt remplacés par ceux, jaunâtres et félins, de Parpalus.

« GASTER TOD GASTHER DOYISTHER DOYISTHER DOYOD GASTHER ODER », susurra la voix grelottante du démon. Puis l'hallucination s'évanouit.

Michel se retrouva dans une rue presque déserte, hormis quelques passants qui rejoignaient, en pataugeant dans la neige, les misérables boutiques du quartier. Curieusement, il n'éprouvait aucune sensation particulière. Il avait simplement conscience que les hallucinations dont il était la proie appelaient un affrontement imminent, qu'il ne pourrait éviter. Certains des vers rassurants de son quatrain lui donnaient toutefois l'intuition que ses ennemis multipliaient les menaces parce qu'ils le craignaient.

Ses jambes à nouveau douloureuses, il trébucha sur un tas de neige sale. Il repensa à la phrase énigmatique qu'il venait d'entendre : « La mort s'approche à neiger plus que blanc. » Que signifiait-elle ? Par son étrangeté même, la formule était inquiétante. Le concept de mort se voyait en général associé à la couleur noire, et non blanche. Cette allusion au blanc, couleur de deuil, autrefois réservé aux reines de France jusqu'à ce que Catherine de Médicis n'interrompe la tradition, lui donnait la chair de poule.

« Enfin, te voilà ! » La voix chaude, perpétuellement un peu agressive, de Jumelle l'arracha à ses déplaisantes réflexions.

Il vit son épouse debout sur le seuil de leur maison, enroulée dans un châle pour se protéger du froid.

« Tu me dis sortir pour une petite heure, et voilà que je t'attends toute la matinée !

— Toute la matinée ? » Michel leva les yeux vers le ciel. Quoique couvert, il ne pouvait y avoir de doute : le soleil était à son zénith. Il en apercevait la clarté derrière les nuages. Il devait s'être absenté de chez lui depuis quatre heures au bas mot.

« Tandis que tu étais parti en balade, avec le risque d'attraper une pneumonie, un message urgent est arrivé. Si j'en crois les cachets qui le scellent, il provient de la cour ; il nous a d'ailleurs été remis par un cavalier. Chevigny dit que l'écriture est de Simeoni.

— Ah oui ? C'est une bonne nouvelle. »

Depuis son retour d'exil à Avignon, Michel avait insisté pour que Simeoni, malgré son piteux état et ses tremblements perpétuels dus à l'abus de boisson, effectue sa rentrée à la cour. Il avait écrit au puissant chancelier Ollivier, son bon ami, afin qu'il intercède en sa faveur auprès de la reine. La réponse du garde des sceaux ne s'était pas fait attendre : Catherine de Médicis, après la mort de Luca Gaurico, puis de Jean Fernel, était à la recherche d'astrologues de talent capables de grossir les rangs de ses conseillers. Gabriele Simeoni n'avait pas été oublié. Il était donc le bienvenu à la cour.

Afin de convaincre l'Italien, l'intervention de Giulia avait joué un rôle décisif. La confiance de la jeune femme dans la bonté du père Michaelis s'était émoussée, et son séjour à Avignon semblait l'avoir soustraite à la surveillance du jésuite. Elle et Simeoni étaient partis pour Paris à la fin du mois d'octobre, heureux et plus amoureux encore. Michel avait été soulagé que Giulia ne lui redemande pas la « révocation de son excommunication », signée du pape Priapus.

« En somme, que fais-tu ? s'impatienta Jumelle. Rentre donc. Tu trouveras la lettre dans le salon, avec toute ta correspondance. »

Michel passa le seuil de sa demeure ; à peine était-il à l'intérieur qu'il agrippa le châle de son épouse.

« Écoute-moi, Jumelle. J'ai découvert un fait très grave. Blanche m'espionne pour le compte du père Michaelis, ce jésuite qui est venu m'interroger à Marignan. »

Jumelle referma la porte et ôta son châle, après en avoir retiré la main de son mari.

« Il me semblait bien que nous abritions sous notre toit un mouchard, mais je croyais qu'il s'agissait de Chevigny, commenta-t-elle, sans se montrer trop troublée. Je n'aurais jamais pensé à la petite Blanche. »

Michel haussa un sourcil, surpris.

« Tu supposais que nous hébergions un espion ? Mais pourquoi, quels indices possédais-tu ? »

Jumelle battit des cils d'une manière typiquement féminine.

« Il était clair que tu me soupçonnais, moi, monsieur mon mari. Et comme j'étais innocente, la personne que tu cherchais ne pouvait être que quelqu'un autre. »

L'étonnement de Michel se mua en admiration.

« Mais voyez-vous cela ! Tu avais compris que j'étais devenu méfiant rien qu'en m'observant... Je ne devrais jamais oublier ta perspicacité.

— Pensais-tu qu'être capable de deviner des sentiments était un don exclusivement masculin ? Pour ma part, je croirais plutôt le contraire. » Jumelle haussa les épaules. « Entre Simeoni qui s'invente des histoires sur la fabrication de l'or pour plaire au jésuite, et Blanche qui part te dénoncer, tu me parais vraiment bien seul, Michel. Comme tu l'as toujours été, au fond. »

Il lui sourit.

« Ma foi, il me reste toujours toi. »

Michel attendait un sourire de connivence, suivi de leur traditionnelle étreinte. Jumelle demeura en revanche de glace.

« Si j'étais toi, je ne compterais pas trop là-dessus. Disons qu'il te reste le pauvre Chevigny. » La phrase se voulait pour le moins refroidissante, mais Jumelle ne donna pas à son mari l'occasion d'en rester troublé. « Viens, lui dit-elle. Que je te montre cette fameuse lettre. »

Au salon, la tribu de leurs enfants jouait tranquillement. Michel s'approcha de César, désormais devenu un grand garçon, et lui caressa les cheveux. Puis il se rappela que Jumelle lui reprochait souvent de privilégier leur aîné et d'oublier ses autres enfants. Il octroya donc une caresse rapide à chacun d'eux, pendant que son épouse fouillait parmi la correspondance abandonnée sur le dessus d'un meuble à tiroirs, loin de la portée des petits.

Jumelle s'empara d'une missive scellée et la tendit à son mari.

« On commence à parler de ce Michaelis un peu partout dans la région. Il ne se démène pas seulement ici, à Salon, mais aussi à Avignon, Aix, et même Montpellier. La servante du curé de l'église Saint-Michel m'a dit qu'il essaie d'organiser à travers toute la Provence et le Languedoc un réseau de congrégations catholiques comme celles qu'il a implantées chez nous. Mais il paraît que ses résultats laissent à désirer.

— Tu ne devrais pas mettre ton nez dans ces dangereuses affaires, l'admonesta Michel, tandis qu'il lui arrachait l'enveloppe des mains. Nous avons déjà bien assez d'ennuis.

— Le péril augmentera précisément si nous ne nous en occupons pas. Tu vas me dire que ce ne sont pas là les préoccupations d'une femme. Eh bien, pour ma part, je pense que les hommes sont en train de nous préparer une guerre qui fera pâlir toutes les précédentes. Et que ceux qui la récusent ne font pas grand-chose pour l'éviter.

— C'est toi qui le dis. J'ai justement appris ce matin qu'un édit… » Michel laissa sa phrase en suspens. Il avait ouvert la lettre de Simeoni, et sa lecture l'avait captivé. Il la ponctua d'une série d'exclamations.

« Des nouvelles d'importance ? demanda Jumelle, qui s'était assise sur la banquette, à côté de la cheminée allumée, la petite Diane dans ses bras.

— Oui. Catherine de Médicis m'appelle à la cour, en grand secret. Il semble qu'elle ait besoin de mon conseil.

— Tu comptes y aller ?

— Je ne sais pas encore. Je dois y réfléchir. »

À cet instant parvint de la rue un roulement sourd de tambour, d'abord distant, puis de plus en plus proche. Michel courut à la fenêtre.

« Mon Dieu ! » s'exclama-t-il.

Dans la rue cheminait une véritable armée, composée de plusieurs centaines de soldats, silencieux et absorbés. Un détachement de cavaliers, aux étendards gris et anonymes, les précédait. Ils étaient suivis d'arquebusiers portant leurs armes à l'épaule et d'archers coiffés de casques métalliques à larges rebords. Tous appartenaient visiblement à une armée régulière, sans qu'il soit possible d'identifier celle-ci avec précision. Beaucoup plus inquiétante s'avérait en revanche la racaille qui leur emboîtait le pas, dans laquelle se mêlaient soldats débandés, frères défroqués, apprentis de boutiques et manœuvres rompus à toutes sortes de métiers, légaux ou illégaux.

Jumelle se faufila derrière Michel.

« Encore les *cabans* ? » demanda-t-elle avec appréhension.

Il lui désigna le groupe des cavaliers.

« Non. Reconnais-tu celui qui chevauche à leur tête ? Tripoly. Et à ses côtés caracole le baron des Adrets, le plus cruel des mercenaires calvinistes, un véritable brigand. Ceux que tu aperçois là ont tous embrassé la foi huguenote.

— Mais ils forment toute une armée !

— Oui, et d'après ce que je vois, ils ont réussi à séduire la lie de la société. Le pardon royal a dû pousser les huguenots à sortir au grand jour. » Michel baissa la voix : « Jumelle, je crains que tu n'aies raison. Les événements auxquels nous avons assisté jusqu'alors n'étaient rien. La véritable tragédie, pour la France, ne fait que commencer. »

Abrasax. Le miroir

Parpalus avait disparu du ciel, et avec lui toutes les étoiles. Seule continuait de briller, isolée, l'ancienne constellation de l'Ourse, personnification d'Artémis et de Callisto : deux divinités qui, s'étant aimées, étaient demeurées l'expression d'une individualité composite.

Les insectes et scarabées s'étaient eux aussi éclipsés, tout comme les enfants difformes, les plantes et les reptiles. Seul subsistait un monde qui paraissait bâti de glace et qui laissait voir, en son cœur, une créature repliée sur elle-même, tel un gigantesque fœtus. Un jeu de réfraction en multipliait l'image. Il était impossible de compter ces reflets, mais ils devaient sans doute atteindre le nombre 365.

Ulrich semblait avoir dominé sa frayeur momentanée et surplombait cette surface de cristal, majestueux et sûr de lui. Il esquissa un sourire ironique.

« Alors, Michel, où donc est la Trinité que tu t'efforces d'invoquer ? Ton pouvoir me paraît bien faible. Est-ce que je me trompe ? »

Nostradamus ne lui prêta aucune attention. Il s'adressa à ses compagnons :

« Vous pouvez partir, maintenant. Je n'ai plus besoin de vous. »

Le jeune prêtre le regarda, hésitant.

« Pouvons-nous mourir, finalement ?

— Je ne sais pas, murmura le prophète. De bienveillantes émanations de Dieu, comme Jésus et Barbélô, sont présentes

dans le huitième ciel. Ce sont eux que vous devriez prier. Je crois qu'ils vous exauceront et vous guideront jusqu'à la sphère supérieure. »

L'homme au manteau noir resta interloqué. Il ne réussit même pas à émettre un cri indigné.

« Comment osez-vous donner une compagne à Jésus ? De tous les blasphèmes, celui-ci est le plus atroce que j'aie jamais entendu !

— N'avez-vous pas encore compris dans quel monde vous vous trouvez ? répliqua Nostradamus avec beaucoup de calme. Nous sommes tombés dans le précipice où s'accumulent tous les songes des hommes. Ulrich et moi sommes en train de rêver en ce moment. Les divinités, les démons et les archontes sont les créatures en qui nous croyons. Si vous étiez un Magus, *vous pourriez évoquer les vôtres. Mais vous ne l'êtes pas, et peut-être est-ce mieux ainsi. »*

La femme joignit ses doigts dans un geste d'angoisse.

« Nous aussi appartenons à l'un de vos songes, alors ?

— Oui, mais à un songe qui possède une consistance réelle. Vous vivrez encore quand nous aurons cessé de vous rêver. Et vous mourrez quand vous aurez cessé de rêver à votre tour. Cela est en votre pouvoir. » Nostradamus désigna la ligne au loin, légèrement courbe, qui fermait les glaces, tel un semblant d'horizon. « Partez, donc. Vous n'avez pas su transformer votre haine en amour, mais je ne peux vous le reprocher. La lumière de Dieu saura toucher votre esprit mieux que je n'ai su le faire. »

Comme si elles obéissaient à un ordre, les trois silhouettes pivotèrent sur elles-mêmes et se mirent en marche. Les différentes facettes de la glace reflétèrent leur image trois cent soixante-cinq fois. Les reflets devinrent bientôt de minuscules points, puis s'évanouirent tout à fait.

Ulrich assista silencieux à la scène, puis émit un rire argentin.

« Te voilà seul, Michel, et sans l'aide sur laquelle tu comptais. Je n'ai donc pas été imprudent en te révélant l'unique moyen de me vaincre. Les archontes m'avaient dit que tu n'y parviendrais pas. Et les archontes ne mentent jamais.

— Non, c'est vrai. Mais ils peuvent être trompés et voir ce qui n'existe pas. Un Magus *peut les induire en erreur.»*

Ulrich resta un moment interdit. Quand il parla de nouveau, sa voix impalpable avait pris une inflexion agressive.

«Tu insistes pour te croire un Magus*? Les entités divines dont tu prétends tirer ta puissance sont en train de perdre la leur. Barbélô, que tu invoquais tout à l'heure, se meurt dans le cosmos, noyée dans son propre sang. Tu l'as vue toi-même. Hécate, Proserpine, Isis, Sophia connaissent toutes le même sort. Ce que tu adorais de ton vivant se trouve maintenant à l'agonie. L'entière Shekhina, déchirée, abandonne l'arbre de vie et déverse des fleuves de sang à travers les nervures des cieux. Je suis sur le point de battre et de dominer les vaincus jusqu'à ce qu'ils périssent.»*

La constellation de l'Ourse tout à coup s'éteignit. Seules brillaient encore de lointaines étoiles, disposées en cercle. Soudain, celui-ci se brisa, et les astres commencèrent lentement de former une ligne.

Nostradamus étouffa la terreur qui l'envahissait. Il essayait surtout de se concentrer sur l'appel qu'un coin de son cerveau lançait maintenant à travers le temps. Quand il vit l'une des étoiles se détacher des autres et se précipiter vers le monde de glace avec une faible traînée de feu, il espéra que son appel avait été entendu. Mais il ne pouvait en être sûr.

Ulrich ne semblait pas avoir remarqué ce phénomène. Son timbre, de sarcastique, devint presque suppliant :

«Allons, Michel, il est inutile de continuer cette comédie. Il est temps que tu te décides. À mes côtés tu jouiras de la gloire et d'une force comparable à celle du soleil. Dieu lui-même devra prendre acte de notre puissance. Si tu t'obstines à te rebeller, tu subiras au contraire une éternelle vie misérable, et l'Œil de Zeus ne sera jamais le tien. Tu erreras parmi des âmes grises, gris toi aussi.»

Michel ne l'écoutait même pas. Il avait vu une mince silhouette avancer lentement sur la glace. Quand il fut certain de son identité, il se redressa de toute sa stature.

«Épargne ta salive, Ulrich. La Trinité que j'appelais de mes vœux est en train de se constituer. En voici le premier élément :

une créature qui est mon ennemie, mais qui se montre aussi capable de m'aimer. »

Le monde glacial frémit, et le gigantesque fœtus qui en constituait le centre se retourna, et ses trois cent soixante-cinq projections avec lui. Les étoiles cessèrent de s'aligner et dessinèrent à nouveau un cercle. Leur éclat s'accrut.

Ulrich resta interdit.

« Mais ce n'est pas un de tes ennemis ! s'exclama-t-il. C'est ton épouse, Jumelle ! »

C'était Jumelle, en effet, belle et fière comme aux plus beaux moments de sa vie avec Michel. Elle semblait de toute évidence perdue, mais s'efforçait de ne pas le laisser paraître. Parvenue aux côtés de son époux, elle le salua d'un sourire resplendissant.

« Me voilà. J'ai entendu ton appel. »

Nostradamus lui retourna son sourire. « Sais-tu où tu te trouves ?

— Oui, ou du moins je le crois. Après ma mort, j'ai continué à vivre dans un lieu différent de celui-ci. Ce n'était ni le paradis ni l'enfer : il n'y régnait que pénombre. Mais je savais, depuis le début, qu'un jour ou l'autre il me faudrait t'aider contre celui-là. » Elle désigna Ulrich et lui tira la langue.

Le vieux magicien parut stupéfait, puis éclata de rire.

« Serait-ce donc cette femelle, ton alliée, Michel ? Ton ennemie capable de s'unir à toi pour former le cercle d'amour ? Mais elle n'a jamais été ton ennemie...

— Oh, si, dit Jumelle. Nous avons vécu ensemble et nous sommes témoigné de l'affection. Mais je n'ai jamais renoncé à moi-même en échange de son amour et je l'ai parfois combattu avec férocité, afin de lui démontrer que je ne lui appartenais pas. »

Ulrich fit un geste ennuyé.

« Eh bien, soit. En tout cas, ce n'est pas vous deux qui pourrez m'arrêter. Le Roy d'effrayeur piaffe déjà d'impatience et se prépare à descendre sur le monde, quand l'Œil de Dieu s'obscurcira dans le ciel et brillera sur terre... Michel, cesse cette pénible représentation. Avoue-toi vaincu. La Shekhina se noie dans son sang et sous peu elle n'existera plus. »

Dans le ciel réapparurent les images terrifiantes de figures féminines plongées dans des bassins ensanglantés. Nostradamus préféra ne pas les regarder. Il avança de quelques pas, essayant de ne pas glisser sur la glace.

« Je verrai. Mais auparavant, tu dois me dire qui est le Roy d'effrayeur, si vraiment ce n'est pas toi. Maintenant que tu as triomphé, tu peux me le dire en toute sérénité.

— Voyez-moi ce grand prophète qui me demande à moi le sens de sa prophétie... Pauvre Michel, tu es vraiment un piètre magicien. Mais je vais accéder à ta demande ; je vais même y accéder deux fois, car les solutions sont au nombre de deux. Tu as remarqué que Parpalus, chaque fois qu'il te communiquait une date, y ajoutait ou y retranchait des années, regroupées par cinquantaines ou par centaines, pour la rendre méconnaissable ?

— Oui, je l'ai remarqué.

— Bien, durant le septième mois de l'année 1099, le roi Godefroy de Bouillon s'empara de Jérusalem et y répandit la terreur. Roy Geffroy... Roy d'effrayeur. Comprends-tu le jeu de mots ? »*

Nostradamus ne réussit pas à cacher son étonnement.

« Cet événement si épouvantable aurait donc déjà eu lieu des siècles avant ma vie terrestre, et le futur serait par conséquent préservé ?

— Oui, si tu remportais le défi que tu as voulu engager avec moi. Mais tu as déjà compris que c'était impossible. » Ulrich semblait grandir progressivement, comme s'il voulait recouvrir de sa masse l'univers tout entier. Les étoiles cessèrent de se rassembler en cercle et restèrent immobiles, comme congelées par le froid cosmique. « Je vaincrai ; j'ai même déjà vaincu. Ce qui signifie qu'en 1999, au milieu de guerres stupides menées sous de nobles prétextes, apparaîtra dans le ciel un Reffrecteur, dont le but sera de réfracter à travers le cosmos, grâce à l'obscurcissement de la lumière, l'image des crimes en train de se commettre. Et ce sera effectivement un Roy d'effrayeur, car il reflétera la désolation humaine, lorsque les mortels choisissent de se rassembler en troupeaux et de suivre leurs chefs, leurs comtes d'Angoulême, sur la voie de la destruction aveugle.*

— Tu sembles pourtant condamner cette attitude. Un peu de sentiment est peut-être encore ancré en toi. »

Ulrich haussa les épaules.

« Peut-être. Mais j'ai compris depuis longtemps que les véritables lois qui gouvernent tout, et donc également les hommes, sont celles de la violence et du chaos. Mieux vaut donc s'en rendre maîtres et gouverner l'aveugle chaudron de la matière, animée et inanimée. Mais à cette fin, il s'avère indispensable d'éliminer la composante féminine de la création, ennemie de la barbarie naturelle et amie de la vie. Voici un autre des symboles lisibles dans le Reffrecteur. Durant une éclipse, le soleil est obscurci, mais c'est la lune qui devient noire. C'est elle, en effet, qui se voit supprimée en tant que corps céleste capable de réverbérer la lumière. »

Nostradamus ne comprenait absolument pas ce raisonnement. Il semblait en revanche que Jumelle en devinait le sens, car son front s'était assombri, et elle donnait l'impression de frémir d'angoisse.

L'intérêt de Nostradamus se concentrait en vérité sur un tout autre objet. Il remarqua qu'une minuscule étoile se détachait de ce qui avait été la constellation de l'Ourse, et descendait vers le monde de glace, traçant un fin sillage de feu. C'était le signe qu'il attendait.

Euphorique, il fixa Ulrich : « Tu n'as pas encore triomphé. Sous peu, la Trinité sera complète, et le cercle reconstitué. »

Le vieillard le regarda avec commisération.

« Tu as appelé un autre faux ennemi ?

— J'ai appelé un autre authentique ennemi. Capable cependant de m'aimer, parce qu'il m'a déjà aimé. »

Ulrich contempla à son tour le ciel, d'un air préoccupé.

Les rouges et les blancs

Le cardinal de Lorraine, archevêque de Reims et chef incontesté de la famille des Guise, n'arborait guère un aspect conforme à sa charge ecclésiastique. Malgré des traits fins d'intellectuel, parfaitement insolites dans sa famille, et des yeux rêveurs, affligés de myopie, son physique robuste, l'agilité avec laquelle il se déplaçait, et ses manières languides et courtoises faisaient plutôt penser à un gentilhomme capable d'alterner l'exercice des armes avec l'amour des beaux-arts.

Mais il ne ressemblait avant tout ni à un inquisiteur, même s'il n'exerçait cette fonction que lorsque cela l'arrangeait, ni à un combattant de la cause catholique capable, à l'occasion, d'atroces violences. Cette impression était donnée en revanche par le corpulent général des jésuites, le père Diego Laínez, attentif à observer pour le moment, par la grande fenêtre, les jardins du couvent de Saint-Germain.

Le père Laínez se retourna tout à coup, serrant ses deux poings.

« C'est un spectacle honteux ! cria-t-il. Des catholiques et des hérétiques occupés à dialoguer depuis des mois en toute quiétude, d'égal à égal. Et à dialoguer de quoi ? De questions théologiques que seul un concile devrait avoir l'autorité d'aborder. La présence réelle de Dieu dans l'Eucharistie ! La légitimité de vénérer les images sacrées ! Des questions de ce genre jetées dans une auge et données en pâture aux cochons ! Comment avez-vous pu tolérer cela ? »

Le père Michaelis, qui se tenait dans un coin de la pièce, remarqua que les mains du cardinal de Lorraine tremblaient. Le prélat les dissimula sous son écritoire, puis murmura :

« Les entretiens qui se sont déroulés à Poissy, puis dans ce même couvent, ont été voulus par la reine elle-même. Catherine de Médicis subit désormais l'influence de ses conseillers, deux d'entre eux surtout : François Ollivier et Michel de l'Hospital. C'est à eux que nous devons l'idée de ces rencontres avec les huguenots. J'ai dû me plier à leur volonté.

— Vous plier ? » Le père Laínez était rouge de colère. « Vous ne vous êtes pas contenté de vous plier ! Vous avez soutenu contre Théodore de Bèze des thèses luthériennes, pour ne pas dire iconoclastes. Vous avez fait du luthéranisme une composante de la doctrine catholique de France ! »

Le cardinal de Lorraine parut offensé. Michaelis remarqua qu'il se redressa imperceptiblement sur son fauteuil.

« C'était une ruse à laquelle j'ai dû recourir et qui s'est vue couronnée de succès. De Bèze a embrassé la foi calviniste. Je lui ai opposé Luther pour le confondre. Et je l'ai confondu.

— C'est le catholicisme que vous avez confondu. Avec l'hérésie. » La colère du père Laínez sembla, après cette phrase, s'apaiser subitement. Le général des jésuites arpenta la pièce de long en large, puis il haussa les épaules. « Avant de monter jusqu'à vous, j'ai rendu visite au cardinal de Tournon, qui se trouve aux portes de la mort. Savez-vous ce qu'il m'a dit ? Il m'a pris la main et m'a chuchoté : "Mon seul regret est de quitter une France aussi humiliée. Nous sommes le seul royaume catholique à avoir légitimé la prédication huguenote. Le seul dans lequel on laisse souiller l'hostie et blasphémer la Vierge. Je crains que la colère de Dieu ne tarde pas à s'abattre sur nous." Eh bien, sachez que je partage cette crainte. »

Le cardinal de Lorraine tenta une dernière protestation :

« De quoi vous plaignez-vous ? Ne nous aviez-vous point promis de faire intervenir l'Espagne ? Comment se fait-il que Philippe II n'ait pas déjà franchi les frontières de la France ?

— Je me suis rendu personnellement en Espagne sous un déguisement afin de pouvoir passer sans risque à travers les villes françaises aux mains des huguenots. L'empereur n'interviendra pas sur le plan militaire. Trop d'années de guerre ont laissé les caisses de l'État vides, et des régions entières réduites à la famine. Mais il a déploré le scandale de Poissy. Il vous envoie d'ailleurs un message. Père Michaelis, pouvez-vous nous en faire part ? »

Michaelis fit un pas en avant, sortant de l'ombre.

« Éminence, j'ai parlé hier avec l'ambassadeur d'Espagne Maurique. Il vous conseille de prendre une longue période de repos. Il serait bon que vous vous occupiez pendant quelques années de votre diocèse de Reims. Le nouveau légat pontifical, Hippolyte d'Este, vous adressera le même conseil sous forme écrite. Le pape s'inquiète pour votre santé et vous recommande un congé salutaire. »

Le cardinal de Lorraine, déjà livide, pâlit plus encore. Ses yeux s'allumèrent sous le coup de l'indignation. Il bondit sur ses pieds, furieux, et pointa son index contre le père Michaelis.

« À qui croyez-vous donc parler ? cria-t-il. Vous, un simple prêtre, avez l'audace de vous adresser de cette façon cavalière à un Guise ? Savez-vous bien ce qui pourrait vous arriver ? »

Michaelis ne souffla mot, mais le père Laínez avança d'un pas. Il posa ses deux gros poings sur l'écritoire.

« Je sais bien, moi, ce qui pourrait vous arriver à vous, Éminence, scanda-t-il. Je sais que vous vous êtes entretenu en secret avec le prince de Wurtemberg. Que vous vous êtes fait passer à ses yeux pour un luthérien. Cette attitude même serait passible d'excommunication. Les Guise n'entrent pas en cause ici, et personne ne critique vos frères. Mais si vous désirez sauver votre famille, Éminence, quittez la scène. Ou vous l'entraînerez dans votre disgrâce. »

Le cardinal de Lorraine haleta, comme s'il s'étouffait. Il porta les mains à sa poitrine et retomba assis. Le père Laínez en profita pour s'incliner, imité par Michaelis.

« Adieu, Éminence, je crains que nous ne nous revoyons pas de sitôt. » Il sortit du cabinet, suivi par son confrère.

Tandis qu'ils descendaient l'escalier qui conduisait au rez-de-chaussée, le général confia à Michaelis :

« Voilà une affaire réglée. Les discussions théologiques entre les porcs et les singes ne vont pas tarder à se conclure. Et cela améliorera grandement la situation.

— Pourquoi avez-vous souhaité que j'assiste à cette rencontre ? demanda le père Michaelis.

— Parce que je désire m'entretenir avec vous. Et je peux d'ores et déjà vous annoncer que cette conversation risque de n'être guère plaisante. À présent, taisez-vous. »

L'injonction laissa le père Michaelis dans une terrible inquiétude. Il n'ignorait pas que de nombreuses erreurs pouvaient lui être reprochées et que le père Laínez les connaissait toutes. Chaque jésuite rédigeait en effet quotidiennement des rapports détaillés sur sa propre activité et celle de ses compagnons, et les adressait au général. Celui-ci les parcourait alors du premier au dernier, qu'ils proviennent du Brésil, de l'Asie, de l'Angleterre ou d'un bourg obscur de la province italienne ou française. Ignace de Loyola lui-même avait instauré cette méthode, qui continuait à être suivie scrupuleusement. Une partie de la cohésion de la Compagnie découlait de cette forme de contrôle minutieux.

Hors de l'enceinte du couvent, Paris se réchauffait aux rayons d'un agréable soleil printanier, malheureusement trop rare dans cette ville si belle, mais si pluvieuse aussi. Diego Laínez et le père Michaelis avaient revêtu des habits sombres et austères, mais avaient opté pour une tenue civile. Ils purent ainsi se mêler sans crainte à la masse des gens du peuple qui se pressait dans le réseau de ruelles entre le couvent et la rive gauche de la Seine.

Le climat de tension religieuse se ressentait jusque dans cette foule. Les mendiants, par exemple, d'ordinaire en grand nombre, quémandaient l'aumône en exhibant des portraits de la Vierge. Une forme instrumentale de chantage : le bourgeois qui refusait de s'acquitter de son obole devant l'image de la Madone pouvait facilement passer pour un huguenot. Il arrivait fréquemment que les indigents se mettent ainsi à vociférer, dénonçant à haute voix comme hérétique le passant peu généreux. Il ne restait plus dans ce cas au malheureux qu'à déguerpir, ou bien à endurer une rouée de coups. Il arrivait aussi parfois que l'infortuné soit jeté dans le fleuve.

Indifférent à ces menaces, le père Laínez écartait avec mépris les gueux trop impertinents. À un va-nu-pieds plus agressif que les autres, qui persistait à lui brandir sous le nez un petit tableau représentant la Vierge Marie, il infligea même une retentissante gifle, accompagnant ce geste d'un regard si menaçant que l'homme n'osa pas appeler à l'aide et s'esquiva en se massant la joue.

« On dirait que tous les pauvres de Paris sont devenus catholiques, dit le père Michaelis en rompant le silence. Je crains cependant que cela ne soit que façade. Ils ne nous restent fidèles que parce que nous leur procurons une assiette de soupe.

— Il est vrai que là où les huguenots sont libres de se réunir, comme dans le quartier Saint-Marceau, ils doivent se méfier de la canaille qui reçoit sa subsistance des couvents, répondit le père Laínez. Mais vous avez raison, c'est un succès éphémère. Les pauvres ne font pas l'Histoire. »

Les rues en paraissaient pourtant peuplées, mais il s'avérait souvent difficile de les distinguer des domestiques, boutiquiers, petits artisans et commères qui conversaient devant leurs demeures. Il régnait un vacarme assourdissant, tous ceux qui avaient quelque chose à vendre vantant à grand renfort de cris la qualité de leur marchandise. Une voix provenant des étages des bâtisses couvrait parfois les autres, provoquant au sein de la multitude un mouvement de panique : « Attention à l'eau ! » Il ne s'agissait en réalité pas d'eau à proprement parler, mais de jets jaunâtres d'urine et de selles déversés depuis les fenêtres et les balcons. L'absence totale de lieux d'aisance appropriés obligeait les Parisiens à répandre directement dans la rue leurs propres ordures. Du reste, chacun avait pris l'habitude d'uriner et de déféquer en pleine rue, et il n'était pas rare qu'on tombe sur des vilains, hommes et femmes, accroupis en train de faire leurs besoins. Un spectacle fréquent également le long des immenses couloirs des demeures aristocratiques, et jusque dans le palais du roi.

La puanteur qui s'élevait des ruelles, maculées de fange humaine et animale, était à peine supportable. Ce parfum nauséabond pouvait toutefois rivaliser avec l'odeur fétide de ce cloaque à ciel ouvert qu'était la Seine. La couleur douteuse des eaux, où confluaient toutes les immondices de la cité, n'empêchait pas la présence sur les rives de pêcheurs courageux et de groupes de lavandières. Mais le fleuve avait l'avantage de se voir en partie masqué par les masures de bois construites sur les quais et les ponts, les habitations flottantes au mouillage, et la circulation lente et dense des barques et des péniches, le plus souvent traînées sur la rive par des chevaux haletants.

Hormis les quelques moulins, boutiques et lavoirs, tavernes et même élevages de cochons et de poules s'entassaient sur les plates-formes permanentes. On passait d'un commerce à l'autre en sautant de passerelle en passerelle, en prenant soin d'éviter les chaînes et les cordes qui ancraient aux fonds putrides cette ville flottante perpétuellement en train de rouler et de tanguer.

Le père Michaelis suivit le général en direction de l'écluse, où s'inscrivait encore le niveau de la dernière crue. Il lui emboîta le pas, un peu surpris, le long d'un escalier de pierre, puis sur une passerelle de bois qui conduisait à un chaland plus large que haut. Il s'agissait probablement d'une embarcation destinée à pêcher sur la Seine, même si pour l'instant elle n'abritait aucun occupant. Deux bâches étaient tendues au-dessus de bancs cloués au petit pont. Sur la rive opposée du fleuve, plus navigable, les berges étaient bondées de dames en train de s'éventer et d'hommes à l'élégance rudimentaire : des entremetteuses et des ruffians attendant le bateau qui emmenait à la ville les filles de la campagne, impatients de les recruter pour leurs bordels.

Un homme vêtu de noir échangea un regard entendu avec le père Laínez, puis vint garder la passerelle. Le général fit asseoir le père Michaelis sur un banc, à côté de lui, et le fixa avec dureté.

« J'ai lu tous vos rapports et je ne vous cacherai pas ma déception, commença-t-il. Vous auriez dû vous occuper de la Compagnie à travers toute la France et, au lieu de cela, vous vous êtes cantonné en Provence. Même là, d'ailleurs, votre action m'a paru insuffisante et inefficace. On vous voit rarement à Aix et Avignon. Vous préférez battre le pavé à Salon-de-Craux, sur les traces de votre astrologue préféré, ou bien à Lyon. Tel n'est certainement pas le comportement que j'attendais de vous. »

Le père Michaelis déglutit. Il savait que son interlocuteur n'accepterait pas de justifications, mais uniquement des motivations rationnelles. Il tenta de condenser ces dernières en quelques mots :

« Salon a été pendant quelque temps l'épicentre de la résistance des catholiques provençaux aux huguenots. Tous les chefs militaires des hérétiques, les Mauvans, Tripoly et d'autres encore, proviennent en effet de cette ville. Voilà pourquoi j'ai essayé d'y expérimenter le modèle que je suis en ce moment en train d'appliquer à Lyon et à tout le Sud de la France.

— Le modèle des congrégations, je suppose.

— Absolument. Mon but était d'empêcher les huguenots d'obtenir l'approbation des classes aisées, autrement dit du tiers état. Ce ne sont pas les pauvres qui font l'Histoire, comme vous l'avez si justement dit tout à l'heure, mais bien les riches. Je ne pensais pas que les manœuvres en profiteraient pour s'organiser. Je croyais que la discipline des exercices spirituels suffirait à cimenter les catégories sociales entre elles. J'ai commis là ma principale erreur.

— Laissez-moi donc décider de vos erreurs. » Le timbre du père Laínez avait pris une inflexion encore plus sèche. « L'idée des congrégations était bonne, mais prématurée. Il est exact que les huguenots briguent le soutien des bourgeois et des notables, mais leur force actuelle réside dans la conquête d'une bonne partie de l'aristocratie. Si le tiers état est loin d'être négligeable, la noblesse jouit cependant encore aujourd'hui du monopole de l'exercice des armes. Or, nous vivons une période de guerre. Et la Compagnie de Jésus doit savoir s'adapter aux circonstances. En toutes occasions.

— Certes, toutefois je ne crois pas, mon père, que la force brutale...

— Quelle force brutale ? Imaginez-vous peut-être que j'en sois partisan ? » Le père Laínez haussa les épaules, et ce geste eut l'impact d'une gifle assénée à son confrère. « Savez-vous bien ce que j'ai accompli, tandis que vous perdiez votre temps à Salon ? J'ai introduit un de nos hommes parmi les conseillers d'Antoine de Bourbon, le roi de Navarre, avec pour mission de faire comprendre à ce souverain lamentable que Philippe II condamnait fortement sa prise de position en faveur des huguenots. Et qu'il ne lui restituerait jamais la partie de son royaume occupée par les

Espagnols s'il ne se séparait pas de Jeanne d'Albret, cette hérétique impénitente. Savez-vous ce qui en a découlé ?

— Non, murmura le père Michaelis. Je n'en ai pas été informé.

— Un jésuite, surtout s'il est chargé de responsabilités, devrait toujours se tenir informé. Antoine de Bourbon a répudié son épouse, par ailleurs vieille et laide. Il a conclu des accords avec les Guise et le prince de Condé. D'ici peu, il combattra aux côtés du parti catholique. Même si c'est un fieffé imbécile, de nombreux nobles qui l'ont suivi jusqu'ici, fascinés par son nom et son rang, imiteront son choix. »

Le père Michaelis, quoique troublé, ne put s'empêcher de murmurer :

« Admirable !

— Je n'ai que faire de votre admiration. C'est vous qui auriez dû vous charger de cette mission, au lieu de flâner en Provence. Même si les bourgeois participeront peut-être un jour à la construction de l'Histoire, pour le moment en tout cas, ce sont les nobles qui tiennent les rênes. Sans négliger les autres classes, c'est vers eux que doivent se tourner nos attentions. »

Le père Michaelis se sentit comme la crevette qui se trémoussait à ses pieds, rendue incolore par l'eau pestilentielle de la Seine. Il baissa la tête.

« Comment pourrais-je mériter votre pardon ?

— Vous n'avez pas à mériter mon pardon. Nous n'agissons pas par intérêt personnel, et vous ne me devez rien : c'est devant l'Église tout entière que vous vous êtes engagé. » Laínez leva un index. « Votre devoir est simple à formuler, mais plus difficile à accomplir. Il vous faut penser, concevoir et œuvrer sur une grande échelle. Vous sentez-vous à la hauteur de la tâche ?

— Je l'ignore.

— Moi aussi, mais il vous reste une dernière possibilité. En qui pouvez-vous avoir confiance à la cour ? »

Michaelis demeura interdit.

« Eh bien, nous pouvions jusque-là compter sur le cardinal de Tournon et le cardinal de Lorraine. Mais le premier se meurt et vous venez de congédier le second…

— Je ne faisais pas allusion à des personnalités de premier plan. La reine mère est poussée à l'indulgence par Ollivier, de l'Hospital et d'autres conseillers. Il nous faut... ou plutôt il vous faut... quelqu'un qui partage sa vie quotidienne et puisse l'influencer en cachette. Que sais-je, un confesseur, une demoiselle de compagnie, un de ces nombreux astrologues dont elle aime à s'entourer... »

Michaelis se tut pendant un instant, puis acquiesça.

« Oui, je connais quelqu'un qui pourrait nous être utile.

— Fort bien. Cette politique de la tolérance s'apparente à un véritable blasphème, mais il serait tout aussi dommageable de réprimer l'hérésie par la violence, comme le souhaiteraient les fanatiques dominicains et franciscains. Si ces derniers gagnent cette manche et instaurent la terreur appelée de leurs vœux par les Guise, la guerre civile déjà larvée se répandra comme une traînée de poudre à travers tout le pays. Les huguenots pourront alors revendiquer leurs martyrs et se présenter au peuple tels les chrétiens des catacombes, innocents et persécutés. Seuls nous autres jésuites sommes en mesure d'empêcher cette catastrophe. Mais nous devons jouer de notre influence sur les puissants en les surprenant au saut du lit. Je ne sais si je me fais bien comprendre. »

Le père Michaelis fit signe que oui. Son assentiment mit un terme à l'entretien, et le père Laínez se leva. Michaelis l'imita, tenaillé par une question qui lui brûlait les lèvres. Il s'éclaircit la voix et dit :

« Si le cardinal de Lorraine se retire, la France se verra à nouveau privée d'Inquisition. Et nous ne pouvons nous le permettre, si notre priorité reste de rendre le catholicisme de ce pays aussi fort qu'en Espagne. »

Sur le visage sévère de Diego Laínez apparut une expression ironique, pour le moins inhabituelle chez lui.

« Voilà bien une préoccupation typique d'un ancien dominicain. Le successeur éventuel du cardinal sera probablement l'inquisiteur de Mouchi, personnage fort médiocre au demeurant. Vous tenez encore tellement à cette charge ?

— Pas pour des motifs personnels, mon père, je vous en donne ma parole. Mais je crois au contrôle des consciences, par l'entremise de la confession, spontanée ou forcée.

— Qu'en est-il de cet hérétique que vous pourchassiez de votre vindicte, ce Carnesecchi ?

— Il réside à Florence en tant qu'hôte du grand-duc Côme, malgré les protestations de l'inquisiteur général Ghislieri. Mais il se pourrait bien qu'il retourne à Lyon, si la ville passait dans le camp des huguenots.

— Fort bien. Je vous réitère donc mon ancienne promesse : emparez-vous de Carnesecchi et vous aurez de bonnes chances de diriger le Saint-Office. Si tant est que, vu la situation actuelle, cette fonction possède encore un sens. »

Sur ces entrefaites, le père Laínez s'engagea sur la passerelle du chaland et rejoignit la rive, suivi par Michaelis. Ils grimpèrent l'escalier de pierre et revinrent se mêler à la foule, dirigeant leurs pas vers le couvent de la montagne Sainte-Geneviève, quartier général provisoire des jésuites.

Ils abordaient la montée quand une dizaine de jeunes gens tout excités, ceints d'une écharpe blanche, descendirent en gesticulant le long de la rue. L'un d'eux, livide et le visage ruisselant de larmes, escalada un tas de pierres qui encombrait un angle de la rue et écarta les bras.

« Braves gens de Paris ! cria-t-il. Un terrible événement est survenu ! À Vassy, les hommes de François de Guise ont attaqué une assemblée de réformés sans défense ! Ils n'ont épargné ni les femmes enceintes ni les enfants ! Les morts se comptent par centaines ! »

En d'autres circonstances, une proclamation huguenote, dans une rue à dominante catholique, aurait provoqué une réaction de colère. Mais le jeune homme pleurait, et la tuerie qu'il évoquait excitait l'imagination.

Les femmes furent les premières à entourer l'orateur improvisé.

« Quand est-ce arrivé ? demanda l'une.

— Hier. Un crime si horrible qu'il n'existe pas de mots pour le décrire ! Des gens dont le seul tort était de prier ont été poursuivis, égorgés, massacrés ! De pauvres petits taillés en pièces sous les yeux de leurs mères, transpercées à leur tour ! »

Tous les passants de la rue firent aussitôt cercle autour de l'adolescent, avides de nouvelles. Seul un mendiant, exhibant ses images de la Vierge, lui cria d'une voix hostile :

« Tu mens, maudit huguenot ! Tu es un de ces étudiants hérétiques du Pré-aux-Clercs ! Comment oses-tu porter une écharpe aux couleurs de la France ? Ta patrie serait plutôt la Suisse ou l'Angleterre ! »

Le jeune homme sécha ses larmes d'un geste rageur, puis s'écria :

« La France blanche est celle qui a été assassinée à Vassy ! Ta France est rouge du sang versé par les Guise et leurs bourreaux ! »

Ces paroles entraînèrent bon nombre de bousculades et un concert de clameurs et de protestations. Le père Laínez agrippa Michaelis par le bras et l'entraîna loin de cet attroupement.

« Si nous avons entendu un seul mot de vrai dans l'histoire de ce garçon, murmura-t-il, cela signifie que les Guise ont une fois de plus mis en danger la cause catholique qu'ils prétendent servir. Votre mission n'en devient que plus urgente. Vous sentez-vous capable de la mener à bien ? »

Le père Michaelis acquiesça, d'un air résolu.

« Oui. Si je faillis à ma mission, disposez de moi comme bon vous semble.

— Cela va de soi », répliqua Laínez sur un ton brusque.

Les derniers Illuminés

« Mais que se passe-t-il ? » demanda Michel qui frissonna en entendant les hurlements.

Chevigny sortit la tête par le fenestron du carrosse.

« Je ne sais pas, maître, je vois une foule immense de gens qui brandissent des étendards blancs et semblent tout excités. »

Le carrosse donna encore quelques tours de roue, puis le cocher descendit de son siège et courut ouvrir la portière du côté de Michel. Il suait à grosses gouttes.

« Je ne peux continuer, messire. Des centaines de huguenots armés nous font obstacle. Le bourg a dû tomber entre leurs mains.

— Où nous trouvons-nous ?

— À Montbrison, à l'ouest de Lyon. J'espérais rejoindre Paris en coupant de ce côté. Je crains que nous ne devions au contraire revenir sur nos pas.

— Je vais voir », murmura Michel. Ce matin-là, ses jambes ne le faisaient pas trop souffrir, et il mit pied à terre sans trop de mal. En d'autres circonstances, le village qu'il avait sous les yeux lui aurait paru plaisant, avec toutes ces montagnes autour. Le bourg était surplombé par une colline argileuse sur laquelle se dressait un château en ruine, qui se réduisait en fait à une unique tour. Dans le bas, sur les toits des maisons, se détachaient la façade d'une église gothique et l'enceinte d'un couvent tout proche. De ce dernier s'élevait une colonne de fumée noire, indiquant la présence d'un incendie. Vilains, paysans et hommes à cheval, tous exhibant écharpes et rubans de couleur blanche, gesticulaient en tous sens aux environs immédiats du bourg, comme des guêpes devenues folles. L'attention générale semblait se concentrer sur la cime de la tour, sur laquelle se découpaient de sombres silhouettes.

« Remontez dans le carrosse, maître, cela peut devenir dangereux, dit Chevigny, descendu à son tour.

— Non. Je veux tout d'abord comprendre ce qui se passe. »

Soudain, Michel tressaillit. Il aperçut un mouvement au sommet de la tour, puis un homme tomba dans le vide en gigotant. On entendit son hurlement, aussitôt couvert par les cris de joie de la foule.

Michel s'approcha d'un paysan qui s'éloignait de l'attroupement en secouant la tête, comme s'il désapprouvait ce spectacle.

« Qu'arrive-t-il, brave homme ? N'ayez crainte, je ne suis qu'un étranger de passage. »

L'homme leva sur l'inconnu des yeux songeurs.

« Vous feriez mieux de vous en aller tout de suite. Montbrison n'est pas un endroit pour vous.

— Et pourquoi donc ? Expliquez-vous.

— Le village s'est vu occupé par un capitaine huguenot, un certain baron des Adrets. Il a d'abord demandé qu'on lui désigne les familles des papistes les plus en vue et a réuni tous ces gens sur la place. Puis il a ordonné à ses hommes de les passer un par un au fil de l'épée, y compris les femmes et les enfants. Lorsque la place a été transformée en une véritable boucherie, il a alors conduit les survivants au sommet de la tour. Il est en train de les obliger à sauter dans le vide, l'un après l'autre. Les cadavres démantibulés se comptent déjà par dizaines. »

À cet instant précis, une silhouette gesticulante s'envola dans les airs. Des rangs des spectateurs s'élevèrent des clameurs de joie.

Michel, profondément troublé, toucha l'épaule du paysan.

« Merci, mon ami. Que Dieu vous protège.

— Dieu ? Qui sait de quel côté il combat et s'il se trouve encore parmi nous. »

Michel ne répondit pas. Il s'adressa au cocher.

« Nous faisons demi-tour, direction Lyon. »

Quelques instants plus tard, le carrosse reprit la route. Michel s'adossa contre la banquette, essayant de chasser les images horribles qui se présentaient à son esprit.

Chevigny avait les larmes aux yeux.

« Maudits huguenots ! Partout où passe le baron des Adrets, il laisse une traînée de sang. »

Michel le fixa avec sévérité.

« Le moine Richelieu, des Porcellets et les autres capitaines catholiques n'agissent pas différemment. Le mois dernier, mon ami François Bérard s'est rendu à Orange pour y porter un horoscope que les religieux de cette ville m'avaient demandé. Il m'a raconté que des cadavres nus de femmes huguenotes pendaient aux murs de la ville. En signe de dérision, les catholiques leur avaient fiché des cornes de bœuf dans le sexe. » D'un geste qui lui était familier, il serra la base de son nez entre ses doigts et ferma les paupières. « Les guerres justes n'existent pas. La guerre tourne toujours en folie générale et exprime ce que nous avons de plus bestial en nous. Chaque conflit en entraîne un autre, jusqu'à ce que nous régressions au stade primitif. Je m'efforce de dénoncer cette dérive, mais personne ne semble vouloir m'écouter. »

Chevigny opina avec enthousiasme.

« Vos efforts sont parfaitement louables. Je constate avec émerveillement que vous aviez prévu tous ces événements avec la plus grande exactitude.

— Mon garçon, prévoir ne sert à rien si cette faculté n'aide pas à prévenir les tragédies. Je suis en réalité condamné à les voir deux fois : la première quand je les vois en songe, et la seconde quand elles surviennent. Dans ces deux cas, il s'agit d'un exercice parfaitement stérile. »

Ils se turent longtemps, tandis que le carrosse poursuivait sa course. L'air frais de cette fin d'avril pénétrait par les fenestrons. Michel tenta de s'assoupir, mais n'y parvint pas. Incapable de garder le silence plus longtemps, Chevigny finit par lui demander :

« À quelle date vous attend-on à la cour ? Ce détour risque de rallonger fortement notre trajet.

— On ne m'a pas donné de date précise, répondit Michel. La reine mère connaît mieux que moi l'état de la France et ne m'a imposé aucune ponctualité. Mais au cas où il deviendrait impossible de poursuivre notre voyage, je connais à Lyon l'adresse d'un ami du conseiller Ollivier. Si la situation venait à empirer, c'est là que nous avons rendez-vous.

— Nostradamus, le confident des rois et des princes, de Catherine de Médicis à Rodolphe de Bohême ! Je ne suis votre secrétaire que depuis quelques mois, au fond, et j'ai pourtant vu votre renommée croître de jour en jour ! Quand me révélerez-vous quelques-uns de vos prodigieux secrets ? »

Michel, conquis par l'enthousiasme du jeune homme, esquissa un sourire.

« Contentez-vous pour le moment d'étudier l'astrologie et la médecine. Ce sont là les fondements indispensables. Le reste viendra en temps et en heure. » Il fit une pause, puis demanda :

« Avez-vous vu Blanche récemment ?

— Oh, oui… » Le visage candide de Chevigny se voila de tristesse. « Elle erre de taverne en taverne et n'est plus que l'ombre d'elle-même. Je crois même qu'elle est tombée malade. Je ne pense pas qu'elle fera de vieux os.

— Pourquoi ne l'aidez-vous pas ? Peut-être pouvez-vous encore la sauver.

— Après sa trahison ? Si elle a opté pour le péché, elle n'a pas à se lamenter de son propre malheur, vous ne croyez pas ? Je ne comprends pas pourquoi votre épouse essaie de la secourir par tous les moyens. La charité est certes une vertu chrétienne mais, à l'excès, elle risque d'encourager le vice. »

Michel fit une légère grimace de dégoût et tourna son attention vers la campagne qui défilait par la fenêtre. Chevigny lui était maintenant quasiment indispensable, et il n'avait pas le courage de renoncer à son aide. Les conditions de santé de Michel devenaient de jour en jour plus précaires, et son état fébrile, désormais familier, s'accompagnait d'hallucinations dont il était de plus en plus fréquemment la victime. Il constatait souvent son incapacité à écrire, tant les images qui l'obsédaient le tourmentaient et le bouleversaient. Il continuait à rédiger année après année ses fameux *Présages,* mais ses autres publications avaient pris un caractère sporadique et irrégulier. Un *Traité des remèdes contre la peste* était resté inachevé. Une édition bâclée des *Paraphrases de Galien,* un travail remontant à sa lointaine expérience universitaire, avait connu une vie éphémère et s'était attirée de sévères critiques à cause des erreurs de traduction qu'elle contenait.

La médecine ne faisait désormais plus partie de son domaine. Du reste, une nouvelle science médicale, qui rendait la sienne, pourtant si hétérodoxe, caduque, se frayait peu à peu un chemin. Pierre La Ramée avait présenté un projet de réforme des facultés de médecine qui tendait à remplacer les cours traditionnels, fondés sur des discussions théoriques, par des expériences pratiques. Michel, sur les pas du grand Paracelse, avait en son temps défendu une idée à peu près analogue, quoiqu'en des termes moins extrémistes. La Ramée ayant embrassé la foi huguenote, sa proposition s'était vue repoussée. Mais de plus en plus nombreux étaient les médecins qui, comme lui, ne considéraient pas l'homme comme un microcosme renvoyant au macrocosme et jugeaient l'astrologie superflue pour soigner les maladies.

Dans cette période de crise également personnelle, Michel avait trouvé en Chevigny un assistant diligent et efficace. Malheureusement, le jeune homme ne partageait aucunement sa conception du monde. Catholique fervent, au point de paraître intolérant, aussi conservateur en politique que dans sa vie familiale, il ressemblait davantage au Michel de sa jeunesse qu'à celui de sa vieillesse. Du reste, ainsi que Jumelle l'avait découvert, son véritable nom était Chevignard, et il était le fils d'un marchand de grains. Il avait opté pour Chevigny, ou Chavigny, dans le seul but de donner à son nom une consonance aristocratique. Michel, qui avait tant lutté pour faire oublier sa propre origine juive, ne se sentait pas le droit de lui reprocher cette fantaisie.

« Je redoute qu'à Lyon nous ne trouvions une situation guère meilleure qu'à Montbrison, observa Chevigny à un certain moment.

— Qu'est-ce qui vous fait penser cela ?

— Vos propres quatrains. » Le jeune homme rassembla ses idées, puis déclama sur un ton emphatique :

> Lors qu'on verra expiler le sainct temple,
> plus grand du rosne leurs sacrez prophaner
> par eux naistra pestilence si ample,
> roy fuit iniuste ne fera condamner*.

« Mais je ne parle pas de Lyon dans ces vers, observa Michel.

— Bien sûr que si. Quel est le plus grand temple saint du Rhône, si ce n'est la cathédrale de Lyon ? Si j'en crois vos vers, elle se verra malheureusement saccagée et ses objets du culte profanés. L'absurde politique de tolérance de notre roi risque surtout de laisser les coupables impunis. Et l'hérésie se propagera, telle la peste.

— Peut-être voulais-je en vérité faire allusion à la peste elle-même...

— Non, non, croyez-moi sur parole. Je suis désormais tout à fait en mesure d'interpréter vos vers, maître, même si je ne réussis pas encore à comprendre pourquoi vous semblez vous-même dépourvu de cette faculté. »

La voix de Chevigny était remplie d'espoir : peut-être le jeune homme attendait-il l'explication qu'il cherchait maintenant depuis plus d'un an. Michel n'avait toutefois guère envie d'éclaircir pour lui la nature de ses divinations, si proches des phénomènes de possession diabolique. Il ne pouvait se confier qu'à des individus versés dans la philosophie occulte et capables de manier les secrets de la magie avec discernement. Lui-même, du reste, tendait désormais à s'extraire de l'univers de cauchemar que les connaissances ésotériques avaient entrouvert pour lui. Il se contenta donc de dire :

« En admettant que vous ayez raison, et que je fasse bien allusion à la cathédrale de Lyon, pourquoi son pillage devrait-il déjà avoir eu lieu ? Mon quatrain ne précise pas la date de cet événement.

— Parce que le baron des Adrets n'aurait pas osé s'emparer de Montbrison, si Lyon se trouvait encore aux mains des catholiques. »

La réponse, fort sensée, arracha à Michel un sourire, immédiatement supplanté par une douleur aiguë qui lui fit presque pousser un cri. Cette souffrance atroce ne provenait pas de ses jambes, mais de la sombre cicatrice en forme de croix qui marquait son épaule. Il y porta la main, tout en revoyant l'image du pentagramme entouré de flammes, dans la crypte de la cathédrale de Bordeaux.

À cet instant, le cocher les interpella :

« Nous arrivons en vue de Lyon, messires... Mon Dieu, on dirait que la ville est devenue la proie des flammes ! »

La douleur s'évanouit. Michel passa la tête par le fenestron, les yeux encore embués. Quand il retrouva la vue, il s'aperçut qu'une partie seulement de la ville brûlait. Des langues de feu s'élevaient des flèches de la cathédrale et de quelques édifices. La fumée stagnait dans l'air, rendue compacte par l'absence de vent, noircissant les murs d'enceinte en maints endroits.

« Que dois-je faire, rebrousser chemin ? demanda le cocher d'une voix mal assurée.

— Non, continuez, ordonna Michel. Je dois me rendre à tout prix à Lyon. »

Les portes de la ville étaient décorées de festons blancs et de guirlandes d'œillets de même couleur. Le corps de garde ne paraissait guère nombreux, mais bien armé. Au cours de ces dernières années, les épées s'étaient en effet considérablement allégées et effilées ; même les dimensions des arquebuses avaient diminué, à tel point que les soldats n'avaient plus besoin maintenant d'être particulièrement robustes et exercés à leur procédure complexe de chargement pour s'en doter. Les arbalètes, cette arme si cruelle que plusieurs papes avaient jugée immorale, avaient en revanche perdu du terrain : on les jugeait trop encombrantes et trop lentes à recharger. Une arquebuse moderne pouvait être portée à l'épaule, et certains exemplaires très courts, encore fort rares, pouvaient même être enfilés à la ceinture ou pendus le long des flancs.

Ce fut précisément un soldat armé d'une de ces arquebuses qui passa la tête par le fenestron du carrosse.

« Bienvenue, mes frères, dans la cité reconquise par Dieu, dit-il poliment. Quel bon vent vous amène ?

— Nous venons ici pour affaires », répondit Michel. Puis, jugeant la réponse insuffisante, il ajouta : « Je suis un ami personnel du capitaine Tripoly. »

Le soldat huguenot resta un instant perplexe, puis fit un large sourire.

« Tripoly ? Diantre, dans ce cas, vous allez pouvoir saluer votre ami sans attendre. » Il s'écarta et cria : « Commandant ! Commandant ! Il y a ici un quidam qui dit vous connaître ! »

Un instant plus tard, la portière du carrosse s'ouvrit, et Tripoly en personne en scruta l'habitacle avec des yeux étonnés. Puis il éclata de rire.

« Vous, docteur Nostradamus ! Quelle merveilleuse surprise ! Allons, descendez m'embrasser ! »

Tout en boitant légèrement, Michel obéit. Tripoly le souleva presque de terre.

« Je le savais bien, que vous étiez des nôtres ! Je l'ai toujours su ! Vous avez bien fait de venir. Vous verrez comment fonctionne une ville administrée par d'authentiques chrétiens... »

Michel laissa s'épancher l'enthousiasme de son ami, puis il ne put s'empêcher de dire :

« Je ne sais comment les choses se déroulent à Lyon, mais j'arrive de Montbrison. On y a assassiné là-bas des catholiques de tous âges. De tels méfaits risquent de porter préjudice à votre cause. »

Tripoly réfléchit un instant, puis il murmura :

« Montbrison ? Ce bourg doit se trouver dans la zone contrôlée par François de Beaumont, le baron des Adrets. Je sais qu'il s'est livré à certains excès... Oui, vous avez raison, je devrais faire quelque chose. » Tout à coup, son visage s'illumina, comme s'il venait d'être frappé par une idée brillante. « Voilà ce que je vais faire ! Je vais ligoter le baron et le ferai lancer dans le Rhône à l'aide d'une catapulte ! Ou peut-être contre un campanile catholique, afin qu'il s'y introduise ! »

Michel posa une main sur l'épaule du *condottiere*.

« De grâce, Tripoly, cessez de plaisanter. L'heure est grave. Des Adrets n'est pas le seul réformé qui s'est rendu coupable de massacres. »

Le visage de son interlocuteur perdit soudain toute ardeur infantile.

« Docteur, nos troupes de soldats irréguliers ne font que répondre coup pour coup. À Toulouse, les bons moines ont poussé les catholiques à la boucherie, et il n'y a maintenant plus aucun réformé vivant dans toute la ville. À Angers, les papistes ont égorgé les nôtres un à un, teintant de sang les rues de la ville. Le moine Richelieu ne cesse de multiplier les carnages. Le seigneur de Flassans, ce soi-disant “chevalier de la foi”, a fait des ravages aux environs d’Aix, jusqu’à ce que le comte de Tende et moi-même nous emparions de son refuge à Barjols, le mois dernier. C’est le devoir de tout bon chrétien de punir de tels monstres. »

Michel secoua la tête.

« Mon ami, on ne met jamais fin à une guerre en en commençant une autre. Chaque combat en entraîne un autre.

— Peut-être bien, mais si nous n’avions pas pris les armes, nous ne nous serions pas aujourd’hui rendus maîtres de Lyon, Orléans, Grenoble, Tours et de dizaines d’autres villes. » Tripoly désigna les murailles dans son dos. « Allez voir par vous-même une cité regagnée au Christ, sans idoles et sans prêtraille débauchée. J’ai d’autres chats à fouetter et ne peux vous accompagner, mais un savant comme vous saura se rendre compte par lui-même de la justesse de la cause que nous défendons. »

Michel remonta dans le carrosse, en proie à une grande perplexité. Chevigny se pencha vers lui et lui demanda à voix basse :

« Qui est cette canaille ?

— Ce n’est pas une canaille. » Michel tendit la tête au-dehors et cria au cocher : « En avant, continuez ! »

Les rues qu’ils parcoururent dans un premier temps ne présentaient aucune anomalie, excepté les foulards blancs pendus aux fenêtres. La foule semblait se comporter normalement, bien qu’elle fût animée d’une inexplicable ferveur. Le seul détail vraiment insolite était la présence dans la rue de bourgeois vêtus de noir, apparemment occupés à rédiger des inventaires, à dresser des procès-verbaux et à comptabiliser les marchandises des boutiques.

Il fallut un moment à Michel pour qu’il prenne conscience du caractère singulier de ce contexte : seuls de rares soldats étaient visibles, et aucun civil ne portait d’armes. L’accès aux églises, presque toutes dévastées, semblait dégagé. Des groupes de manœuvres, sous la houlette de leur patron, se contentaient d’y piocher tranquillement les matériaux de construction encore utilisables.

« Où allons-nous, maître ? demanda le cocher.

— Faites-vous indiquer la maison de messire Christoff Craft, répondit Michel. Il appartient aux notables de cette ville, et de plus a des origines étrangères. Tous devraient le connaître. »

La demeure devant laquelle ils firent halte, après avoir recueilli des informations à droite et à gauche, était une bâtisse cossue à deux niveaux, à la façade en bois mais au corps de pierre. Elle témoignait d'une honnête aisance, sans toutefois montrer de signes de luxe effréné.

Ce fut Craft en personne qui vint leur ouvrir. Un homme blond, grand, la cinquantaine, entièrement vêtu de gris.

« À qui ai-je l'honneur ? » demanda-t-il avec un fort accent allemand.

Michel sourit.

« Voici mon secrétaire, messire Jehan de Chevigny. Quant à moi, vous me connaissez par lettres : je suis Michel de Nostre-Dame, de Salon-de-Craux. Votre patron, messire Rosenberg, a dû vous parler de moi.

— Oh, mais bien sûr, docteur ! » L'Allemand lui sourit à son tour et s'inclina poliment. « J'ai souvent rencontré votre nom en m'occupant des affaires lyonnaises de messire Rosenberg. Entrez, on vous attend. Votre ami aussi est le bienvenu.

— On m'attend déjà ? » murmura Michel, surpris. Il poussa Chevigny devant lui et entra à son tour.

Les différentes pièces de la demeure, toutes en enfilade, étaient décorées avec un goût très sûr et témoignaient d'un grand souci de propreté. Un ordre si parfait incita Michel à poser une question à son hôte :

« Excusez-moi, messire Craft. En traversant Lyon, je n'ai pas constaté la moindre trace de guerre civile, or cette ville doit avoir été récemment conquise. Comment expliquez-vous ce phénomène ?

— Vous ne connaissez pas les calvinistes, répondit l'Allemand avec une grimace. Lyon s'est déjà dotée d'une nouvelle administration, et les classes laborieuses ont recommencé à produire. Ici, les chefs révolutionnaires exerçaient tous des activités d'artisans, de marchands, fabricants de meubles, tisserands, libraires. C'est l'ordre qu'ils recherchent avant tout en embrassant cette nouvelle foi. Après la victoire, ils se sont empressés de le rétablir.

— Et les pauvres ? Je n'en ai vu aucun aux alentours.

— Vous voulez parler de la racaille ? Dieu merci, ils n'ont pas conduit cette révolution : ils s'étaient d'ailleurs tous rangés de l'autre bord. À présent, Lyon ne compte plus ni vagabond ni oisif. Ceux qui n'ont pas pris la fuite se sont vus expulsés à coups de pied. »

Ils pénétraient dans une pièce vaste et élégante, tapissée de fleurs jaunes sur fond rouge, quand une dame se leva d'un tabouret de damas doré. Une voilette lui couvrait le visage, sans pourtant dissimuler ses cheveux blonds. Elle était sanglée des pieds à la tête dans une austère robe noire aux broderies sobres, quoique raffinées. Elle courut à la rencontre de Michel et lui demanda joyeusement :

« Vous me reconnaissez ? »

Il ne pouvait voir son visage, mais il reconnut aisément sa voix.

« Giulia ! s'exclama-t-il avec chaleur, tandis qu'à ses côtés Chevigny se fendait en une révérence. Alors, Simeoni doit lui aussi se trouver ici ! »

La jeune femme releva sa voilette, découvrant ses charmants yeux bleus. Son visage, un peu marqué, avait subi les affronts de l'âge. Mais elle restait extrêmement séduisante et ressemblait de plus en plus à sa mère.

« Oui, Simeoni vous attend avec les autres. Le conseiller Ollivier a souvent recours à ses services, et aux miens d'ailleurs. Comme la route entre Paris et Lyon était coupée, il a demandé à Gabriele d'organiser ici la consultation souhaitée par la reine. Je crois même qu'elle a déjà commencé.

— Oui, il faut vous presser », confirma Craft.

Michel saisit les mains de Giulia.

« Nous parlerons plus tard. Mais dites-moi tout de même : d'après ce que vous me dites, il me semble comprendre que Gabriele va mieux. Est-ce bien le cas ? »

Sur les iris azur de la jeune femme passa une ombre.

« Oui, depuis que nous vivons à la cour, il va un peu mieux, même si… Mais allez donc, je vous raconterai cela tout à l'heure. »

Michel fronça les sourcils, mais ne formula aucune objection. Craft ouvrit la porte de la dernière pièce, moins spacieuse que les autres.

« Messires, le docteur Nostradamus vient d'arriver avec un ami », annonça-t-il. Puis il laissa le passage à ses hôtes.

Michel sentit une brûlure immédiate à l'endroit de son épaule marqué d'une cicatrice. La petite pièce dans laquelle il venait de pénétrer lui en rappela tant d'autres analogues, liées à des expériences rarement heureuses. La tapisserie était d'un noir profond, tout comme les tentures de taffetas qui obscurcissaient les fenêtres. Cinq hommes debout entouraient un enfant qui portait à bout de bras un grand miroir circulaire, dont le cadre en acier était couvert d'inscriptions.

Michel eut quelque peine à reconnaître Simeoni, barbu, les yeux chassieux et vaguement torves. L'Italien lui adressa un sourire qui se voulait cordial.

« Bienvenue, maître. La cérémonie est déjà commencée. Nous utilisons le miroir de Floron. » Il désigna ses compagnons. « Vous connaissez déjà le docteur écossais Jacob Bassantin. Permettez que je vous présente nos autres amis : messire Louis Reigner de la Planche, le docteur Antoine Mizauld et le docteur John Dee, qui traverse la France pour se rendre à Anvers. »

L'unique chandelier allumé ne lui permettait pas d'apercevoir en détail les traits de tous les hommes présents. Michel se concentra sur John Dee. Il avait appris le procès qu'on lui avait intenté en Angleterre, sous l'inculpation d'avoir, par l'usage de la magie, cherché à rendre esclave la princesse Marie Tudor, et son acquittement grâce à l'amitié de l'évêque catholique Bonner. Il vit un visage long et triste, encadré d'une barbe blonde si longue qu'elle effleurait sa ceinture.

L'Anglais s'aperçut de son intérêt et dit, dans un excellent français :

« Docteur Nostradamus, je connaissais le nom du successeur d'Ulrich, mais vous jouissez aujourd'hui dans mon pays d'une popularité extraordinaire : même l'homme de la rue a entendu parler de vous. »

La remarque se voulait aimable, mais elle irrita Michel, tourmenté par sa douleur à l'épaule.

« Je vous en prie. Je ne suis le successeur de personne. L'*Ekklesia* des Illuminés n'existe plus.

— Ma foi, les Illuminés encore en vie sont tous ici, observa Simeoni. Messires, je vous en prie, ne vous laissez pas distraire : Catherine de Médicis attend notre verdict sur la destinée de la France. Messire de la Planche, voulez-vous bien prononcer la formule. »

L'interpellé, un gentilhomme chauve, de petite taille, joignit les mains et ferma les yeux. Puis il commença à murmurer :

« BISMILLE ARAATHE MEM LISMISSA GASSIM GISIM GALISIM DARRGOISIM SAMAIAOISIM RALIM AUSINI TAXARIM ZALOIMI... »

Tandis qu'il égrenait la formule, l'enfant, déjà effrayé, se mit à trembler de plus en plus fort. Il cria tout à coup :

« Je vois un cavalier dans le miroir ! Il crie quelque chose ! »

Michel observa la surface réfléchissante, mais elle était si embuée qu'il ne vit rien. Il entendit cependant, avec une terrifiante netteté, la phrase haletante qui se répercuta à travers la pièce :

« La mort s'approche à neiger plus que blanc*. »

Pour la bonne cause

Le père Michaelis ne se sentait aucunement ému tandis qu'en cette froide matinée de janvier 1563 il attendait d'être reçu par Catherine de Médicis. Il avait été convié dans une aile du château de Vincennes destinée aux divertissements, qu'on appelait le «pavillon de la reine» pour la distinguer du «pavillon du roi» contigu, plus proche de la grosse tour et de la partie subsistante de l'ancienne forteresse. Le vaste couloir dans lequel il faisait les cent pas donnait sur des bois immenses et ordonnés, que cette journée ensoleillée aurait rendus pittoresques malgré le froid, si la saison n'avait privé la plupart des arbres de leurs feuilles.

La reine, désormais régente, n'était plus la femme puissante d'autrefois: mais l'avait-elle vraiment été? Au temps de François Ier, alors jeune princesse et objet de toutes les plaisanteries, comme plus tard aux côtés de son époux Henri II, elle avait dû subir l'ascendant de la fascinante Diane de Poitiers. Sa seule consolation avait été d'engendrer des fils appelés à régner. François II avait malheureusement trépassé prématurément et le règne de Charles IX, alors âgé de treize ans, se voyait miné par une guerre civile qu'elle n'avait jamais voulue et qu'elle ne savait comment maîtriser. Elle et son fils résidaient désormais à Vincennes, pratiquement prisonniers de ce qu'on appelait le Triumvirat: un groupe de commandement formé par le duc François de Guise, le connétable de Montmorency et le maréchal de Saint-André, décidé à soutenir la cause catholique sans aucune forme de négociation ou de compromis.

Michaelis s'attendait à être introduit dans les appartements de la reine. Il fut donc très surpris de la voir apparaître dans le couloir et venir à sa rencontre sans dames de compagnie. Cette attitude confirma secrètement l'impression qu'il avait de se trouver en présence d'une pauvre femme, victime depuis toujours d'événements qui la dépassaient.

Il s'inclina pour la saluer, mais Catherine lui toucha l'épaule, l'incitant à se relever.

« Mon père, on nous a tant vanté vos mérites, particulièrement Giulia Cybo-Varano, notre demoiselle de compagnie préférée. » Elle lui désigna en toute simplicité un des bancs de pierre qui flanquaient les vastes fenêtres. « Venez, asseyons-nous là, si cela ne vous fait rien. Nous nous sentons beaucoup moins espionnée dans les couloirs que dans nos propres appartements. »

C'était la première fois que le père Michaelis voyait de près la régente. Il en profita pour l'observer. Elle continuait à porter le deuil de Henri II, et sa robe, entièrement noire et sobre, excepté la présence d'une collerette, ne présentait aucune fantaisie particulière. Le détail frappant de cette silhouette était plutôt son visage, d'une laideur si affligeante que le regarder était une épreuve pénible. L'âge avait dû en accentuer les défauts : des yeux opaques et exorbités, un menton inexistant et un nez qui s'apparentait à un appendice insignifiant. L'arrondi marqué de son visage faisait penser à celui d'une enfant prématurément vieillie, ignorante des rides profondes qui striaient son front et gâtaient ses joues.

Sa voix, pourtant, résonnait d'un éclat cristallin agréable.

« Quelles nouvelles nous apportez-vous de notre pays, mon père ? s'enquit-elle gentiment. Quelque nouveauté ? »

Le père Michaelis, pourtant préparé à tout, sursauta. C'était le comble ! La reine de France lui demandait à lui des nouvelles de son propre royaume ! Après une brève hésitation, il réussit à répondre :

« De bonnes nouvelles, Majesté. Après des mois de victoires ininterrompues, les huguenots perdent du terrain un peu partout. Les défaites de Rouen et de Dreux ont joué un rôle décisif. Et au moment même où je vous parle, comme vous le savez sûrement, François de Guise marche sur Orléans.

— Orléans ! murmura la reine avec une grimace. Le prince de Condé n'aurait pas dû se comporter ainsi. En s'emparant d'une ville aussi importante, à la tête de compagnies régulières de l'armée du roi, il nous a contrainte à sortir de notre neutralité. Ne pas intervenir aurait marqué la fin de la monarchie.

— Rassurez-vous, Majesté. Les heures d'Orléans sont comptées. Les blancs ont été partout mis en déroute. Les rouges dominent à nouveau. »

Catherine frissonna.

« Voilà bien une couleur qui ne nous plaît guère. On nous rapporte parfois des histoires terribles, de huguenots écorchés, aux membres mutilés, lapidés, aux yeux et à la langue arrachés. Croyez-vous que ces informations soient exactes ? »

Le père Michaelis se demanda s'il convenait de répondre, puis il opta pour l'affirmative.

« Malheureusement, oui, Majesté. Ce sont là des excès que je déplore. Les partisans catholiques, de Fossans au moine Richelieu, semblent convaincus de l'utilité d'estropier les prisonniers, afin que le peuple s'en souvienne comme de monstres. Je crains cependant que derrière un tel manque d'humanité se cache le fanatisme des franciscains et des dominicains. »

En mentionnant les ordres religieux les plus détestés par sa Compagnie, Michaelis espérait les montrer sous un jour défavorable aux yeux de la reine. Il ignorait si sa ruse avait eu quelque effet. Le regard vide de la souveraine s'éclaira soudain d'une vive curiosité.

« Mais voyez-vous cela ! Nous avions cru que vous veniez vous aussi dans le but de nous recommander l'intransigeance, comme tout le monde ici. Il nous semble comprendre que tel n'est pas le cas. »

Commençait alors la partie la plus difficile de cet entretien. Michaelis inspira discrètement, puis dit :

« L'intransigeance n'est valable que lorsqu'elle est tempérée par le réalisme. Or, il paraît évident qu'une guerre à outrance contre les huguenots aurait des conséquences désastreuses. Sur notre territoire combattent déjà, d'un côté ou de l'autre, des milices suisses, anglaises et espagnoles. Si la guerre venait à s'éterniser, la présence étrangère pourrait devenir déterminante, et vous et votre fils pourriez perdre votre souveraineté, voire même la couronne.

— Continuez.

— Je sais que le Triumvirat vous recommande une guerre sans merci, tandis que Michel de l'Hospital et François Ollivier sont favorables à une politique de concorde à tout prix, fût-ce la reconnaissance de l'Église huguenote. Je suis venu vous proposer une solution intermédiaire.

— Parlez donc. »

Le père Michaelis essaya de s'exprimer avec la plus grande clarté. Il ne savait plus à présent si la femme pathétique et grotesque qu'il avait devant lui faisait preuve ou non d'intelligence. Il pencha pour l'affirmative, mais mieux valait rester prudent.

« Ce n'est qu'une question de temps, mais il faudra bientôt arriver à un armistice, confirmé par décret royal. Même si cela nous répugne, à vous et à moi, catholiques convaincus, il nous faudra bien pourtant faire des concessions. Toute la question est : lesquelles ? »

Catherine se pencha vers lui, très intéressée.

« Dites-le-nous.

— Majesté, personne ne semble comprendre, à part nous autres jésuites, que le sort de la guerre actuellement en cours dépend de l'appartenance des deux camps à l'un ou l'autre des trois états : la noblesse, le clergé et le peuple. Lyon est tombé presque sans coup férir parce que la bourgeoisie citadine, alliée aux basses classes laborieuses, avait déjà cédé à l'appel de la Réforme. Si Paris reste en revanche imperméable à l'influence huguenote, c'est parce que les couvents catholiques assurent la subsistance du petit peuple. Presque partout, l'issue militaire est conditionnée par des équilibres de ce genre.

— Nous comprenons. Et alors ? »

Le père Michaelis plissa les yeux.

« Quand il vous faudra arriver à un accord, modelez-le sur cette situation. Ne campez pas sur votre position : on n'éradique pas une hérésie en l'interdisant. Concédez plutôt aux huguenots la liberté de culte, mais apportez des nuances à cette liberté en fonction des classes auxquelles elle s'adresse. Faites en sorte que la religion des réformés ne soit plus pratiquée que par la noblesse. Si elle ne concerne plus que les privilégiés, il deviendra de fait beaucoup plus facile de l'extirper.

— Pardonnez-nous, mais nous ne vous suivons plus, dit la reine en écarquillant ses yeux ronds. Donnez-nous un exemple.

— Oui, bien entendu. » Michaelis fit un effort supplémentaire pour rester clair. « L'erreur de l'édit de Romorantin a été d'autoriser la prédication huguenote hors des murs des villes et loin des palais. Le cardinal de Lorraine a agi stupidement, sans même réaliser la portée du désastre qui se préparait ainsi. Repousser la prédication hérétique dans les faubourgs et les villages a permis aux réformés de faire des adeptes parmi les artisans et les manœuvres.

— Le cardinal de Lorraine ne fait plus partie de nos conseillers, observa sèchement Catherine de Médicis. Toutefois, nous persistons à ne pas comprendre quelle alternative vous nous proposez.

— Je vais vous le dire. Jacques Spifane ne cesse de réclamer la liberté de prêche. Concédez-la-lui donc, mais seulement dans l'enceinte des palais aristocratiques. Vous verrez, Majesté, que tous les chefs huguenots s'en contenteront ; ils croiront même avoir triomphé. Ils se seront au contraire passé la corde au cou, parce qu'une religion qui n'est pas partagée par le peuple n'est pas digne de porter ce nom : c'est une secte.

— Mais nous n'avons nul désir de perdre nos nobles !

— Vous ne les perdrez pas. Beaucoup ne seront pas disposés à prendre ouvertement parti, en transformant leurs demeures en lieux de culte. »

Il régna alors un silence interminable, puis les rides qui entouraient la bouche de la reine s'aplanirent.

« Tout ce que nous avions entendu à propos de l'habileté de la Compagnie de Jésus semble se voir confirmé. C'en est même inquiétant. »

Le père Michaelis devint soudain extrêmement sérieux.

« Peut-être est-ce parce que nous sommes les seuls à avoir compris l'enjeu de cette bataille et à nous préoccuper du résultat final, autrement dit de la victoire du bien, en recourant au cas par cas aux moyens les plus adéquats. » Il se leva. « Je ne vous demande pas une réponse, ma Reine. Je vous prie seulement de reconsidérer ce que je viens de vous dire quand le problème se posera et, en attendant, de n'en point parler à vos conseillers.

— Vous pouvez y compter. »

L'entretien était terminé. Le père Michaelis allait tourner les talons, mais Catherine le retint d'un geste dans l'embrasure de la fenêtre.

« Nous suivrons votre conseil, bien que nous ignorions s'il pourra mettre un terme à cette horrible guerre. Plusieurs philosophes qui nous sont dévoués se sont réunis à Lyon, l'an dernier, à l'initiative de nos conseillers, et nous ont prédit des décennies de violence.

— À quels philosophes faites-vous allusion ?

— À quelques savants astrologues, qui ne se sont encore jamais trompés dans leurs prédictions. Le plus célèbre parmi eux est le grand Nostradamus, que vous connaissez certainement de réputation. Les autres n'ont rien à lui envier. »

La reine paraissait tellement convaincue que Michaelis n'osa la contredire, de crainte de perdre le crédit déjà obtenu. Il se contenta d'observer, d'un air indifférent :

« Majesté, vous avez raison d'accepter les conseils, ainsi que les prédictions, des savants en qui vous avez confiance. Permettez-moi seulement de vous recommander la plus grande prudence. Vous vous souvenez certainement de l'exemple de Cosimo Ruggeri : il se faisait passer pour un astrologue, alors qu'il n'était en réalité qu'un nécromant.

— Oh, nous nous sommes déjà débarrassée de ce monstre. Non, nous vous parlions de véritables érudits.

— Il ne me reste donc plus qu'à m'incliner devant leur autorité. » Michaelis allait se retirer quand il fut saisi par une pensée imprévue. « Majesté, vous m'avez dit que cette rencontre entre astrologues avait été organisée par vos conseillers. Puis-je vous demander lesquels en particulier ?

— Michel de l'Hospital et François Ollivier.

— Mais Michel de l'Hospital s'est toujours montré un farouche adversaire de l'astrologie !

— C'est pourtant bien lui qui a insisté pour que cette consultation ait lieu. »

Le père Michaelis plissa les yeux et, inconsciemment, pencha la tête de côté.

« Et que vous ont conseillé ces doctes astrologues pour éviter à la France ces catastrophes qui nous menacent ?

— De reconnaître tous les cultes sans distinction aucune et sans poser de conditions. » La reine se hâta d'ajouter : « Rassurez-vous. Leur réponse ne nous empêchera pas de tenir compte de ce que vous nous avez suggéré.

— Je vous remercie. » Le père Michaelis s'inclina bien bas, puis s'éloigna le long du couloir.

En son for intérieur, il était furieux. Il sortit par une porte au fond, puis descendit quatre à quatre le grand escalier. Il se dirigea ensuite vers une aile intermédiaire entre le « pavillon de la reine » et le « pavillon du roi », où logeaient dames et gentilhommes provisoirement hébergés à la cour. Il faillit renverser quelques domestiques penchés sur le sol, occupés à débarrasser les couloirs des excréments de leurs maîtres, et arracha des cris d'orfraie à une demoiselle qui, dans un coin, la robe baissée jusqu'à la ceinture, laissait un chevalier lui caresser les seins, nus malgré le froid.

La colère de Michaelis ne s'atténua que devant une petite porte du premier étage, dépourvue de fioritures et de décorations. Il tourna la poignée et entra sans frapper. Il s'arrêta au centre de la pièce, faiblement éclairée par une lucarne.

Simeoni, assis sur le lit, enfilait ses bottes. Giulia se tenait devant un paravent, admirant, dans le petit miroir carré qu'elle tenait en main, les détails de la tenue bleue et blanche qu'elle venait probablement à peine d'endosser. Tous deux regardèrent le jésuite, à peine étonnés.

« Que se passe-t-il, mon père ? » demanda Simeoni après s'être levé. Son visage, encadré par une barbe tachetée de gris, semblait affaibli, comme s'il avait subi un vieillissement rapide. Ses yeux enfoncés paraissaient délavés.

Michaelis s'efforça de dominer sa colère. Il croisa les bras et dit :

« J'ai fait votre fortune à tous deux, et pourtant je ne reçois de vous qu'ingratitude. Vous vivez à la cour, respectés, servis, admis à la table de la reine. Il y a quelques mois encore, vous étiez traqués comme des criminels, et votre tête ne valait pas un écu. Est-il possible que vous l'ayez déjà oublié ? »

Simeoni écarta les bras.

« Franchement, je ne comprends pas ce que... »

Giulia l'interrompit.

« Attends, laisse-moi m'en occuper. » Elle fixa le jésuite d'un regard clair et ferme. « Gabriele était recherché pour un attentat que vous l'avez incité à commettre. Depuis des années, il est victime de vos chantages, d'abord dans le but de me sauver, et maintenant de se sauver lui-même. Quant à moi...

— Giulia, c'est inutile ! » cria Simeoni. Il tourna vers le père Michaelis un regard si éteint qu'on l'aurait cru frappé de myopie. « Je vous ai obéi en tout et j'ai gagné l'estime des conseillers de la reine, auxquels je transmets vos suggestions. En quoi ai-je failli ? »

Michaelis se laissa tomber sur une chaise.

« De l'Hospital et Ollivier ne subissent pas votre influence. C'est vous qui vous prêtez à leur jeu. Sachant combien Catherine est sensible aux avis de ses astrologues, ils exercent par leur intermédiaire des pressions sur elle en faveur de la parité religieuse en France. Plus qu'un blasphème, ils commettent là un véritable crime politique. Et vous en avez été l'instrument.

— Vous faites allusion à la rencontre de Lyon, avec Nostradamus, Reignier et les autres ?

— Oui. Je viens d'apprendre qu'elle avait été décidée par Michel de l'Hospital. Vous aviez oublié de m'en informer. »

Simeoni baissa la tête.

« C'est exact, mais on a peu parlé de politique à Lyon. Seuls les derniers survivants de l'*Ekklesia* d'Ulrich de Mayence, dont vous savez tout désormais, étaient présents, et nous avons discuté de la manière dont les arts magiques que nous avions appris pouvaient être employés à faire le bien. Le reste s'est révélé secondaire.

— Pour vous, peut-être, mais pas pour de l'Hospital. Non plus que pour moi. Prenez garde à vous, docteur Simeoni. Jusqu'à présent, je vous ai protégé, mais à la condition expresse que vous m'obéissiez et que vous ne me dissimuliez rien. »

Simeoni commençait à balbutier des paroles d'excuse, quand Giulia courut vers lui et l'étreignit fortement, le faisant chanceler un peu. La jeune femme regarda le jésuite avec froideur.

« Je sais qu'en votre for intérieur vous n'êtes pas mauvais et que vous croyez servir Dieu, scanda-t-elle sans rancœur, mais aussi sans affection particulière. Vos méthodes sont toutefois révoltantes. Vous exercez sur nous un odieux chantage et nous transformez tour à tour en espions ou en assassins. N'imaginez pas cependant que vous allez me faire ressembler à ma mère, qui se croyait forte et qui, au contraire, était tombée à la merci de toutes sortes de crapules. Je ne suis pas forte, mais j'aime cet homme que vous êtes en train de détruire. Ne le faites plus souffrir, ou je ne réponds plus de rien. »

Le père Michaelis sentit renaître en lui une curieuse attraction, qu'il croyait assoupie, pour cette femme. Il tenta de contenir cette dangereuse pulsion. Il ne put toutefois s'empêcher de penser qu'il utiliserait encore Giulia, car sa cause l'exigeait, mais qu'il ne lui ferait plus jamais aucun mal. Cette pensée le réconforta et lui donna la force de continuer à mentir.

« Vous êtes mal placée pour m'accuser, dit-il d'une voix un peu rauque. Je vous ai tirée des griffes de l'Inquisition, libérée de l'excommunication et enlevée de force au cardinal Farnèse qui vous tenait prisonnière. Et enfin, j'ai même fait en sorte que vous puissiez rejoindre l'homme que vous aimez. Cela vous paraît-il quantité négligeable ?

— Non, vous avez raison. » Giulia s'écarta de Simeoni et fit quelques pas vers le jésuite, qui recula légèrement. « Et c'est précisément parce que votre nature est bonne que vous ne devez plus me contraindre à signer les lettres destinées à ce pauvre diable de Carnesecchi. Je ne sais peut-être pas lire, mais j'ai compris que vous cherchiez à profiter de la confiance qu'il me manifestait pour le compromettre. Relevez-moi de cette tâche pénible, et ma gratitude envers vous ne connaîtra plus de limites. »

Le père Michaelis se raidit.

« Les lettres auxquelles vous faites allusion ne sont pas adressées à Carnesecchi, mais à Giulia Gonzague, à Naples.

— C'est possible, mais pourquoi dans ce cas les lui transmet-elle, maintenant que Côme de Médicis l'a repris à son service ?

— Qui vous l'a dit ? Mon copiste ?

— Peut-être.

— Que savez-vous de leur contenu ?

— Qu'il s'agit d'apologies de la religion calviniste. Il n'est pas très difficile de deviner ce que vous espérez que Carnesecchi vous réponde. Vous recueillerez ainsi la preuve nécessaire à l'Inquisition pour rouvrir le procès à sa charge. »

Le père Michaelis fut surpris de voir son plan mis à nu. Décidément, Giulia était une femme à l'intelligence supérieure, beaucoup plus perspicace que ne l'avait jamais été sa mère. Mais cette découverte ne suffisait pas à l'inciter à abandonner un projet désormais sur le point d'aboutir.

Il se leva et, s'interposant entre les deux amants, leur toucha le bras. Il parvint à moduler sa voix de façon à lui conférer un timbre affectueux :

« Mes amis, je dois admettre qu'à maintes reprises je vous ai fait participer aux batailles que je mène sans vous en préciser les moyens ou les buts. Vous avez tous deux de nombreuses fautes à vous faire pardonner. Savez-vous seulement que tout ce que vous avez accompli l'a été pour le bien suprême de l'Église, aujourd'hui soumise à de terrifiantes menaces. Vous devez vous sentir partie intégrante d'une armée engagée dans un combat, où le simple soldat ignore parfois le but précis de sa tâche. Mais si le Christ vous guide, quiconque aura participé à cette mission, consciemment ou non, activement ou *perinde ac cadaver,* trouvera sa propre récompense. »

Michaelis finit par s'exprimer avec conviction : il croyait réellement en ce qu'il affirmait, tout au moins en ce qui concernait Giulia. La jeune femme paraissait cependant la plus sceptique des deux ; quant à Simeoni, il semblait ne pas avoir compris un traître mot de ce discours.

Le jésuite était en train de chercher les expressions adéquates afin de clarifier sa pensée, quand du couloir provinrent des cris, des bruits de portes claquées et des pas pressés. Il se précipita vers la porte. On aurait dit que le château tout entier était en proie à une vive agitation, visible jusque dans les visages effrayés des domestiques, qui couraient çà et là, et des groupes de gentilshommes qui faisaient irruption de toutes parts.

Le père Michaelis aborda un moine franciscain, l'air bouleversé.

« Qu'est-il arrivé ? »

L'autre le regarda avec des yeux larmoyants.

« Une tragédie, une véritable tragédie ! Le duc François de Guise a été assassiné par un maudit hérétique !

— Où cela s'est-il passé ?

— À Orléans, que les nôtres venaient à peine de reconquérir. On est en train de ramener ici le duc, enveloppé dans un linceul. Qui va défendre les catholiques, maintenant ? »

Bien que Michaelis perçût la gravité du moment, son esprit fut absorbé pendant un court instant par une pensée futile et irritante. Nostradamus n'avait-il pas écrit un quatrain qui faisait allusion à un « pavillon Royne* » et à un « duc sous la couverture* » ?

Mais l'heure n'était pas venue de céder à de pareilles rêveries. L'armistice entre catholiques et huguenots venait d'être repoussé. Les projets qu'il venait d'exposer à Catherine de Médicis ne pourraient être mis en pratique aussi rapidement qu'il l'avait espéré.

Les deux visages de la magie

« Le spectacle était si horrible qu'il frôlait la folie, dit François Bérard, livide. J'en ai eu un haut-le-cœur, mais je n'avais pas la force de quitter la place de Grève. J'étais entouré d'une foule qui applaudissait comme si elle assistait à un événement joyeux. Seules quelques femmes pleuraient, mais en cachette. Tous ceux qui, sur cette place, auraient osé manifester leur désaccord, se seraient trouvés en danger de mort.

— On dit que le coupable, ce Poltrot de Méré, aurait avoué avoir assassiné François de Guise, à l'instigation de l'amiral de Coligny », observa Michel.

Lui et Bérard étaient assis dans son officine, à côté de la fenêtre entrouverte. C'était une journée presque étouffante, tout à fait insolite pour cette fin de mars. Le chaton qui s'introduisait la nuit chez lui se tenait déjà sur le rebord de la fenêtre et s'étirait tout en regardant en direction du château. Les toits étaient peut-être trop brûlants pour ses petites pattes.

Bérard secoua la tête.

« Si Poltrot a fait quelque confession, je n'ai pu l'entendre. Je me trouvais loin, et d'ailleurs je ne crois pas qu'il était en mesure de parler. Je l'ai par contre entendu hurler. Et quels hurlements ! Les bourreaux lui arrachaient des lambeaux de chair avec leurs tenailles rougies, en prenant garde de ne pas lui infliger de blessures mortelles. Par deux fois, Poltrot s'est évanoui, et par deux fois on l'a ranimé en lui jetant des seaux d'eau. La foule se disputait pour désigner aux bourreaux les endroits où enfoncer leurs tenailles, mais même les rugissements de la place ne parvenaient pas à couvrir les lamentations de ce pauvre diable. »

Michel ferma les yeux.

« Mon Dieu, quelle horreur !

— Vous l'avez dit. Ce n'est que lorsque les cris de Poltrot ont diminué en intensité qu'on a expédié la fin de la sentence, avant qu'il puisse perdre conscience. On l'a couché sur une table, et on a attaché les extrémités de ses membres à quatre chevaux, qu'on a violemment fouettés. Le dernier cri perçant du condamné s'est alors fait entendre, tandis que ses jambes et ses bras se distendaient de manière grotesque. Un instant plus tard, il se déchirait en quatre morceaux, et son sang inondait toute l'estrade.

— La peine des régicides.

— Oui. Du reste, nombre de catholiques considéraient le duc de Guise comme un roi. » Bérard secoua la tête. « À ce stade, je suis enfin parvenu à quitter la place. J'ai appris par la suite que le tronc de Poltrot avait été brûlé sur cette même place, tandis que sa tête et ses membres avaient été cloués à des pieux, placés aux diverses portes de Paris et devant l'hôtel de ville. Ils doivent s'y trouver encore. »

Il régna un bref silence, puis Michel observa :

« En prenant le parti d'une exécution aussi sanglante, la régente a voulu lancer un avertissement aux huguenots. À moins qu'elle n'ait souhaité amadouer les catholiques.

— Je pencherais plutôt pour la seconde hypothèse. Au fond, tandis que la foule s'acharnait sur ce malheureux Poltrot, la reine signait à Amboise la paix avec les réformés, en leur concédant la liberté de culte à travers toute la France, à l'exception de Paris et des alentours. À cette heure, le parlement a déjà dû ratifier cet accord.

— Un accord pour le moins étrange, observa Michel. Il octroie en effet aux huguenots la pleine liberté de célébrer leurs offices, mais uniquement à l'intérieur des demeures aristocratiques. Cela signifie qu'ici, à Salon, les réformés ne pourront prononcer aucun sermon. Ceux qui voudront les écouter devront se rendre jusqu'au château des Mauvans ou de quelque autre seigneur huguenot. Bien peu auront ce courage.

— Ma foi, il fallait bien finir par conclure une paix, quelle qu'elle soit. L'accord d'Amboise semble avoir contenté tout le monde. C'est ce qui importe. »

D'en bas leur parvint la voix de Jumelle qui grondait l'un de ses enfants, probablement le trop vif César. Michel s'abandonna un moment à ses réflexions. Il s'aperçut qu'il était en train de jouer avec l'anneau en forme de serpent qui se mordait la queue, abandonné sur le dessus de l'écritoire. Le motif de la visite de Bérard lui revint à l'esprit.

« Vous avez donc reçu, quoique avec un peu de retard, la lettre que je vous ai envoyée le 27 août de l'année dernière ?

— Mes domestiques me l'ont remise à mon retour de Paris. Vous pouvez constater que je suis aussitôt venu vous voir.

— Êtes-vous vraiment certain de la route que vous souhaitez emprunter ? Prenez garde, c'est un chemin dangereux. » Michel tendit la main vers une étagère et prit quelques opuscules. « Voyez-vous, il ne se passe pas un mois sans que quelqu'un se donne la peine de m'attaquer. Voici par exemple le pamphlet en vers d'un certain Conrad Badius de Genève. Il s'intitule *Les vertus de notre maître Nostradamus* et m'y accuse d'être aussi lamentable comme poète que comme astrologue. Plus récemment, on a publié ce fascicule anonyme, intitulé *Palinodies de Pierre de Ronsard.* L'auteur y paraphrase les vers que Ronsard m'a dédiés et me gratifie du terme peu élogieux de crapule, quand ce n'est pas pire. »

Bérard haussa les épaules.

« Vous ne devriez pas vous soucier de semblables broutilles, Michel. Votre renommée est bien installée, tant en France qu'à l'étranger.

— C'est si vrai que je suis continuellement harcelé par de fausses éditions de mes œuvres. Les diffamations les plus insidieuses restent cependant celles qui s'efforcent de me dénoncer auprès de l'Inquisition comme juif ou sorcier. Ou bien celles qui soutiennent que l'astrologie que je pratique reste hésitante et qu'elle ne peut donc avoir inspiré mes divinations.

— Le monde est rempli d'imbéciles. Votre position vous permet de les ignorer.

— Mais le fait est qu'ils ont souvent raison ! » Michel s'aperçut qu'il était sur le point de se compromettre, mais il ne pouvait plus revenir en arrière. Il ne le souhaitait d'ailleurs pas. « Pendant des années, je me suis servi d'éphémérides imprimées à Venise, sans même me rendre compte qu'en les adaptant à un autre lieu, elles engendraient une erreur de méridien. La plupart de mes calculs astrologiques sont inexacts ou approximatifs. Mes prévisions échappent heureusement à cette définition : si l'astrologie constitue leur alibi, la magie reste leur véritable instrument. »

Bérard acquiesça.

« Je le sais, vous me l'avez clairement expliqué dans votre lettre. J'ai la ferme intention de suivre vos pas, Michel, y compris sur le versant de l'alchimie. À Paris, j'ai rencontré un de vos amis, Denis Zacharie... »

Ce nom éveilla en Michel un souvenir plaisant qui le fit sourire.

« Je me souviens de lui. Comment se porte-t-il ?

— Assez mal, je dirais. Le passage dans le camp catholique du roi de Navarre, Antoine de Bourbon, puis sa mort à Rouen, en septembre dernier, l'ont privé de son protecteur. Il s'est tout d'abord rendu en Allemagne, mais une fois de retour en Navarre, il a dû fuir Jeanne d'Albret qui exigeait de lui une pleine adhésion au parti huguenot et la fabrication d'or supplémentaire pour les insurgés. En vérité, il exècre tous les fanatismes.

— Êtes-vous vraiment certain qu'il soit en mesure de transmuter les métaux en or ?

— Non, d'ailleurs il refuse d'en parler. C'est pourquoi je m'adresse directement à vous, docteur Nostradamus. Vous m'avez promis l'anneau que je vois là sur cette table, mais en vérité j'attends de vous bien davantage.

— Quoi donc, exactement ?

— Que vous m'expliquiez les principes de la magie. Les formules ou l'évocation des démons ne m'intéressent pas. Ce sont les règles générales que j'ignore encore. Ces principes qui donnent un sens aux prodiges dont un magicien se révèle capable. »

Michel tendit l'oreille, mais n'entendit plus la voix de Jumelle à l'étage inférieur. Quant à Chevigny, il s'en était débarrassé en l'envoyant faire des emplettes dans le bourg. Il pouvait donc parler en toute tranquillité.

« François, commença-t-il, je vais vous raconter une mésaventure qui m'est arrivée il y a bien longtemps et qui va peut-être vous faire comprendre la véritable nature de la magie, ainsi que ses dangers. Voulez-vous bien l'écouter ?

— Vous me le demandez ? sourit Bérard.

— Bien. Cela se passait en 1523. J'étais alors un jeune étudiant ayant fréquenté plusieurs universités du Sud de la France. J'alternais les heures d'études et les vagabondages à la recherche d'herbes étranges ou rares. À plusieurs reprises, j'avais eu l'occasion d'utiliser mon herbier dans des villages frappés d'épidémies ou de pestilences, avec des résultats parfois incertains, mais dans quelques cas tout à fait miraculeux. Je m'étais donc déjà bâti une réputation de savant, quoique exagérée au regard de mes connaissances effectives. Dans ma famille, du reste, se transmettait une longue tradition d'études dans le domaine de la pharmacopée.

— Grâce à votre oncle et à votre aïeul, je présume.

— Oui, même si le second se révéla plus versé en astrologie qu'en pharmacopée. Mes pérégrinations me menèrent un jour jusqu'à Bordeaux. Une peste aux proportions inhabituelles, qui décimait toute la population, avait éclaté dans cette ville. Je fis le voyage en même temps qu'un soi-disant barbier d'Anvers qui se faisait appeler Peter Van Hoog. En réalité, son véritable nom était Ulrich, ou Ulderich, originaire de Mayence. Se prenant aussitôt d'affection pour moi, il me révéla son identité. Il ne semblait éprouver aucun des préjugés qui avaient cours alors, aujourd'hui un peu atténués, envers les juifs convertis. Il se montrait même un grand lecteur de la kabbale et nourrissait envers la culture hébraïque un respect bien plus profond que celui que je manifestais alors. »

Bérard approuva.

« Vous m'avez souvent parlé de cet Ulrich avec un mélange de respect et de crainte, pour ne pas dire de peur.

— Quand je l'ai rencontré, j'ai avant tout éprouvé pour lui du respect. C'était un homme aimable et affectueux, exceptionnellement érudit. Il avait voyagé jusqu'au Cathay, possédait un nombre inouï de langues et entretenait une grande familiarité avec les magies égyptienne, chaldéenne, arabe, alexandrine, et les formes les plus variées de la médecine. Je vis aussitôt en lui le maître idéal que j'avais cherché en vain dans les universités de Provence. De son côté, il trouva en moi l'élève parfait dont il avait peut-être à son tour rêvé. Il se mit à m'aimer comme un fils et voulut que je demeure à ses côtés à Bordeaux. Il avait été convoqué dans cette ville en raison de son habileté en tant que médecin, sur l'invitation du directeur du lazaret, l'Italien Pietro d'Avellino.

— Ce nom ne m'est pas inconnu non plus.

— À cette époque, c'était un médecin fort célèbre. Je me mis à soigner les pestiférés sous la conduite d'Ulrich. Ses enseignements se limitaient à deux convictions. La première était que les maladies épidémiques se transmettent par l'air. D'où la nécessité de freiner la contagion en enterrant profondément les cadavres et en purifiant l'atmosphère avec des parfums et des essences. Voilà pour la prévention. Quant à la guérison, Ulrich avait développé une conception curieuse : il pensait que le facteur responsable d'une maladie pouvait aussi la guérir, ou tout au moins la bloquer à son commencement en en distillant de petites doses. Le vecteur de la peste paraissant être les rats, il tenta de la combattre en versant des gouttes de sang de ces animaux dans le sang humain. En réalité, il expérimentait cette méthode pour la première fois, et les résultats initiaux furent désastreux. »

Bien que François Bérard suivît Michel avec attention, il était clair qu'il s'intéressait davantage à des problèmes que son maître ne se décidait pas à aborder. Ce fut en quelque sorte pour interrompre son récit qu'il s'exclama :

« Du sang de rat ! C'est donc pour cela que dans le troisième poème en latin contenu dans votre lettre, vous m'avez conseillé de mélanger myrrhe, encens, benjoin et sang de rat, et de fumiger à l'aide de cette mixture la statue du démon que je compte évoquer ? »

Michel ressentit une douleur légère à son épaule, mais n'y prêta guère attention : en vérité, il s'y attendait.

« Non, pas précisément, répondit-il. Mon poème s'inspire d'une invocation à Hécate reprise par de nombreux auteurs, dont Eusèbe de Césarée. J'ai remplacé les salamandres de la citation originale par des rats parce que ces derniers sont plus faciles à dénicher. Le fait est qu'en des circonstances appropriées, *toutes* les magies peuvent fonctionner. Voici, en substance, ce que m'a enseigné Ulrich.

— Ce concept me paraît obscur. Outre la médecine, il vous a donc initié à la magie ?

— Oui. Il citait souvent Paracelse, avec lequel il avait entretenu d'amicales relations : "Que le médecin prenne conscience que les maladies possèdent deux sortes de germes : le germe astral et le germe toxique ; ainsi, celui qui existe dès l'origine, comme dans la pomme, la noix ou la poire, est astral ; alors que celui qui naît de la décomposition est toxique." Vous, François, qui avez étudié comme moi Paracelse, vous savez bien ce que cette définition signifie.

— Bien entendu. L'élément astral est la matière avant sa création, commune à toutes les choses vivantes et inanimées. Ce *Mysterium Magnum* qui fait que nous sommes constitués de la même substance que les astres. L'élément toxique intervient en revanche lors de la dégénérescence de cette matière.

— Exactement », approuva Michel, satisfait. Sa douleur à l'épaule s'était stabilisée. « Mais cette nature cachée de la maladie, qu'elle relève de l'astral ou du toxique, ne peut être révélée qu'à partir d'un point d'observation cosmique qui tienne compte de l'interaction entre l'homme et la création. Sur ce point, également, Ulrich concordait avec Paracelse : "Vous devez savoir que les maladies, tout comme la médecine, possèdent une nature cachée. Or, il est impossible de la mettre à nu en se servant de la dimension terrestre ; il faut avoir recours au corps sidéral, qui perce cette nature tout comme le soleil perce le verre." »

François Bérard paraissait à présent vivement intéressé ; même le chat s'était tourné dans leur direction, comme s'il voulait entendre l'objet de leur discussion.

« Mais le corps sidéral n'est pas une notion tangible…

— C'est l'une des premières objections que j'ai formulées à l'adresse d'Ulrich. Il m'a répondu que selon des perspectives différentes on pouvait apercevoir des réalités différentes. Pour voir le microcosme de l'homme fondu dans le macrocosme de l'univers, il faut trouver une perspective qui les inclue tous deux. Ce qui signifie avoir conscience de l'élément astral, autrement dit de la substance qui nous relie à l'univers, pour ensuite gravir les échelons de cette conscience. Jusqu'à adopter un point de vue proche de celui de Dieu.

— Le huitième ciel, murmura Bérard, ou le neuvième pour certains…

— Le nombre ne compte guère. L'important est de trouver le passage qui permette d'adopter cette perspective. Quelle est la matière pure et non contaminée que vous autres alchimistes vous efforcez de créer, en transmutant les différents aspects de la matière corrompue ?

— L'or.

— Et qu'est-ce que l'or ?

— Le soleil, bien évidemment. On l'atteint en purifiant les métaux.

— Et le soleil est d'ailleurs le point de vue de Dieu. Ou plutôt de son Œil, son angle visuel. C'est le soleil qui nous permet de voir ; mais, comme nous l'a enseigné Platon, lui aussi nous regarde. Si nous pouvions nous élever à sa hauteur, nous jouirions du panorama qui s'ouvre devant Dieu. Nous verrions l'abîme cosmique dans toute son harmonie. » Michel commençait à être lassé de cette conversation qui s'éternisait, même s'il avait plaisir à pouvoir exposer ses convictions à un interlocuteur intelligent. « François, je suis persuadé que ces notions vous sont familières, parce que tout alchimiste les partage. Telles sont les théories que développait Ulrich, tout en les appliquant aux maladies, particulièrement à la peste, un mal typique qui trouve son origine dans l'élément toxique. »

Bérard fit un signe d'assentiment, mais leva cependant une main pour l'interrompre.

« Je suis parfaitement votre raisonnement, mais je dois toutefois vous objecter que le soleil n'est pas au regard de l'alchimie une réalité matérielle.

— Pas plus que pour la magie. Paracelse parle d'un “soleil magique”, c'est-à-dire d'un astre qui brille dans le monde habité par nos corps sidéraux. Une réalité invisible pour notre expérience directe, mais perceptible toutefois pour une conscience qui aurait franchi les portes du soleil. C'est là, hors du temps, que nos rêves, nos cauchemars et nos fantaisies prennent consistance. Dans ce monde du *Mysterium Magnum,* de la substance commune aux astres, contigu au nôtre, mais accessible à de rares élus. Non pas à l'*Astrologus*, ou au *Divinator,* ou bien au *Nigromanticus*, mais au *Magus.*

— C'est dans ce monde que toutes les magies fonctionnent ?

— Oui, ainsi qu'à la frontière qui le sépare du monde matériel. Al-Kindi a démontré que l'important n'est pas la formule magique, mais l'intention. Si je réussis à rendre concrète, par la seule volonté de mon esprit, l'image de ce qui se trouve dans l'au-delà, je suis capable de la transférer ici-bas. Et vice-versa. Anneaux, fumigations, rites et formules ne sont que des instruments aidant à la concentration de la volonté. Exactement comme pour un alchimiste. Une forte impulsion mentale, générée par un *Magus,* pourrait altérer la composition du monde sidéral, autrement dit de nos rêves et cauchemars. Elle pourrait aussi modifier l'interaction entre la sphère sidérale et la sphère matérielle. Mais rares sont ceux qui s'en montrent capables.

— Êtes-vous de ceux-là ?

— Je ne le sais pas encore.

— Et Ulrich ?

— Sans hésitation. »

Il tomba un silence qui s'éternisa longtemps. Le chat finit par sauter dans la pièce, à la recherche de la pitance contenue dans son écuelle. À l'étage en dessous, la voix joyeuse de Jumelle supervisait la toilette des enfants. De la rue provenait le bruit de sabots battant le pavé. Probablement des soldats qui se rendaient à la cérémonie d'investiture du nouveau gouverneur de Provence, le comte de Sommerive, après que le père de ce dernier, Claude de Tende, fut déposé par la régente suite aux pressions des catholiques.

Il régnait dans l'officine une atmosphère étrange : ces bruits, pourtant bien concrets, y parvenaient comme amortis. Bérard fut le premier à rompre le silence.

« Si Ulrich de Mayence défend cette thèse, le personnage ne peut pas être si négatif. Du reste, vous m'avez dit qu'il vous témoignait de l'affection. Pourquoi en parlez-vous donc presque avec terreur ? »

Michel attendait un élancement dans son épaule, qui ne vint pas. Il se redressa sur son siège, et dit :

« La magie possède toujours deux visages, l'un bon, l'autre horrible. À Bordeaux, j'ai tout d'abord cru qu'Ulrich s'était définitivement rangé du côté du bien. Il assistait les malades du matin au soir, imposait des mesures hygiéniques très efficaces. Il est vrai qu'il pratiquait des expériences de sérum infecté sur des êtres humains, engendrant régulièrement leur mort. Mais ces expérimentations concernaient des malades sans espoir, et ses intentions me paraissaient dignes de louange. Je ne trouvais rien d'anormal quand il me disait qu'il allait essayer le sérum sur des créatures humaines, jeunes et saines, et que leur sang, contaminé par celui des rats, pourrait sauver les pestiférés. »

Bérard pâlit d'un seul coup.

« Vous n'allez pas me dire que...

— Si. » Michel leva les bras au ciel. « Je vous jure que j'ai compris tout cela des années plus tard. Je voyais Ulrich pratiquer des saignées sur des bébés mourants, mais je n'y prêtais guère attention. Je pensais qu'il s'agissait d'expériences légales. Puis je me suis aperçu qu'il avait regroupé dans une baraque quelques nouveau-nés sains dont la peste avait décimé les parents. Je crus qu'il avait pris cette précaution pour les sauver de la contagion. » Michel déglutit. « J'ignorais ce qui se passait la nuit dans cette masure. J'avais en Ulrich une confiance totale. Quand les bébés furent enterrés, enroulés dans des linges qui cachaient entièrement leurs corps, j'ai supposé que l'épidémie avait eu raison d'eux. Et j'ai continué à le croire pendant des années.

— Poursuivez votre récit », murmura Bérard.

Michel gigota sur son siège.

« Les cours de magie qu'Ulrich me dispensait ne manquaient cependant pas de me troubler. Il adhérait aux notions contenues dans certains manuscrits coptes qu'il possédait. Non pas qu'il les jugeât meilleures que les autres ; il les trouvait simplement plus évidentes et fonctionnelles. Leur caractère commun était le christianisme gnostique, avec des apports égyptiens. Leur thème récurrent, également partagé par le concept de *Shekhina* dans la kabbale, était celui d'une nature de Dieu qui ne serait pas exclusivement masculine, mais aussi féminine. Barbélô, Noria, la Vierge de Lumière, la loyale Sophia, etc. Les symboles, matérialisés dans des divinités, d'un univers régi par l'équilibre entre mâles et femelles.

— On retrouve également ce même concept dans l'alchimie, observa Bérard. Le soleil et la lune, le roi et la reine… Les symboles de ce dualisme sont innombrables.

— Oui. Mais Ulrich ne pensait pas que cet équilibre puisse être durable. Il voulait que le soleil prévalût, que l'élément masculin écrasât le féminin. La raison contre l'intuition, la force contre la pitié, la culture contre la nature. Il ne me l'a jamais avoué explicitement, mais j'ai fini par le deviner.

— Vous ne vous êtes pas rebellé ?

— Non, comment l'aurais-je pu ? Les chrétiens n'ont pas agi autrement dans leur lutte séculaire pour supprimer tout élément féminin. Ils l'ont appelé paganisme, magie, sorcellerie. J'avais alors à cette époque une conception des femmes que beaucoup partagent encore aujourd'hui : des créatures fragiles, instables, dépendantes d'éphémères cycles naturels. Si j'ai changé d'avis, c'est suite à une tragédie familiale dont je ne peux vous parler… Excusez-moi, il est fort possible que je divague…

— Non, non, répondit Bérard. Ce que vous me dites m'intéresse beaucoup.

— Je vous l'expliquerai mieux à une autre occasion. Sachez seulement qu'Ulrich allait bien au-delà des conceptions solaires chrétiennes. Pour lui, le soleil devait être doté d'une nature cruelle : il devait procurer du bonheur par l'usage de la force et ramener l'homme à son état animal. Ulrich pensait qu'une élite de prédateurs pouvait se lever, allant jusqu'à dominer le temps et modeler les cieux par leur seule volonté, jusqu'à en chasser toute trace de féminité… Tel était le but final de l'*Ekklesia,* bien que nous, ses disciples, n'en ayons point été conscients. Nous n'en avons eu qu'un avant-goût au cours de cette nuit où, tandis que la peste sévissait encore à Bordeaux, Ulrich nous réunit dans une crypte de l'église Saint-Miqueu pour nous donner le baptême du feu.

— De quoi s'agit-il ?

— D'une ancienne cérémonie gnostique, mais moi, et quelques personnes venues de différentes régions de France, avons cru qu'il s'agissait de la simple application d'un médicament capable de nous préserver des épidémies. Nous avons bien sûr tout de suite remarqué l'étoile qui s'inscrivait au milieu d'un cercle tracé sur le sol, et le mot *ABRASAX* qui l'accompagnait, au milieu d'autres mots hébreux ou égyptiens. Nous savions cependant qu'Ulrich assimilait médecine et magie, et nous n'en fûmes pas trop impressionnés. Premier des baptisés, j'acceptai de bon gré une incision en forme de croix sur l'épaule et, malgré une douleur atroce, je ne me rebellai pas quand des gouttes d'un liquide foncé et dense furent distillées dans ma blessure. La peur vint après. »

Bérard bondit sur ses pieds.

« Vous m'avez l'air très ému, Michel. Si ce souvenir vous trouble, il est inutile que vous l'évoquiez. »

Michel ne l'entendit même pas. Il parlait désormais surtout pour lui-même.

« Pentadius, un assistant d'Ulrich qui venait d'arriver à Bordeaux, nous avait appris, à moi et à mes confrères, un chant funèbre invoquant Isis, Mythra et les anges planétaires. Nous l'entonnâmes ensemble, et j'eus aussitôt la sensation qu'un rideau de hautes flammes emprisonnait le cercle au centre duquel j'étais agenouillé. Entre deux langues de feu, je commençai à apercevoir des visages ricanants de monstres, de dragons ailés, de créatures folles ou énigmatiques. En réalité, je les connaissais toutes, comme tout homme les connaît. Ce sont elles qui envahissent les rêves de l'humanité depuis qu'elle est née, et que les nouveau-nés portent eux aussi en eux, avant que ne leur naisse une conscience capable de freiner leur apparition. À ces créatures succédaient des spectacles de mort, appartenant à des époques différentes.

— De mort… humaine ?

— Oui. Massacres et bûchers, épées et armes inconnues, machines de guerre et engins volants. Un démon obscène, au visage poupin, revenait souvent au milieu de ces images en prononçant son nom : Parpalus. Il semblait trouver ce spectacle à son goût et m'incitait à l'apprécier à mon tour. Il m'appelait depuis cette dimension hors du temps, où de froids esprits supérieurs dominaient toutes les époques terrestres. Des esprits en accord avec un univers qui n'était que chaos insensé. »

Tandis que Michel parlait, le chat mastiquait avec effort un petit morceau de nourriture, baissant son museau pour favoriser le travail de ses mâchoires. Bien que l'animal s'étranglât à moitié, il ne renonçait pas à sa bouchée.

« Mais un chaos régi par des lois mathématiques secrètes et par d'obscures géométries. Là, les cieux connus cohabitaient avec trois cent soixante-cinq sphères, une pour chaque révolution terrestre. Chacune d'elles contenait son propre démon, semblable à certains insectes qui se trouvent prisonniers de la résine ; et tous ces démons, immobiles et absents, attendaient que la glaciation brise leurs cages. Mais cette ère ne surviendra que lorsque l'homme, ce composant du cosmos, retournera à son état primitif et que l'élément féminin sera pour toujours vaincu. L'Œil de Dieu contemplera alors un ciel sans lune et se refroidira devant la vacuité de la nuit. Alors viendra le temps d'impitoyables créatures de glace, maîtresses incontestées de la dernière ère de l'humanité : celle de la glaciation, des mathématiques abstraites, du métal froid, de la domination de la force aveugle…

— Mon Dieu, que se passe-t-il ? » hurla soudain Bérard.

Il désigna le chaton qui, pour ne pas étouffer, avait vomi le gros scarabée vivant qu'il essayait d'engloutir ; mais un second scarabée affleurait déjà dans sa gueule.

Pendant ce temps, sur la table, l'anneau en forme de serpent s'était dénoué et rampait, telle une vipère d'argent.

Si près du triomphe

Le père Michaelis sursauta quand de la rue lui parvint un concert de cris. Il regarda le père Auger assis à ses côtés et lut sur le visage de son confrère une préoccupation identique. L'inauguration du collège jésuite de Clermont, célébrée par une somptueuse cérémonie, avait suscité dès son annonce une tempête de protestations. Les huguenots, désormais expulsés de Paris et de ses environs, n'avaient pour une fois pas fait entendre leur voix. Les opposants à l'ouverture du collège s'étaient en vérité regroupés dans une aile du parlement du roi, influencée par l'université de théologie de la Sorbonne. Plusieurs parlementaires avaient accusé avec véhémence les jésuites d'adopter des formes de prosélytisme rampantes et tortueuses, jugées étrangères à la tradition française. Bien que ce terme d'« étranger » n'ait pas été éclairci, chacun savait qu'il sous-entendait une accusation de trahison en faveur de l'Espagne.

Dans les jours précédant l'inauguration, des poignées d'étudiants de la Sorbonne et d'autres écoles théologiques d'influence gallicane avaient lancé des pierres contre les fenêtres du bâtiment de la rue Saint-Jacques, l'ancien palais de Langres, où le collège de la Compagnie de Jésus vivait depuis des années une existence clandestine. Le père Michaelis avait cependant obtenu du roi en personne la garantie que la cérémonie d'inauguration ne serait pas perturbée. Du reste, le concile de Trente s'était conclu quelques jours plus tôt par le triomphe des jésuites sur leurs rivaux dominicains, ainsi que par l'affirmation de l'autorité pontificale sur les églises locales et l'ensemble des évêques. L'ordre fondé par

Ignace de Loyola ne pouvait désormais plus être remis en question, et représentait chaque jour davantage le pilier de la résistance du catholicisme à la Réforme.

Dans la rue, le vacarme se poursuivait. Le père Michaelis remarqua avec appréhension l'expression alarmée sur le visage du légat pontifical, Hippolyte d'Este, et le rapide sourire de satisfaction sur les lèvres du conseiller Michel de l'Hospital, venu représenter la Couronne.

« Je vais voir ce qui se passe », murmura-t-il au père Auger, qui acquiesça.

Michaelis profita du chant des élèves, tous rejetons de familles aisées, pour se lever sans faire entendre le crissement de son siège. Il quitta la grande salle peinte à fresque d'un pas assuré, comme s'il avait quelque tâche importante à régler. Puis il traversa en courant le vestibule et sortit dans la rue.

Ce qu'il vit le rassura. La compagnie des arquebusiers de la gendarmerie de Paris, qui constituait avec celles des archers et des arbalétriers le trio dit des « Trois Nombres » dont le prévôt disposait pour veiller sur l'ordre public, était alignée devant le palais, aux ordres du capitaine général. Une foule de vilains, malgré le froid quasiment insupportable qui caractérisait cet hiver 1563, avait cependant pris d'assaut la colline contiguë de Sainte-Geneviève. La multitude piétinait la neige en poussant des cris furieux et en brandissant piques, bâtons, marteaux et coutelas. De toute évidence, ils ne visaient pas le collège de Clermont.

Le père Michaelis s'approcha du capitaine général.

« Que se passe-t-il ? »

L'officier, un homme âgé qui se tenait à côté de son cheval, porta la main à son casque empanaché en signe de respect.

« Il est arrivé un grave incident dans l'église de Sainte-Geneviève. Durant la messe, un jeune prêtre défroqué a agressé avec une dague le prêtre qui célébrait l'office. Il l'a blessé, puis a jeté à terre l'hostie et l'a foulée aux pieds. L'assistance s'est aussitôt précipitée sur lui pour le malmener. Ils sont en train de l'emmener place Maubert pour le brûler vif. »

Michaelis aperçut effectivement un jeune homme nu, couvert de sang de la tête aux pieds, traîné par la foule la corde au cou. Il avait déjà perdu un œil et semblait abruti de douleur. Une mégère excitée se ruait de temps à autre sur ses cheveux et les lui arrachait par poignées.

« Vous n'intervenez pas ? s'enquit le père Michaelis.

— Et pour quoi faire ? De toute façon, il finira sur le bûcher ; mieux vaut qu'il soit brûlé tout de suite. Son martyre servira d'avertissement à ces huguenots qui continuent de perpétrer leurs crimes sacrilèges. »

Michaelis approuva. Il allait rentrer dans le collège quand le père Auger en sortit.

« Un incident ? demanda-t-il tout agité. Le légat m'a prié d'aller me renseigner. »

Le père Michaelis haussa les épaules.

« Non, rien de sérieux. Un hérétique solitaire qui ne s'est pas résigné à l'armistice d'Amboise et n'a pas compris que la guerre était finie. Ses propres confrères seront les premiers à le condamner. Cet imbécile a piétiné l'hostie consacrée. Nous pourrions en profiter pour organiser une majestueuse procession expiatoire, avec la participation du roi et de la reine. Le peuple se montre sensible au sacrilège. Ce serait une belle démonstration de force. »

Le père Auger adressa à Michaelis un regard empreint d'une intense perplexité.

« Sébastien, permettez-moi, en ami, de vous parler franchement. Depuis quelque temps, j'ai remarqué dans vos manières de faire et de vous exprimer un certain cynisme. Peut-être le terme est-il trop fort : disons une absence de spiritualité. Je ne voudrais pas, dans votre intérêt, que la nécessité de mettre également en pratique nos idéaux sur le terrain politique alimente en vous une véritable vocation à l'intrigue. Comme celle que nos ennemis nous reprochent. »

Le père Michaelis tressaillit comme un enfant pris en faute. Il connut un bref moment de désarroi, puis baissa la tête. Les paroles qu'il prononça avaient l'accent de la sincérité.

« Je vous remercie, Étienne, de ce rappel à l'ordre. Vous avez probablement raison. Le fait est que je vis passionnément ce moment critique. Je sais que la victoire de notre cause emprunte un chemin étroit et semé d'embûches, et le désir de dégager ce chemin à tout prix m'aveugle plus souvent qu'à mon tour. »

Le père Auger lui sourit.

« Rassurez-vous, je ne doutais point de la pureté de vos intentions. » Il regarda la foule qui continuait à descendre en masse la colline. « Nous traversons en effet une passe difficile, et tout fanatisme risque d'en compromettre l'issue. On murmure que la mort de certains chefs catholiques a même été tout à fait providentielle, et qu'elle nous a évité une guerre trop longue.

— Vous faites allusion à l'assassinat de François de Guise ?

— Oui, ainsi qu'à celui d'Antoine de Bourbon à Rouen. » Le père Auger prit Michaelis par l'épaule et le raccompagna jusqu'au collège. Il s'arrêta cependant devant la porte d'entrée. « Je constate avec curiosité que votre vieil ennemi Nostradamus semble avoir prévu tous ces événements en détail. L'ambassadeur de Toscane, Tornabuoni, m'a signalé l'un de ses surprenants quatrains où l'on parle d'un "Roy & Prince" qui finit dans un linceul en compagnie d'un duc. Or, Antoine, prince de Bourbon et roi de Navarre, et le duc de Guise sont décédés à quelques mois de distance. Ceci en un moment de "Loi esprouvée", autrement dit à une époque où l'autorité monarchique s'est trouvée mise à rude épreuve. »

Michaelis parut surpris.

« Je connais ce quatrain, mais je ne l'avais jamais interprété ainsi.

— Et ce n'est pas tout, poursuivit Auger avec enthousiasme. Dans les deux premiers vers, il est fait mention de la tombe d'un triumvir. Or, vous savez aussi bien que moi que l'année dernière, à Dreux, le maréchal de Saint-André, membre du Triumvirat, est tombé sur le champ de bataille. Voilà comment, en quelques vers, Nostradamus nous prédit les noms des plus illustres victimes de cette guerre. »

Le père Michaelis hocha la tête.

« Non, je sais avec certitude que la tombe du triumvir fait allusion à toute autre chose.

— Prenez garde, mon ami, les vers d'un prophète peuvent désigner simultanément plusieurs événements, répliqua Auger en riant. Mais il est temps que nous rentrions, avant que notre absence n'alarme quelqu'un. »

Ils laissèrent derrière eux le cortège des vilains, désormais sur le point de disparaître au fond de la rue Saint-Jacques, et retournèrent à la cérémonie. Celle-ci, rapide, se termina par un discours du père Jérôme Nadal, qui les harangua du haut de son pupitre tel un ange guerrier. Puis les chants reprirent, et les invités se dirigèrent vers la sortie.

Le père Michaelis prenait le chemin de la porte pour donner congé à ses hôtes, quand il s'entendit appeler. Il se retourna et se trouva en face du visage cordial, encadré de boucles blanches, du cardinal Hippolyte d'Este.

« Pouvons-nous nous entretenir dans un coin tranquille ? demanda le légat pontifical. Je vous apporte des nouvelles de Rome. De bonnes nouvelles. »

Le père Michaelis s'inclina. Il regarda autour de lui, puis précéda le cardinal vers l'une des portes latérales. Il introduisit le prélat dans une petite chapelle réservée aux prières des supérieurs du collège. Le saint sacrement étant absent, ils prirent place tous deux sur un banc de la première rangée.

« Pardonnez-moi pour la température, Éminence », murmura le père Michaelis. Il désigna, dans un angle, un poêle recouvert de carreaux bleuâtres dont la cheminée s'élevait jusqu'au plafond. « On vient de l'éteindre, mais même s'il était allumé, je ne sais s'il réussirait à lutter contre le froid glacial de cet hiver.

— Un froid tout à fait extraordinaire, en effet, répondit le prélat en serrant contre lui son manteau rouge doublé de fourrure. Je crois n'avoir jamais connu de toute ma vie d'hiver aussi rigoureux. C'est à croire que le climat reflète les tragédies de la chrétienté. »

Le cardinal était un homme au visage ouvert et aux yeux intelligents, qui ne paraissait pas ses cinquante-deux ans malgré ses cheveux blancs. Le père Michaelis savait qu'il était partisan de l'intransigeance envers les huguenots et qu'il avait réagi avec indignation aux rencontres de Poissy. Il se montrait toutefois sensible à l'action discrète des jésuites, visant à saper la base des réformés. En cela, il faisait preuve de plus de clairvoyance que beaucoup de prélats catholiques, qui voyaient là de simples atermoiements et réclamaient la reprise de la répression violente.

« Nous n'avons que peu de temps, je serai donc bref, dit le légat. À Rome, j'ai vu l'inquisiteur général Michele Ghislieri. Comme vous le savez, c'est un dominicain et il n'aime guère la Compagnie de Jésus, surtout après les humiliations que vous avez infligées à son ordre au concile de Trente. Il a cependant consacré des années de labeur à tenter de faire condamner l'hérétique Piero Carnesecchi. Il ne sera satisfait que lorsqu'il le verra monter sur le bûcher.

— Je partage son point de vue.

— Je le sais, et frère Ghislieri aussi. Son hostilité envers les jésuites se voit tempérée par la gratitude qu'il éprouve à votre égard. Il m'a demandé de vous exprimer sa reconnaissance personnelle pour lui avoir signalé la correspondance existant entre Carnesecchi et cette huguenote excommuniée qui a pour nom Giulia Cybo-Varano. Il a pu l'intercepter et prendre connaissance de son contenu, mais n'a malheureusement pas pu la confisquer.

— Comment se fait-il ? demanda le père Michaelis en feignant la surprise.

— Vous n'ignorez pas que cette correspondance atterrit dans les mains de Giulia Gonzague, l'ancienne comtesse de Fondi. C'est elle qui leur sert d'intermédiaire. Vous n'ignorez pas non plus que, depuis que la comtesse a échappé aux pirates barbaresques qui l'avaient séquestrée, elle s'est retirée dans un couvent de Naples. Frère Ghislieri possède là-bas ses propres espions, mais il ne peut se permettre de commettre un larcin. La comtesse transmet ses missives à Carnesecchi, à Florence, en ayant recours à des messagers sûrs. Mais au fond, là n'est pas l'important. Il y a en revanche un fait que vous ignorez probablement.

— Lequel, Éminence ?

— Depuis longtemps, Giulia Gonzague, hérétique notoire, protège et soutient les vaudois de Calabre. On ne peut malheureusement y remédier, bien que l'affaire soit de notoriété publique. De fait, cette Cybo-Varano se montre bien candide si elle croit qu'un système de correspondance aussi complexe, entre Paris, Naples et Florence, peut lui garantir la sécurité. En réalité, c'est tout le contraire. Le fait que ces lettres passent entre les mains de Giulia Gonzague compromet automatiquement les deux correspondants, et surtout Carnesecchi. Sa chute est désormais à portée de nos mains, par la faute de son imprudente amie.

— Surprenant », murmura le père Michaelis, fier de constater en son for intérieur que son plan avait fonctionné à merveille. Il remarqua cependant que le cardinal l'étudiait un peu trop fixement et s'efforça de détourner son attention. « Je croyais que les vaudois de Calabre avaient tous été exterminés.

— Pas tous, malheureusement. Engager des bandes de brigands pour leur donner la chasse, brûler leurs maisons, leur infliger des punitions atroces, vendre comme esclaves leurs femmes et leurs enfants n'a pas suffi. Exposer leurs membres mutilés aux entrées des villages n'a pas davantage converti les irréductibles. Les survivants se sont cachés dans les montagnes et réfugiés à Naples. Ils y ont trouvé des protecteurs, comme précisément cette Giulia Gonzague, que son nom illustre met pour sa part à l'abri. »

Le père Michaelis secoua la tête.

« C'est précisément la complicité des grandes maisons nobiliaires, en Italie, qui permet aux hérétiques d'échapper au bras de l'Église. Carnesecchi jouit de la faveur du grand-duc Côme de Médicis. Étant donné que le pape appartient lui aussi aux Médicis, je crains que notre homme puisse vivre en toute sécurité à Florence pendant encore longtemps.

— Peut-être, mais vous savez à quel point les papes se succèdent à grande vitesse, murmura le cardinal. Frère Michele Ghislieri sait que Carnesecchi est pour le moment intouchable ; mais il sait aussi que, si les circonstances venaient à évoluer, il se trouverait en possession de preuves irréfutables capables de l'envoyer sur le bûcher. » Il baissa un peu plus la voix, jusqu'à la rendre à peine audible. « J'en viens à la seconde partie de son message. Frère Ghislieri est un homme à l'esprit ouvert, qui ne se formalise guère que vous, un ancien dominicain, soyez passé à la Compagnie de Jésus grâce à une procédure illégale. Il me prie de vous informer que, dès que cela sera en son pouvoir, il confiera aux jésuites la direction du Saint-Office en France. Et il souhaite que vous vous chargiez de cette tâche sur le territoire français. Il ne voit personne d'autre qui en soit digne. »

Le père Michaelis sursauta de joie. Il dissimula cependant, sous ses paupières baissées, son propre contentement.

« Si vous le rencontrez ou lui écrivez, remerciez-le de tant de considération. J'essaierai de me montrer digne de sa confiance.

— Celui qui a mérité ne doit pas rendre grâce, car sa récompense provient de Dieu. »

Sur ces mots, Hippolyte d'Este fit mine de se lever. Le père Michaelis le retint d'un geste.

« Pardonnez-moi, Éminence, mais puisque nous sommes là, je voudrais vous exposer un problème qui me tient à cœur.

— Parlez, mais faites vite. Je crois qu'on m'attend dehors, et je ne sais si je supporterai plus longtemps ce froid.

— Oh, je serai bref. » Michaelis chercha les mots les plus appropriés pour s'exprimer de manière synthétique. « Il devient difficile de vaincre l'influence de François Ollivier et de Michel de l'Hospital auprès de la régente. En outre, Catherine de Médicis se laisse berner par quantité de magiciens et d'astrologues, qu'elle couvre d'honneurs et traite en véritables conseillers.

— Je suis malheureusement au courant, mais je ne vois pas comment y remédier. La superstition est en passe de devenir le divertissement favori de nos souverains.

— Je possède pourtant la preuve que bon nombre des sorciers que la reine consulte appartiennent à une secte unique, consacrée aux cultes démoniaques. »

Le visage du cardinal adopta une expression attentive.

« La reine en a-t-elle été informée ?

— Non, je ne crois pas. Et je doute qu'il soit facile de la convaincre.

— Si vous possédez des preuves, pourquoi ne les avez-vous pas soumises à l'Inquisition ? » Aussitôt sa phrase prononcée, Hippolyte d'Este se mordit les lèvres. « C'est vrai, j'oubliais qu'aujourd'hui en France l'Inquisition n'existe pas. Le cardinal de Lorraine a abandonné sa charge.

— En outre, mes preuves dépendent d'un seul témoin. Un magicien italien qui ne parlera jamais devant la justice ordinaire. »

Le légat se leva.

« Un Italien, dites-vous ? Trouvez le moyen de l'envoyer à Rome. Là, le Saint-Office pratique encore des méthodes qui facilitent les confessions spontanées. »

Le père Michaelis se leva à son tour.

« À Rome ? Le fait est qu'il vit à la cour. Je devrais trouver un prétexte.

— Débrouillez-vous, répondit le légat avec un sourire. Allons, père Michaelis, vous avez démontré plus d'une fois que vous possédiez une imagination aux ressources presque illimitées. Réfléchissez à la manière d'envoyer votre homme à Rome, et je vous assure que je mettrai tout en œuvre pour qu'il soit soumis à un interrogatoire poussé. Très poussé. Je crois que vous m'avez compris. »

Le père Michaelis s'inclina et escorta Hippolyte d'Este jusqu'à la porte de la chapelle. Les invités étaient déjà tous descendus dans la rue et montaient dans leurs carrosses. Les arquebusiers avaient pris position le long de la rue Saint-Jacques, en vue d'éventuels débordements. Mais le cortège qui entraînait jusqu'au bûcher l'auteur du sacrilège avait déjà dû rejoindre la place Maubert. Par bonheur, les étudiants en théologie de la Sorbonne avaient également vidé les lieux. Dans ce quartier grouillant de gardes et de mécontents, toute tentative de contestation aurait pu se transformer en tragédie.

Il tombait une neige légère. Le père Michaelis salua les invités qui repartaient puis, au lieu de rentrer dans le collège, s'engagea dans une ruelle latérale. Il ressentait un grand besoin de solitude, afin de pouvoir réfléchir calmement à ses actes.

Si d'un côté tous ses projets paraissaient sur le point d'aboutir, de l'autre il ne parvenait pas à se débarrasser d'un tourment secret. Le visage doux et harmonieux de Giulia Cybo-Varano continuait à émerger dans ses pensées. Il était conscient de l'avoir exploitée et d'en avoir fait un pion sur l'échiquier de ses desseins. Récemment, il s'était servi d'elle pour lier, de façon magistrale, le sort de Carnesecchi à celui de la comtesse Gonzague, en vue de clouer ce dernier au poteau de l'hérésie. Envers n'importe quelle autre femme, il n'aurait manifesté aucun scrupule, étant donné le bien-fondé de son but. Mais Giulia évoquait en lui une tendresse qui le troublait. D'où la promesse, qu'il avait si souvent réitérée à sa conscience, de la préserver de toute souffrance.

Giulia, cependant, aimait toujours Simeoni, envers qui le père Michaelis n'éprouvait que de la haine. Il avait délibérément encouragé sa déchéance : d'abord en l'obligeant à devenir un délateur, puis en le rendant esclave du vin, enfin en le transformant en assassin. Giulia semblait toutefois insensible à l'abrutissement progressif de l'astrologue : elle paraissait même de plus en plus amoureuse de lui.

Le père Michaelis, errant sous la neige, se demanda quelle serait l'issue de la prochaine étape qu'il envisageait. Il avait la ferme intention d'envoyer Simeoni à Rome, sous n'importe quel prétexte, et de lui faire goûter les tourments du Saint-Office. Somme toute, l'astrologue méritait ce châtiment : il appartenait encore à cette secte satanique et pratiquait les sciences occultes. S'il mourait sous la torture, il serait bien le seul responsable de son obstination. Les larmes qui ne manqueraient pas d'apparaître au coin de certains yeux azur le faisaient pourtant douter de la sincérité de sa promesse.

Il finit par hausser les épaules. Il ferait en sorte que Giulia demeure à la cour, où elle était la bienvenue et se trouvait à l'abri des dangers. Tôt ou tard, la jeune femme oublierait Simeoni. Et alors…

… alors rien. Le père Michaelis n'était pas homme à renoncer à la chasteté dont il avait fait vœu. Les jésuites différaient sur ce point de tant d'autres religieux d'observance catholique, tant ils se montraient indifférents aux plaisirs de la chair. C'était précisément la corruption du corps ecclésiastique qui avait ouvert la voie à la Réforme. La sympathie qu'il éprouvait pour Giulia ne se verrait jamais dénaturée. C'était, tout bien considéré, dans son intérêt à elle qu'il s'apprêtait à la débarrasser pour toujours de Simeoni. Ou tout du moins essayait-il de s'en persuader.

Ses pas l'avaient mené aux abords du monastère de Sainte-Geneviève, au sommet de la colline. Les moines battaient le pavé, sous la neige, sans paraître commenter l'incident récent. Ils semblaient plutôt troublés par un manifeste placardé sur une maison située en face de leur bâtiment. Deux novices essayaient de l'en détacher.

« Qu'y a-t-il d'écrit là-dessus, mon frère ? » demanda Michaelis à un moine en désignant l'avis.

L'interpellé lui répondit d'une voix angoissée :

« C'est une invitation à tuer notre reine ! Voilà bien les effets de l'édit d'Amboise ! Les huguenots ne connaissent plus aucune retenue et vont jusqu'à envisager de renverser la monarchie ! La guerre ne tardera pas à reprendre d'un moment à l'autre ! »

Le père Michaelis secoua la tête.

« Non, je ne crois pas. Mais sur un point toutefois, je dois vous donner raison : si jamais les combats reprennent, le pouvoir politique en deviendra alors l'enjeu. Peut-être jusqu'à sa destruction. »

Le moine, décontenancé, s'éloigna en hâte, persuadé d'avoir affaire à un fou. Le père Michaelis reprit sa marche sous la neige, soudain devenue d'un blanc immaculé.

Visite illustre

« Tu ne peux y aller ! Tu as pris de l'âge maintenant, tu ne peux défier la peste comme du temps de ta jeunesse ! supplia Jumelle, les larmes aux yeux.

— Il n'est pas certain qu'il s'agisse bien de peste. Et d'ailleurs, je suis immunisé contre cette maladie. » Michel écarta son épouse d'un geste un peu trop brusque, et continua à évaluer, parmi les trois manteaux en sa possession, le plus élégant. En vérité, ils étaient tous plus élimés les uns que les autres. « Quelle garde-robe misérable j'ai là ! Ne serait-ce pas le devoir d'une femme de prendre soin des vêtements de son époux ? »

Il venait à peine de prononcer cette phrase que déjà il s'en repentit. Il était rare que Jumelle pleure : elle se laissa tomber pourtant sur une chaise de leur chambre, deux larmes coulant le long de ses joues. Michel boitilla jusqu'à elle et lui prit la main, qu'elle retira aussitôt.

« Je m'inquiète pour ta vie, et toi, tu te préoccupes de tes vêtements, murmura la jeune femme en reniflant.

— Pardonne-moi, mon amour. Je ne voulais pas te réprimander. » Michel lui serra les doigts avec chaleur ; puis, croyant l'avoir apaisée, il retourna vers l'armoire qui contenait ses effets.

Il régna quelques instants de silence, tandis qu'il cherchait son béret carré. Puis il entendit Jumelle lui demander, d'une voix plus assurée :

« Michel, comment se fait-il que les choses aillent si mal entre nous ? »

Cette remarque le surprit. Il se tourna vers son épouse.

« Qu'est-ce qui va mal ? Nos enfants grandissent bien, nous jouissons d'un certain bien-être, on nous considère comme une famille exemplaire. En outre, maintenant que la paix est revenue, nos chers concitoyens ont cessé de nous persécuter. Dis-moi donc ce qui ne va pas ? »

Jumelle se mit sur pied. Elle s'essuya les yeux et le nez avec un mouchoir et regarda par la fenêtre.

« Moi. Je n'existe pas. Je bénéficie de ton affection, certes, mais c'est tout. »

La perplexité de Michel se traduisit par une certaine exaspération. Ses jambes le faisaient souffrir et il dut s'asseoir au bord du lit. Il s'efforça de lui parler calmement.

« Tu m'as déjà servi ce discours il y a des années, sans daigner t'expliquer. Puis tu m'as fait comprendre que tu continuais à entretenir en silence les mêmes ressentiments, sans me fournir davantage d'explications. Maintenant, je t'en prie, essaie pour une fois de me faire comprendre ce que tu veux, quelle est l'origine de ton malaise. Je ne demande qu'à t'aider, mais je dois d'abord saisir d'où vient le problème. »

Jumelle se tut quelques instants, puis, toujours sans regarder son mari, chuchota :

« J'envie Magdelène. »

La surprise de Michel fut si foudroyante et douloureuse que sa main serra la tête du lit jusqu'à la faire grincer. La souffrance liée au souvenir de sa première épouse s'était un peu atténuée avec le temps, mais n'avait jamais disparu complètement. Il s'attendait à tout, sauf à ce que Jumelle évoquât ce fantôme.

« Que veux-tu dire par là ? demanda-t-il d'une voix rauque.

— J'ai haï Magdelène du temps de ma jeunesse. Je lui ai envié ton amour. Mais par la suite, en me basant sur tes récits et ce que j'ai entendu dire d'elle, j'ai compris quel genre de femme elle était. Elle a combattu, s'est rebellée, a tenté désespérément de préserver sa dignité. Tu l'as vaincue, mais elle est tombée en luttant. »

Michel était déchiré par cette irruption inattendue d'un passé qu'il avait cru avoir enfoui.

« Toi aussi, tu t'es rebellée contre moi, balbutia-t-il. Maintes fois.

— Pas avec la même énergie. Je t'ai provoqué, certes. Je t'ai défié pour mériter ton amour. Mais Magdelène ne s'est pas contentée de ton amour. Elle voulait devenir une femme respectée pour ce qu'elle était, jusque dans sa fragilité et dans sa grâce. » Jumelle se moucha de nouveau. « Certes, à un moment, je suis partie, mais mon geste s'est révélé maladroit et inefficace. Je désirais me retrouver, avec ou sans amour. Magdelène voulait s'assumer et être aimée en tant que telle. Elle s'est montrée la plus forte. Plus forte que toi et moi. »

Outre la douleur, Michel ressentit une grande confusion. Il aurait voulu répliquer, mais ne savait quels arguments présenter. Quand enfin il rassembla les paroles adéquates, Chevigny apparut sur le seuil. Il portait un loup blanc prolongé par un long bec et tenait en main une petite ampoule ronde qu'il respirait constamment.

« Docteur Nostradamus, pourquoi lambinez-vous ainsi ? » Le jeune homme ne paraissait pas avoir perçu l'atmosphère dramatique qui régnait dans la pièce. « Le roi et la reine mère s'avancent aux portes de Salon. Vous devriez voir ce spectacle !

— C'est vrai, va donc, Michel, dit Jumelle en se dirigeant vers la porte. Nous reprendrons cette discussion une autre fois. » Elle s'éloigna presque en courant.

Michel, assis sur son lit, avec en main son béret carré et son manteau élimé, se sentit parfaitement stupide. Il regarda Chevigny avec sévérité.

« Que contient donc cette ampoule nauséabonde ?

— L'électuaire d'œuf que vous avez décrit dans votre *Excellent traité* contre la peste et les autres épidémies. J'y ai mis un œuf au safran émietté, de la noix vomique, de la racine d'angélique, du camphre…

— Ce remède est destiné à être ingurgité, non reniflé. L'odeur qu'il répand est celle d'un œuf pourri. »

Chevigny regarda l'ampoule avec perplexité.

« Il me semblait bien en effet que cet arôme n'était pas aussi plaisant que ceux que vous suggériez. Je dois avoir sauté un passage. »

Légèrement rasséréné, Michel se leva du lit et finit d'endosser les vêtements qu'il avait choisis.

« Il n'est d'ailleurs pas dit que l'épidémie qui ravage Salon soit la peste bubonique, ou toute autre maladie mortelle. Après l'hiver le plus froid de notre histoire, il a plu durant tout le printemps et l'été. Nous voilà maintenant en automne, et le ciel persiste à rester nuageux. Ces fièvres sont assez normales pour un climat de ce genre. C'est le temps qui est déréglé. »

Chevigny retira son masque.

« Pardonnez-moi, maître, vous avez raison. Je ne voudrais pas vous presser, mais il est temps que nous sortions. Le roi a déjà dû pénétrer en ville.

— Oui, oui, je viens. Donnez-moi votre bras, car je fatigue à me tenir ainsi debout. Mais, de grâce, laissez là votre ampoule. »

À l'étage inférieur, Jumelle, secondée par Christine, s'occupait des enfants et ne se retourna pas pour le saluer. Michel n'osa lui parler.

Il croyait devoir marcher longtemps, mais le cortège royal avait déjà progressé jusqu'au château. Les consuls de Salon avaient fait ériger des arcs de triomphe fleuris et joncher les rues de romarin. Leur parfum aurait pu être enivrant si le sol humide n'avait pas mêlé aux herbes aromatiques ses propres miasmes.

Malgré la menace de pluie, toute la population de Salon avait envahi les rues. Plusieurs hommes et femmes, soutenus par leurs parents, paraissaient fiévreux. Peut-être s'étaient-ils déplacés dans l'espoir d'être guéris par le pouvoir thaumaturge bien connu des souverains de France. De temps à autre, quelque malade était conduit dans un coin pour vomir, ou éloigné de la foule en raison d'une toux trop violente.

Michel éprouva un malaise vertigineux, au point qu'il craignit de s'affaisser sur le sol. Par bonheur, cette sensation s'évanouit en un instant. Il entendit, comme en fond sonore, Chevigny observer :

« Il est singulier que le roi et la régente aient décidé de faire étape à Salon. Savez-vous ce qui a pu les pousser à se rendre dans une bourgade aussi insignifiante ? »

Michel récupéra une lucidité suffisante pour lui répondre :

« Ils effectuent un tour complet de la France. Cette guerre de religion a quelque peu ébranlé le pouvoir de la Couronne. Catherine de Médicis et son fils s'efforcent de le raffermir par un contact direct avec leurs sujets.

— Selon vous, maître, ce voyage servira-t-il leurs desseins ?

— Je l'ignore, mais ils ont bien fait de l'entreprendre. La reine a par ailleurs raison d'offrir sa reconnaissance aux nobles, partout où elle se rend. Depuis que la paix est revenue, on trouve plus de huguenots chez les aristocrates que chez les vilains, ou même chez les bourgeois. Ce tour de France de la cour servira surtout à apaiser la noblesse, toujours sensible aux honneurs. »

Les deux compagnons essayèrent de se frayer un chemin parmi la foule. Ils ne réussirent qu'à apercevoir un bout du cortège royal, occupé à monter au château de l'Empéri. Malgré le ciel nuageux et les effluves répugnants engendrés par l'humidité, le spectacle avait un caractère grandiose, ce qui expliquait, tout au moins en partie, le silence ébahi de l'assistance.

On aurait dit que les souverains de France avaient déplacé la cour au grand complet. Bien que l'étroitesse des rues ne permît pas d'embrasser l'ensemble de la scène, il était clair toutefois que des milliers et des milliers de personnes suivaient le roi et la reine. Les soldats mis à leur disposition par le nouveau gouverneur de Provence, le comte de Sommerive, contenaient à grand-peine un serpent humain multiforme. On y dénombrait des valets, des laquais, des manœuvres employés aux fonctions les plus diverses, mais aussi des nobles à cheval, en carrosse ou en chaise à porteurs. Ceux-ci avaient emmené avec eux toute leur famille et une partie de leur domesticité, entassée sur des chars de toute sorte. Une véritable armée de menuisiers et de charpentiers cheminait aux côtés des véhicules, dans le but probablement de veiller à leur bon état. On comptait aussi des prêtres, des soldats, des frères de tous ordres, ainsi que des juges, des notaires, des administrateurs. C'était comme si tout un palais royal s'était mis en marche, pour ce qui apparaissait comme la plus importante croisade de l'histoire de France.

Michel se demanda comment la petite ville de Salon pourrait héberger autant de monde ; puis il s'aperçut que certains chars débordaient de poteaux et de tentes, et comprit que le gros des courtisans camperait hors des murs. Il réalisa également qu'il était inutile de rester plus longtemps en ce lieu. La reine et son fils étaient désormais hors de vue, et ses jambes commençaient à chanceler.

Il maudit la vieillesse.

« Raccompagnez-moi à la maison, je vous prie », murmura-t-il à Chevigny. Le jeune homme, toujours serviable, obéit promptement et lui ouvrit un passage parmi les spectateurs.

Tout en demeurant silencieux, ceux-ci manifestaient un enthousiasme sincère. On entendait quelques cris de joie, étouffés cependant par le vacarme produit par les chars, les carrosses et les chevaux. Nombreux étaient les *cabans* qui, pour l'occasion, avaient orné leur béret de cocardes rouges. Mais même eux se tenaient tranquilles, comme s'ils comprenaient que l'avenir même de la France était lié au succès de ce voyage royal.

Soudain, un spectacle inhabituel et terrifiant contraignit Michel à battre des paupières. Il lui avait semblé durant un bref instant que les vêtements de toute cette foule étaient maculés de sang et que ce liquide rougeâtre coulait sur le sol. La vision s'évanouit. Il était en train de se convaincre qu'il avait été victime d'une hallucination quand il vit de nouveau les costumes de l'assistance tout trempés de ce liquide écarlate. Cette fois, il perçut un détail supplémentaire. Parmi la multitude poussaient, jusqu'à hauteur d'homme, des fleurs aux pétales charnus et aux feuilles enroulées qui pendaient de sarments grotesques. Aux pieds des spectateurs rampaient des racines palpitantes, qui s'étendaient rapidement, telles les excroissances d'un corps vivant.

Michel entendit à nouveau des vers qu'il avait déjà transcrits il y a bien longtemps, prononcés par la voix tour à tour sifflante ou gutturale de Parpalus :

> Les fleurs passez diminué le monde :
> long temps la paix terres inhabitées :
> seur marchera par ciel, mer & onde :
> puis de nouveau les guerres suscitées*.

Il connaissait bien le sens de ces rimes. « Les fleurs passées » était une expression utilisée par Platon en référence à l'inversion cyclique des mouvements de l'univers, théorisée par Hésiode ; mais peut-être, dans le cas présent, ces mots devaient-ils être interprétés comme « les fleurs de la passion », les anémones et passiflores. Ces mêmes monstres floraux qui, dans leur difformité, s'élevaient parmi la foule aux habits ensanglantés, rescapée des carnages engendrés par la guerre. Ces fleurs qui annonçaient qu'après une longue trêve dans les terres habitées, de nouveaux conflits exploseraient.

Au cœur même de son hallucination, Michel fut victime d'un second vertige. Les vers parlaient d'une trêve établie non « sur terre et sur mer », comme en toute bonne logique, mais « par ciel, mer & onde ». Quand donc une guerre s'était-elle déroulée dans les cieux ? Il comprit tout à coup que Parpalus ne faisait pas seulement allusion à un passé proche, mais aussi et surtout à un futur, où même le firmament deviendrait champ de bataille. Il frissonna de terreur, imaginant les conséquences d'une telle tragédie. Sa peur fut toutefois de courte durée, car une nouvelle vision se présenta à lui. Il fut aveuglé par une lumière blanche, plus immaculée encore que la neige et aussi impétueuse qu'une flamme. Le soleil lui-même ne rayonnait pas d'une luminosité aussi intense.

« Maître, qu'avez-vous ? demanda Chevigny, soudain alarmé. Vous tremblez de tous vos membres ! »

Michel revint immédiatement à lui, mais les yeux encore aveuglés par cette chaleur blanche, probablement capable de détruire les pupilles d'un homme. Il fut cependant soulagé de constater, une fois sa vue retrouvée, que la flore gigantesque avait disparu. Il s'appuya sur son secrétaire de tout son poids.

« Ramenez-moi chez moi », chuchota-t-il.

Il parvint à sa propre demeure terriblement fatigué et essoufflé. Jumelle devait être occupée dans les étages supérieurs, car ce fut Christine qui lui ouvrit. Michel traîna les pieds jusqu'au salon et se laissa tomber sur la banquette. Il fit signe à Chevigny de le laisser seul.

« J'ai besoin de dormir », dit-il, mentant à moitié. Puis, une fois son béret retiré, il posa sa tête sur le dossier rembourré et ferma les yeux.

Aucun cauchemar ne vint le tourmenter. Il éprouvait par contre un sentiment de vide et d'incertitude qui, dans son esprit,

prit la forme de fantômes sombres et grêles gesticulant sur un fond à peine moins obscur. Telle était la forme tangible de l'angoisse qu'il ressentait depuis que ses accès de délire étaient devenus un fait quotidien et incontrôlable, indépendant de la piloselle ou des rituels des sibylles. Il lui semblait se trouver perpétuellement suspendu au bord d'un précipice insondable qui, masqué par les dehors de la vie somme toute banale qu'il menait, lui révélait un autre monde et une existence différente.

Non que l'inconnu lui fasse peur. Il était devenu un *Magus* désormais, et la Lumière astrale, le huitième ciel, l'*Anima Mundi*, n'avaient pour ainsi dire plus de secrets pour lui, bien que, peut-être, une dernière clef lui manquât encore. Il se sentait cependant perdu face à la perspective d'une vie radicalement différente de celle des hommes, et donc privée de points de repère sûrs et identifiables. Devenir extérieur à lui-même ne le terrorisait pas, mais l'anéantissait. Il aurait voulu tenir serrés contre lui les lambeaux de ses propres chairs, pour les sauver durant l'envol de son âme vers l'inconnu. Pourtant, il savait que son destin était écrit. Le précipice deviendrait sa demeure.

Il finit probablement par s'assoupir, car lorsque le vestibule s'emplit soudain de bruit, il sursauta comme après un réveil. Il vit Jumelle penchée sur lui, tout excitée.

« Michel, lève-toi ! Ils viennent chez nous !

— Qui donc ?

— Le roi et la reine mère ! Avec un grand nombre de nobles à leur suite ! » Il entrevit Chevigny passer dans le couloir, en proie à la même excitation.

« Le roi de France rend visite au docteur Nostradamus ! Enfin ! Malgré sa jeunesse, ce roi fait preuve d'une grande clairvoyance ! Il a compris où résidaient la gloire et la sagesse ! »

Michel se frotta les yeux du revers de la main, puis se redressa sur la banquette. Il se leva lentement, tandis que Jumelle courait rassembler leurs enfants.

Christine avait déjà ouvert la porte et se fendait en de multiples révérences. Michel la rejoignit. Il jeta un coup d'œil dans la rue et s'inclina à son tour.

La rue était pleine de gentilshommes aux habits chatoyants, de soldats à cheval et de dames élégantes. La foule avait formé une haie, à travers laquelle s'avançait avec majesté un adolescent emmitouflé dans une pelisse d'hermine. Derrière lui venait Catherine de Médicis, enveloppée dans un lourd manteau noir brodé d'or et d'argent. Courbé vers le sol, en une position qui lui faisait mal au dos et aux jambes, Michel ne put en apercevoir davantage.

Les souverains ne furent pas les premiers à passer la porte, mais le gouverneur de Provence, le comte de Sommerive : un jeune homme qui ressemblait beaucoup à son père, Claude de Tende, en plus maigre.

Michel sentit une tape légère sur son épaule et comprit qu'il pouvait se relever. Il se trouva nez à nez avec l'adolescent revêtu de fourrure et jugea son visage sympathique, quoiqu'un peu trop grave pour son âge.

« Bienvenue dans ma modeste demeure, Sire, murmura-t-il. Je ne m'étais pas préparé à un si grand honneur. »

Juste derrière son fils, Catherine esquissa un sourire qui illumina ses traits irréguliers.

« Nous nous sommes permis de vous prendre par surprise, docteur Nostradamus, comme on fait à un vieil ami. »

Michel s'inclina une nouvelle fois.

« Vos paroles me remplissent de joie, ma Reine. Mon épouse et moi-même sommes confus de tant d'honneur et vous invitons à disposer de nous, vos fidèles sujets. Nous ferons tout notre possible pour vous plaire.

— Ah oui, votre épouse... » dit Catherine. Elle s'avança dans le couloir vers Jumelle qui, quelque peu embarrassée, tenait la petite Diane dans ses bras et tentait d'inciter ses cinq autres enfants à se fendre en une révérence. « Quelle belle femme », commenta la reine après une brève observation. Bien que ces paroles ne trahissent aucune jalousie, il était clair qu'elle avait dû se livrer à quelque comparaison.

Pour échapper à sa gêne, Jumelle lui désigna Diane, qui dormait en toute sérénité.

« Voilà notre dernière-née, dit-elle avec timidité.

— Quel gracieux petit diablotin ! » s'exclama Catherine. Elle caressa les cheveux de la petite. « Elle me semble toutefois assez grande pour se tenir debout toute seule.

— C'est vrai, elle marche d'ailleurs fort bien. Je ne la tiens dans mes bras que parce qu'elle s'est endormie.

— On dirait une petite poupée », commenta Charles IX, avant tout par devoir. En réalité, ses yeux se posaient avec curiosité sur tous les bibelots de la maison.

Les nobles de la suite avaient commencé entre-temps à envahir le couloir, en se mêlant aux consuls de Salon. Michel reconnut parmi eux le meunier Lassalle, qui lui sourit avec cordialité. Mais sa préoccupation principale concernait la possibilité de faire pénétrer autant de gens dans une demeure aussi modeste.

Catherine de Médicis coupa court à ses interrogations.

« Le roi et nous-même souhaiterions vous parler en privé. Pouvez-vous nous conduire dans votre cabinet de travail ?

— Certainement, Majesté. Mais vous devrez vous accommoder d'une pièce sombre et étriquée. »

Les courtisans demeurèrent au rez-de-chaussée, contenus par le comte de Sommerive. Michel, un peu déconcerté, guida le petit roi et sa mère le long de l'escalier qui menait à l'étage supérieur. Quoique couvert de poussière, le cabinet était assez bien rangé. De la fenêtre ouverte entrait un faible rayon de soleil, qui perçait à travers les nuages.

Michel leur désigna tant le siège de bronze que les rares chaises.

« Installez-vous où vous le souhaitez, Majesté, dit-il à la reine. Je n'ai malheureusement rien de mieux à vous offrir.

— Merci, nous resterons debout. »

Le jeune Charles s'était approché de l'astrolabe et l'examinait avec une curiosité presque infantile. Puis il découvrit, dans un coin, le chat qui dormait, roulé en boule. Il s'accroupit alors à ses côtés et le réveilla d'une caresse, avant de se mettre à lui chatouiller le museau.

La reine suivait les gestes de son fils avec une sorte de gêne. Elle pointa ses yeux ronds sur Michel.

« Avez-vous reçu les documents qui vous nomment conseiller et médecin ordinaire du roi ?

— Oui, Majesté. Je désirais même vous remercier de tout mon cœur du privilège que vous avez eu la bonté…

— C'est inutile. » Catherine désigna son fils. « Combien de temps vivra-t-il, selon vous ? »

La question, posée ainsi à brûle-pourpoint, prit Michel au dépourvu. Il regarda Charles IX et appréhenda aussitôt les membres fragiles, cachés sous la fourrure, et le teint maladif. Il pensa en son for intérieur que, dans le meilleur des cas, il vivrait encore une dizaine d'années, mais pas davantage. Il répondit cependant :

« Il mourra passés ses quatre-vingt-dix ans, ma Reine.

— Nous dites-vous la vérité ?

— Comment pourrais-je vous mentir ? »

Cette dernière phrase n'offrait aucune garantie, pourtant elle parut suffire à tranquilliser Catherine. Une nouvelle appréhension passa dans ses yeux opaques tandis qu'elle posait la question suivante :

« Nous comptons marier le roi à Élisabeth d'Angleterre. Croyez-vous que l'affaire soit envisageable ? »

Une fois encore, Michel resta décontenancé. Charles IX n'avait que quinze ans et en paraissait encore moins. Élisabeth, quant à elle, avait désormais fêté ses trente ans et était devenue une femme mûre. Mais, puisqu'il avait délibérément choisi de plaire à tout prix à Catherine, mieux valait qu'il persiste dans son mensonge.

« Certainement, Majesté. Cela me paraît une excellente idée. La souveraine d'Angleterre en sera sûrement honorée.

— Nous le pensons nous aussi, acquiesça Catherine avec sérieux. Une dernière demande, docteur Nostradamus. Nous craignons que l'année prochaine nous ayons encore à subir les conséquences funestes de cette stupide guerre de religion qui a ensanglanté notre royaume. Nous espérons tout du moins que la paix reviendra en 1566. Croyez-vous cela possible ? »

Toutes les visions de Michel suggéraient le contraire. Il se rappela la voix stridente de Parpalus lui décrivant pour l'année 1566 des foules de huguenots furieux à nouveau déchaînées contre les églises et les couvents. Il mentit pour la troisième fois :

« Majesté, 1566 sera l'année la plus heureuse de votre règne. »

Cependant cette affirmation parut cette fois moins assurée. Le fait est qu'il s'était vu lui-même, dans une tombe, fixer impuissant les pelletées de terre qui recouvraient son corps.

La reine ne s'aperçut pas de son trouble et sourit d'un air radieux.

« Le roi et nous-même vous sommes infiniment reconnaissants, docteur. Nous nous dirigeons vers Arles, où nous séjournerons quelque temps. Rejoignez-nous si vous le pouvez. Nous aimerions beaucoup vous avoir à nos côtés. »

Michel chassa de son esprit la vision lugubre qui lui était apparue.

« Je vous obéirai volontiers, ma Reine », dit-il en s'inclinant.

Entre-temps Charles IX, qui s'était lassé du chat, s'était emparé sur l'écritoire de l'anneau en forme de serpent et l'examinait.

« Regardez, mère. Il est si bien gravé qu'on le croirait vivant. »

Michel frissonna. Il se souvenait encore de l'expérience délirante de l'année précédente, quand François Bérard et lui-même avaient cru voir l'anneau se dénouer et ramper sur la table. Rien ne l'effrayait plus que l'idée d'un nouveau contact entre le monde visible et le monde caché. Il se hâta de retirer l'objet des mains de l'adolescent.

« Sire, se justifia-t-il, de grâce, ne touchez pas cet anneau. Certains objets matériels ne sont pas aussi inanimés qu'ils le paraissent. Dans des mains inexpérimentées, ils peuvent se révéler un véritable danger. »

Catherine de Médicis fouilla avec ses doigts dans sa collerette. Elle en tira une chaînette d'où pendait un médaillon grossièrement taillé.

« Comme celui-ci ? Savez-vous bien que parfois il me brûle, comme s'il était rougi au feu ? » Elle tendit l'oreille vers les bruits qui provenaient de l'étage inférieur. « Pour l'heure, nous manquons de temps, mais vous m'expliquerez à Arles la cause de ce prodige. »

Michel, profondément troublé, baissa la tête en signe d'obéissance.

Le manuscrit déchiffré

« Ce n'est qu'une résidence provisoire, dit le cardinal Marcus Sittich d'Altemps, en introduisant le père Michaelis dans la cour de l'imposant palais situé au cœur de Rome. La famille Soderini m'a permis d'y habiter durant la dernière session du concile de Trente, mais j'ai l'intention de l'acquérir et d'y loger en compagnie de mon fils Roberto. »

Le père Michaelis ne trouva pas inconvenant que le prélat parle avec désinvolture de son propre fils, né récemment. Plusieurs cardinaux romains avaient engendré une descendance et ne s'efforçaient même pas de le cacher. Il admira la cour aux trois ordres et la fontaine ornée de mosaïques, puis regarda son ami.

« Je vous ai connu soldat, vous ai su évêque et vous retrouve cardinal. Quelle sera votre prochaine métamorphose ? »

D'Altemps sourit, adoucissant les traits un peu durs de son visage.

« Et la vôtre ? Vous me raillez, mais n'oubliez pas que je vous ai quitté dominicain et vous découvre jésuite, et parmi les plus influents de France. Quant à votre prochaine métamorphose… — il abaissa un peu la voix — je crois en vérité que frère Michele Ghislieri vous en parlera personnellement, dès qu'il sera arrivé. »

Le père Michaelis ne répondit pas et se laissa accompagner à travers la cour. Il remarqua que de fines plaques de glace flottaient sur l'eau de la fontaine. Cet hiver 1564 était décidément rigoureux, même à Rome, bien que ce froid ne pût être comparé, même de loin, à celui qui tenaillait la France.

D'Altemps s'arrêta sous la voûte d'un portique jalonné de statues romaines.

« Je vous ai fait venir en avance à notre rendez-vous parce que je souhaitais vous entretenir de ce manuscrit, l'*Arbor mirabilis.* Je parierais que ce sujet vous intrigue.

— Bien entendu. Vous m'aviez annoncé avoir découvert une clef capable de le déchiffrer, puis vous m'avez laissé dans l'ignorance.

— Je m'en excuse. Après ma nomination au cardinalat, le pape m'a envoyé en Allemagne comme légat. Ce n'est qu'à mon retour à Rome que j'ai pu continuer mes recherches sur cette œuvre singulière. Mais venez, installons-nous dans mon cabinet de travail. »

Ils passèrent devant l'entrée de ce qui paraissait être un petit théâtre, puis tournèrent à gauche et montèrent un escalier. Le cabinet du prélat se situait à l'étage supérieur, face à une élégante loggia peinte à fresque. Une servante fort gracieuse, qui surveillait l'alimentation d'un gros poêle, se fendit en une révérence et se dépêcha de sortir. Le regard on ne peut moins chaste que le cardinal lui lança n'échappa pas à Michaelis. Il s'en offusqua un peu, puis se dit que l'homme était jeune et que les domestiques, dans tout Rome, servaient aussi à satisfaire ce genre de besoins…

D'Altemps ôta sa calotte rouge, découvrant d'épais cheveux blonds. Puis il farfouilla sur l'étagère d'une petite bibliothèque adossée à une précieuse tapisserie bleu pâle, décorée d'arabesques argentées. Il s'empara d'un manuscrit et le posa sur une écritoire en noyer.

« Je devine que vous vous souvenez de ce livre. »

Bien évidemment, le père Michaelis s'en souvenait. Il feuilleta les pages un peu passées, couvertes de caractères bizarres, où seules les couleurs des illustrations avaient conservé une certaine vivacité. Il revit les images de plantes inconnues, les femmes nues plongées dans des vasques ou debout sous d'absurdes dais, les configurations astrales qui semblaient se référer à un cosmos étranger, la kyrielle de signes du zodiaque…

Ce fut avec une certaine émotion inexplicable qu'il demanda :

« Vous avez vraiment déchiffré tout ceci ?

— Pas encore en totalité, mais presque, répondit D'Altemps avec une pointe d'orgueil. Asseyez-vous, je vais vous expliquer. »

Michaelis prit place dans un fauteuil en face de l'écritoire. Devant la faible lumière qui pénétrait par l'unique fenêtre, le cardinal alluma un chandelier en l'approchant d'une torche suspendue au mur. Puis il se carra dans un confortable fauteuil, rembourré de paille et recouvert de velours. Il écarta les feuilles et les flacons d'encre qui encombraient son bureau et prit le manuscrit des mains du jésuite. Puis il l'ouvrit religieusement.

« Il m'a fallu des années pour parvenir à une solution satisfaisante, commença-t-il. Le fait est que je ne m'attendais pas à découvrir un texte aussi blasphématoire et terrifiant.

— Expliquez-vous, Éminence, ne me maintenez pas ainsi sur des charbons ardents.

— Oui, oui. Procédons par ordre. J'ai commencé mon examen en contrôlant la récurrence des mots et des lettres. D'où ma première surprise. Plusieurs vocables revenaient de temps à autre avec des variations minimes. Lorsque l'écriture n'en était pas identique, l'initiale se répétait le plus souvent. Ou bien c'était le suffixe qui restait le même. Aucune langue connue ne suit des règles grammaticales aussi démentielles.

— C'est donc une langue inventée, probablement privée de sens.

— Je l'ai pensé, moi aussi, de prime abord, mais j'ai aussitôt exclu cette hypothèse. Pourquoi quelqu'un se serait-il donc donné la peine de remplir des pages et des pages d'écriture insensée ? Qui plus est, cette hypothèse se voyait démentie par une certaine cohérence plutôt évidente. Les dessins, par exemple, formaient un ensemble homogène. Des inscriptions similaires accompagnaient des figures identiques. Les lettres se succédaient en ordre rigoureux, à tel point que certaines paraissaient de toute évidence être des voyelles, tandis que d'autres semblaient des consonnes. Dans de rares cas seulement, consonnes et voyelles alternaient sans ordre apparent. Non, il fallut me rendre à l'évidence, cette écriture reflétait une phonétique rationnelle. Une simple invention aurait négligé de tels scrupules de logique. Il s'agissait bien d'une langue, il n'y avait aucun doute là-dessus. Mais comment devait-on la lire ? »

Michaelis fronça les sourcils.

« Durant le bref moment où j'ai eu ce texte en main, je me le suis demandé bien souvent. Je ne suis parvenu à aucune conclusion utile. »

D'Altemps sourit.

« Je veux bien vous croire. Vous ne pouvez savoir à quel point j'ai peiné, jour après jour. Puis, tout à coup, une solution s'est présentée à mon esprit, qui résolvait à la fois l'énigme de l'alphabet et celle du contenu du texte.

— Expliquez-vous, je vous prie. »

Le cardinal s'empara d'une plume et la plongea dans un de ses encriers. Puis il se saisit d'une feuille blanche.

« Depuis ma plus tendre enfance, j'avais décidé de m'inventer un langage secret, que je serais seul en mesure de déchiffrer. Je crois que beaucoup de jeunes qui ont la chance de savoir lire et écrire font de même. Savez-vous comment je procédais ? Je partais de notre bon vieil alphabet latin, que je déformais. Je laissais quelques lettres intactes, ou les inversais entre elles, tandis que j'en allongeais d'autres, les renversais, les ornais, les privais de quelque élément ou les couchais sur un flanc. Ainsi naquit un alphabet incompréhensible pour les étrangers, mais parfaitement intelligible pour moi. Sachant de quel alphabet il provenait, il m'était très facile de retrouver la lettre modifiée et d'en reconnaître le son. »

Sur ces mots, le prélat coucha quelques signes sur le papier. Le B, en perdant quelques traits, devenait un K, le R égarait une jambe et devenait un P, le A, privé de sa barre horizontale, se renversait et se transformait en V…

« Vous voulez dire que l'alphabet de l'*Arbor mirabilis* en reflète un autre ? demanda le père Michaelis, très attentif.

— Oui, lettre par lettre. Naturellement, le code secret que j'avais créé s'adaptait à la langue que je parlais, autrement dit l'allemand. Par contre, dans le cas de notre manuscrit, la langue elle-même pose un problème. Mais comprendre le point de départ de cet alphabet m'a permis de faire un énorme pas en avant.

— Et quel est-il donc ?

— Le copte, sans l'ombre d'un doute. Dans une bonne moitié des cas, les caractères du manuscrit s'apparentent énormément aux caractères de l'alphabet copte, majuscules ou minuscules, plus ou moins déformés. Dans l'autre moitié, la ressemblance paraît plus incertaine. J'ai établi une espèce d'échelle des similitudes, avec des valeurs de 1, pour les plus proches, à 5, pour les plus lointaines. Vous allez voir. » D'Altemps feuilleta les dernières pages du volume, jusqu'à ce qu'il tombe sur un morceau de papier replié. Il l'ouvrit et pointa le doigt sur une sorte de grille. « Regardez ! Voici la première colonne, avec l'alphabet copte. Les cinq suivantes montrent le degré de similitude avec les lettres utilisées dans l'*Arbor mirabilis.* »

Le père Michaelis hocha la tête.

« Je crois que je devine votre étape ultérieure.

— Elle est évidente. J'ai établi une table de correspondance entre chaque caractère du manuscrit et le son des lettres coptes les plus similaires. En voici le résultat. »

Le cardinal retourna la feuille. Apparut une autre grille, développée sur seulement deux colonnes : celle de gauche portait les signes de l'*Arbor mirabilis,* celle de droite les lettres ou groupes de lettres latines.

« Pour chacune des lettres équivalente au copte, vous indiquez parfois plusieurs sons, observa Michaelis.

— Oui. Dans certains cas, il s'agit de mes incertitudes, car j'en ai malheureusement encore. Dans d'autres, la raison en est qu'un son peut subir de légères variations suivant son contexte et sa position à l'intérieur du mot : ainsi un TH peut devenir V ou F. Le fait est qu'il s'agit de phonèmes pas toujours faciles à représenter graphiquement. » D'Altemps haussa les épaules. « Mais je ne voudrais pas vous ennuyer. Je vais me contenter de vous dévoiler le résultat de l'application de ce système. Je me souviens que c'était un 31 décembre et que je venais à peine de finir de rédiger ma grille d'interprétation. Je choisis une page parmi les plus suggestives, le verso de la page 79. Celle où on voit une femme, un crucifix à la main, debout sous un dais, d'où partent d'étranges conduits vaguement organiques. Chacun d'eux déverse des jets d'un certain fluide sur d'autres femmes nues, jusqu'à une flaque au bas de la page, où viennent s'abreuver des chiens, des hyènes et d'autres animaux effrayants.

			5	4	3	2	1
ⲁ	ALFA	A	a	ɑ			
ⲃ	UITA	V		8			
ⲅ	GAMMA	G		ꝑ			
ⲇ	DELTA	D		4	ɼ		x
ⲉ	EPSILON	È				8	
ⲍ	ZITA	Z		2		2	
ⲏ	ITA	I, È			ff		
ⲑ	THITA	TH			8	8	
ⲓ	IOTA	I	ˋ				
ⲕ	KAPPA	K					ɼ
ⲗ	LAOULA	L		ɼ	ɧ		4
ⲙ	MI	M	ff	ð			
ⲛ	NI	N		ɔ			
ⲝ	XI	X					3
ⲟ	OMICRON	O	o				
ⲡ	PI	P		ff			
ⲣ	RO	R		9			
ⲥ	SIMA	S	c				
ⲧ	TAU	T		z			ff
ⲩ	IPSILON	Y				ɔ	ff
ⲫ	PHI	PH					ꝑ
ⲭ	CHI	CH		x			
ⲯ	PSI	PS				ff	
ⲱ	OMEGA	Õ	ð				
ϣ	SCHAI	SCH					ð
ϥ	F	F		ɧ	ɧ		
ϧ	KHAI	KH					2
ϩ	HORI	H		2	2		
ϫ	DJENDJA	DJ		x		ɼ	
ϭ	TSCHIMA	SCH		c			
ϯ	TI	TI		z		x	ꝑ

Table des similitudes entre l'alphabet copte et l'alphabet de l'*Arbor mirabilis*

a, cz	A
8	TH, T, V, F
ꝑ, ꝑ	G, F
4	D
8	E
ƨ	S, Z
ꝑꝑ, ꝑꝑ, ꝑꝑ	Y, I, P
ˋ	I
ꝑ	K, L, D, J
ꝗ	L, Q
ꝺ	M, AM, O
ɩꝑ	M
ꝺ	N
3	X
∘	O, U
9	R, ER
ɛ	S
ꝛ	T
ꭗ	CH, K
ʔ	KH, H
ɕ	SCH

Translittération de l'alphabet de l'*Arbor mirabilis*

Arbor mirabilis, foglio 79 verso

GOD FATHER O DIO HER DO YO DOD O YO DTHER O Y CTHULUH O-KOHOD
DO Y ASTHER DO Y AS ER DOYER DAER DO I AM LAER DO HATHER
TO LAOL O Y AR DO YAÕ ASTHER DO Y ASTHER DO Y ETHER O Y AR AM
DO YSSTHER DO YSSTHER DO YAÕ GOD AT HER HAS ER DOYER LAST HER
DOD YSSTHER DO YSTHER DOYOD HO OHER DO YSTHER OYSSTHER D AS AL
RASSYSER HO ASTHER DOIN ASTHER OD ASTHER TO RYAL
DOY ASER DO YSSTHER DOD YSTHER DO YSSTHER DO YO SOD ASTHER
RASTHER DOYS ER OYSTHER IS THER OD ASSTHER DO YSSER DO YSSTHER DOD
KAH OD ASSER DO YSSTHER DOYS AS ER DOD
GASTHER DASH YSTHER DO YSSER DO I AM OD YER O GASTHER GASTHER
O DASER DASTHER DOD YSTHER DO YAÕ ASHYER O Y AR ODYAL
GATHER O GATHER DOYS HTHER DOY ATHER DO YSTHER DOD YSTHER DO YSTHER OY ER
TAO AH O DASER THER YAÕ DO I AM ASHTER OY ATHER DO YSSTHER KOH
DO YSSER DO YSTHER O Y AR DO YOD ASTHER DO YSSTHER SOL AS ER DO YSSTHER
RYATHER DOY AT HER DO YAÕ OLYSSER ASO I AM THER YAR HO YAÕ
THOD ASSER DOD ODYAS ER DO YSSTHER OD YSSTHER DOD O I AM OD ER
DOD ASSER AOL OD THAH DO I AM AS IS ER DO YER O I AM OSAL
DO I AM ASSER DO YSSER YSSER O YSSER DASSER DO YSSER OD YSSTHER HAS ER
RYAL AR DODAH AS ER DO YSHTER DO YSTHER DO YSHTER THAO OD YAÕ STAL
THASTHER LAS ER DSYER ASTHER O I AM RYSSH ODYS ER OY ER A SER DOD ER
THAS ER DO YOD ASSTHER ASYER OR AN O YATHER THAN SCHYSH AH OH
YAS ER RYSS ER SYAN OHOO
YODYSER O Y AR OD O YAÕ OYERDOH DO YOD OYSSTHER THAD AHER
RASSAKH O AO OSSTHER DO I AM ASTHER DOYSSER OYSSER DOYSSER DOD
DOYSSER OD ODATHER DO YAÕ OYSSTHER OD I AM OY AS ER SOUL
RYSSTHER OYAL THERYAL OYSTHER THYSS ER YAR OD O YOD OMER
OTHASER YAH OGAO OGAR O I AM ODYSER
GASER YASOD DO I AM O GASTHER OYAD ATHER ODIO OIO OYSSTHER
TO ASER YSSTHER DYER O GASTHER DO YSTHER OYSCHER YAD TO OYSSER OSER
DOG AM ASSYER OY AR OYS ER DOYS ER YSTHER SIAM OYSSTHER DOYER
RASSH AM O ER YATHER DO YSSTHER DO YAH OYSSTHER HOD YAM
ODYSSER OD OKH OASS ER OD OD OYSSTHER ASHIS AH OH
FOR AH OH RYSSER YSSER O YAH OYASER DOYER AS ER OYSSER DTHER O-KHAD
RYASER DOYSSER DASER DOYER YASTHER OH ASSTHER O YAÕ ASOH ODER
DOH ASSER I AM AD OD O YOD THAN OI AM OD OYSSTHER DO I AM
RASSER OD ASER ODYASC HER ASSFASER
GOD OD AADIAM OYSSER DYSSER DO YAD OY ASTHER OYIATHER
ODYASER DOYSSER OYSSTHER ASTHER DOYSSER O I AM ASCHTER THAL
DO YSSTHER RYSSER ASSER OH OH AM ERSGAM ASHYSHER TAO RYER
DOYSSER AM O I AM OD AM DO I AM AS YER DOYSSTHER DO YAH OD
RATHER DOYSSER O YAÕ ODYSSER FADTHER ASTHER HAN O HAN
OY ASTHER DO YAÕ AS YER ASTHER OD AN ERTH AHAD

Translittération du foglio 79 verso de l'*Arbor mirabilis*

— Je me rappelle bien cette image.

— J'appliquais ma grille au premier mot. Je me souviens de l'émotion de cet instant quand j'en compris le résultat. Le mot devenait : GOD FATHR, ou plutôt GOD FATHER.

— De l'anglais ! murmura le père Michaelis, très impressionné.

— Oui. Cela ne pouvait être un hasard. Les mots suivants ne relevaient toutefois pas tous du lexique anglais, excepté quelques expressions récurrentes, comme THOU DAUGHTER ; certains vocables étaient rédigés dans d'autres langues, tandis que d'autres encore ne possédaient aucun sens. Si cela représente pour vous quelque intérêt, voici ma traduction de la page complète. » D'Altemps tira du manuscrit un autre foglio et le tendit au jésuite, qui le reposa.

« Restait encore le véritable problème : donner un sens à ces phrases, dont le rapport avec les dessins me paraissait obscur. Soudain, une nouvelle illumination me permit de résoudre ce mystère. L'alphabet utilisé par le manuscrit était une variante du copte, auquel s'ajoutaient quelques lettres de l'égyptien démotique. Or, nous savons que c'est en copte que les textes de l'hérésie gnostique, pour la plupart aujourd'hui perdus, étaient écrits. Nous savons aussi, d'après quelques papyrus grecs à caractère magique conservés au Vatican, qu'il existait autrefois une magie d'inspiration gnostique qui mêlait les entités démoniaques chrétiennes et hébraïques aux divinités égyptiennes, et qui attribuait un certain pouvoir à des séquences de mots, souvent similaires ou répétés avec quelques variantes.

— Un rituel ! s'exclama le père Michaelis. L'*Arbor mirabilis* est un rituel magique !

— Oui. Il en contient même plus d'un, probablement tirés de manuscrits coptes d'origine gnostique. Pour autant que nous le sachions, les mots répétés ou de désinence semblable s'adaptent parfaitement à ce type de magie. Les phrases en anglais, italien, grec ou latin constituent une traduction partielle des textes originaux, surtout les passages qui relient une formule à l'autre. Je suis à peu près sûr de ce que j'avance.

— Fort bien, mais les dessins ? Ils ne ressemblent point à ceux que nous a transmis la magie grecque, arabe ou alexandrine, et encore moins à ceux des grimoires* recopiés par nos nécromants. Ils semblent se référer plutôt aux superstitions d'origine juive ou chaldéenne.

— C'est exact. Il n'existe aucune similitude. Et savez-vous pourquoi ? » Le cardinal fit une pause afin de donner un effet dramatique à la révélation qui allait suivre. « L'*Arbor mirabilis* renvoie à une théologie qui diffère de toutes celles connues et à une cosmogonie si délirante qu'elle s'apparente au blasphème. »

L'attitude de son interlocuteur, qui distillait au compte-gouttes ses informations, commençait à irriter le père Michaelis. Il lui adressa d'un signe une sorte d'ultimatum.

« Expliquez-vous, à la fin. »

D'Altemps opina.

« Vous avez raison. Ici et là revenaient dans le manuscrit plusieurs mots appartenant à des langues mortes ou bien vivantes, comme GASTHER, ASTHER, ou bien DAUGHTER, OYSTER. Tous faisaient référence à des symboles féminins, comme “la fille” ou “le coquillage”, ou bien à des fonctions vitales, ou encore à des prodiges du cosmos.

— Cela ne m'étonne guère, observa le père Michaelis. Presque toutes les figures de ces illustrations sont des femmes, d'ailleurs souvent dessinées à l'intérieur d'organes humains.

— Exact ! Prenez par exemple la femme d'aspect royal, bien que nue, qui domine le verso du foglio 79, le crucifix à la main. Vous avez lu vous aussi Irénée. Souvenez-vous de Barbélô, l'entité féminine génératrice de lumière. Celle qui appartient à une Trinité hérétique composée du Père, de la Mère et du Fils.

— Je m'en souviens, mais…

— Eh bien, vous possédez là la clef ! Les femmes de l'*Arbor mirabilis*, émergeant de conduits de chair ou de réseaux d'artères, font allusion à un univers dont le corps comprend une composante féminine et fonctionne grâce à elle. Pour l'auteur du manuscrit, la divinité contient une part de féminité, tout comme l'énergie qui fait battre le cosmos. Vous rendez-vous compte de la monstruosité de cette théorie ? »

Le père Michaelis fit signe que oui. « Adam et Ève sur le même plan d'égalité, sans hiérarchie de culpabilité. La lune et le soleil au même moment, sans distinction qualitative entre le jour et la nuit, entre le bien et le mal… Je me rappelle également une illustration de ce type.

— Oui. C'est celle qui ouvre, probablement intentionnellement, la section astronomique.

— *L'Arbor mirabilis* serait donc un texte de pure sorcellerie, constitué d'invocations à la face féminine de la divinité. »

D'Altemps secoua la tête.

« Je l'ai cru moi aussi, mais il est bien plus que cela. Dans les premières pages de la partie dédiée à la cosmologie féminine figure une femme morte. L'illustration du foglio 79, qui représente en haut une femme triomphante, spirituelle, évoque dans le bas une sorte de chute dans la matière, symbolisée par le sang et les bêtes immondes qui s'en repaissent. Je n'ai aucune certitude à ce sujet, mais je soupçonne que cette partie du rituel est destinée à détruire la composante féminine de la divinité ou de l'univers. À moins que cela ne soit pour la célébrer, selon la manière dont on prononce la formule.

— Surprenant, murmura le père Michaelis. Surprenant et effrayant. Cependant, si je ne me trompe, une bonne moitié de ce livre contient un herbier qui décrit des plantes inconnues.

— Pas toutes, mais elles demeurent en tout cas peu connues. J'ai par exemple clairement déchiffré l'inscription SOYA. Je ne sais ce qu'elle signifie, mais l'illustration semble désigner une petite plante aux grosses graines qui m'a été montrée voilà des années par l'un de vos confrères jésuites, Francesco Savario, à son retour d'Asie. D'autres fleurs et feuilles se réfèrent à des plantes brésiliennes. Mais elles restent difficiles à identifier en raison de la maladresse du dessin.

— Je garde également en mémoire des racines pareilles à des artères et des figures humaines cachées dans des tiges.

— Vous avez raison. Je pense toutefois que ce type d'images, aux couleurs éclatantes, sert à méditer et à atteindre une conscience supérieure. Un peu comme dans les *Exercices spirituels* d'Ignace de Loyola : une sorte de guide pour l'imagination. À moins qu'elles ne fassent effectivement allusion à la flore de mondes inconnus. »

Le père Michaelis allait manifester un certain scepticisme, quand à cet instant la servante entra.

« Frère Michele Ghislieri est arrivé, annonça-t-elle avec une gracieuse courbette.

— Ah, conduisez-le ici sur-le-champ ! » s'exclama D'Altemps.

Lorsque l'inquisiteur général apparut sur le seuil, le père Michaelis eut du mal à en croire ses yeux. Le chef tout-puissant du Saint-Office était un homme d'une soixantaine d'années, presque chauve, à la barbe touffue. Ses yeux étaient petits et doux, son nez fin, sa bouche charnue. Il portait une soutane de l'ordre des dominicains tout élimée et rapiécée en maints endroits. L'impression qu'il dégageait était celle d'une grande modestie.

Bien que le nouveau venu fût inférieur en rang à ses deux interlocuteurs, le père Michaelis et le cardinal D'Altemps se levèrent pour lui présenter leurs respects. Frère Ghislieri ne prêta aucune attention à ces courbettes et marcha droit vers le jésuite.

« Vous devriez porter cette même soutane », observa-t-il d'un ton rude.

Michaelis éprouva un profond embarras et essaya de se tirer d'affaire.

« Mon frère, on peut servir Dieu sous bien des costumes.

— Raison de plus pour ne pas en changer. »

Dans le cabinet de travail, déjà froid, la température parut descendre encore. D'Altemps chercha un moyen de faire retomber la tension.

« Frère Ghislieri, j'étais en train d'expliquer à mon invité le contenu d'un livre rare de magie, écrit par une secte plus bizarre et diabolique que toutes celles que j'ai connues.

— J'imagine qu'il s'agit de cette congrégation à laquelle a appartenu ce fâcheux, ce Gabriel Simeoni. Il m'en parle depuis des mois. Tout d'abord, il n'a rien voulu me révéler, mais il est trop faible pour résister à la torture. Je crains même qu'il ne me périsse entre les mains, sous l'effet de la corde ou des fers. »

Le père Michaelis sentit que sa poitrine s'emplissait d'une joie sauvage, à l'origine mal définie. Il réprima cet étrange sentiment et demanda à voix basse :

« Simeoni s'est donc décidé à se confesser ? »

Les yeux en apparence indulgents de l'inquisiteur se figèrent d'un seul coup.

« Je viens de vous le dire, il est trop faible pour résister. Il semble qu'il ait un penchant pour le vin et pour quantité de choses condamnables. La douleur le fait souvent délirer. Il lance alors de graves accusations contre certains hommes d'Église. »

Michaelis se raidit.

« Je suppose que je fais partie des personnes qu'il calomnie.

— Vous supposez bien, mais tranquillisez-vous. J'ai beaucoup apprécié le travail que vous avez exécuté pour faire condamner Carnesecchi. Giulia Gonzague est tombée très malade. Il suffit que son mal empire encore un peu, et je pourrai mettre la main sur sa correspondance. Et alors, même le grand-duc de Toscane ne pourra sauver son hérétique préféré. »

Tout en prononçant ces mots, frère Ghislieri avait lancé un regard en biais en direction du cardinal D'Altemps. Celui-ci lui adressa un petit sourire.

« Mon frère, je suis apparenté, il est vrai, aux Médicis, mais à la branche milanaise. Du reste, vous savez bien que je n'interviendrais jamais pour défendre un hérétique. Je me montre d'ailleurs extrêmement suspicieux envers ceux qui prennent leur parti. J'imagine qu'il en est de même pour vous. »

L'inquisiteur général s'approcha du fauteuil laissé libre par Michaelis et s'y laissa tomber.

« Certes. Je me trouve précisément aux prises avec un cas de ce genre. Il y a quelques jours est arrivée à Rome la maîtresse de Simeoni, une certaine Giulia Cybo-Varano. Elle était si désespérée qu'elle s'est précipitée vers moi, quoique étant encore frappée d'excommunication… Il me semble, père Michaelis, que vous la connaissez fort bien. »

Le jésuite avait tressailli. Son cœur battait la chamade lorsqu'il répondit, s'efforçant en vain de demeurer impassible :

« En effet… Je la croyais pourtant à Paris. Je n'imaginais pas qu'elle viendrait jusqu'à Rome.

— Pourquoi tant d'assurance ? La feriez-vous surveiller, par hasard ? »

Le père Michaelis ne parvint pas à récupérer son calme.

« Oui… c'est-à-dire non… mais je la savais à la cour.

— Eh bien, elle se trouve à Rome et a même la langue plus déliée que son amant.

— L'avez-vous… fait arrêter ? » La voix du jésuite tremblait, mais il ne pouvait se maîtriser.

Les yeux durs de frère Ghislieri adoptèrent une expression ironique. Il détenait cette extraordinaire faculté de pouvoir changer instantanément de regard, comme s'il possédait plusieurs âmes.

« Non. Mais j'aurais pu le faire, car elle est liée à un sorcier et tombe sous le coup de l'anathème. Bien qu'elle soit convaincue, à dire vrai, que cette excommunication a été levée par l'entremise d'Alexandre Farnèse. J'ai pour ma part interrogé le cardinal Farnèse, qui a démenti. »

Le père Michaelis déglutit.

« Avez-vous l'intention de la faire incarcérer ?

— Non, rassurez-vous. »

Michaelis ne put s'empêcher de trouver sardonique cette parole de réconfort. C'était comme si l'inquisiteur lui avait dit : « Vous voyez, je sais tout. »

« Cette dame m'est plus utile en liberté. Pour l'heure, je lui ai refusé l'autorisation de rendre visite à son sorcier, mais je lui ai déjà fait comprendre que de plus amples révélations pourraient me faire changer d'avis. Elle passe toutes ses journées dans mon antichambre. Elle ignore encore que lorsqu'elle reverra Simeoni, elle aura peine à le reconnaître : il n'a plus rien d'un être humain. »

Le père Michaelis, bouleversé, ne savait plus quoi dire. Un long silence s'installa, entrecoupé seulement par le bruissement des feuilles que D'Altemps rassemblait et rangeait parmi les pages du manuscrit. Dehors, la neige avait recommencé à tomber.

Tout à coup, les yeux de frère Ghislieri redevinrent cordiaux, voire même joyeux.

« Allons, père Michaelis, ne faites pas aussi grise mine. Je m'apprêtais à vous donner une excellente nouvelle. Je vous ai déjà proposé comme inquisiteur général de France à la place du cardinal de Lorraine. Cette décision me vaudra les inimitiés de mon ordre, peu enclin à céder la direction d'un siège aussi important que le Saint-Office aux jésuites, mais je m'en moque. Votre activité contre Carnesecchi m'a convaincu que personne n'est plus digne de cette charge que vous.

— Le pape n'approuvera pas ma nomination.

— Qui sait ! Sa santé ne va pas fort. J'espère sincèrement que Dieu le gardera en vie, mais je crains qu'il ne dure plus très longtemps. Quelque chose me dit que toutes vos aspirations sont sur le point de se réaliser… si tant est, bien sûr, qu'entre-temps de nouvelles circonstances ne viennent y faire obstacle… »

Les premières phrases de l'inquisiteur avaient libéré d'un seul coup le père Michaelis de ses angoisses ; les dernières l'assombrirent de nouveau.

La mort blanche

Après la pluie, le froid, les inondations, la sécheresse. Après les épidémies passagères, la peste noire avait refait son apparition dans toute la Provence. L'été 1565, rendu torride par un soleil brûlant et impitoyable, commençait sous les pires auspices.

Voilà des années que Michel n'avait pas eu l'occasion de voir des files de charrettes transporter les défunts, d'entendre les cris aigus des *alarbres* et des *sandapilaires,* de croiser les rangs des médecins qui enfumaient la ville, alourdis de cuirasses et protégés par des masques au bec d'oiseau. Ce spectacle lui aurait probablement rappelé sa jeunesse si Salon n'était pas devenue une ville fantôme, entièrement saupoudrée d'une fine couche de poussière blanche. Du reste, les édifices en ruine, témoins de la récente guerre civile, suffisaient à lui faire comprendre à quel point les temps avaient changé.

« Eh bien, on pourra dire que j'ai fait mon devoir, murmura Michel, tandis qu'il sortait de l'office du notaire Jean Roche, soutenu par Chevigny.

— Et comment ! commenta le secrétaire. Cent pistoles pour l'entretien du canal de Craponne ! Vous et votre épouse vous êtes montrés plus généreux que la plupart des notables de cette ville !

— Mon garçon, si ce canal n'existait pas, Salon serait aujourd'hui à l'agonie, comme presque tout le Sud de la France. Grâce à ce filet d'eau courante, nous pouvons laver les moribonds et maintenir le lazaret en état de propreté. Ce n'est pas un hasard si les gens d'ici, malgré plus de cinq cents morts, ont décidé de rester et d'essayer de poursuivre leurs activités. S'ils déménageaient ailleurs, peut-être trouveraient-ils plus de médecins, mais aussi moins d'eau. L'eau nous est vitale. »

Tout en parlant, Michel observait deux infirmiers, une paire de verres épais sur les yeux et le nez dissimulé derrière l'habituel filtre fumant de substances aromatiques, qui tentaient de pénétrer dans la maison d'un malade. Une fille brune hurlait à la fenêtre un mensonge pathétique : « Il n'y a aucun pestiféré ici ! » ; mais son propre teint était terreux, et de temps à autre elle grattait ses aisselles douloureuses.

« L'eau mise à part, pourquoi ne faites-vous rien pour les malades ? demanda Chevigny. Avec votre expérience des épidémies, vous pourriez être d'un grand secours.

— C'est vrai, pourquoi ne faites-vous rien ? » répéta une voix sonore dans son dos.

L'homme qui venait de s'exprimer sortait à son tour de l'office du notaire Roche, vêtu d'un uniforme d'officier aux armoiries du duc de Sommerive. Il paraissait indifférent aux scènes de mort qui les entouraient, à tel point qu'il avait retiré son casque, si tant est que celui-ci représentait une protection, et l'avait calé sous son bras.

« Ah, c'est vous, Tripoly, dit Michel d'un ton cordial. Je voulais vous remercier d'avoir servi de témoin dans cette donation. Quant à votre question, je vous répondrai que deux motifs m'empêchent d'agir : le premier est que je redoute que la goutte dont je souffre ne masque en réalité un œdème généralisé ou une hydropisie. Je peux rester des jours et des jours sans uriner ; les fluides finissent alors dans mes jambes et les enflent de manière terrible. Je me déplace avec de plus en plus de difficulté.

— Vous ne devriez d'ailleurs pas bouger, s'exclama Chevigny, serrant fortement son maître comme s'il craignait qu'il ne s'affaisse dans ses bras. Je peux me charger de préparer l'électuaire d'œuf et les autres remèdes dont vous connaissez le secret, puis les distribuer. »

Michel secoua la tête.

« Non, il faut que je vous expose le second motif de mes réticences. Je me suis convaincu au fil du temps que la guerre générait la peste. Guerre, peste et famine appartiennent à un même cycle, avec la mort pour corollaire. Les parfums, les essences ou quoi que ce soit d'autre ne suffiront pas à arrêter la contagion. Seule la paix peut y parvenir. Mais la paix n'est pas un remède.

— La paix est pourtant revenue », objecta Chevigny.

Tripoly se fâcha.

« Vous appelez cela une paix ? L'Église réformée se voit encore persécutée et contrainte de se réunir dans de rares châteaux de campagne. Les milices papistes des Faussan, Richelieu et autres Porcellets, qui auraient dû se dissoudre, ont conservé leurs armes et continuent de parader. Il règne dans ce pays deux poids et deux mesures. »

Chevigny haussa un sourcil.

« Messire, il me semble que, tout en étant un huguenot notoire, vous avez récupéré votre charge et êtes redevenu commandant militaire de la région. De quoi vous plaignez-vous ?

— Jeune homme, voudriez-vous par hasard que je vous étripe sur-le-champ et que je donne ensuite votre carcasse en pâture aux chiens ?

— Calmez-vous, mes amis », intervint Michel. À cet instant, une circonstance inattendue vint mettre brutalement fin à cette querelle. Sur l'une des charrettes arrêtées devant la cathédrale, un moribond luttait farouchement avec les *alarbres* qui tentaient de le retenir. Il était apparemment hors de question pour lui de se trouver à demi enseveli sous un chargement de pestiférés. Du reste, les infirmiers volontaires avaient pris l'habitude expéditive de jeter pêle-mêle lors de leurs transports défunts et agonisants, surtout lorsqu'ils possédaient la certitude que ces derniers ne parviendraient pas vivants au lazaret.

Le moribond, qui hurlait comme un cochon qu'on égorge, eut soudain un sursaut d'énergie. Il réussit à sauter au bas de la charrette, bien que le suaire ensanglanté dans lequel il était enroulé ralentît ses mouvements. Il esquiva un *alarbre* qui tentait de l'agripper, mais se trouva confronté à un *sandapilaire* vêtu de haillons et armé d'une courte dague. Ce dernier allait se fendre, quand l'autre lui arracha l'arme des mains, indifférent à la blessure qui s'était ouverte sur son avant-bras. La dague au poing, il courut désespérément à travers la place. Les infirmiers jurèrent, mais se gardèrent bien de le suivre, persuadés qu'il n'irait pas loin.

Le pestiféré ralentit en effet presque aussitôt son allure, freiné par la faible prise que ses pieds nus possédaient sur la poussière blanche répandue un peu partout par une brise imperceptible. Quand il arriva près du groupe formé par Michel, Chevigny et Tripoly, il tenait à peine debout. Ce qui ne l'empêcha pas de brandir sa dague en signe de menace.

Quand ce spectre vivant s'approcha de Michel, celui-ci sursauta. Le moribond, efflanqué et voûté, avait le visage tout couvert de sang et de pus, et ses yeux n'étaient plus que deux cavités fiévreuses. Ses traits asymétriques restaient toutefois aisément reconnaissables.

« Pentadius ! » s'exclama Michel, qui se débattait entre l'horreur, la peine et la peur.

L'autre s'arrêta d'un seul coup, comme si on lui avait planté dans le dos un crochet invisible. Il murmura des paroles indistinctes, tout en restant immobile et tremblant. Puis, subitement, il se jeta en avant, la dague serrée entre ses poings.

Michel tenta de reculer, mais sentit que ses jambes étaient presque paralysées. Il entendit crier :

« Ah, gredin ! » Tripoly venait d'extraire l'épée de son fourreau avec la rapidité de l'éclair. Il frappa du plat la main de Pentadius, envoyant la dague rebondir sur le sol. Puis il plongea la pointe de son arme dans le ventre de l'agresseur, l'enfonçant de plusieurs empans. Un flot de sang se mêla à celui qui imprégnait déjà le linceul de l'homme.

Pentadius tomba à la renverse, sans un cri, tandis que Tripoly retirait son épée. Michel aperçut une lueur sauvage briller dans les yeux du mourant. Il se pencha vers lui.

« Qu'étais-tu venu faire ici, malheureux ? »

Pentadius tordit la bouche. Seul Michel entendit les bribes de mots qu'il parvint à prononcer dans un dernier effort.

« J'étais venu… te prendre… "La mort s'approche à neiger"… »

Le reste de la phrase fut étouffé par un haut-le-cœur. Un instant plus tard, Pentadius fermait les yeux pour toujours.

Michel était si secoué qu'il craignit pendant un instant d'être à nouveau la proie de ses hallucinations. Il entendit à peine Tripoly chuchoter au mort : « Si j'avais le temps, je t'arracherais la tête et la suspendrais en haut du campanile ! », tandis que Chevigny s'efforçait de ramener son maître à la vie.

Ce fut la voix, rauque à cause de l'abus de boisson, d'un *alarbre* qui s'était approché qui ramena Michel à la réalité.

« Parbleu, il l'a bien mérité ! Ces gueux ne veulent jamais mourir. Quant à vous, messire capitaine, vous feriez bien de vous débarrasser de cette épée que vous maniez avec tant d'aisance. Elle pourrait bien avoir été contaminée. » Il attendit que Tripoly, effrayé, ait jeté au loin son arme, puis ajouta : « Je ne sais si ce vaurien était un fou ou un sorcier. Il errait dans Salon à la recherche de sang de rat et de je ne sais quelles autres horreurs. Quand il a enfin trouvé ces différents ingrédients, je l'ai vu de mes yeux se rouvrir une blessure en forme de croix qu'il avait sur l'épaule et verser dessus cette mixture. Il est alors instantanément tombé malade. Ces nécromants croient que leurs sortilèges fonctionnent encore. À notre époque ! »

Cette dernière phrase troubla davantage Michel que toute la scène à laquelle il venait d'assister. Il se sentit tout à coup vieux et très fatigué.

« Ramenez-moi à la maison », murmura-t-il à Chevigny.

Il remercia Tripoly et prit congé, puis se laissa emmener par son secrétaire en direction du quartier Ferreiroux. Ils restèrent silencieux tout au long du trajet. Autour d'eux, le cadre ne reflétait que désolation, sans atteindre toutefois le degré d'atrocité des épidémies des décennies précédentes. On avait désormais pris l'habitude de ne pas abandonner de cadavres sans sépulture et d'éviter des occasions de rassemblement comme les processions. L'eau courante, quand elle coulait suffisamment, favorisait l'hygiène personnelle ; les vêtements des morts étaient brûlés. En conséquence, les guérisons devenaient plus nombreuses. Les cinq cents morts de Salon avaient succombé, dans plus des quatre cinquièmes des cas, en pleine campagne, où les paysans ne connaissaient pas encore les précautions hygiéniques. Les habitants scrutaient le ciel, espérant que c'était de là, et non de la fin de la colère divine, que viendrait leur salut. Ils pensaient communément qu'une bonne pluie balaierait la crasse, et avec elle la maladie, et cédaient ainsi moins facilement à la panique.

Devant la maison de Michel, deux brasiers en bronze répandaient une fumée aromatique. Ce fut Jumelle qui lui ouvrit la porte.

« J'ai peur pour nos enfants, dit-elle avec anxiété. Ne penses-tu pas qu'il serait préférable que nous les emmenions loin d'ici ?

— Et où donc ? Les maladies sévissent un peu partout à travers toute la France. La guerre a laissé trop de cadavres à l'air libre ou recouverts d'une trop fine couche de terre. Nous courons moins de danger ici qu'à Arles ou à Aix.

— Mais tu te sens mal ! s'exclama Jumelle en portant les mains à sa poitrine.

— Juste un peu. J'ai fait une mauvaise rencontre, qui s'est heureusement bien terminée. Je continue cependant à ne pas ressentir le besoin d'uriner. En ce moment, mes pauvres jambes doivent être vraiment horribles à voir.

— Pour moi, elles ne seront jamais horribles. » Malgré son ton affectueux, Jumelle avait les larmes aux yeux. Elle prit délicatement la place de Chevigny et accompagna son mari vers le salon. « Viens, assieds-toi. Nous avons un visiteur, mais je vais le chasser de ce pas.

— Un visiteur ? Serait-ce par hasard un émissaire du prince Rodolphe de Habsbourg ? Je lui ai terminé son horoscope, mais il paraît qu'il trouve le prix trop élevé.

— Non, non. Il s'agit d'un jeune Français qui se dit fils d'un de tes vieux amis. Il t'apporte divers messages.

— Alors, mieux vaut que je le voie. Je me reposerai plus tard. »

Dans le salon se tenait en effet un jeune homme, occupé à examiner une coupe d'or posée sur la cheminée éteinte. Son visage frappa Michel, qui murmura :

« Mais voyez-vous cela. Je ne vous connais pas, messire, et pourtant votre visage ne m'est pas inconnu. Vous ressemblez fort à quelqu'un, mais je ne parviens pas à me rappeler qui. »

Le jeune homme lui sourit et écarta un peu ses longs cheveux noir corbeau, comme pour se faire reconnaître. Ses yeux sombres brillaient d'un étrange éclat, son profil était effilé et son nez aquilin.

« Je m'appelle Joseph Juste Scaliger, dit-il. Vous m'avez connu tout enfant.

— Scaliger ! » s'exclama joyeusement Michel. Il désigna l'adolescent à Chevigny et à Jumelle, restée sur le seuil. « Je vous présente le fils de Jules César Scaliger : un grand érudit que j'ai fréquenté lorsque j'habitais Agen ! Peut-être l'homme le plus cultivé de son époque ! »

Chevigny secoua la tête.

« Impossible. Vous étiez déjà l'homme le plus cultivé. »

Michel ne lui prêta pas attention.

« Jumelle, apporte du vin de Craux pour tout le monde ! J'exige la grande coupe, celle des occasions importantes !

— Prends garde, Michel, objecta son épouse. Ces derniers temps, tu t'es remis à boire avec excès.

— Mais aujourd'hui n'est pas un jour comme les autres. Allez, ouvre donc deux bouteilles… ou plutôt trois. C'est un petit vin léger qui requinque son homme. Je vais m'asseoir, afin de mieux profiter de ce moment exceptionnel. »

En réalité, ses jambes ne le portaient plus. Il tomba de tout son poids sur la banquette. Il appela Scaliger à ses côtés et désigna à Chevigny un fauteuil. Puis il prit les mains du jeune homme.

« Comme vous lui ressemblez ! Savez-vous que j'avais pour votre père l'affection d'un fils ? C'était un grand lettré, un grand herboriste, un grand astrologue. Grand en tout, en somme.

— Oh, c'est certain, répondit le jeune homme. Très grand même. De toute évidence, il était presque fou et a été le pire père qui aurait pu m'échoir. Mais sa doctrine n'entre pas ici en ligne de compte. »

Michel le regarda avec perplexité.

« J'ignore la manière dont il s'est comporté envers vous, mais en ce qui me concerne je n'ai aucun reproche à lui faire. J'ai eu peu d'amis aussi chers.

— Sans doute vous aimait-il avec transport. Il n'en demeure pas moins que j'ai retrouvé au milieu de ses papiers trois épigrammes qui vous visaient. Mais elles sont probablement le fruit de crises passagères : je ne les ferai jamais publier. D'ailleurs, il semble qu'aucun typographe ne soit disposé à les imprimer. »

Cette dernière remarque fit tomber un voile embarrassé. Jumelle y remédia en entrant dans la pièce, tenant en main un plateau avec deux verres en cristal et une grosse chope plaquée d'or et d'argent. Derrière elle, Christine portait trois bouteilles poussiéreuses, auxquelles on avait déjà ôté la cire à cacheter. En raison de la peste qui sévissait, elles avaient posé sur chacun de leurs plateaux de l'ail, du romarin et des sachets d'herbe odorante.

Michel versa du vin à son hôte et à Chevigny, puis remplit sa propre chope jusqu'à ras bord. Il s'enivrait souvent et savait à quel point cette attitude déplaisait à Jumelle. Mais par moments c'était pour lui le seul moyen de calmer les élancements douloureux de ses membres, qui commençaient également à se propager jusque dans ses doigts. Sans compter la nécessité d'oublier les cauchemars récurrents qui le persécutaient et ses rapports difficiles avec son épouse.

« Quelle est votre occupation ? demanda-t-il à Scaliger après que Jumelle et Christine se furent retirées.

— J'étais étudiant à Paris, mais les conflits religieux ont fait suspendre de nombreux cours. J'ai alors trouvé un poste d'instituteur auprès du noble Louis Chasteignier de La Roche-Posay. Un brave homme, quoique perfide et menteur. En même temps j'étudie l'hébreu sous la direction du docteur Guillaume Postel.

— Guillaume Postel ! Je me souviens bien de lui.

— Lui aussi se souvient de vous. C'est à sa demande que je suis venu jusqu'ici en défiant la peste. Je dois vous communiquer un message de sa part. » Scaliger observa Chevigny qui reniflait une branche de romarin et ajouta : « Un message de caractère privé. »

Michel leva une main.

« Messire Chevigny est mon secrétaire personnel. Vous pouvez parler en sa présence en toute tranquillité. » Il s'aperçut qu'il avait déjà vidé sa coupe et la remplit de nouveau. Il espérait ressentir un besoin d'uriner, qui cependant ne venait pas.

« Votre secrétaire ? Bien. Je constate qu'il doit être étranger, car il semble ne rien comprendre. » Chevigny s'agita sur son fauteuil, mais Scaliger ne lui prêta aucune attention. « Le docteur

Postel a lu toutes vos *Prophéties*, mais il est resté extrêmement frappé par vos almanachs de présages. Vous avez prévu mois par mois, avec une année d'avance, tous les événements à venir, tant climatiques que politiques. Pour le mois de janvier 1565 vous aviez prédit "grands pluys, neiges*" et "pestilence inopie*". Et c'est ce que nous avons eu. Pour le mois de mars, "pluyes, grands vents*", ainsi que "inonder fleuves, pestiferes actions*". Eh bien, nous avons tous pu le constater. Et pour avril, "pulluler peste, maux mortels*", tandis que le climat s'adoucissait. Il y a de quoi en rester interloqué.

— Le docteur Nostradamus devine toujours toutes les choses à l'avance, intervint Chevigny.

— Mais voyez-vous cela, vous parlez donc notre langue », observa Scaliger, sincèrement surpris. Il se retourna vers Michel. « L'un de vos présages a cependant attiré l'attention de Guillaume Postel plus que les autres. Il concerne ce mois d'août. » Il fouilla dans les poches de sa veste élimée à la recherche d'un billet. Il l'ouvrit et lut :

Point ne sera le grain à suffisance.
La mort s'approche à neiger plus que blanc.
Stérilité, grain pourri, d'eau bondance,
le grand blessé, plusieurs de mort de flanc*.

Michel se sentit pâlir. Il vida convulsivement sa chope, puis la remplit une nouvelle fois. Le murmure de Pentadius agonisant résonnait encore à ses oreilles. Il but encore et réussit enfin à articuler :

« Et qu'est-ce qui étonne tant Postel ? Le fait que ma prévision soit exacte ?

— Non, seulement ceci : il est clair que trois de ces vers décrivent les conditions actuelles. Insuffisance de grains, stérilité, décomposition de céréales, manque d'eau. J'ignore qui est le grand homme blessé et les morts qui l'entourent…

— Probablement le docteur Nostradamus, dont la santé n'est pas au beau fixe en ce moment, clarifia Chevigny, et vous avez sûrement constaté que Salon n'est plus qu'un vaste cimetière.

— … mais la phrase qui a suscité l'intérêt de Postel est la seconde : "La mort s'approche à neiger plus que blanc." Il semble en saisir le sens à la perfection. C'est à ce vers, docteur Nostradamus, que se réfère le message qu'il m'a chargé de vous transmettre. »

Michel eut un vertige qu'il ne sut devoir imputer au vin ou à son profond trouble. Il but encore une rasade, finissant de vider sa coupe.

« Je vous écoute », ordonna-t-il d'une voix pâteuse. Puis, s'apercevant qu'il venait de terminer une bouteille, il se saisit d'une seconde. Il ne songea même pas à servir son invité.

Scaliger avança son propre verre. Il attendit quelques instants, puis le retira d'un air irrité.

« Le docteur Postel m'a prié de vous dire qu'il vous a parfaitement compris. Il croit ne pas se tromper en présumant que l'une des composantes de l'Autre Trinité, Adam, Ève et le serpent, vous a récemment lancé des signaux. C'est lui, le serpent, votre problème. Il existe des rituels capables de le réduire à l'impuissance. Ce n'est qu'alors qu'Adam et Ève, les deux faces de l'univers, pourront de nouveau vivre ensemble et que la menace de la mort trop blanche, qui pèse sur nos descendants, sera conjurée. »

Chevigny éclata d'un petit rire.

« Mais quel beau message ! Postel aurait tout aussi bien fait de l'écrire en arabe ! »

Scaliger lui décocha un œil noir.

« Vous ne l'auriez pas mieux compris en arabe. Je vous trouve pour ma part le front plus bas que la normale et des yeux bovins. Mais peut-être est-ce le résultat d'intenses efforts de réflexion. » Il s'adressa à Michel. « Voilà la teneur de son message. À présent, veuillez avoir l'obligeance de me donner un peu de ce vin que vous buvez seul. »

Michel obéit en riant et ne put s'arrêter de rire. Quoique soûl, de toute évidence, une partie de son ivresse provenait également d'une illumination soudaine.

« Le rituel du serpent ! s'exclama-t-il. Bien sûr, voilà la solution que je cherchais ! » Il maîtrisa son euphorie et réussit à dire à Scaliger : « Remerciez le docteur Postel. Je l'ai toujours sous-estimé, mais je réalise aujourd'hui mon erreur. Je ne sais dans quelle mesure vous connaissez le rituel du serpent…

— Fort peu, ma foi. Je croyais qu'il s'agissait d'une formule utilisée par les nécromants pour rappeler les défunts.

— C'est précisément ce dont j'avais besoin. Dites à Postel que je m'efforcerai d'emporter avec moi son indication dans la mort. Et que je ferai tout mon possible pour que la *Shekhina* puisse continuer à faire partie de l'arbre de vie. »

Le regard perplexe de ses compagnons fit comprendre à Michel qu'ils le croyaient plus enivré qu'il ne l'était vraiment. Il ne s'en formalisa pas et se resservit de vin.

« Permettez que je profite de l'absence de mon épouse pour boire un peu, se justifia-t-il, sans s'apercevoir que de ses lèvres sortaient des borborygmes indéchiffrables. Si je ne me remets pas à uriner régulièrement, il ne me reste plus, au mieux, qu'une année à vivre. Je ne crois pas commettre un grave péché en m'octroyant le seul plaisir qui me reste. »

Scaliger acquiesça et tendit de nouveau son verre vide.

« Autorisez-moi à pécher avec vous et à liquider en votre compagnie cette seconde bouteille. Ce vin de Craux est tout à fait excellent. » Il but à son calice à petites gorgées, puis le posa et se frappa soudain le front de la main. « J'oubliais ! J'entretiens une correspondance avec un ami italien, Sébastien Cybo, des Cybo de Gênes. Il m'a demandé des nouvelles d'une de ses parentes, Giulia Cybo-Varano. Il pense qu'elle a séjourné ici à Salon, avant d'être accueillie à la cour comme demoiselle de compagnie de la reine. Avez-vous appris quelque chose à son propos ? »

Michel tressaillit.

« Oh, je connais bien Giulia. Mais voilà des mois qu'elle ne m'a pas donné de ses nouvelles. »

Chevigny, qui était resté le plus sobre, ajouta :

« Moi non plus, je ne sais rien d'elle, mais il me semble que son fiancé, Simeoni, s'est rendu à Rome. Peut-être l'a-t-elle rejoint.

— Dieu l'en préserve ! s'exclama Michel. À Rome elle court un terrible danger. » Il se remémora l'un des quatrains les plus sombres et tragiques que Parpalus lui ait jamais dictés, mais le vin l'aida à chasser ce souvenir. « Buvez, mes amis ! La troisième bouteille est encore vierge et je vous engage à la déflorer ! »

Dans un coin de son cerveau restait tapie l'image d'une blancheur mortelle et aveuglante. Il tenta de l'ignorer. Il finit par s'assoupir sur la banquette, se repassant en songe le rituel du serpent.

Santa Maria sopra la Minerva

Pour le père Michaelis, c'était un grand jour. Si l'aggravation de la maladie du pape Pie IV constituait un sujet de préoccupation pour les habitants de Rome, elle annonçait en revanche à ses yeux le couronnement de ses ambitions. On considérait déjà comme assurée la prochaine élection de frère Michele Ghislieri sur le trône de saint Pierre. Le dominicain ne lui plaisait guère, mais il lui avait réitéré ses promesses en présence d'un homme aussi puissant que le cardinal D'Altemps. Il ne pouvait désormais y manquer, même du haut du trône sur lequel il s'apprêtait à s'asseoir.

L'hiver romain se montrait beaucoup moins rigoureux que celui du Nord de la France. Michaelis jouissait de sa pureté, qui débarrassait les ruelles de nombre de ses odeurs habituelles, et en appréciait en même temps la modération, qui lui rappelait les hivers doux de sa Provence. Il marchait donc avec allégresse en se dirigeant vers l'église de Santa Maria sopra la Minerva, où il avait rendez-vous à la fois avec frère Ghislieri et avec le général des jésuites.

Il apportait de bonnes nouvelles au père Laínez : le procès engagé contre les disciples d'Ignace de Loyola, commencé quelques mois plus tôt auprès de la Grande Chambre du parlement de Paris, venait à peine de se conclure par un non-lieu et un ajournement *sine die.* Cette issue favorable n'était pourtant pas gagnée d'avance. Le pire moment avait été celui du réquisitoire du député Étienne Pasquier. Michaelis avait cru deviner une allusion à sa propre personne, lorsque le parlement avait accusé la Compagnie de Jésus d'une vocation à l'intrigue capable d'aller jusqu'au crime. Plus insidieuse encore avait été l'accusation faite aux jésuites de servir d'agents à l'empereur Philippe II. Mais le roi répugnait à procéder à la dissolution d'un ordre qui jouissait de tant de protecteurs illustres, en une période de paix durable avec l'Espagne. Pasquier n'avait obtenu de la couronne aucune satisfaction.

Ce n'était certainement pas un hasard si frère Ghislieri avait convoqué Michaelis à Santa Maria sopra la Minerva. L'église, érigée sur la place dédiée à la déesse païenne, constituait l'un des bastions de l'Inquisition. Chaque mercredi, la congrégation du Saint-Office se réunissait dans le couvent dominicain contigu. Sur la place même avaient lieu les exécutions des hérétiques et les cérémonies plus fréquentes d'abjuration. Quelques jours plus tôt, on y avait supplicié le luthérien Giulio di Giorgio Grifone, du village d'Orte, tandis qu'on coupait la langue d'un certain Giulio Cesare Vanini, un habitant de Lecce qui se disait panthéiste, avant de le faire grimper sur le bûcher. Toute la plèbe de Rome participait à ce genre de spectacle en maudissant ou en plaignant le condamné, selon son sexe, son âge et surtout son pouvoir de séduction.

En conséquence, des groupes de *familiers* de l'Inquisition, armés d'épées ou, plus rarement, d'arquebuses, faisaient en permanence les cent pas devant l'église et le couvent de Santa Maria. L'un d'eux s'approcha justement de Michaelis, quand il le vit prendre la direction des édifices sacrés.

« Où donc allez-vous, mon père ? demanda le *familier*, après avoir jeté un coup d'œil à la soutane noire du jésuite. Aujourd'hui, l'église est fermée aux fidèles, en tout cas jusqu'à ce soir. »

Le *familier* était un jeune homme blond, aux traits mous, vêtu d'habits de bonne coupe. Nombreux étaient en effet les jeunes appartenant à la bourgeoisie, voire même à la basse noblesse, qui prêtaient leurs bras et leur temps libre à l'Inquisition. Ils espéraient gagner par là des titres et des récompenses futures, qui ne manquaient effectivement jamais d'être délivrés.

« Je suis le père Sébastien Michaelis, de la Compagnie de Jésus. Frère Ghislieri m'attend. J'ignore cependant s'il a prévu de me recevoir dans l'église ou bien au couvent.

— Dans l'église, dans l'église. » La voix du jeune homme s'était tout à coup fait prévenante. « Suivez-moi, je vous prie. Les autres invités sont déjà tous présents. Son Éminence le cardinal Farnèse est arrivé il y a une demi-heure, après les autres jésuites. J'ai également vu passer l'évêque Simancas. Quant à l'inquisiteur général, il attend déjà dans la sacristie depuis plusieurs heures. »

Le cœur du père Michaelis sursauta violemment. Il ne s'attendait pas à rencontrer en ce lieu Alexandre Farnèse, qu'il n'avait pas revu depuis qu'il lui avait enlevé Giulia par la ruse. Et Simancas, que faisait-il là ? Il le croyait rentré en Espagne, après sa courte régence du royaume de Naples.

Mais il restait encore plus déconcerté par le fait que tous ces personnages se trouvaient déjà réunis depuis un moment. Il croyait avoir pris de l'avance sur l'heure du rendez-vous et découvrait au contraire qu'il arrivait en retard. Peut-être avait-il mal compris.

Il suivit le *familier* à l'intérieur de l'église, dont les vastes nefs gothiques étaient refroidies par la pénombre permanente. Il le vit tourner à droite en direction du vestibule de la sacristie, au sol jonché de dalles funéraires. L'édifice tout entier était une sorte de monument à la gloire de l'Inquisition : de la chapelle dédiée à la famille des Torquemada jusqu'au portrait de Paul IV, en passant par la fresque représentant saint Thomas en train de confondre les hérétiques. Les pierres tombales du vestibule évoquaient elles aussi le souvenir d'inquisiteurs plus ou moins célèbres.

Le père Michaelis ne fut pas conduit dans la sacristie, mais en face, dans la Salle des papes, contiguë au cloître. La pièce, plus petite que son nom ne le laissait présager, était presque entièrement occupée par une longue table massive. Près de l'arche conduisant au cloître siégeaient trois dominicains d'âge mûr que Michaelis voyait pour la première fois. Puis il concentra son attention sur les personnages assis derrière la table.

Au centre trônait frère Michele Ghislieri, dont les yeux ne trahissaient pour l'heure aucune cordialité à son égard. À la gauche de l'inquisiteur avaient pris place l'évêque Simancas, comme à son habitude absorbé dans ses pensées, et le cardinal Alexandre Farnèse, magnifié par la pourpre de ses habits cardinalices. Tous deux échangeaient des paroles vives en espagnol et adressèrent au nouveau venu un regard froid et détaché.

À la droite de frère Ghislieri siégeait le père Diego Laínez, l'air plutôt renfrogné. Sa vue surprit moins Michaelis que celle de deux autres jésuites, le père Nadal et le père Auger. Il les croyait tous deux en France et s'étonnait que, le sachant à Rome, ils ne lui aient pas encore rendu visite. Il réprima son inquiétude et adressa un geste de salut à ses confrères. On lui répondit par un bref signe de tête.

Frère Ghislieri se leva.

« Bienvenue, père Michaelis. Voulez-vous bien vous asseoir ici. » Il lui désigna un siège à haut dossier placé exactement en face de lui. Il attendit que l'autre lui eût obéi avant de se rasseoir. « Vous trouverez peut-être inconvenant d'avoir pensé à organiser une réunion, en ces jours de souffrance et d'angoisse pour nous tous. Si je me suis permis de vous déranger, vous et nos autres hôtes illustres, c'est parce que j'ai une fort bonne nouvelle à vous communiquer, qui s'avérera peut-être capable d'atténuer un peu l'inquiétude que nous ressentons tous à l'égard de la santé de notre Saint-Père. À l'heure où souffre un grand chrétien, un important hérétique va enfin recevoir son juste châtiment. »

Le père Michaelis éprouva un intense soulagement. Pendant un instant, il avait craint de devenir l'accusé de cette rencontre, bien qu'il ne sache pas exactement ce qu'on lui reprochait. Ce fut avec une voix presque joyeuse qu'il demanda :

« Il s'agit de Carnesecchi, n'est-ce pas ?

— Oui. De Piero Carnesecchi. Faites-nous donc votre rapport, monseigneur Simancas. »

L'Espagnol s'éclaircit la voix, sans réussir toutefois à empêcher que son italien prenne une sonorité légèrement gutturale.

« J'ai profité de la charge temporaire que mon empereur m'a confiée à Naples pour mettre enfin la main sur la correspondance entre Carnesecchi et Giulia Gonzague, la protectrice des vaudois. Actuellement, celle-ci se meurt, mais nous n'avons même pas besoin d'attendre son décès. Le procès de cet hérétique peut reprendre dès le mois prochain. Et j'espère bien que nous connaîtrons là sa dernière session.

— Vous pouvez y compter, ajouta frère Ghislieri, qui paraissait maintenant fort satisfait. Merci, monseigneur Simancas.

Quant à moi, je suis en mesure de vous informer qu'une partie de cette correspondance a déjà été portée à la connaissance du grand-duc Côme de Médicis. J'ai reçu sa garantie personnelle qu'il ne continuera plus, comme il l'a fait jusqu'à présent, à protéger Carnesecchi. Il a même hâte de s'en voir débarrassé. Qu'en dites-vous, père Michaelis ? »

L'interpellé jubilait, tout en restant assez lucide pour se permettre quelques réflexions. Il savait que la papauté n'avait pas renoncé à demander le renvoi de l'archevêque Carranza de Tolède, détenu par l'inquisiteur Valdès sur la volonté de Philippe II. Il savait aussi que le mois précédent, une délégation vaticane, conduite par le légat cardinal Borromée, était partie pour l'Espagne avec pour mission de ramener à Rome le prélat prisonnier. Il se demanda si la diligence de Simancas à l'encontre de Carnesecchi n'était pas motivée par l'espoir de rentrer dans les bonnes grâces du futur pontife : une sorte d'échange de faveurs, pour le moment encore unilatéral. Vu la situation actuelle, des considérations de ce genre se révélaient toutefois une perte de temps.

Il baissa la tête, s'efforçant de paraître impassible.

« Révérend inquisiteur général, tout cœur chrétien se réjouit de la nouvelle de la chute d'un dangereux hérétique.

— C'est juste. Cependant, vous possédez une raison supplémentaire de vous réjouir, car vous avez contribué avec un grand zèle à notre succès. Le Saint-Père, dans sa douloureuse agonie, a eu la bonté de me déléguer certaines de ses prérogatives, dont celle de nommer les inquisiteurs. Vous appartenez à un ordre qui d'ordinaire refuse de telles fonctions, c'est pourquoi j'ai souhaité que soient présents aujourd'hui les plus illustres représentants de la Compagnie de Jésus. Je reste convaincu, pour ma part, que vous constituez un inquisiteur idéal, possédant entre autres qualités une longue expérience sur le terrain, et qu'il est grand temps que les jésuites participent eux aussi à la répression directe de l'erreur hérétique. »

Le père Michaelis frémit de joie. Il sentit le sang affluer rapidement jusqu'à ses tempes, signe d'une émotion très vive. Il savait qu'il n'aurait pas dû éprouver une euphorie aussi manifestement égoïste, mais il ne réussissait pas à la contenir. Il s'y abandonna avec volupté.

Il était si excité qu'il entendit à peine la question que frère Ghislieri adressa à l'auditoire :

« Quelqu'un a-t-il une objection à formuler concernant l'élévation du père Michaelis à la plus haute charge ?

— Moi ! »

Le cardinal Farnèse venait de faire entendre sa voix. Le sang de Michaelis se mit aussitôt à refluer, le faisant frissonner. Il aurait dû deviner que le cardinal, étranger au Saint-Office, n'avait pas été convié à cette réunion par hasard. Il s'était illusionné en pensant que le motif de sa présence résultait des liens étroits qu'il entretenait avec la Compagnie de Jésus. Il se prépara à l'écouter, les nerfs à vif, prêt à réagir.

L'inquisiteur général se tourna vers le prélat :

« Parlez, Illustrissime. Êtes-vous au courant de zones d'ombre dans le passé du père Michaelis ?

— Oui, malheureusement. Je peux témoigner que sa vie, en apparence immaculée, se voit en réalité entachée par un grave vice : celui de la luxure. »

Le père Michaelis fut submergé par l'indignation. Il aurait voulu la crier, mais la raison lui conseilla de s'en abstenir. Il s'efforça au contraire de donner à son visage un air méprisant et de plisser ses lèvres en un sourire sarcastique.

« Continuez, Éminence, l'exhorta frère Ghislieri.

— Vous vous souvenez probablement que j'ai eu ce Carnesecchi sous ma garde, au cours des mois où son procès se déroulait encore à Rome. Je tenais à cette époque, isolée dans le même couvent, la jeune duchesse Giulia Cybo-Varano, qui, suite à l'excommunication qui pesait sur sa mère et sur elle, a perdu toute prétention sur le fief de Camerino. Sa familiarité avec Carnesecchi m'était alors précieuse pour mettre cet hérétique en face de ses responsabilités. L'évêque Simancas peut s'en porter garant. »

L'Espagnol opina.

« Le cardinal Farnèse a combattu Piero Carnesecchi plus que tout autre. C'est à lui que l'on doit le témoignage de l'ancien ambassadeur impérial à Venise, don Diego Hurtado de Mendoza, contre l'archevêque Carranza. Don Diego nous a livré de précieuses informations sur le cercle calviniste vénitien et l'amitié de Piero Carnesecchi avec des hérétiques notoires comme Pietro Gelido et Carranza lui-même. »

Citer le cas de Carranza en une telle occasion était particulièrement inopportun. Frère Ghislieri arrêta Simancas d'un geste brusque et se tourna vers le cardinal Farnèse.

« Tout le monde ici connaît vos mérites, Illustrissime. Veuillez, s'il vous plaît, revenir au sujet qui nous occupe.

— Tout de suite, mon frère. Malgré une vie en apparence saine, le père Michaelis n'a jamais renoncé aux plaisirs de la chair. Un bref séjour en France m'a fait comprendre que Giulia Cybo-Varano constituait l'objet constant de ses désirs. Il est parvenu à la soustraire aux griffes de l'Inquisition de France, et le cardinal de Lorraine peut attester des pressions exercées sur lui à cette fin. Et comme si ces exactions ne suffisaient pas, il a récemment intrigué pour que l'amant de cette femme, un astrologue du nom de Gabriele Simeoni, soit inculpé à tort par le Saint-Office romain. »

Frère Ghislieri hocha la tête.

« Je connais ce cas. Le pauvre homme s'est vu acquitté voilà quelques jours et pourra retirer dès aujourd'hui auprès de nos chanceliers son décret d'absolution. Les interrogatoires l'ont malheureusement beaucoup éprouvé. Il ne parle presque plus et est devenu quasiment aveugle. »

Le cardinal Farnèse désigna le père Michaelis.

« Vous pouvez remercier cette vipère à face humaine. »

Michaelis avait écouté ce réquisitoire avec une terreur croissante. Il réussit à maîtriser le tremblement de ses mains et déboutonna sa collerette, dans l'espoir vain que ce geste faciliterait sa respiration. L'exaspération eut soudain raison de sa patience.

« Mensonges ! cria-t-il. Cet homme transforme la vérité ! » Mais son timbre de voix, fêlé, semblait hésitant.

« Vous aurez l'occasion de vous défendre. En attendant, je vous interdis d'accuser un cardinal de mentir », dit frère Ghislieri d'un ton sec. Il fit un signe à Farnèse. « Continuez, Éminence.

— Je vous disais donc, inquisiteur général, que j'avais sous ma protection à la fois Carnesecchi et Giulia Cybo-Varano.

Eh bien, monseigneur Simancas était présent lorsque le père Michaelis a enlevé cette dernière du couvent qui l'hébergeait. Il n'a évidemment pas agi par bonté d'âme. En fait, il a abusé de sa prisonnière dans ce même carrosse qui les emmenait tous deux. Un acte si horrible…

— Mensonges ! hurla le père Michaelis en bondissant sur ses pieds. Ce monstre a inventé cette histoire de toutes pièces ! C'est lui qui a profité de Giulia ! Je l'ai délivrée des supplices que… » Il avait crié trop fort : une attaque de toux freina son élan. Ce fut d'une voix faible et catarrheuse qu'il réussit à ajouter : « Elle se trouve à Rome ! Faites-la témoigner ! » Puis il se remit à tousser.

Alexandre Farnèse esquissa un petit sourire sans joie.

« Est-ce vraiment ce que vous voulez ? Fort bien, votre souhait va être exaucé. »

Comme à un signal convenu, l'un des trois vieux dominicains abandonna son siège et écarta une des tentures qui séparaient la salle du cloître. Derrière elle apparut Giulia, livide. Michaelis la regarda entrer comme s'il voyait un fantôme. La jeune femme, vêtue d'une robe de lin très sobre, était encore belle, malgré son teint brouillé. Des cernes profonds se dessinaient autour de ses yeux azur, et des rides barraient son front et les coins de sa bouche. Elle avait probablement passé des mois entiers à pleurer.

« Venez, ma chère, l'exhorta le cardinal Farnèse sur un ton presque fraternel. Rassurez-vous, je ne vous ennuierai pas bien longtemps. Reconnaissez-vous cet homme ? » Il désigna le père Michaelis.

« Oui, répondit Giulia d'un filet de voix.

— Vous souvenez-vous du jour où il vous a enlevée du couvent où vous étiez mon hôte ? Qu'est-il arrivé ensuite ? »

La jeune femme baissa les yeux, puis murmura :

« Il a abusé de moi.

— Voulez-vous répéter, s'il vous plaît. Voulez-vous dire par là qu'il vous a violée ? »

Les yeux de Giulia s'humidifièrent.

« Oui. Et il a continué les jours suivants, jusqu'à notre arrivée en France.

— Merci, duchesse. Vous pouvez à présent aller rejoindre votre fiancé qui a recouvré la liberté. » La voix d'Alexandre Farnèse s'était faite presque joviale et chargée d'affection envers la jeune femme. « Je ne voudrais pas anticiper des décisions qui ne m'appartiennent pas, mais si j'étais à la place du futur pape, j'annulerais l'excommunication qui a frappé votre maison, au nom de toutes vos souffrances. Qu'en pensez-vous, frère Ghislieri ? »

L'inquisiteur acquiesça.

« Je pense que je ferais la même chose.

— Vous voyez, ma chère amie ? » Le cardinal lui adressa un large sourire. « Allez, allez retrouver votre amant. Personne ne vous fera plus de mal. »

Giulia disparut en silence dans le cloître. À travers l'arcade laissée ouverte s'engouffra un froid intense, que le père Michaelis ne perçut même pas. Sa gorge s'était nouée et, pour la première fois depuis des années, il sentait de grosses larmes ruisseler sur ses joues. Il tenta de se rebeller, mais tout effort fut inutile. Il n'aurait jamais pu accuser cette femme. Il l'aimait trop, il l'avait toujours aimée. Il baissa la tête pour cacher ses pleurs.

Frère Ghislieri parut attendre une intervention de sa part. Il observa quelque temps le silence, puis soupira.

« D'un inquisiteur, il est exigé une vie irréprochable. Toutefois, l'Église s'est toujours montrée prête à pardonner les faiblesses de la chair, si elles s'accompagnent d'un repentir sincère. Vos larmes, père Michaelis, me laissent à penser que vous faites acte de contrition. Avant de confirmer ma décision, je dois cependant réfléchir à cette circonstance. Si vous ne faites l'objet d'aucune autre accusation…

— Malheureusement, si. » Le cardinal Farnèse venait à nouveau de prendre la parole. « Giulia Cybo-Varano, comme Simeoni, ont déclaré tous deux par procès-verbal avoir assassiné en Provence un chef influent du parti catholique, à l'instigation du père Michaelis.

— Je ne peux le croire ! » s'exclama frère Ghislieri. Il se tourna vers le jésuite : « Dites-moi, cette imputation est-elle fondée ? »

Bien que distrait, Michaelis reçut de plein fouet le coup de cette seconde traîtrise. Il s'essuya les yeux avec rage, prêt à réagir. Puis il comprit qu'il ne pouvait mentir sans encourir un péché mortel. Un péché certes admis si le sort de l'Église se trouvait en jeu, mais interdit s'il avait pour finalité le salut d'un individu.

« Oui, elle l'est », balbutia-t-il. Après une telle confession, seuls ses supérieurs étaient en mesure de le sauver. « Le père Nadal est au courant de toute l'affaire. Il m'a même donné son absolution…

— C'est faux, répondit rudement l'interpellé. Je vous ai promis l'absolution, mais je ne vous l'ai jamais donnée. Vous m'avez parlé d'un crime nécessaire au salut de notre cause. J'ai pensé qu'il s'agissait de la mort d'un huguenot. Jamais je n'aurais supposé que vous aviez commandité l'assassinat d'un bon catholique. »

Michaelis, hagard, tourna la tête en direction du père Laínez. Ce fut avec terreur qu'il le vit lever un index sur lui.

« Cessez votre petit jeu, père Michaelis, scanda le général. Par votre faute, la Compagnie a risqué une condamnation de la part du parlement de Paris. Nous avons sauvé notre tête par miracle. Votre maladresse nous a presque conduit à la ruine. Vous ne savez distinguer l'habileté de la tromperie, la détermination du crime. Je n'ai aucun motif de douter de votre bonne foi, mais vous ne vous êtes certainement pas montré à la hauteur de votre charge de provincial de France. Non plus que digne d'appartenir à notre Compagnie. »

Le père Auger acquiesça.

« Je partage cet avis. Le père Michaelis a introduit parmi nous la violence brutale des… — il allait dire "des dominicains", mais se corrigea à temps — des bandits des rues. C'est un homme honnête, mais inapte aux devoirs qu'engendre le sens de la responsabilité. Il me suffira de dire qu'il a attisé les conflits sociaux, au moment où nous avions le plus besoin de paix. »

Le père Michaelis ne réagissait même plus. Il ressentait un énorme sentiment d'impuissance, qui l'enveloppait tout entier, le condamnant à la paralysie. Il était clair que cette Compagnie qu'il avait tant aimée le sacrifiait sur l'autel d'une trêve avec le parlement de Paris. Il était également évident que le procès qu'il subissait était déterminé d'avance, ainsi sans doute que la sentence. Qu'aurait-il pu ajouter pour sa défense ?

Il sentit que ses yeux s'humidifiaient de nouveau et en eut grand honte. Il se recroquevilla sur son siège, privé de vitalité. Il se croyait désormais prêt à tout. Les paroles qui sortirent de la bouche de Simancas le prirent toutefois au dépourvu.

« Une ombre supplémentaire plane encore sur la tête de cet homme, dit l'Espagnol. Les missives hérétiques adressées à Carnesecchi, par l'intermédiaire de Giulia Gonzague, portent une signature féminine, mais révèlent également la trace d'une main masculine. Grâce à mon ami, le cardinal Farnèse, j'ai appris que cette signature était celle de la duchesse Cybo-Varano. Cette jeune femme nous a cependant révélé que le texte en avait été rédigé par le père Michaelis lui-même. J'en conclus donc que cet homme servait d'intermédiaire entre Carnesecchi et les prétendus réformés de France. »

Devant une telle accusation, le père Michaelis eut un sursaut de vitalité.

« C'est faux ! Je ne suis pas un hérétique ! Accusez-moi de tout ce que vous voudrez, mais pas d'être hérétique ! »

Le frère Ghislieri leva une main.

« Je ne le crois pas non plus. Je vous crois même un bon catholique, malgré vos erreurs. » Il attendit que Michaelis se fût calmé, puis poursuivit : « Je le pense avec tant de sincérité que je compte tenir ma promesse de vous nommer inquisiteur. Je la confirme ici même publiquement. Il me semble toutefois opportun que vous le soyez sous une autre apparence. Qu'en dites-vous, cardinal Farnèse ? »

Le prélat haussa les épaules.

« J'ai toujours considéré comme irrégulière la procédure qui a permis au père Michaelis de passer de l'ordre dominicain à la Compagnie de Jésus. Selon moi, toutes les conditions se trouvent réunies pour une annulation. »

Frère Ghislieri regarda Diego Laínez.

« Avez-vous quelque objection à formuler, général ?

— Non. Au fond, il n'a jamais été des nôtres. »

L'inquisiteur se tourna en souriant vers Michaelis, qui gardait la tête baissée.

« Alors, c'est décidé. Réjouissez-vous, vous endosserez l'habit de saint Dominique sans autres conséquences. Vous pourrez ainsi, dans ces nouveaux atours, diriger quelque siège mineur du Saint-Office, peut-être même dans votre chère Provence. Vous avez tenté une partie bien trop hasardeuse et démesurée, vu vos compétences. Vous deviendrez un excellent inquisiteur de province… Eh bien, qu'en dites-vous ? »

Le père Michaelis était suffoqué par l'humiliation. Il déglutit à maintes reprises, puis murmura :

« J'obéirai.

— Bravo ! »

Tous se levèrent. Frère Ghislieri fit signe aux dominicains assis sur leurs sièges.

« Accompagnez-le à l'extérieur en passant par le cloître. Derrière le couvent l'attend un carrosse prêt à le reconduire aussitôt en France. Sous l'une des banquettes, vous trouverez une soutane de votre ordre. Faites-la-lui endosser, et fouette cocher ! »

Le père Michaelis se laissa pousser vers l'arcade, écrasé de honte. Il aperçut d'un œil embué le cardinal Farnèse qui venait à sa rencontre en souriant, lui tendant un rouleau de parchemin.

« Tenez, voilà le décret qui vous nomme inquisiteur. »

Il le saisit machinalement et affronta la froideur du cloître.

Il était presque arrivé au portique opposé, toujours escorté par les trois dominicains, quand il vit Giulia sortir d'une petite porte du couvent. Il fut entraîné dans un tourbillon d'attirance, de rancœur, de sensation de perte. Il ne se dissimulait plus ses sentiments désormais et savait qu'ils possédaient un nom : l'amour. Il tendit les bras en direction de la jeune femme.

« Giulia… cria-t-il en pleurant. Nous… Je… Je peux t'expliquer… »

Il s'interrompit aussitôt. La jeune femme, avec des gestes prévenants, aidait un homme à descendre l'unique marche qui menait au cloître. L'aspect de celui-ci donnait la chair de poule. L'une des orbites de ses yeux était vide, l'autre éteinte. Sa bouche, entièrement privée de dents, n'était plus qu'une cavité béante. De rares cheveux blonds tombaient de son crâne dégarni, couvert de cicatrices. Presque tous les doigts de ses deux mains manquaient. Il boitait terriblement, tordant péniblement ses jambes à chaque pas.

Le père Michaelis reconnut Simeoni, et tous ses beaux discours s'étranglèrent dans sa gorge. Il vit Giulia se serrer contre ce monstre comme si elle voulait le protéger ; puis elle lui décocha, de ses yeux bleus, un regard qu'il n'oublierait plus jamais.

Bouleversé, Michaelis s'enfuit presque, talonné par les trois dominicains. Il ne se remit un peu de ses angoisses que quelques heures plus tard, quand le carrosse parcourait déjà les champs couverts de neige des vallées de Savoie. Il s'enroula dans sa cape noire et, sortant ses mains engourdies des manches blanches de sa soutane, déroula le parchemin qu'il continuait à serrer dans son poing. Il lut :

> *Priapus Sextus Episcopus, servus servorem Dei,*
>
> atteste que le porteur de la présente bulle, qui se fait passer pour un inquisiteur, n'est qu'une crapule répugnante et suspecte,
>
> ordonne à tous les fidèles de lui flanquer des coups de pied au derrière, parce que se montrer perfide est une chose, mais se montrer aussi infect qu'un rat en est une autre. Et chacun sait que le Royaume des Cieux est interdit aux rats.
>
> *Datum i Roma apud lupanarem Mariae Bononiensis.*
>
> M.D.LXV.

Le saut dans le précipice

Un scarabée qui tournait en rond, épousant le mouvement du soleil. Telle était l'image qui tourmentait Michel, quand sa lucidité diminuait et que le délire l'emportait. Il se mettait alors à transpirer et s'agrippait aux couvertures du lit. Parfois il criait. Jumelle accourait, suivie par Chevigny ou par l'un des nombreux visiteurs qui venaient quotidiennement s'informer de l'état de santé du prophète. Il fermait alors les yeux et feignait de dormir jusqu'à ce que seule sa femme demeure à ses côtés. La pression légère de sa main sur les siennes était l'unique baume vraiment efficace, en ces derniers jours de souffrance.

Juin 1566 avait été un mois chaud, et ce matin du 1er juillet annonçait une journée étouffante. Michel émergea de son demi-sommeil, où il ne distinguait plus le jour de la nuit, et aperçut de ses yeux embués Jumelle assise à ses côtés. Il lui sourit.

« Quel destin ironique que le mien. Certains meurent en invoquant un coup d'épée au plus fort de la bataille, ou bien une reconnaissance tardive de leur gloire. Moi, qui étais dévoré d'une telle ambition, je meurs en suppliant qu'on me laisse uriner. »

Elle serra ses doigts presque ankylosés.

« Tu ne mourras pas, mon amour. Aujourd'hui va arriver le médecin que tu as fait venir de Lyon, le docteur Jean Liparin. Il se montrera sans doute plus capable que les médecins d'ici.

— Liparin ! Voilà encore un grand mystère, murmura Michel. Je ne l'ai jamais vu en personne, mais j'ai correspondu avec lui quand il exerçait à Bourges. Je croyais qu'il était passé de vie à trépas il y a deux ans : quelqu'un m'avait même appris que son épouse s'était remariée. Puis j'ai reçu cette lettre de Lyon dans laquelle il m'annonçait qu'il se mettait à mon service. Je suis vraiment curieux d'entendre ses explications.

— Ne te préoccupe donc pas tant du médecin, mais plutôt de ta santé. Comment vas-tu ce matin ? Ressens-tu quelque douleur ?

— Non, voilà des jours que je ne sens plus rien. Je crois que la moitié de mon corps est paralysée. Naturellement, je n'éprouve aucun besoin d'uriner. » Michel soupira. « Anne, sous peu tu rentreras en possession d'une partie de cette maison et de mes biens. As-tu lu mon testament ?

— Oui. J'ai vu que tu me lègues un tiers de cette maison qui un temps était mienne, à la condition expresse que je ne me remarie pas. Pourquoi redoutes-tu que je fasse une chose pareille ? »

Michel crut percevoir une pointe de réprobation dans la voix de Jumelle. Il ne s'attendait pas à une telle réaction.

« Ma foi... c'est que je te voudrais mienne pour toujours... murmura-t-il.

— Par contre, tu as stipulé que nos filles ne deviennent tes héritières qu'après leur mariage. Une clause que tu n'as pas prévue pour nos garçons. Pourquoi ? »

Michel ne sut quoi répondre.

« C'est généralement l'usage », murmura-t-il.

Jumelle secoua la tête.

« Michel, Michel... Un homme comme toi, capable de te projeter au-delà du temps... tu n'as jamais su t'affranchir des conventions de ton époque. Comprends-tu ce que je veux dire ? »

Michel s'agita dans son lit, autant en tout cas que la faible autonomie de son corps le lui permettait.

« Peut-être me suis-je trompé, pardonne-moi. Je ne pensais pas mal agir. Si les forces me reviennent un peu, je ferai appeler le notaire et les témoins, je te le promets. Je modifierai... »

Jumelle posa un doigt sur ses lèvres.

« Tais-toi, il n'est nul besoin de modifier quoi que ce soit. Je n'ai jamais cessé de t'aimer, même si parfois tu en as douté. Je reste convaincue que tu guériras. De toute façon, je veillerai à ce que ta volonté soit respectée. »

À cet instant, Christine apparut sur le seuil de la chambre.

« Madame, le docteur Liparin de Lyon est en bas.

— Fais-le monter tout de suite. »

Tandis que la domestique s'exécutait, Jumelle se pencha sur Michel et déposa un tendre baiser sur ses lèvres exsangues.

« Veille à guérir, mon trésor. Je suis impatiente de me quereller avec toi pendant de longues années encore. »

Elle se redressa lorsque le médecin apparut à la porte, talonné par Chevigny.

« Dois-je rester ? lui demanda-t-elle.

— Non, je vous prie. Vous aussi, messire Chevigny, veuillez quitter la pièce. Je vous appellerai tous deux en cas de nécessité. »

Le docteur Liparin resta debout à côté du lit. Michel eut quelque difficulté à apercevoir les traits de son visage. Puis ses yeux brouillés lui restituèrent l'image d'un homme de stature moyenne, doté d'une barbe et de cheveux gris. Son visage, régulier, était séduisant, mais sa physionomie restait enveloppée dans un halo indistinct, comme si Michel la regardait à travers le fond d'un verre.

« J'ai l'impression de vous connaître, finit-il par dire.

— Ce n'est pas une impression. Vous me connaissez. » Liparin se pencha vers le malade et lui sourit. « Allons, faites un effort de mémoire. Nous avons été de grands amis et le sommes restés même après que j'ai dû changer d'identité. »

Michel s'efforça d'aiguiser son regard, mais finit par secouer la tête.

« Non, je suis désolé. Je ne me souviens vraiment pas.

— Alors, je vais vous éclairer. Il y a vingt ans de cela, quand j'habitais à Saint-Rémy, je m'appelais Joseph Turel Mercurin. Puis je me suis fait connaître sous le nom de Denis Zacharie. Je ne sais combien d'autres identités j'ai endossées. La dernière est celle de Jean Liparin. »

Michel fut secoué par une intense émotion. Il essaya de tendre les bras, mais réussit tout juste à soulever les mains. Une larme apparut au coin de son œil.

« Mercurin ! Et dire que je vous ai écrit sans savoir qui vous étiez !

— C'est moi qui l'ai voulu ainsi. Je ne voulais pas vous compromettre aux yeux de tous ceux qui en France me donnaient alors la chasse. Lorsque vous m'avez écrit, je me trouvais en Allemagne et travaillais dans les mines d'Hans Rosenberg, un de vos clients. La coupe d'or que j'ai dessinée pour vous, vous a-t-elle plu ?

— Alors, c'est donc vrai ! Vous savez fabriquer de l'or ! »

La voix de Liparin prit une intonation triste :

« Et même si c'était le cas, quelle importance cela revêtirait-il ? Toutes nos recettes, nos formules, nos inventions cesseront sous peu de fonctionner. » Tout en parlant, le médecin avait soulevé la couverture et observait les jambes épouvantablement enflées de Michel. « Une ère historique est sur le point de se conclure, et comme tous les âges de l'homme, elle va se conclure dans le sang. La nouvelle science qui remplacera la nôtre ne sera plus capable de fabriquer de l'or, j'en mettrais ma main au feu. Elle séparera l'esprit de la matière, telles des substances inconciliables. Certains défendent déjà cette théorie. »

Michel étouffa un gémissement, tandis que Liparin lui tâtait les mollets.

« La fin d'une ère, dites-vous ? Faites-vous allusion à la fin de la domination de Mars et au début de celle de la Lune ? Mais elle a déjà eu lieu…

— C'est vrai, et la magie se meurt. Nous comptons parmi ses derniers praticiens. Aucun de ceux qui tâcheront de nous imiter ne se montrera à la hauteur. Aucun, parce que le ciel au-dessus de leurs têtes sera froid et vide. » Liparin rabattit la couverture. Il écarta les bras. « Michel, nous payons les conséquences de notre croyance en un univers modelé par l'idéologie des vivants. Si cette idéologie change, l'univers changera avec lui. Ainsi se terminera cette ère historique : par une gigantesque modification de la pensée dominante, et donc du cosmos.

— Je le sais bien, vous n'êtes pas le premier à me le dire, murmura Michel. Mais je suis convaincu que les règles justes restent les nôtres.

— Pour le moment peut-être, mais elles aussi muteront. » Liparin se redressa. « Michel, entre médecins la franchise est de rigueur. D'après ce que j'ai pu voir, il n'existe aucun remède à votre maladie. Vous n'avez malheureusement plus que quelques heures à vivre. »

Michel sourit faiblement.

« Oubliez, Joseph, Denis, ou Jean, que je suis médecin moi aussi. Je suis préparé à la mort et j'abandonne cette vie sans trop de regrets. Ce qui m'effraie plutôt est ce qui m'attend après.

— Je vous comprends, mais sachez que le monde qui vous attend obéira encore à nos vieilles règles. Il sera conforme à ce en quoi vous croyez, et donc modelable par le scalpel de la volonté et de l'imagination. C'est notre époque terrestre qui change, pas celle de nos songes.

— C'est bien ce qui me terrorise. Un être maléfique m'attend outre-tombe. Il se déplace sans peine dans la Lumière astrale et plie à sa volonté les trois cent soixante-cinq cieux de l'*Abrasax*. Depuis des années il m'envoie des signaux pour me rappeler son défi. »

Liparin fronça les sourcils. Il souleva une chaise et la porta à côté du lit, puis y prit place. Il saisit les mains de Michel.

« Peut-être sur ce point puis-je vous aider, mieux qu'en tant que médecin. Quels signaux vous a-t-il envoyés ?

— Des scarabées surtout. » Michel fut parcouru d'un frisson. « Une multitude de scarabées, surgis de toutes parts. De la table de la reine de France, de ma cuisine, de la bouche de mon chat. »

Liparin réfléchit un instant, puis dit :

« Ma foi, cet avertissement ne me paraît pas si obscur. Plutarque nous a décrit les habitudes de ces insectes, qui ne connaissent pas le sexe féminin. De leur semence ils font une petite boule qui roule d'est en ouest, en imitant la course du soleil. C'est de cette boulette que naît un nouveau scarabée, sans avoir besoin de l'intervention d'une femelle. » Il fit une pause, puis demanda : « Cela vous évoque-t-il quelque chose ? »

Michel se sentit tout à coup assailli par la fièvre. Il ne réussissait plus à distinguer le trouble causé par la maladie de celui engendré par les paroles qu'il venait d'entendre. Il parvint tout de même à articuler une réponse fort confuse :

« Il veut... un univers dont l'élément féminin soit absent. Où règne le soleil, mais pas la lune.. la force, mais pas la piété...

— Voilà pourquoi il vous envoie des scarabées ! s'exclama Liparin. Dites-moi, Michel, avez-vous reçu d'autres signaux ? Je vous en prie, décrivez-les-moi !

— Oui, en grand nombre... L'anneau en forme de serpent a pris l'apparence d'un véritable reptile et s'est mis à ramper sur la table... Mais j'étais déjà tombé malade : peut-être s'agissait-il d'une hallucination.

— Pas le moins du monde ! » Liparin semblait à présent très excité et anxieux de pouvoir s'expliquer. « L'Ouroboros, le serpent qui se mord la queue, est depuis toujours un symbole de la réunion de l'élément masculin et de l'élément féminin. Le nom d'Ève, *Hawwah,* est né des vocables *hayah,* la "vie", et *hivyah,* le "serpent". Le serpent circulaire est une entité bénéfique, qui comprend une dimension mâle et une dimension femelle, les deux faces du cosmos. Le serpent raide, comme celui d'airain fabriqué par Moïse, est en revanche un symbole exclusivement masculin, une représentation du phallus.

— J'ignorais tout cela, murmura Michel, confus et un peu fatigué. Je sais seulement que quelqu'un m'attend après ma mort et qu'il aspire à instaurer la violence comme loi absolue de l'univers. Et je ne crois pas avoir la force de m'y opposer. »

Liparin se mit brusquement sur pied.

« Excusez-moi, Michel. J'ai oublié pendant un instant l'état dans lequel vous vous trouviez et vous ai fatigué inutilement. Sachez tout de même que vous en possédez la force. Vous êtes un *Magus,* non ?

— Je l'ai cru, mais je m'aperçois maintenant de mon imperfection.

— Sans celle-ci, vous ne seriez pas un être humain. » Liparin baissa la voix. « Un *Magus* est celui qui possède les clefs de ses propres rêves et de ceux de toute l'humanité. Celui qui a accès à la cinquième essence, autrement dit à l'âme commune à tous les vivants. Mais surtout, un *Magus* est celui qui a le pouvoir d'en altérer le contenu. Or, vous possédez ce pouvoir.

— J'en doute.

— C'est pourtant la vérité. Vous êtes capable de voir au-delà du temps, et c'est là une donnée décisive. Savez-vous quand votre ennemi compte mettre ses plans en œuvre ?»

La question de Liparin resta en suspens, car Jumelle était apparue sur le seuil, les yeux brillants.

«Vous en avez encore pour longtemps, docteur? Je vous demande cela parce que le père Vidal, que Michel souhaitait pour confesseur, est arrivé. Puis-je le renvoyer ?» Cette dernière question laissait transparaître une évidente note d'espoir.

Liparin secoua la tête.

«Ne le renvoyez pas. Mais concédez-moi encore quelques minutes.»

Jumelle s'éloigna en silence, portant un mouchoir à ses yeux. Le médecin revint se pencher sur Michel.

«Je vous le demande encore et je vous supplie de me répondre. Savez-vous quand celui que vous craignez compte pousser le soleil à tuer la lune ? Je veux dire : à notre époque terrestre.

— Un démon, Parpalus, m'a suggéré une date : 1999. D'ici deux ères historiques, au cours du règne de Saturne. Un roi d'épouvante descendra alors du ciel au moment d'une éclipse.

— Je me souviens de votre quatrain. L'obscurité qui tombera d'en haut donnera le signal, en une période de guerres atroces menées sous prétexte de causes justes. J'ai retenu par cœur le quatrain complémentaire :

> Quand le defaut du ciel lors sera,
> sus le plan jour le monstre sera veu :
> tout autrement on l'interpretera.
> Cherté n'a garde : nul n'y aura pourveu*.

— Ce qui équivaut à dire que, lorsque la nuit de l'éclipse tombera, le Roy d'effrayeur, le monstre véritable, deviendra visible. Mais il sera faussement interprété, et personne ne pourra prévoir la crise qui se prépare.»

Michel bougea ses doigts contractés, en un geste d'impuissance. Sa voix peinait à sortir de sa bouche.

«Je n'ai jamais su pleinement interpréter les vers que

j'écrivais. Ils naissaient des profondeurs de ma conscience, comme si un démon me les dictait.

— Dans ce cas, je vais vous aider. Qu'est-ce qui devient visible dans le noir ? Une lumière. Et s'il faut que le soleil s'obscurcisse pour qu'elle se manifeste, cela signifie qu'il s'agit d'une lumière d'intensité égale. Voilà, selon moi, le monstre que votre ennemi déchaînera sur la race humaine. Quelque chose d'aussi lumineux que le soleil qu'il adore. »

L'esprit de Michel fut soudain traversé par le souvenir d'un vers terrifiant : « La mort s'approche à neiger plus que blanc*. » Il comprit aussitôt ce que pouvait être cette mort plus immaculée que la neige : celle due à une chaleur encore plus ardente que le feu, matérialisée en une lumière qu'aucun œil humain ne pourrait supporter.

Son imagination fébrile lui suggéra une série de visions : des explosions catastrophiques, quoique à la portée limitée, d'où se dégageait une luminosité de plus en plus intense ; des îles perdues enveloppées d'un halo blanc, à titre d'expérimentation ; des flammes qui n'en étaient pas, mais qui brûlaient bien davantage, répandant leurs poisons parmi les forces en présence. Et puis l'ultime tentative de reconstituer au cœur de la terre l'Œil de Dieu, Mythra, Abrasax, Hélios, Apollon et le Soleil, et de poser ainsi les jalons de l'holocauste de l'humanité tout entière. À la satisfaction de celui qui avait souhaité le triomphe de la nature prédatrice et sauvage du mâle, capable de s'immoler au nom du chaos et de la fin des temps.

Michel se réveilla de ce délire en sursautant.

« Je ne sais si je possède ce pouvoir, mais celui que je combats m'a autrefois révélé qu'il m'était possible de bouleverser ses plans. Je dois donner rendez-vous à mes ennemis les plus acharnés dans le huitième ciel et former avec eux une chaîne d'amour. Alors, je pourrais imposer à tout le cosmos une loi contraire à celle de la haine.

— Votre adversaire se montre bien généreux. Je crois qu'il vous a suggéré la bonne solution, même si elle s'avère difficile à mettre en œuvre.

— Il n'est pas facile en effet de se faire aimer, même pour un instant, par ses propres ennemis.

— L'essentiel n'est pas là. Le plus difficile est de comprendre qui sont ses véritables ennemis.

— J'en ai eu beaucoup, mais trois en particulier m'ont poursuivi de leur vindicte.

— À quatre, ou bien à trois, il est possible de former la chaîne d'amour. Êtes-vous vraiment persuadé que ceux auxquels vous pensez sont bien vos ennemis les plus déterminés ?

— Oui... je dirais que oui.

— Alors, en tant que *Magus,* vous avez la faculté de les faire revivre dans le huitième ciel, puisque cet autre *Magus* ne s'y oppose pas. Il est même probable qu'ils ont déjà répondu à votre appel, dans ce monde incroyable où le temps ne s'écoule pas. Et que le combat est en cours... Mais quelle arme comptez-vous utiliser ? »

Michel fronça les sourcils, moite de sueur.

« Guillaume Postel m'a suggéré le rituel du serpent...

— Postel ! Un individu complètement fou et pourtant porteur de ce même savoir que nous partageons, commenta Liparin avec une ombre d'amusement dans le regard. Oui, le rituel du serpent s'avère parfaitement approprié. Faire en sorte que le reptile se morde la queue, unir l'humide et le sec, Séléné et Hélios, le féminin et le masculin. Je ne crois pas que votre adversaire s'y attende. Qui aura-t-il à ses côtés ?

— Personne, je crois. À part les démons, les esprits planétaires et les archontes des trois cent soixante-cinq sphères.

— Des alliés négligeables. Ils ne possèdent pas l'étincelle divine... Oui, vous pouvez réussir. Pourvu que vous choisissiez vos ennemis avec discernement et que vous les convainquiez de vous aider. »

Liparin serra une dernière fois les doigts de Michel et se leva.

« Ma présence ici devient inutile. Vous allez bientôt mourir. Avez-vous peur ?

— Non, pas trop. Je redoute surtout le précipice dans lequel je vais tomber.

— Un magicien est un créateur de mondes. L'univers dans lequel vous entrerez vous semblera peut-être étranger, mais il sera sensible à votre doigté. La matière onirique est aussi modelable que de l'argile. Sculptez-la, et que Dieu vous protège. Le moment viendra où il vous appellera pour faire partie de Lui, reconnaissant en vous un composant astral. La Lumière astrale n'est que le halo de Sa Splendeur. »

Liparin se dirigea vers la porte. Michel aurait préféré qu'il demeurât à ses côtés, mais il n'osa pas le lui demander. Il se contenta de dire :

« Où donc vos pas vous mèneront-ils cette fois ?

— Je crois que je vais changer à nouveau de nom et d'identité. Je vais là où notre science vit encore, afin de rendre plus digne son agonie. » Le médecin écarta sa chemise et se découvrit une épaule. Il montra une cicatrice brunâtre en forme de croix. « Comme vous le voyez, nous avons beaucoup de choses en commun. Saluez Ulrich pour moi et puis, achevez-le. »

Quand Michel revint de sa stupeur, Liparin avait déjà disparu. Il entendit des pas précipités monter l'escalier. Un instant plus tard, Jumelle était à son chevet, les yeux remplis de larmes.

« Oh, mon pauvre chéri ! Le docteur m'a dit… » Elle ne parvint pas à finir sa phrase. Elle désigna un homme âgé vêtu de noir, debout derrière elle. « Le père Vidal est venu, comme tu me l'avais demandé. Veux-tu te confesser ?

— Oui, dans un moment. Mais avant je dois te poser une question, Jumelle. Mon père, voulez-vous bien attendre dehors ? J'en ai pour un instant.

— Volontiers. »

Le religieux tenait un paquet que Michel ne put discerner avec précision : probablement l'extrême-onction. Il se retira sur le seuil, où un garçonnet vêtu de blanc l'attendait.

Jumelle sécha ses yeux et s'agenouilla à la tête du lit.

« Que veux-tu me demander, mon chéri ? »

Michel avait la gorge serrée. Il lui fallut un moment avant de réussir à formuler sa question :

« Jumelle, que n'ai-je jamais compris à ton sujet ? Qu'est-ce qui nous a séparés même quand nous paraissions si proches ? »

Elle lui serra les mains entre les siennes.

« N'y pense plus maintenant, mon amour. Ce n'est pas le moment.

— Si, ça l'est. M'as-tu aimé ?

— Oh, oui. Tellement.

— M'as-tu aussi haï ? »

Jumelle éclata en sanglots. Il souleva sa nuque de l'oreiller.

« Réponds-moi ! J'exige la vérité ! »

Elle cacha ses yeux derrière un mouchoir. Ses lèvres remuèrent à peine lorsqu'elle murmura :

« Oui, je t'ai aussi haï. J'ai vu en toi un ennemi.

— Mais pourquoi ? Pourquoi ? »

Jumelle, suffoquée par les pleurs, ne trouva pas la force de lui répondre. Elle se leva et s'enfuit en courant hors de la pièce. Le père Vidal, déconcerté, s'écarta pour la laisser passer. Puis, hésitant, il pénétra dans la chambre.

« Êtes-vous prêt pour la confession ? »

Michel soupira. Puis il ferma les yeux et dit :

« Je suis prêt. »

Quand le religieux quitta la maison, son visage arborait une expression extrêmement perplexe. L'après-midi se déroula sans histoires, à part la visite de tous ses enfants, emmenés par Chevigny et Christine. Jumelle, qui pleurait depuis des heures, ne voulut pas monter.

Quand le soir vint, Michel comprit que ce serait le dernier de sa vie terrestre. Il se détendit sur son lit et laissa son esprit s'abandonner à une douce inconscience. Il n'éprouvait aucune douleur ou sensation désagréable. Il erra parmi les formes indistinctes qui peuplaient les ténèbres, délivré du poids de son corps. Il lui sembla s'élever, retenu à son apparence physique par une espèce de fil relié à sa nuque. Il se vit lui-même cloué au lit, faible et impotent ; il éprouvait toutefois l'ivresse d'une liberté infinie, qui était l'antithèse même de l'impuissance. Ce fut dans ce nouvel état, ni matériel ni spirituel, qu'il put survoler un instant le précipice qui l'attendait. Il y aperçut d'étranges géométries, des astres translucides, des galeries et des cavernes creusées dans le néant. Au-dessous de lui s'ouvrait un univers labyrinthique inconcevable, et pourtant aussi bouillonnant de vie que l'autre : sa nouvelle demeure.

Ce fut probablement à l'aube du matin suivant que ce fil se brisa et que Michel cessa d'exister en tant qu'être humain. Il le comprit au fait que ce qui se trouvait dans l'ombre lui apparut soudain en pleine lumière et que ce qui était jusqu'alors estompé prit désormais consistance et adopta des contours précis. Il jeta un dernier coup d'œil à sa dépouille, chair inanimée entourée de ses parents et amis en deuil. Puis il vit d'en haut, à moins que ce ne soit d'ailleurs, cette ville de Salon, qu'il avait tant aimée : une grappe de maisons serrées autour du château de l'Empéri et environnées d'une campagne parmi les plus belles au monde, que le canal de Craponne avait contribué à vivifier. Son champ visuel s'élargit presque aussitôt à la France entière, puis à l'Italie voisine, à l'Allemagne, à l'Espagne, à l'Angleterre. Son imagination lui fit distinguer les ombres de quatre gigantesques cavaliers qui, des sabots de leurs chevaux, piétinaient et dévastaient un monde où le bonheur aurait pu régner.

Mais ce spectacle n'était rien en comparaison de ce qui arriverait si l'Œil de Dieu se retrouvait prisonnier de la terre, permettant ainsi à son ennemi de détruire une fois pour toutes l'âme féminine du cosmos. Cette pensée l'arracha à son doux flottement et à l'annulation progressive de la conscience de lui-même. Un défi l'attendait dans le huitième ciel. Il rappela à lui sa propre psyché, sur le point de se disperser, et plongea dans le précipice.

Il n'éprouvait aucune peur ni sensations d'aucune sorte.

Excepté la conscience aiguë d'être un *Magus,* sculpteur et maître de mondes.

Abrasax. Le rituel du serpent

La petite silhouette sombre avançait péniblement sur la glace, glissant à chaque pas. Elle continuait toutefois avec rapidité et obstination, sans se préoccuper du colossal fœtus qui dormait sous ses pieds, ni des trois cent soixante-cinq réfractions du monstre.

Dès que Michel aperçut la crinière rousse, balayée par un vent invisible, il sentit une boule lui serrer la gorge. Il n'avait au fond éprouvé jusqu'à présent dans ce monde étranger que des peurs superficielles. La véritable peur commençait maintenant, engendrée par cette rencontre imminente. Il l'avait à la fois désirée follement et redoutée avec autant de passion.

Quand la nouvelle venue se rapprocha, Nostradamus sentit les battements de son cœur s'accélérer, à un rythme que la vie sur terre ne lui aurait peut-être pas permis. Il essaya de parler, mais n'y parvint pas. Le cri qui lui sortit enfin de la gorge naquit d'une force spontanée et irrépressible : « Magdelène !

— Bonjour, Michel. Comment vas-tu ? »

Nostradamus faillit se jeter dans les bras de la jeune femme, mais la crainte de se montrer faible aux yeux d'Ulrich suffit à le freiner. Il la contempla avec des yeux pleins d'affection, voilés par les larmes. La Magdelène qu'il avait évoquée était celle des années de La Soche *et de la vie universitaire. Des taches de rousseur parsemaient encore son visage aux yeux d'un vert brillant et au nez retroussé. Elle portait une petite robe simple et légère, peu adaptée à ce monde glacial. Mais le froid qui les envahissait n'était qu'une vue de l'esprit, pas une réalité.*

Nostradamus ressentit un besoin impérieux de lui demander pardon. Un scrupule inattendu le poussa à plonger ses yeux dans les pupilles sombres de Jumelle. Il les trouva bienveillantes à son égard, presque souriantes.

« Ne te préoccupe pas pour moi, lui dit la jeune femme. Je sais que tu dois t'acquitter d'une dette importante. Ici, je ne parviens pas à être jalouse.

— Merci, Jumelle », murmura Magdelène avec gentillesse. Elle se rapprocha encore de Nostradamus et lui tendit la main. Elle le laissa la lui couvrir de baisers, puis ajouta : « Tu ne dois pas te sentir coupable à mon égard, tant de temps a passé... Tu n'as jamais été vraiment mauvais. Si tu m'as fait souffrir, c'est parce que, comme tant d'hommes ignorants, tu partageais les conceptions de ce démon. »

Elle désigna Ulrich. Celui-ci paraissait cependant distrait. Peut-être évaluait-il les conséquences possibles du spectacle auquel il assistait.

Nostradamus pleurait à présent. Il pressa sur son cœur la main de Magdelène, puis, avec délicatesse, la lâcha.

« Je ne t'ai pas seulement tuée. J'ai aussi tué nos enfants.

— Mais non. Ils sont là-haut. » Magdelène désigna trois étoiles, brillant d'une lumière blanche, alignées sur le firmament. « Je suis celle du milieu. Toutes les étoiles possèdent une âme. Et toutes les âmes deviennent des étoiles. »

Nostradamus éclata en sanglots convulsifs. Il agrippa Magdelène par les épaules et l'étreignit. Il la tint ainsi étroitement serrée pendant un temps interminable. Ce ne fut qu'après avoir un peu retrouvé son calme qu'il se souvint de Jumelle.

« Excuse-moi, dit-il à sa seconde femme. Je crois que tu peux me comprendre. »

La jeune femme soupira.

« Mais oui, je te comprends. Je te l'ai déjà dit autrefois : Magdelène s'est toujours montrée plus forte que moi. Elle l'est encore, au fond. C'est elle l'axe de la Trinité que tu essaies de reconstituer. Mais ne t'en fais pas pour moi, j'ai toujours su prendre soin de ma personne. Je réussirai bien encore à m'en acquitter dans cet enfer. »

À cet instant, Ulrich sortit de son apparente torpeur.

« Mais quel délicieux tableau de famille ! Sont-ce là les ennemis grâce auxquels tu comptes me battre, Michel ? Deux bouts de femmes, deux anciennes prostituées ? »

Nostradamus s'écarta de Magdelène et croisa les bras.

« Tu sais pertinemment que j'ai raison et tu commences à avoir peur. Elles m'ont aimé, mais se sont aussi montrées mes ennemies. Je vais former avec elles le cercle qui donnera une autre empreinte à l'univers. Et tu ne pourras rien faire pour m'en empêcher. Un Magus *ne peut l'être à part entière s'il ne rayonne pas d'une pureté intérieure. Et tu n'en as jamais été doté.*

— Pourquoi, toi oui peut-être ?

— Il m'a fallu une vie entière pour essayer de la conquérir. Je n'ai compris qu'à la fin que je devais m'approprier les deux composantes masculine et féminine de la création, à l'image de Dieu Lui-même. Je crois y être enfin parvenu.

— Oui, tu y es parvenu. Et c'est pour cette raison que je t'aime, murmura Magdelène.

— Moi aussi, je t'aime pour ce même motif, dit Jumelle.

— Il est trop tard, Michel ! cria Ulrich, en éclatant d'un rire faux. Pendant que tu échangeais de tendres propos avec tes deux putains, j'ai donné le coup d'envoi à la destruction de la Shekhina. *Regarde bien, tu vas pouvoir contempler l'agonie la plus colossale de l'Histoire. La mutilation du cosmos. »*

Un vent violent se leva, qui parut faire trembler toute la voûte céleste, s'accompagnant d'un crépitement, d'abord discret, puis de plus en plus intense. Là où régnaient le néant et l'obscurité se mit à fleurir une flore diabolique faite de feuilles aux contours humains, de nervures palpitantes, de corolles étranges qui semblaient de chair. Ce firmament absurde était traversé par moments de figures translucides. Des femmes minuscules, qui couraient la bouche grande ouverte le long d'artères, de conduits gastriques, d'ossatures difformes. Presque toutes crachaient du sang et s'affaissaient en grappes, tombant dans le néant. Leurs cris silencieux faisaient tressauter les organes et les feuilles qui se tordaient comme si elles étaient vivantes.

« Regarde, Michel. Sur terre, nous sommes le 11 août 1999. Le Roi d'épouvante va descendre. »

Nostradamus vit, paralysé par l'horreur, un autre cosmos qui lui était familier, dans lequel la lune se superposait au soleil. Masqué, ce dernier continuait cependant de briller, tandis que l'astre lunaire n'était plus qu'un cercle noir et mort, privé de son éclat.

Cette absence de lumière révéla une autre lueur funeste provenant des viscères d'un monde qu'il reconnut être la terre. Cette blancheur aveuglante, plus intense que mille soleils, transperça l'écorce terrestre, triomphant de la nuit. Nostradamus comprit avec horreur que quelqu'un avait capturé l'Œil de Dieu et le retenait prisonnier, indifférent aux conséquences comme au brasier terrifiant et instantané qui pourrait en jaillir. Il découvrit, grâce à son éclat, des labyrinthes compliqués et des grottes artificielles, dans lesquelles erraient et se télescopaient sans fin des fragments de fragments de matière, engendrant des niveaux aberrants de chaleur. Peut-être cherchaient-ils la quintessence, l'élément toxique de Paracelse. Pendant ce temps, l'Œil de Dieu enchaîné, séparé de la calme blancheur lunaire, grondait, essayant de se libérer et d'anéantir une partie de la création.

Ce n'était pas là le seul signe avant-coureur de l'Apocalypse. Probablement excitées par la disparition de la lune et l'incarcération du soleil, des armées aux étendards indistincts se livraient des batailles sans merci. De petites lueurs s'allumèrent un peu partout, certaines parsemant le ciel, d'autres sortant de l'eau. De minuscules étincelles de lumière solaire tombèrent sur le sol, prémices de futures agonies. Le Roy d'effrayeur, le roi Geffroy, avait refait son apparition ; si François Ier, le comte d'Angoulême et lui-même avaient pu en leur temps revendiquer une cause pour laquelle se battre, les différentes factions en lutte semblaient à présent combattre sans raison véritable. Le seul gagnant de cette bataille paraissait être le quatrième cavalier de l'Apocalypse, monté sur son cheval aubère, qui errait invisible parmi toutes ces ruines en ricanant dans sa barbe. Un cavalier de sexe masculin, heureux que l'obscurité ait écrasé la pénombre féminine et que la force soit enfin redevenue la seule loi.

« Il suffit, il suffit ! » cria Nostradamus. Son cri ne trahissait aucune faiblesse, mais manifestait plutôt l'expression d'une volonté. Le tableau hallucinant s'évanouit d'ailleurs aussitôt, laissant le huitième ciel froid et vide. Excepté le noyau d'étoiles qui avait composé la constellation de l'Ourse et s'efforçait de retrouver sa configuration, sans oublier les trois soleils, désormais privés d'éclat.

Ulrich ne riait plus ; il avait même repris cette expression douce d'autrefois.

« Tu vois, Michel ? L'événement que tu cherchais à conjurer a déjà eu lieu. Ce n'est pas un seul Roy d'effrayeur qui est descendu sur terre en 1999, mais plusieurs. Il est inutile que tu te fatigues davantage. Débarrasse-toi de tes femmes, ou bien fais-en tes esclaves. Mais unis-toi à moi pour gouverner cette nouvelle ère. »

Nostradamus avisa Magdelène et Jumelle qui le tenaient par un bras, une de chaque côté. Bien qu'elles ne parlassent pas, ce geste lui rendit sa lucidité. Il posa sur Ulrich un regard ironique.

« Meister, *tu dois m'avoir bien sous-évalué pour me tendre un piège aussi grossier. Ici, dans le huitième ciel, le temps n'existe pas. L'année 1999 peut donc s'être déjà écoulée ou survenir encore. Tu m'as juste montré une possibilité, et non une réalité. Tout peut encore être modifié, et la* Shekhina *peut être sauvée. » Il regarda les femmes à ses côtés. « Le croyez-vous vous aussi ?*

— Oui, répondit Jumelle, en lui posant un baiser sur les lèvres.

— Oui, mon amour », confirma Magdelène, l'embrassant à son tour.

Une assurance absolue s'empara de Nostradamus.

« Le cercle d'amour s'est formé ! s'exclama-t-il, exultant. Il s'agit simplement maintenant de conformer l'univers à la loi du serpent ! »

Ulrich poussa un cri furieux, mais Nostradamus avait déjà commencé à réciter une formule aussi vieille que l'humanité :

« Dieu inconnaissable, je t'appelle par la voix des dieux mâles : IÇÕ OYE OÇI YE AÕ EY ÕY AOÇ ÕY AOÇ OYÇ EÕA YÇI OEA OÇÕ IEOU AÕ. Je t'appelle par la voix des divinités féminines : IAÇ EÕO IOY EÇI ÕA EÇ IÇ AI YO ÇIAY EÕO OYÇE IAÕ ÕAI EOYÇ YÕEI IÕA. Je t'ap-

pelle comme les vents, je t'appelle comme l'aube. Je t'appelle comme le sud, l'ouest, l'est et le nord. Je t'appelle comme la terre, le ciel, le cosmos… »

Ulrich sembla rapetisser. Il leva ses bras maigres vers le firmament, où un léger frémissement agitait les quelques étoiles de la constellation de l'Ourse. Il hurla, avec autant de souffle qu'il lui fut possible d'émettre :

« Ne l'écoute pas, ô Soleil ! Au nom du grand Abrasax, *qui tient tes rayons en main, éclaire mon cœur ! Je te rends grâce, Seth Thioth Barbarioth ! Je te rends grâce, ô mon dieu Deiodendea Yaoth ! Merci, ô Père ! Merci, ô Fils ! Merci, ô Saint-Esprit ! Vous écraserez l'ancien serpent et empêcherez qu'il renaisse ! Toi, ô Iaõ ! Toi, ô Sabaoth ! Toi, grand nombre* Abrasax *! Je vous demande la gloire du Soleil, la lumière des sept étoiles qui illumine de nuit le monde souterrain et de jour la surface de la terre. Chabarach Rinischir Phunero Phontel, Asoumar, Asoumar ! »*

Des visages farouches et difformes de démons apparurent dans la voûte obscure du huitième ciel : celui poupin de Parpalus, ceux de Raucahehil, le dominateur de Mars, de Gana et Baruth, de Lytim et Foliath, d'Énedil et Sebronoy. Même le fœtus enfoui dans la glace montra à son tour son visage, pareil à la gueule allongée d'un crocodile.

Ce rassemblement d'horreurs cosmiques paraissait pourtant en proie à l'incertitude et à l'impuissance. Dans un coin du firmament hors de leur portée, les étoiles de l'Ourse s'étaient de nouveau disposées en cercle et commençaient à tournoyer sur elles-mêmes.

Michel, très ému, empoigna plus fortement encore Magdelène et Jumelle, et les serra contre lui. Les mots lui sortirent spontanément de la bouche, comme si leur flux obéissait à une volonté divine :

« Je t'appelle par ton nom, dieu de tous les dieux ! Si je le prononçais intégralement, la terre serait secouée par un tremblement de terre, le soleil s'immobiliserait et les mers commenceraient à s'évaporer. C'est pourquoi je me contente de te nommer IAÕ et de te demander de devenir pour moi lynx, aigle, phénix, vie, pouvoir, nécessité, image de Dieu et serpent. Que le serpent

Ouroboros renaisse à travers toi et se morde la queue, unissant Isis à Horus, Hécate à Jupiter, Séléné à Apollon, le Christ à Barbélô, le calme à la force, l'amour à la raison, la nuit au jour ! Et qu'il en soit ainsi pour des siècles et des siècles ! »

Dans les hauteurs du cosmos, les démons lancèrent une plainte stridente et déchirante. Les étoiles de l'Ourse, dans leur tourbillon, dessinèrent un gigantesque serpent lumineux, les dents plantées dans sa queue. Simultanément les apparitions translucides et évanescentes reprirent leur cours. Les figures féminines ne s'enfuyaient plus ; on aurait même dit qu'elles se poursuivaient joyeusement le long des veines du corps de l'univers. Le sang ne coulait plus d'une vasque à l'autre, mais remontait vers la femme archétypale qui, sous le dais supérieur, brandissait la croix. L'élément toxique se transforma en élément astral, devenant un fluide vital où la matière pesante se faisait légère.

Ulrich toussa et s'interrompit ; dans le ciel, monstres et démons s'évanouirent après une dernière plainte rauque. Nostradamus eut l'impression de revoir l'éclipse de l'année 1999, à cette nuance près que la lune se détachait à présent du soleil, s'éclaircissant jusqu'à disparaître tout à fait. Les deux astres se partageraient désormais la cadence du temps. L'Œil de Dieu prisonnier de la terre, confronté à cette nouvelle lumière, parut lui aussi s'éteindre, bien que les conflits se poursuivissent avec férocité. Le Roy d'effrayeur, que la terre réfléchissait dans le ciel, avait probablement perdu là l'une de ses armes.

Il régna un silence si long que Nostradamus crut avoir été précipité dans une dimension irréelle. Puis, la chaleur de Jumelle et de Magdelène le ramena à la vie. Il se trouvait dans un monde qui n'était plus fait de glace, mais de terre, d'arbres et de pierres. Ulrich était devenu un vieillard minuscule, à quelques pas de lui. La nuit était tombée, mais une nuit bienveillante éclairée par le serpent circulaire qui tourbillonnait au-dessus de leurs têtes.

Ulrich toussa de nouveau, et cette fois se plia en deux. Il sembla chercher son bâton, puis, ne le trouvant pas, écarta les pieds pour maintenir son équilibre.

« Tu crois avoir triomphé, Michel. Tu te trompes. Tu vois par toi-même que Mars continuera à régner dans la sphère terrestre,

avec ou sans éclipse. C'est la guerre qui fait rétrograder le temps. L'ère de la force brutale reviendra. Et je reviendrai avec elle.

— Peut-être as-tu raison, répondit Nostradamus, mais toute force trouve un jour ou l'autre sur sa route une force supérieure. Je viens juste de t'en fournir un exemple. Plusieurs volontés réunies ont pu éventer tes plans. J'espère qu'un tel effort s'instaurera en règle.

— Pour ma part, je ne le souhaite pas. »

Ulrich n'ajouta rien d'autre. Il ramassa par terre avec effort une grosse branche desséchée, s'y appuya et fit mine de s'éloigner. Il avait fait quelques pas quand Nostradamus le rappela.

« Comment dit-on, en de telles occasions ?

— Que veux-tu dire par là ?

— Comment salue-t-on un Magus *? »*

Le regard d'Ulrich s'assombrit. La colère sembla l'envahir de nouveau, puis l'épuisement eut le dessus. Il baissa la tête.

« Au revoir, maître.

— Adieu. »

Nostradamus attendit qu'il eût disparu dans un horizon indéfini, puis se tourna vers les deux femmes :

« C'est lui qui a raison. Il n'est pas vaincu.

— Ma foi, toi non plus, objecta Jumelle. Tu veilleras à ce qu'il ne relève pas la tête.

— Je ne sais si j'en suis capable : je suis mort. Ce monde m'est complètement étranger. »

Magdelène esquissa un petit sourire triste.

« Cette observation vaut également pour nous. »

Jumelle, nerveuse, regarda autour d'elle.

« D'accord, nous ignorons où nous nous trouvons et nous ne savons pas ce qui nous attend. Mais ici, on pourrait se croire sur terre. Ne pourrions-nous tenter de nous adapter ? Tu sais modeler les rêves. Peut-être pourrais-tu modifier ce cadre.

— Je crains que non, ma douce. Le huitième ciel est instable et changeant parce que Dieu l'a voulu ainsi. Il n'est pas possible d'y simuler une seconde vie. Cette ruse ne durerait pas bien longtemps.

— Mais nous sommes pourtant vivants dans ce monde ! Il doit bien exister un moyen de continuer à l'être ! Si les démons y parviennent, nous pouvons y parvenir nous aussi. »

Nostradamus ne sut quoi répondre. Il allait confesser son impuissance quand Magdelène dit d'une voix faible :

« Tant d'astres dans le ciel ont été autrefois des êtres vivants. Peut-être cette équation est-elle également valable pour tous les cieux. Y compris le huitième. »

Jumelle éclata d'un petit rire.

« Est-ce que je te comprends bien ? Tu nous proposes de devenir des étoiles ?

— Pourquoi pas ? » Magdelène regarda Nostradamus. « Michel, cela te paraît-il une folie ?

— Non, non... Il me faut seulement trouver la formule adéquate. » Le Magus *se concentra. « Ma foi, j'en connais bien une... » ajouta-t-il.*

Tous trois se regardèrent et se sourirent, puis levèrent les yeux pour contempler le firmament. Leur nouvelle demeure.

Épilogue 1999
L'œil prisonnier

Les journaux anglais *The Guardian*, du 29 avril, et *The Sunday Times*, du 18 juillet 1999, ont publié la nouvelle que je résume ici.

Aux États-Unis, dans le Brookhaven National Laboratory de Long Island, devait démarrer au mois de juin 1999 une expérience menée dans les galeries du RHIC, Relativistic Heavy Ion Collider : un accélérateur souterrain de particules subatomiques, et en particulier d'ions lourds. L'expérience consiste dans la reproduction des conditions du Big Bang (un événement que les observations conduites jusqu'alors semblent démentir, mais auquel on continue à faire référence en l'absence d'alternative). Il s'agit donc de répéter sur une échelle microscopique la « boule de feu » originelle, en accélérant des noyaux d'ions d'or aux limites de la vitesse de la lumière, afin qu'ils engendrent une chaleur 100 000 fois supérieure à celle du soleil. On espère, dans ces conditions, qu'il sera possible d'assister à la désintégration de protons et de neutrons, jusqu'à la formation d'un plasma composé de gluons et de *quarks*.

L'un des événements les plus attendus de cette expérience, au cas où elle viendrait à réussir, est pourtant l'apparition des *strangelets,* c'est-à-dire de fragments de *quarks* aux comportements imprévisibles. De l'aveu de ces mêmes scientifiques employés au RHIC, la théorie n'a pas été capable de décrire cette éventualité avec suffisamment d'exactitude (cf. M. Mukerjee, « Un piccolo Big Bang », *Le Scienze,* n° 369, mai 1999). L'une de ses hypothèses est que les *strangelets,* apparaissant en liberté pour la première fois depuis la naissance de l'univers, pourraient

« collapser » et devenir des « trous noirs » : autrement dit acquérir une telle densité qu'ils pourraient se montrer capables de plier autour d'eux le tissu spatiotemporel, absorbant toute la matière environnante.

Une telle éventualité mettrait instantanément fin à l'histoire de l'humanité.

Initialement prévue pour le mois de juin 1999, l'expérience a été renvoyée mois après mois, à cause de la perplexité manifestée par le directeur du Brookhaven National Laboratory lui-même. Ce dernier a finalement décidé de former une commission d'experts chargés d'évaluer l'ensemble des risques liés à la création de cette « boule de feu » et à ses possibles corollaires. Pour le moment, toute décision a été suspendue.

Le Département à l'Énergie du gouvernement des États-Unis a destiné à la construction du RHIC 365 millions de dollars.

(*Documentation recueillie par Giovanni et M. Rosaria Secondulfo*)

Brève bibliographie

Pendant que la rédaction de ce roman était en cours, au moins deux livres très importants concernant Nostradamus ont été publiés. Le premier est l'édition critique intégrale des présages, en vers et en prose, que Nostradamus composait annuellement : B. Chevignard (sous la direction de), *Présages de Nostradamus,* Paris, Seuil, 1999. Le volume comprend également la reproduction anastatique de quelques œuvres d'une grande rareté.

Le second livre est de R. Prévost : *Nostradamus, le mythe et la réalité,* Paris, Robert Laffont, 1999. L'auteur, avec une grande érudition, compare les prophéties de Nostradamus avec des événements contemporains ou antérieurs à la vie du « prophète » (comme avant lui L. Schlosser), fournissant des explications souvent très convaincantes et parfois surprenantes. Dans ce troisième volume du *Roman de Nostradamus,* j'ai dans certains cas puisé dans les interprétations de Prévost. L'auteur, parfaitement sceptique sur les capacités précognitives de Nostradamus, commet selon moi une seule erreur : il considère comme établi le fait que toutes les premières éditions des centuries soient antidatées. Dans la mesure où une lecture scientifique attentive semble démontrer le contraire, le résultat de ce raisonnement demeure paradoxal : Nostradamus aurait effectivement dans certains cas prédit le futur, quoique en l'anticipant de quelques années. Je crains que telle ne soit pas la conclusion que le très érudit Roger Prévost avait à l'esprit…

En ce qui me concerne, j'ai déjà précisé, dans les bibliographies des deux précédents volumes, qu'il n'était pas dans mon intention d'ajouter de l'eau au moulin des interprétations. Souvent, et même très souvent, j'ai adapté la lecture des quatrains aux aventures narrées. Je l'admets avec franchise et en demande pardon aux nombreux exégètes des centuries. Mon intention n'a pas été de les supplanter.

En ce qui concerne le contexte historique, je ne me lancerai pas dans une énumération de tous les textes consultés, même si je dois confesser ma dette à l'égard de Michelet, *Renaissance et Réforme,* Paris, Robert Laffont, 1998. Particulièrement utiles m'ont été : J. Cornette, *Chronique de la France moderne. Le XVIe siècle,* Paris, SEDES, 1995 ; A. Jouanna, J. Boucher, D. Biloghi, G. Le Thiec, *Histoire et dictionnaire des guerres de religion,* Paris, Robert Laffont, 1998. Sur le prophétisme et la magie à la Renaissance, je me suis surtout servi de P. Zambelli, *L'ambigua natura della magia,* Milan, Il Saggiatore, 1991 ; P. Béhar, *Les langues occultes de la Renaissance,* Paris, éd. Desjonquères, 1996 ; AA.VV., *Prophètes et prophéties au XVIe siècle,* Paris, Presses de l'École normale supérieure, 1998.

Sur les quelques personnages secondaires de mon histoire, je me dois de citer au moins R. Cantagelli, *Cosimo I de' Medici, granduca di Toscana,* Milan, Mursia, 1985 ; M. Vannucci, *Lorenzaccio. Lorenzino de' Medici : un ribelle in famiglia,* Rome, Newton Compton, 1984.

En ce qui concerne l'Inquisition à la Renaissance, espagnole ou non, mes textes de référence principaux ont été : H. C. Lea, *A History for the Inquisition of Spain,* 4 vol., New York, AMS Press, 1988 ; J. A. Llorente, *Historia crítica de la Inquisición en España,* 4 vol., Madrid, éd. Hiperión, 1981 ; L. Sala-Molins (sous la direction de), *Le dictionnaire des inquisiteurs,* Paris, éd. Galilée, 1981 ; V. La Mantia, *Origine e vicende dell'Inquisizione in Sicilia,* Palerme, Sellerio, 1977.

Venons-en au versant « ésotérique » de mon roman. J'ai pris la liberté de faire de Nostradamus, et du personnage imaginaire qu'est Ulrich de Mayence, des adeptes de la magie alexandrine d'influence gnostique uniquement à cause des allusions faites par le premier, dans ses écrits et surtout dans ses lettres, aux arts magiques d'influence égyptienne. Tous les rituels et formules que je cite, presque toujours en les résumant ou en les modifiant, proviennent de trois sources principales : H. D. Betz (sous la direction de), *The Greek Magical Papyri in Translation. Volume one : Texts,* Chicago-Londres, The University of Chicago Press, 1992 ; M. Meyer, R. Smith, *Ancient Christian Magic. Coptic Texts of Ritual Power,* San Francisco, Harper, 1994 ; J. Doresse, *The Secret Books of Egyptian Gnostics,* New York, MGF Books, 1986. Pour la « magie des miroirs », je me suis en revanche inspiré de R. Kieckhefer, *Forbidden Rites. A Necromancer's Manual of the Fifteenth Century,* s.l., The Pennsylvania State University Press, 1997.

Enfin, un mot sur le « manuscrit Voynich », que j'ai assimilé de manière arbitraire à l'*Arbor mirabilis* créé par l'écrivain Michel de Roisin et attribué par ce dernier à Ulrich de Mayence. Qu'on ne croie pas que mon interprétation de ce très mystérieux manuscrit possède une quelconque crédibilité (même s'il se peut qu'elle contienne quelques éléments de vérité : le texte observe en effet une syntaxe similaire à celle de nombreux rituels gnostico-égyptiens en langue copte). Je me suis surtout basé sur deux volumes : M. D'Imperio, *The Voynich Manuscript : an Elegant Enigma,* Laguna Hills, Aegean Park Press, s.d. ; et L. Levitov, *Solution of the Voynich Manuscript,* Laguna Hills, Aegean Park Press, 1987 (ce second volume m'a été presque exclusivement utile pour les illustrations). Sur la légende qui entoure ce manuscrit, cf. J. Bergier, *Les livres maudits,* Paris, J'ai Lu, 1971.

Pour reproduire des pages du texte, actuellement conservé à la Bibliothèque Beinecke de la Yale University, Connecticut, je me suis servi de l'EVA Hand 1 font, créé par Gabriel Landini, de l'université de Birmingham.

En conclusion de ce travail, je souhaiterais remercier trois amies chères à mon cœur, Fabiola Riboni, Tiziana Marchesi et Luisa Maria Fusconi, qui ont lu mes pages en avant-première et m'ont fourni quantité de conseils utiles.

Ce livre leur est dédié, ainsi qu'à un illustre collègue français prématurément disparu : Michel Zévaco (1860-1918).

Cet ouvrage a été imprimé par la
SOCIÉTÉ NOUVELLE FIRMIN-DIDOT
Mesnil-sur-l'Estrée
pour le compte des Éditions Payot & Rivages
en mai 2000

Imprimé en France
Dépôt légal : mai 2000
N° d'impression : 51505